いまさら訊けない！

透析患者薬剤の考えかた，使いかた

Q&A　Ver.3

加藤明彦 編著
浜松医科大学医学部附属病院
血液浄化療法部病院教授

中外医学社

執筆者（執筆順）

川上 純一　浜松医科大学医学部附属病院薬剤部教授

見野 靖晃　浜松医科大学医学部附属病院薬剤部特任准教授

古久保 拓　白鷺病院薬剤科

山本 武人　東京大学大学院薬学系研究科医療薬学教育センター講師

木村 健　兵庫医科大学病院薬剤部長

加藤 明彦　浜松医科大学医学部附属病院血液浄化療法部病院教授

磯﨑 泰介　いそざきファミリークリニック院長

伊藤 健太　静岡県立総合病院腎臓内科，臨床検査科

原田 孝司　長崎腎病院名誉院長

辻 孝之　アメリカ国立衛生研究所

糟野 裕子　豊中敬仁会病院腎・透析科医長

福永 惠　豊中けいじん会クリニック院長

横村 光司　聖隷三方原病院呼吸器内科部長

須田 隆文　浜松医科大学第2内科教授

坂尾 幸俊　浜名クリニック院長

松本 芳博　静岡市立静岡病院腎臓内科主任科長

藤垣 嘉秀　帝京大学医学部内科教授

山城 良真　浜松医科大学第1内科

安田 日出夫　浜松医科大学第1内科准教授

柴田 怜　新潟大学医歯学総合病院呼吸器・感染症内科

山本 龍夫　藤枝市立総合病院腎臓内科

菊地 勘　下落合クリニック理事長

成瀬 正浩　玉名第一クリニック

大石 和久　志都呂クリニック院長

安藤亮一	医療法人社団石川記念会顧問
杉本光繁	東京医科大学病院消化器内視鏡学教授
諏訪部達也	虎の門病院分院腎センター腎臓内科医長
乳原善文	虎の門病院分院腎センター腎臓内科
佐藤　洋	富士宮市立病院院長 / 循環器内科
夛田　浩	福井大学学術研究院医学系部門医学領域病態制御医学講座循環器内科学教授
髙橋紘子	NTT 東日本関東病院高血圧・腎臓内科
渋谷祐子	NTT 東日本関東病院副院長 / 高血圧・腎臓内科
大竹剛靖	湘南鎌倉総合病院副院長 / 再生医療科部長
深澤洋敬	磐田市立総合病院腎臓内科部長
大橋　温	浜松医科大学卒後教育センター特任准教授
坂本篤志	浜松医科大学第 3 内科
前川裕一郎	浜松医科大学第 3 内科主任教授
椎谷紀彦	浜松医科大学第 1 外科教授
日髙寿美	湘南鎌倉総合病院腎臓病総合医療センター主任部長
小林修三	湘南鎌倉総合病院腎臓病総合医療センター長
宮嶋裕明	天竜厚生会診療所
酒井直樹	焼津市立総合病院副病院長 / 脳神経内科
本間一成	聖隷浜松病院神経内科主任医長
杉本　健	浜松医科大学第 1 内科教授
古田隆久	浜松医科大学臨床研究センター・消化器内科病院教授
山出美穂子	浜松医科大学第 1 内科
大澤　恵	浜松医科大学医学部附属病院光学医療診療部講師
柏葉　裕	川崎幸病院腎臓内科

宇田　晋　川崎幸病院腎臓内科主任部長

松島秀樹　聖隷三方原病院腎臓内科部長

戸川　証　静岡済生会総合病院副院長 / 腎臓内科部長

野垣文昭　島田市立総合医療センター腎臓内科主任部長

大島一憲　焼津市立総合病院総合診療内科医長

光武明彦　焼津市立総合病院総合診療内科

池谷直樹　焼津市立総合病院総合診療内科長

井上秀樹　熊本総合病院腎センター部長

中山裕史　仁誠会クリニック新屋敷院長

馬場晴志郎　日本大学医学部腎臓高血圧内分泌内科

阿部雅紀　日本大学医学部腎臓高血圧内分泌内科主任教授

森田　浩　藤枝市立総合病院副院長 / 糖尿病・内分泌内科

長井幸二郎　静岡県立総合病院腎臓内科部長

庄司哲雄　大阪公立大学大学院医学研究科血管病態制御学研究教授

榊間昌哲　富士宮市立病院内科科長

川勝祐太郎　富士宮市立病院内科科長

米村克彦　富士宮市立病院内科

角田隆俊　東海大学医学部付属八王子病院腎内分泌代謝内科教授

長井美穂　東京医科大学腎臓内科学分野講師

和田憲和　倉敷中央病院総合保健管理センター

菅野義彦　東京医科大学腎臓内科学分野主任教授

伊丹儀友　伊丹腎クリニック院長

熊谷裕通　錦野クリニック

吉田卓矢　熊本県立大学環境共生学部准教授

大浦正晴	焼津市立総合病院腎臓内科長
小野孝彦	尼崎永仁会クリニック院長 / 腎臓内科
小池茂文	豊橋メイツ睡眠クリニック院長
濃沼崇博	順天堂大学医学部附属順天堂東京江東高齢者医療センター脳神経内科
服部信孝	順天堂大学医学部脳神経内科教授
佐藤慶史郎	聖隷浜松病院神経内科・てんかんセンター主任医長
石垣さやか	浜松医科大学医学部附属病院血液浄化療法部
笠井健司	富士市立中央病院腎臓内科
菅野靖司	北八王子クリニック院長
稲熊大城	藤田医科大学ばんたね病院内科主任教授
下山皓太郎	東京慈恵会医科大学腎臓・高血圧内科
小林賛光	東京慈恵会医科大学腎臓・高血圧内科
山本裕康	東京慈恵会医科大学腎臓・高血圧内科
中西 健	住吉川クリニック院長
北川 聡	兵庫医科大学循環器・腎透析内科学
山本清子	兵庫医科大学循環器・腎透析内科学
佐藤貴浩	防衛医科大学校皮膚科教授
宮地武彦	しみず巴クリニック院長
太田信隆	岡本石井病院泌尿器科
磯部伸介	浜松医科大学第1内科
藤倉知行	浜松医科大学第1内科
西 慎一	神戸大学大学院医学研究科腎臓・免疫内科学分野教授

3版の序

　2018年1月に『いまさら訊けない！透析患者薬剤の考えかた，使い
かた　Q&A　改訂2版』が発刊されて，ほぼ4年が過ぎました．お陰
様で多くの先生方からご評価いただき，今回，改訂3版を出版する機
会を得ることができました．

　この4年間で，透析領域ではいくつかの新たな薬剤が登場し，関連
する診療ガイドラインも改訂されました．そこで，可能なかぎり最新の
内容にアップデートしていただきました．さらに，第2版で取り上げ
なかった5項目を追加し，全74項目のQ&Aから構成されています．

　腎機能低下時における薬剤治療については，これまで多くの書籍が出
版されています．そうしたなか，本書の「病態を理解したうえで薬剤を
選び，適正な使いかたをする」，という特徴が，読者の皆様からご評価
いただいていると感じております．第3版でも，各病態からみた薬の
考えかた，選びかた，使いかたが，わかりやすく記載されています．ど
うか透析患者に薬剤を処方する際は，本書を手に取っていただき，お役
立ていただけると幸いです．

　最後に，コロナ禍で大変にお忙しいなか，執筆にご協力いただいた先
生方，さらには中外医学社の企画部・編集部の皆様に，この場を借りて
心より御礼申し上げます．

　　　　2022年5月吉日

　　　　　　　　　　　　　　　　　　　　　　　　加 藤 明 彦

初版の序

　透析患者さんの薬剤に関しては，これまでたくさんの書籍が出版されてきました．しかし，多くの本は，末期腎不全における薬物動態に加えて，それぞれの薬剤に関する投与量，投与間隔，透析性などが中心に書かれていました．しかし，実際の臨床場面では，1）透析患者さんにおける疾患の特徴はどうなっているのか，2）本当に薬剤を投与する必要があるのか，3）どの薬剤を第1選択にするべきか，4）透析自体の影響は受けないのか，5）注意すべき副作用や相互作用はないのか，などを十分に理解して，薬剤を投与する必要があります．

　そこで，本書ではベッドサイドや外来の場面を想定し，その場においてコンサルトしたい薬剤治療について，Q&A形式でまとめることにしました．今回は，総論（3項目）に加え，透析患者さんが合併しやすい感染症（18項目），循環器・脳血管疾患（10項目），消化管疾患（9項目），糖尿病・代謝疾患・栄養（10項目），透析合併症（11項目）に関して，第一線で活躍される専門医の先生方に執筆していただきました．それぞれの質問に対して，1）透析患者さんにおける疾患の特徴，2）薬剤の適応，3）薬剤の選択，4）実際の投与量，5）投与回数および投与期間の目安，6）透析の影響，7）注意すべき副作用や他剤との相互作用，などについて，回答する形式になっています．

　本書の最大の特徴は，病態からみた薬剤の使いかたがわかりやすく書かれている点です．すなわち，各項のはじめには透析患者さんにおける疾患の特徴が書かれており，次いで薬剤治療の適応，実際の処方法，副作用や相互作用などが記載されています．したがって，本書を一読いただくと，透析患者さんのcommon diseaseや合併症の病態が理解でき，適切な薬物療法が実践できるようになっています．ぜひとも薬剤の使いかたに迷った時，使用経験の少ない薬物を使用する前には，本書を手に取っていただき，ハンドブックとして活用いただけると幸いです．

最後に，本書の作成にあたり，個人的に知己のある多くの先生方に協力をいただきました．この場を借りて心より深謝申し上げます．

2015 年 5 月
浜松医科大学医学部附属病院血液浄化療法部　加 藤 明 彦

目　次

I　総論

Q1. 血液透析患者における薬物動態の特徴を教えてください
……………………………………〈川上純一　見野靖晃〉　1

Q2. 腹膜透析患者における薬物動態の特徴を教えてください
………………………………………………〈古久保 拓〉　7

Q3. 持続的血液濾過透析を行う場合の薬物動態と薬剤の
使い方について教えてください…………〈山本武人〉　17

Q4. 透析患者におけるポリファーマシー，潜在的に不適切な
処方の現状と対処法について教えてください
………………………………………………〈木村 健〉　25

II　感染症

Q1. 透析患者における市中肺炎の特徴と治療法を
教えてください……………………………〈加藤明彦〉　32

Q2. 透析患者における尿路感染症の診断と治療はどうすれば
よいですか？……………………………〈磯﨑泰介〉　38

Q3. カテーテル関連感染症の診断と抗菌薬の使いかた，
予防法を教えてください…………………〈伊藤健太〉　48

Q4. 透析患者における MRSA 感染症の特徴と抗 MRSA 薬の
使い方を教えてください…………………〈原田孝司〉　53

Q5. ESBL 産生菌とは何ですか？　透析患者における特徴と
現状を教えてください．また抗菌薬をどう使えば
よいですか？……………………………〈辻 孝之〉　57

Q6. 透析患者に対するアミノグリコシド系抗菌薬の使い方と
注意点を教えてください………〈糟野裕子　福永　惠〉　61

Q7. 透析患者における結核，非結核性抗酸菌症の特徴，
抗菌薬の使いかたを教えてください
……………………………〈横村光司　須田隆文〉　68

Q8. 透析患者における深在性真菌症の特徴と抗真菌薬の
使い方を教えてください………………………〈坂尾幸俊〉　76

Q9. 透析患者のヘルペス感染症の特徴と治療法について
教えてください………………………………〈松本芳博〉　84

Q10. 透析患者・腎移植患者におけるサイトメガロウイルス
感染症の臨床像と治療法を教えてください〈藤垣嘉秀〉　90

Q11. 免疫抑制薬を使っている透析患者では，
感染予防はどうすればよいですか？
……………………………〈山城良真　安田日出夫〉　94

Q12. 透析患者における HIV 感染症の診断法と治療を
教えてください………………………………〈柴田　怜〉 102

Q13. インフルエンザの診断法と，治療薬の使い方について
教えてください………………………………〈山本龍夫〉 107

Q14. 新型コロナウイルス感染症（COVID-19）の診断法と
治療薬の使い方について教えてください…〈菊地　勘〉 114

Q15. 透析患者に対するワクチン接種法を教えてください
…………………………………………………〈成瀬正浩〉 120

Q16. B 型肝炎について透析患者における現状と治療法を
教えてください………………………………〈大石和久〉 129

Q17. C 型肝炎について透析患者における現状と治療法を
教えてください………………………………〈安藤亮一〉 135

Q18. 透析患者においてピロリ菌の診断，治療，効果判定は
どうすればよいですか？………………………〈杉本光繁〉 142

Q19. 多発性嚢胞腎の透析患者に対する腎臓および肝臓の
嚢胞感染症の治療法を教えてください
………………………………〈諏訪部達也　乳原善文〉148

III　循環器・脳血管

Q1. 透析患者の不整脈はどう診断し，どう治療すれば
よいですか？…………………………………〈佐藤　洋〉154

Q2. 透析患者における発作性心房細動や上室性不整脈の
特徴と治療法について教えてください……〈夛田　浩〉158

Q3. 透析患者における心不全治療薬の適応と使い方について
教えてください………………〈髙橋紘子　渋谷祐子〉166

Q4. 透析患者に対する降圧薬の選びかた，使いかたを
教えてください………………………………〈大竹剛靖〉174

Q5. 透析中の低血圧の原因と対処法を教えてください
………………………………………………〈深澤洋敬〉178

Q6. 頻脈性心房細動に対するレートコントロール治療の
仕方を教えてください………………………〈大橋　温〉181

Q7. 透析患者の経皮的冠動脈インターベンション（PCI）
施行時および施行後の薬物療法について
教えてください………………〈坂本篤志　前川裕一郎〉185

Q8. 透析患者の冠動脈バイパス術（CABG）施行時および
施行後の薬物療法について教えてください
………………………………………………〈椎谷紀彦〉190

Q9. 末梢動脈疾患（PAD）には抗血栓薬や抗血小板薬の
適応はありますか？　また，どのように使えば
よいですか？………………〈日髙寿美　小林修三〉194

Q10. 透析患者の急性期脳梗塞の特徴と薬剤の使い方を
教えてください………………………………〈宮嶋裕明〉201

Q11. 頭部 MRI・MRA で脳動脈の狭窄がみつかった場合や，
頸動脈エコーで頸動脈狭窄がみつかった場合は，
抗血栓療法は行うべきですか？……………〈酒井直樹〉206

Q12. 透析患者におけるワルファリンの導入期と維持期の
調整のコツを教えてください………………〈本間一成〉211

Ⅳ 消化管

Q1. 逆流性食道炎に対するプロトンポンプ阻害薬，
カリウムイオン競合型アシッドブロッカー，
H_2 遮断薬と粘膜保護薬の使い方を教えてください
………………………………………………〈杉本 健〉217

Q2. NSAID を処方しているとき，上部消化管の
粘膜病変への対応はどうしたらよいですか？
………………………………………………〈古田隆久〉223

Q3. 透析患者の消化器がんに対する抗がん薬の
使い方について教えてください
……………………………… 〈山出美穂子 大澤 恵〉229

Q4. 透析患者の便秘について対処法を教えてください
……………………………… 〈柏葉 裕 宇田 晋〉236

Q5. 透析患者が大腸憩室炎，虚血性腸炎を発症したときの
対処と，薬の使い方を教えてください……〈松島秀樹〉244

Q6. 抗血栓薬の内服中に内視鏡的処置を行う場合の
休薬方法を教えてください…………………〈大澤 恵〉248

Q7. リン吸着薬の便通への影響を教えてください〈戸川 証〉254

Q8. カルシウム受容体作動薬（calcimimetics）による
胃腸障害はどう対処すればよいですか？ 〈野垣文昭〉257

Q9. 高カリウム血症治療薬の特徴と副作用について
教えてください……〈大島一憲 光武明彦 池谷直樹〉260

Q10. 透析患者に CT，MRI や眼底検査が必要な場合，造影剤の使いかたと注意点を教えてください ……………………〈井上秀樹〉266

V 糖尿病・代謝・栄養

Q1. 透析患者における経口血糖降下薬の適応と使いかたを教えてください……………………………〈中山裕史〉272

Q2. 透析患者ではインスリン製剤の適応はどうなっていますか？ また，どのように使えばよいですか？…………………〈馬場晴志郎　阿部雅紀〉280

Q3. 透析患者における GLP-1 アナログ製剤の適応と使い方を教えてください…………………………〈森田 浩〉287

Q4. 血糖値に対する透析液ブドウ糖濃度の影響を教えてください……………………………〈長井幸二郎〉292

Q5. 透析患者の脂質異常症に対する薬剤の使いかたを教えてください……………………………〈庄司哲雄〉298

Q6. 透析患者でしばしば高尿酸血症を認めますが，どうすればよいですか？……………………〈榊間昌哲　川勝祐太郎　米村克彦〉305

Q7. 透析患者における骨粗鬆症の実態と治療法について教えてください……………………………〈角田隆俊〉309

Q8. 透析患者ではビタミン類の補充はどういうときに必要ですか？ またどうやって補うのがよいですか？……………………〈長井美穂　和田憲和　菅野義彦〉320

Q9. どういうときにカルニチン欠乏症を疑いますか？どうやって補充すればよいですか？………〈伊丹儀友〉329

Q10. 透析患者に対する透析中の高カロリー輸液および経口栄養剤の適応とメニューを教えてください……………………………〈熊谷裕通　吉田卓矢〉335

Q11. 透析患者における抗リウマチ薬の適応と使い方について
　　　教えてください……………………………………〈大浦正晴〉340

VI 神経

Q1. 透析患者における睡眠障害・不眠は多いですか？
　　　また，どういった薬をどのように使えばよいですか？
　　　………………………………………………………〈小野孝彦〉346

Q2. むずむず脚症候群（restless legs syndrome：RLS）とは
　　　どういう病気ですか？　また，どういった薬剤が
　　　有効ですか？………………………………………〈小池茂文〉350

Q3. 認知機能の評価方法および現状と薬の使い方について
　　　教えてください…………………………〈日髙寿美　小林修三〉356

Q4. 透析患者の Parkinson 病の特徴と薬物療法の適応，
　　　薬剤の特徴とその使い分けについて教えてください
　　　………………………………………〈濃沼崇博　服部信孝〉363

Q5. 透析患者の抗うつ薬の使い方を教えてください
　　　………………………………………………………〈宮嶋裕明〉370

Q6. 透析患者に対する抗てんかん薬の使い方について
　　　教えてください…………………………………〈佐藤慶史郎〉374

Q7. 透析患者における Wernicke 脳症の特徴と治療法につい
　　　て教えてください………………………………〈石垣さやか〉378

VII 透析合併症・その他

Q1. 透析患者に対するリン吸着薬の使いかたを
　　　教えてください……………………………………〈笠井健司〉381

Q2. CKD-MBD に対するビタミン D 製剤と Ca 受容体
　　　作動薬の適応と使い方を教えてください
　　　………………………………………〈菅野靖司　角田隆俊〉388

Q3. 透析患者における透析液の使い分けについて
教えてください……………………………〈稲熊大城〉400

Q4. 腎性貧血治療薬とその使い分けについて教えてください
………………〈下山皓太郎　小林賛光　山本裕康〉405

Q5. 鉄補充の適応はどうなっていますか？
またどのように治療するのがよいですか？
…………………………〈中西　健　北川　聡　山本清子〉417

Q6. 透析患者の痒みの現状と薬の使い方について
教えてください……………………………〈佐藤貴浩〉422

Q7. 透析患者における関節痛の現状と薬の使い方を
教えてください……………………………〈宮地武彦〉426

Q8. 男性透析患者における性機能障害と治療について
教えてください……………………………〈太田信隆〉434

Q9. 透析患者における DIC の治療薬について
教えてください……………………………〈磯部伸介〉439

Q10. 透析患者における禁煙補助薬，アルコール依存症禁酒
補助薬の使い方について教えてください　〈藤倉知行〉442

Q11. 移植腎機能喪失によって透析再導入する際の免疫抑制薬
の使い方，減量方法について教えてください
…………………………………………〈西　慎一〉446

索　引……………………………………………………… 450

I. 総論

Question 1 血液透析患者における薬物動態の特徴を教えてください

Answer

1) 糸球体濾過速度の低下により腎排泄型薬剤の消失は大幅に遅延する．腎障害に伴う低アルブミン血症や炎症性蛋白の増加により薬物代謝にも変化のある場合がある．腎不全により肝血流量が変化することはほとんどないが，尿毒症物質の蓄積により薬物代謝酵素や薬物輸送担体の発現量の低下や活性の低下が起こる場合がある．

2) 血液透析による薬の除去は分子の大きさ，蛋白結合率，分布容積などにより決定される．さらに，透析治療により尿毒症成分が除去されることで，薬物代謝は正常化に向かう．血液透析日と非透析日とで薬物代謝がどの程度異なるかは明らかになっていない．

3) 一般に薬物血中濃度モニタリングは血漿蛋白結合形と非結合形を合わせた全薬物量に対して行われているが，蛋白結合率の高い薬物については非結合形薬物でのモニタリングが妥当となる場合もある．

■ 1. 腎不全患者の薬物動態の特徴

薬物動態は吸収・分布・代謝・排泄の4つの過程により特徴づけられる．腎不全患者の各過程の特徴を示す．

❶吸収

腎疾患時には薬の消化管吸収が軽度に低下・遅延することがいくつかの薬剤で報告されている．この主な原因は腎不全に伴う消化管の浮腫であると考えられている．初回通過効果の大きい薬物では下記の薬物代謝

活性の変化により，その生物学的利用率に変化が生じる場合がある.

❷分布

　腎疾患では血漿アルブミンの減少により血漿中の非結合形薬物が増加し，分布容積は増大する. 酸性薬物では尿毒症物質による蓄積によっても蛋白結合率は低下する. プロプラノロールのような塩基性薬物では炎症性蛋白である α_1 酸性糖蛋白の増加に伴い，非結合形が減少することもある. 非結合形のみが代謝・排泄されるため，蛋白結合率の変化は全身クリアランスにも影響を及ぼす.

❸代謝

　一般に，肝代謝型薬物の体内からの消失については腎不全による影響をほとんど受けない. 尿毒症成分により薬物代謝酵素の活性が低下し，血中濃度が上昇する例も知られている. 一方で，蛋白結合率の高い薬物

表 1 ■ 腎疾患時における肝代謝型薬物の薬物動態の変動

薬	クリアランス
アセトアミノフェン	正常
アンチピリン	正常または増加
イソニアジド	減少
キニジン	正常
クリノフィブラート	減少
クロラムフェニコール	正常
サリチル酸	正常
シルデナフィル	減少
ジアゼパム	減少
テオフィリン	減少
トルブタミド	正常
ニカルジピン	減少
ニコチン	減少
ヒドララジン	減少
フェニトイン	増加
フェノバルビタール	正常
プロカイン	減少
プロプラノロール	正常または減少
ペチジン	正常
メロキシカム	増加
リドカイン	正常

では腎不全による血漿蛋白の減少により，クリアランスが増大し血中濃度が低下する（表1）．

❹排泄

薬には体内動態が肝に強く依存しているものと，腎に強く依存しているものがある．水溶性の薬は糸球体で濾過されたものが尿細管でほとんど再吸収されず，また尿細管における能動分泌も加わるので，体内動態は腎機能による影響をきわめて受けやすい．尿細管における水溶性薬物の分泌には多くのトランスポーターの関与が報告されている．アルブミンは分子量66,000と大きく，アルブミンと結合している薬物は糸球体濾過を免れる．腎疾患による血中アルブミンの減少により薬物の腎クリアランスは増大する．

■ 2. 薬剤の選択

薬の体外への除去（全身クリアランス）については腎クリアランスと腎外クリアランスの和になり，半減期との関係を図1に示す．図1のAのような腎排泄型薬物は腎障害によりその体内動態が大きく影響を受けることから，投与量の調節もしくは投与の回避が好ましい．腎排泄型薬物では腎障害により血漿中濃度が上昇しても，代償的な胆汁中への

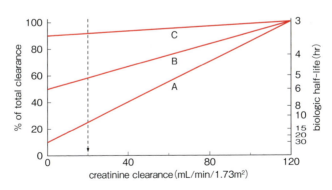

図1 ■ 全身クリアランスに対する腎クリアランス比と半減期との関係
A：全身クリアランスに対する腎クリアランスの割合が90％
B：全身クリアランスに対する腎クリアランスの割合が50％
C：全身クリアランスに対する腎クリアランスの割合が10％

排泄はほとんど認められない点に注意が必要である.

■ 3. 透析による薬物動態への影響

　一般に透析期間中の薬の除去は促進されるが, その程度は分子の大きさ, 水に対する溶解性, 蛋白結合率, 分布容積, 透析膜の種類などにより決定される. また, 透析は直接的な薬の除去以外にも薬物動態に影響を及ぼすと考えられる. 透析による尿毒症成分の除去により, 腎障害により低下していた薬物代謝酵素や薬物輸送担体の発現量の上昇や, 活性の阻害消失により薬物代謝は正常化に向かう.

❶透析による薬の除去において考慮すべき点

分子の大きさ: 一般に, 分子量が 500 以上になると透析により除去されにくくなる. バンコマイシンは分子量 1,486 であるため, 蛋白結合率は低いものの透析によりほとんど除去されない. 近年では透析膜の性能により除去されるようになりつつある.

蛋白結合率: 透析膜を通過するのは非結合形の分子のみのため, 蛋白結合率はその除去率に影響する. プロプラノロールは分子量 259 であるものの, 蛋白結合率が 90% 以上と高いために, 透析により除去され難い. 腎不全患者では血漿アルブミンが低下しているため, 蛋白結合率が低下し, 透析により除去される薬の割合が増える.

分布容積: 分布容積の大きい薬は組織に移行しており, 血漿中薬物量は相対的に少ない. 透析により血漿中薬物を除去しても組織より再分布する. 分布容積の大きい薬物ではこの再分布に数時間を要するため, 透析中に組織中薬物はほとんど除去されない.

透析膜の種類: 当初の血液透析膜はカリウムイオン, 尿素, クレアチニンなどの除去のために篩サイズが小さく設定されたローフラックス膜が主流であったが, 近年は尿毒素を除去するために篩サイズの大きなハイフラックス膜を用いることが主流となっている. そのため, 過去の文献を参考にする際には, 除去率について注意が必要である. 一例として, バンコマイシンの使用に際しては, 透析後の追加投与は不要とされてきたが, 近年ではハイパフォーマンス膜による透析の際には透析除去されることを考慮し, 初期量 20 ~ 25mg/kg を投与し, 透析後ごとに 7.5~

10mg/kg を追加投与する投与法が推奨されている.

■ 4. 注意すべき副作用

　代謝物が血液中で不安定な場合，尿中排出される前に分解されて，親化合物へと変換される例もある．クロフィブラート，ジクロフェナク，ロラゼパムなどエステル型グルクロン酸抱合体へと代謝されるものの場合，血中や腎臓中で非酵素的に加水分解されて親化合物に復帰するため，半減期が延長する.

　腎機能障害患者に対する腎排泄型薬物の投与については，腎障害が既知である薬物を除き，腎の予後を悪化させることは報告されていない.

■ 5. 他剤との相互作用

　血液透析患者では腎臓からの薬物の排泄が期待できないため，アゾール系抗真菌薬やマクロライド系抗菌薬など薬物代謝酵素の阻害薬を用いる場合には，併用薬剤の体外への消失について一層の注意が必要となる.

■ 文献

1）Elston AC, Bayliss MK, Park GR. Effect of renal failure on drug metabolism by the liver. Br J Anaesth. 1993; 71: 282-90.
2）齋藤秀之, 乾　賢一. 腎疾患時における薬物投与計画. 臨床薬理. 2002; 33: 25-36.
3）Gibaldi M, Levy G. Pharmacokinetics in clinical practice. I. Concepts. JAMA. 1976; 235: 1864-7.
4）Chennavasin P, Brater DC. Nomograms for drug use in renal disease. Clin Pharmacokinet. 1981; 6: 193-214.
5）日本化学療法学会抗菌薬 TDM ガイドライン作成委員会 / 日本 TDM 学会 TDM ガイドライン策定委員会―抗菌薬領域―編. 抗菌薬 TDM ガイドライン改訂版. 日本化学療法学会出版; 2016. p.35-58.
6）Zelenitsky SA, Ariano RE, McCrae ML, et al. Initial vancomycin dosing protocol to achieve therapeutic serum concentrations in patients undergoing hemodialysis. Clin Infect Dis. 2012; 55: 527-33.

> **NOTES**
>
> 薬物代謝酵素や薬物輸送担体の発現量や活性に影響を与える尿毒症物質の本態としてはインドキシル硫酸や 3-カルボキシ-4-メチル-5-プロピル-2-フランプロピオン酸が考えられている.

〈川上純一　見野靖晃〉

I. 総論

Question 2 腹膜透析患者における薬物動態の特徴を教えてください

> **Answer**
> 1) 血液浄化としての腹膜透析（PD）の最大の特徴は，持続的かつ緩徐に行われることである．
> 2) 腎排泄型で，安全域の狭い薬物投与時には用量調節が必要である．
> 3) 血液透析と比較して，残腎機能が保持されやすいとされる．
> 4) PD による薬物クリアランスの最大値は，時間あたりの排液量である．
> 5) 血中から PD 液中に移行しにくい抗菌薬は，血漿蛋白結合率の高いものであり，PD 腹膜炎では主に PD 液内投与が行われる．

■ 1. 透析患者における特徴

❶ PD 患者の薬物動態

当然，血液透析（HD）患者と腹膜透析（PD）患者はいずれも末期腎不全であり，通常，クレアチニンクリアランス（Ccr）10mL/min 未満である．HD，PD による血液浄化能は，週あたりに換算した溶質クリアランスとしては大きくは違わないが，残腎機能が廃絶した状態では HD がやや大きいとされる．しかしながら，薬物の生体への曝露量からみると大きな差異は生じないと思われ，主に減量の対象となる腎排泄型薬物は，HD，PD いずれの患者においても，同程度に減量されることが多い[1,2]．また，HD 患者と比較して PD 患者の方が透析導入後も残腎機能が保持される期間が長いとされるのが特徴である．よって，残腎機能が薬物の全身クリアランスにどの程度寄与しているのかを考慮することや（考慮する期間が HD 患者より長い），残腎機能の保護を考慮し

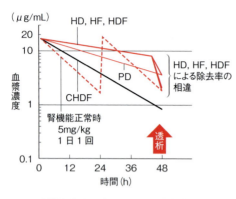

図1 ■ 血液浄化法の違いによる血中薬物濃度推移の相違
アルベカシンを静脈内単回投与した際の血漿濃度シミュレーションを示す．腹膜透析（PD）患者の消失速度は，HD患者の非HD時よりやや速くなると推測される．ピーク濃度をすべて同一にし，CHDF，PDでは持続的に血液浄化が行われているとみなしてプロットしている．また，HD，HF，HDFは投与2日後に4時間実施したと仮定している．

て腎毒性を有する薬物投与を回避することが必要となる．

❷ HDとPDの薬物除去の違い

血液透析（HD）は間欠的かつ急速な血液浄化法であり，腹膜透析（PD）は持続的かつ緩徐な血液浄化法である（厳密には一定の速度ではない）．血中薬物濃度推移のパターン（図1, 2）をみると，HDで除去されやすい薬物はHD実施により血中薬物濃度は急速に低下する．このため，HDでは血液浄化による薬物の除去を考慮した投与タイミングの設定や追加投与の考慮が必要になるが，一般にPDではその必要はない（図2）．一方で血中からPD液中に移行しやすい薬物の場合には，HD患者の非HD時と比較して，PD患者の薬物消失速度は速くなる．さらに，数回透析液を交換するCAPD（continuous ambulatory peritoneal dialysis）だけでなく，就寝中に自動的に行うAPD（automated peritoneal dialysis）も行われており，両者での薬物動態は多少異なる．PDのプログラムの違いにより，薬物の投与量を大きく区別するほどの

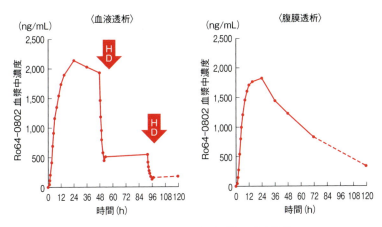

図2 ■ 透析患者におけるオセルタミビル活性代謝物の濃度推移
オセルタミビル 75mg 単回投与後の血漿中活性代謝物（Ro64-0802）濃度の推移をHD患者，PD患者で検討したもの（計算値）．HD患者での消失はほとんどHDに依存しているため，服用後すぐや連日のHD実施で濃度が低下しやすくなる．PD患者ではHD患者と異なり，持続的な消失が生じていることがわかる．（タミフル®カプセル インタビューフォームより）

差異は生じないと思われるものの，体内動態に関する詳細な検討は不十分である[3]．APDにおける腹膜炎への抗菌薬治療のデータは少ないが，治療ガイドラインに記載はされている[3]．

❸ 血中からPD液中への薬物の移行性

HDで除去されにくい薬物は，「①分子量，②血漿蛋白結合率（PBR），③分布容積（Vd）」，のいずれかが大きい（高い）条件を満たしているものである．逆に，ダイアライザを通過する際に透析液中に除去されやすい薬物は，①分子量，②PBR いずれも小さい（低い）条件を満たしている必要がある．さらに，③分布容積が大きい薬物であれば，ダイアライザを容易に通過したとしても，体内から効率的には除去されないと推定できる（Vdは除去効率に影響する）．PDでも同様に，血液中からPD液中に移行しやすい薬物は上記の①②のいずれも小さいものである．③は除去効率に影響し，薬物のVdの大小はPD液への移行性には無関

係である.

■ 2. 薬剤の適応

腎不全患者への腎排泄型薬物の投与は，主に安全性の確保を目的に，適切に減量して投与されなければならない.

PD 患者の薬物代謝・排泄能としての全身クリアランスは

全身クリアランス＝非腎クリアランス＋残腎クリアランス
＋PD クリアランス

となり，非腎クリアランスが小さい腎排泄型薬物は腎機能正常時と比べて血中濃度が上昇しやすく，減量が必要である．PD による腎機能の代替は，Ccr として通常 10mL/min 未満であり，一般に血液透析患者あるいは，透析療法導入前の末期腎不全患者への薬物投与法を適用することができる[1,2]．しかし，PD 患者における薬物動態や効果および副作用が検討されていない薬物も多いため，慎重に適用することが望ましい.

表 1 ■ PD 患者の他科受診時に要注意な薬剤の例

診療科	薬剤名	主な毒性
皮膚科	アシクロビル バラシクロビル	呂律困難，失見当識，意識障害，痙攣など
眼科	アセタゾラミド	傾眠，昏睡など
神経内科 精神科	アマンタジン	中枢神経症状など
	スルピリド チアプリド	薬剤性パーキンソニズムなど
	炭酸リチウム	傾眠，昏睡など
整形外科	プレガバリン	ふらつき，めまい，転倒など
	活性型ビタミン D	大量投与による高カルシウム血症
循環器科	ジゴキシン	徐脈，心停止
	ダビガトラン	出血
泌尿器科	ジスチグミン	コリン作動性クリーゼ
リウマチ科	メトトレキサート	骨髄抑制

* HD 患者と異なり，PD 患者は受診間隔が長いので，他科投薬時のハイリスク薬使用には十分注意する.

また，HDは週3回通院で行われるが，PDは受診間隔が長くなるため，他院受診時の処方された薬の内容（種類や投与量）を服用前に確認するよう，患者に指導しておくことが重要である．表1に特に注意が必要な薬物を示す．

■ 3. 薬剤の選択

❶ PD腹膜炎の治療

　経験的治療にはグラム陽性菌と陰性菌の両者を想定した治療を行う（図3）．施設ごとに腹膜炎の起炎菌に対する感受性データに基づき決定することが望ましい[3]．通常は局所濃度を高めるためにPD液に抗菌薬を添加して腹腔内投与される．さらに，循環血中へ移行させる必要があるため，PD液の貯留時間が短すぎないようにスケジュールを決定する必要がある．なお，腹腔内投与ができない場合には血中からPD液に移

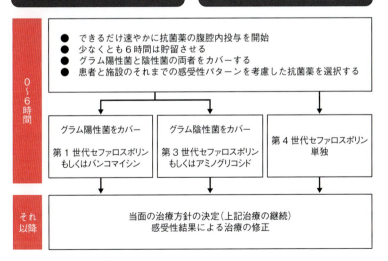

図3■PD腹膜炎の初期治療の考え方
(Li PK, et al. Perit Dial Int. 2022; 42: 110-53[3] より一部改変)

行しやすい抗菌薬を選択し，静脈内投与により治療されることがある．しかしこの場合には，PD 液交換のたびに PD 液中の薬物濃度はゼロになる．

❷血中から PD 液への移行性を考慮した薬剤と投与経路の選択

前述のように，薬物の分子量が過度に大きくない条件で，血中から PD 液中に移行しやすい薬物は PBR が低い薬物である．例えば，バンコマイシンの PBR は 20～30% であり，静脈内投与によっても PD 液中に移行し，VCM 感受性菌に対する治療効果が期待できるが，テイコプラニン（TEIC）の PBR は 90% と比較的高く，TEIC 感受性菌に対する治療効果を得るためには，静脈内投与ではなく腹腔内投与が選択される．同様に，抗真菌薬のフルコナゾールの PBR は 10% 程度であり静注投与によっても PD 液に良好に移行するが，ミカファンギンの PBR は 99% 以上であるため PD 液への移行率は低い．このように，薬物の物性により薬剤の種類や投与経路が選択される．

❸残腎機能の保護

残腎機能が存在する場合には，腎毒性を有する薬物の選択は，他に選択肢がない場合を除いて避ける必要がある．例えば腹膜炎治療時のアミノグリコシド系抗菌薬は，残腎機能の保護の必要性により選択を決定する．

■ 4. 実際の投与量，投与回数および投与間隔の目安

❶ PD 患者への薬物投与量の設定

PD と HD では週あたりの投与量はほぼ同じであるが，HD は間欠的に，PD は持続的に血液浄化が行われていることを考慮する必要がある．PD による薬物除去能は緩徐であり，前述のように，血液透析患者あるいは，透析療法導入前の末期腎不全患者への薬物投与法を適用されることが多い．また，通常，薬物中毒時の解毒を目的として PD が適用されることはない．

❷ PD 腹膜炎の治療

腹膜炎は PD 患者の重大な合併症であり，その発症により PD を中断する原因にもなりえるため，予防はもちろんのこと適切な治療が重要で

表 2 ■ PD 腹膜炎治療における主な抗菌薬の投与量

	間欠投与 （交換毎，1 日 1 回）	連続投与 （mg/L，すべての交換毎） LD: 初回投与量 mg MD: 維持投与量 mg
アモキシシリン	データなし	MD 150
アンピシリン	4,000mg	MD 125
ペニシリン G	データなし	LD 50,000 単位，MD 25,000 単位
セファゾリン	15 〜 20mg/kg	LD 500，MD 125
セフェピム	1,000mg	LD 500，MD 125
セフタジジム	1,000〜1,500mg	LD 500，MD 125
アミカシン	2mg/kg	推奨しない
ゲンタマイシン	0.6mg/kg	推奨しない
トブラマイシン		推奨しない
シプロフロキサシン	データなし	MD 50
アズトレオナム	2,000mg	LD 500，MD 250
テイコプラニン	15mg/kg 5 日毎	LD 400mg/bag，MD 20mg/bag
バンコマイシン	15 〜 30mg/kg 5 〜 7 日毎	LD 20〜25mg/kg，MD 25mg/L

（Li PK, et al. Perit Dial Int. 2022; 42: 110-53[3]) より一部改変）

ある．表 2 に，PD 腹膜炎に対して選択される主な抗菌薬を示す．治療薬の選択，治療期間などについては最新のガイドラインを参照のこと．

❸ 血中濃度モニタリング

PD による薬物の全身クリアランスへの影響は，後述するように最大でも時間あたりの排液量であり，ほぼ同じ速度で薬物が消失していると仮定することができるため，TDM のための採血ポイントは，通常と同様に考えてよいとされている．

■ 5. 透析の影響

❶ PD による薬物除去率の計算

PD 液の排液は容易に得られ，薬物濃度も比較的容易に測定できるので，体内量に対する除去量から除去率は計算でき，以下のように示すこ

とができる[4]．PD 液中に移行できるのは血漿中で蛋白に結合していない薬物であるとして，血漿中薬物濃度と蛋白結合率から推算することも可能である．

PD による薬物除去量 M(mg)＝排液量(L)×排液中薬物濃度(mg/L)
$$≒排液量(L)×血漿中遊離型薬物濃度 (mg/L)$$

$$PD 除去率 R（\%）＝\frac{除去量 M}{Cp×Vd}×100$$

＊Cp＝血漿中薬物濃度，Vd＝薬物の分布容積
＊Cp×Vd で体内に存在する薬物の量が推算できる．

❷ PD クリアランスの計算

除去量は血漿中溶質濃度に依存するので，溶質移行性を濃度に依存しない形で示すのがクリアランスである．

PD クリアランス CL_{PD}(L/day)

$$＝\frac{PD 排液中薬物濃度(mg/L)×PD 排液量(L/day)}{平均血漿濃度（mg/L）}$$

ただし，平均血漿濃度(mg/L)＝$\dfrac{AUC_{0-24}（mg・hr/L）}{24hr}$

ここで，PD 排液中薬物濃度は血漿中薬物濃度を上回らないとすると，最大の CL_{PD} は時間あたりの排液量となり，尿素や fu＝100％ の薬物では，

$CL_{PD\ urea}≒PD 排液量(L/day)$と推算される．

つまり，PD 条件として，透析液量 1 回 2L，交換頻度 6hr（1 日 4 回），除水量 1L/ 日とした場合，尿素の PD クリアランスは

$CL_{PD\ urea}＝（2L/6hr）+1L/day＝9L/day＝6.25mL/min$

となり，同様の考えから，薬物の PD クリアランスは時間あたりの排液量に遊離型分率 fu を乗じた値が最大値となる（図 4）．

$CL_{PD\ drug}≒PD 排液量(L/day)×fu$

また，分子量も PD 液中への移行性（速度）に影響し，血中と PD 液濃度が平衡に達する時間は小分子ほど速く，大分子ほど遅い．以下の式

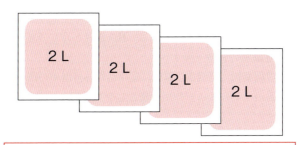

図4 ■ 腹膜透析クリアランス
尿素の場合，腹膜透析液を腹腔内に6時間貯留すると，ほぼ血中尿素濃度と等しい濃度のCAPD排液が得られるため，$CL_{PD} ≒ PD$排液量となる．薬物に関しては，血漿中遊離型薬物のみがPD液中に移行するので，薬物の遊離型分率が100%の時，（最大でも）尿素のCL_{PD}と等しくなると考えられる．薬物の分子量，貯留時間，腹膜機能などの影響も受ける．

がそれを示している．

$$CL_{PD\ drug} = 時間あたりのPD排液量 \times fu \times [1-e^{-kd \times td}]$$

ただし，fu：血漿中遊離型分率

kd：血中とPD液中の薬物平衡速度定数

td：透析液貯留時間

＊$[1-e^{-kd \times td}]$ は貯留時間内で平衡に達した割合を示す．

実際には薬物の平衡速度定数は実測されていないため上記式を適用するのは難しいが，遊離型分率が同じでも分子量が異なればPDクリアランスが異なることを示している．

なお，PDの基礎と技術については，成書[5]を参考されたい．

■ 6. 注意すべき副作用や他剤との相互作用

副作用や相互作用に関する注意点は，HD 患者と同じである．

❶注意すべき薬物の特徴（表 1）

✿ 1. 腎排泄型薬物（腎機能正常時に尿中活性体排泄率の高い薬物）

✿ 2. 血中濃度上昇による副作用を起こしやすい薬物（安全域の狭い薬物）

✿ 3. 腎排泄型でかつ中枢移行しやすい薬物（臨床的に問題となることが多い）

✿ 4. 他科受診時に PD 患者であると気づかれなかった場合（医療者側の注意が大切）

❷中毒時の対応

PD 患者で薬物血中濃度の上昇による副作用が疑われた場合には，血液透析による除去が効率的であるかを判断して，必要に応じて臨時血液透析を試みる．

■ 文献

1）Hirata S, Kadowaki D. Appropriate drug dosing in patients receiving peritoneal dialysis. Contrib Nephrol. 2012; 177: 30-7.

2）日本腎臓学会, 編. CKD 診療ガイド 2012 付表: 腎機能低下時の薬剤投与量. 2012. p.100-28.

3）Li PK, Chow KM, Cho Y, et al. ISPD peritonitis guideline recommendations: 2022 update on prevention and treatment. Perit Dial Int. 2022; 42: 110-53.

4）平田純生, 木村　健, 竹内裕紀, 監修. 腎臓病薬物療法　専門・認定薬剤師テキスト. 透析患者の薬物投与設計. 東京: じほう; 2013. p.219-25.

5）透析療法合同専門員会, 編. 血液浄化療法ハンドブック 2021. 7-7 腹膜透析. 東京: 協同医書出版社; 2021. p.171-92.

〈古久保 拓〉

I. 総論

Question 3
持続的血液濾過透析を行う場合の薬物動態と薬剤の使い方について教えてください

Answer

1) 抗菌薬などの腎排泄型薬剤は持続的血液濾過透析により薬物動態が変化しやすい.
2) 投与量はクレアチニンクリアランス 10〜50mL/min 相当量を基本とする.
3) 透析量が大きい場合には投与量調整も考慮する.
4) 持続的血液濾過透析実施時は薬物同様に小分子の栄養成分喪失にも注意する.

■ 1. 持続的血液濾過透析で薬物動態が変化しやすい薬剤

急性期病棟においては, 急性腎障害 (acute kidney injury: AKI) 患者などを対象に持続的血液濾過透析 (continuous hemodiafiltration: CHDF) が汎用されている. CHDF の主な目的は尿毒性物質の除去や体液量補正であるが, CHDF 導入により治療上必要な薬剤や栄養成分もその物性に応じて除去される. そのため, CHDF 導入に伴う薬物動態変化を考慮した投与量調整が必要となる.

まず, どのような特徴をもつ薬剤が CHDF により除去されやすいか, すなわち CHDF 導入時に薬物動態が変化しやすいかを考えてみたい. 通常, 投与された薬剤は肝代謝, あるいは腎排泄により消失する. 薬物消失における肝代謝と腎排泄の相対的な寄与を「肝腎振り分け」といい, 肝代謝の寄与が大きければ「肝代謝型薬物」, 腎排泄の寄与が大きければ「腎排泄型薬物」ということになる. CHDF では限外濾過, および透析液への受動拡散が主な物質除去メカニズムであり薬物動態学的には腎排泄を代替していることから, 腎排泄型薬物が CHDF 導入による影

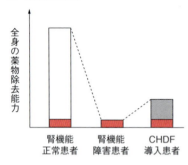
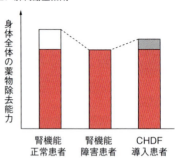

図1 ■ 薬剤の排泄経路とCHDF導入時の薬物除去能力の変化
腎機能障害時およびCHDF導入時における全身からの薬物除去能力の変化を薬剤の主たる消失経路毎に模式的に示す．腎排泄型薬剤（A）では腎機能障害時に薬剤除去能力が大きく低下するため減量を行うが，CHDFによる薬剤除去能力が肝代謝と比較して大きく，CHDF導入時にはCHDFによる除去を考慮した投与量調整が必要である．一方で，肝代謝型薬剤（B）では肝代謝の寄与が大きいため，腎機能障害時の薬剤除去能力の低下はわずかであり，CHDFによる薬剤除去能力も肝代謝に比べれば小さいため，一般に投与量調整は不要となる．
□，■：腎排泄および肝代謝による薬剤除去能力，■：CHDFによる薬剤除去能力．

響を受けやすいと考えられる．一方で，肝代謝型薬物では肝代謝が占める部分がそもそも大きいことから，腎機能が低下したとしても，またそこにCHDF導入による除去が加わったとしても身体全体の薬物除去能力に大きな変化はない（図1）．まとめると，腎機能障害時に減量が必要とされる薬物ではCHDF導入による薬物動態変化が大きいと考えてほぼ間違いない．表1[1]には，急性期病棟でよく使用される薬物の薬物動態的特徴を示すが，抗菌薬の多くが腎排泄型であり，CHDF導入時に投与量調整が必要であることがわかる．

■ 2. CHDFによる薬剤除去効率の決定要因と投与量調整の原則

薬剤の体内からの除去効率はクレアチニンなどと同様にクリアランスで記述できる．CHDFによるクリアランス（C_{CHDF}）は透析液流量（Q_D）と限外濾過量（Q_F）の合計値，すなわち濾液流量（Q_E）に比例することが知られており[2]，装置の設定値から読み取った Q_E と同等のクレア

表1 ■ 急性期病棟で汎用される抗菌薬, 抗不整脈薬の体内動態特性

(山本武人, 他. 臨牀透析. 2010; 26: 91-7[1] より改変)

消失経路	薬剤名	fu	全身クリアランス(L/hr)	分布容積(L/kg)	腎排泄率(%)
腎排泄型	セファゾリン	0.14〜0.42	4	0.17	89
	タゾバクタム	0.96	14.5	0.26	78.8〜81.3
	ピペラシリン	0.84	16.3	0.26	55.2〜56.7
	メロペネム	0.92	17.5	0.5	65
	テイコプラニン	0.1	1.09	1.13	46〜54
	バンコマイシン	0.66	6.31	0.62	>90
	アミカシン	1	5.44	0.21	72.4
	フルコナゾール	0.88〜0.9	0.97	0.92	77.3〜82
	ジゴキシン	0.7	9.1	8	60〜70
	ジソピラミド	0.4〜0.8	5.7	0.24	90
	ソタロール	0.91	7.2	1.2〜2.4	75
肝/腎型	セフトリアキソン	0.11〜0.18	0.81	0.11	55
	シプロフロキサシン	0.68〜0.74	35	2.34	50〜60
	リネゾリド	0.69	7.8	0.79	51
	フレカイニド	0.45〜0.63	24.3	8〜10	30
肝代謝型	ミカファンギン	0.015	0.71	3.71	<1
	アミオダロン	0.04	10	66	<5
	プロパフェノン	0.05〜0.15	45.3	3.73	<1
	ジルチアゼム	0.2〜0.3	59.9	3.2	<5
	プロプラノロール	<0.1	63	4.3	1〜4
	メキシレチン	0.4〜0.5	18	2.1〜5.7	10.9
	リドカイン	0.25〜0.35	57	9	2.8

fu: 蛋白非結合型分率

チニンクリアランス (Ccr) の腎排泄を代替する. 日本における Q_E は 13〜22mL/min 程度, 海外でも 30mL/min 程度であるので[3], 患者自身の腎機能が無視できる場合は CHDF 導入時の投与量は Ccr 換算で 10〜50mL/min 程度の腎障害患者と同等量が原則となる. 実際, 表2[1] に示すように, 多くの薬剤で CHDF 導入時のガイドラインにおける推奨投与量は Ccr が 10〜50mL/min の患者と同等である.

ただし, 特に腎排泄率の高い (80% 以上程度) の薬剤においては CHDF 導入条件 (Q_E) の個人間差も用量調整に影響するため注意が必要となる[4]. すなわち, 腎排泄率の高い薬剤では (自腎機能が無視でき

表2 ■ 主な抗菌薬，抗不整脈薬の CHDF 導入時の投与量（山本武人，他. 臨牀透析. 2010; 26: 91-7[1] より引用改変）

消失経路	薬剤名	通常用量	CHDF	ガイドラインに記載された腎機能障害時の投与量		
				Ccr（mL/min）		
				50〜90	10〜50	<10
腎排泄型	セファゾリン	1〜2g q8hr	◎	→	1〜2g q12hr	1〜2g q24〜48hr
	タゾバクタムピペラシリン	3.375〜4.5g q6〜8hr	◎	→	2.25g q6〜8hr	2.25g q8hr
	メロペネム	1g q8hr	◎	→	1g q12hr	0.5g q24hr
	テイコプラニン	6mg/kg q24hr	◎	→	6mg/kg q48hr	6mg/kg q72hr
	バンコマイシン	1g q12hr	0.5g q24〜48hr	→	1g q24〜96hr	1g q4〜7day
	アミカシン	分割投与 7.5mg/kg q12hr	◎	→	7.5mg/kg q24hr	7.5mg/kg q48hr
		1日1回投与 15mg/kg q24hr	記載なし	7.5〜15mg/kg q24hr	4〜7.5mg/kg q24〜48hr	3mg/kg q72hr
	フルコナゾール	100〜400mg q24hr	200〜400mg q24hr	→	50〜200mg q24hr	50〜200mg q24hr
	ジゴキシン	0.25〜0.5mg q24hr	◎	→	0.0625〜0.375mg q36hr	0.025〜0.125mg q48hr
	ジソピラミド	100〜200mg q6hr	◎	100〜200mg q8hr	100〜200mg q12〜24hr	100〜200mg q24〜48hr
	ソタロール	80mg q12hr	◎	80mg q12hr	80mg q24〜48hr	80mg q48〜72hr
肝/腎型	セフトリアキソン	2g q24hr（2g q12hr）	→	→	→	→
	シプロフロキサシン	400mg q12hr	400mg q24hr	→	200〜300mg q12hr	200mg q12hr
	リネゾリド	600mg q12hr	→	→	→	→
	フレカイニド	50〜100mg q12hr	◎	50〜100mg q12hr	25〜50mg q12hr	25〜50mg q12hr
肝代謝型	ミカファンギン	50〜150mg q24hr	→	→	→	→
	アミオダロン	200〜600mg q24hr	→	→	→	→
	プロパフェノン	150mg q8hr	→	→	→	→
	ジルチアゼム	180〜480mg q24hr	→	→	→	→
	プロプラノロール	40〜80mg q24hr	→	→	→	→
	メキシレチン	200〜400mg q8〜12hr	→	→	→	→
	リドカイン	50mg を2min で静注	→	→	→	→

→：通常用量と同用量，◎：Ccr　10〜50mL/min の場合と同用量

表3 ■ CHDF実施条件に応じたアミカシン，バンコマイシン，テイコプラニンの投与量一覧（Yamamoto T, et al. Antimicrob Agents Chemother. 2011; 55: 5804-12[2] より一部改変）

薬剤名		Q_E/体重 [mL/hr/kg][a]			
		15	20	25	30
アミカシン[b]	1回投与量 [mg/kg]	10	10	10	10
	投与間隔 [hr]	72	60	48	36
バンコマイシン[c]	初回投与量 [mg/kg]	20	20	25	25
	維持投与量 [mg/kg]	23	25	25	23
	維持投与間隔 [hr]	72	60	48	36
テイコプラニン[d]	維持投与量 [mg/kg/日]	2.2	2.9	3.6	4.4

[a] 体重を60 kgとすれば15，20，25，30mL/hr/kgはそれぞれ900，1200，1500，1800mL/hrに相当する．
[b~d] 投与設計の目標値はアミカシン：ピーク濃度30～35μg/mLおよびトラフ値5μg/mL以下，バンコマイシン：トラフ値20μg/mL程度，テイコプラニン：トラフ値20～25μg/mL程度としている．また患者の残存腎機能は無視できると仮定しているため，目標値が異なる場合，残存腎機能が無視できない場合はさらに調整が必要である．なお，テイコプラニンでは6～10mg/kg×3回のローディングドーズを行う．
　患者の状況や透析膜の種類により薬物動態は異なる可能性はあるため，可能な限りTDMを行うことを検討すべきである．

る場合）消失のほとんどをC_{CHDF}に依存することになるため，Q_Eの設定により投与量増減が必要となる．表3には著者らが算出したバンコマイシン，アミカシン，テイコプラニンについてQ_Eの設定値に応じた投与量を参考として示すが，Q_Eが大きいほど高用量が必要となることが理解できる．これらの投与量の算出方法は著者らの過去の総説[5]に詳しく解説されている．

■ 3. CHDF導入患者における栄養療法の注意点

　CHDF導入患者に対しては経静脈栄養（total parenteral nutrition：TPN）が実施されることも多いが，一部の栄養成分も薬剤同様CHDFにより除去される．例えばチアミン（ビタミンB_1）はCHDFにより除去されやすく投与量を多くする必要ある[6]．これは，生体腎では糸球体濾過されたチアミンが尿細管再吸収を受けるのに対し，CHDFでは透析液中に除去されたチアミンが再吸収されないためと考えられる（図

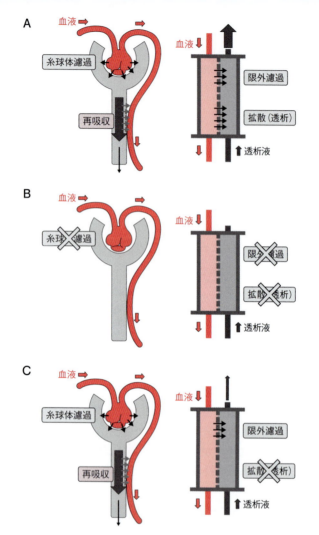

図2 ■ 生体腎およびCHDFにおける栄養成分の挙動

生体腎およびCHDFにおける栄養成分の挙動を模式的に示す．水溶性ビタミンやアミノ酸（A）の場合は，生体腎においては尿細管再吸収が働くため，最終的な排泄量は少ない一方で，CHDFでは限外濾過および拡散により効率よく除去されるが再吸収過程は存在しないため，体内からの喪失が起こる．脂溶性ビタミンや脂質（B）は結合蛋白に結合していることが多く，生体腎における糸球体濾過，あるいはCHDFにおける限外濾過・拡散をともに受けにくいため，体内に留まりやすい．一方でグルコースなど（C）は生体腎における挙動は（A）と同様であるが，透析液中に生理的濃度で含まれるため，（A）のケースと比較して拡散による除去が起こりにくく，喪失量は低く抑えられる．

2A）．一方で，脂溶性ビタミンは血清中の結合蛋白と結合しており透析膜を通過できない．そのため脂溶性ビタミンはCHDFによる除去を受けにくい（図2B）．また，グルコースは透析膜を自由に通過可能であるが，透析液中にも生理的濃度付近で含まれている．そのため，受動拡散が起こりにくく結果的にCHDFによる除去は小さくなる．これは，アミノ酸が透析液に含まれていないため，CHDFにより容易に除去（1日当たり10〜15gを喪失する）[7] されてしまうことと対照的である（図2C）．

　必要栄養量は患者の状況により異なるため，包括的に議論することは難しいが，上記の物質除去メカニズムを踏まえると，CHDF導入中のTPNでは以下の点に注意が必要と考えられる．

- 水溶性ビタミンが不足しやすいため適切に補充する．ただし，総合ビタミン剤にはビタミンDなど脂溶性ビタミンも含まれているため，それらが過量投与とならないよう注意する．
- 透析液中へのアミノ酸の喪失を考慮し，各種ガイドラインを参照してアミノ酸を十分量投与する（ESPENガイドライン[7]では最大1.7g/kg/日）．

また，CHDF導入患者では低リン血症，低カリウム血症も問題となる[8]．これはCHDFで汎用される透析液中の無機リン，カリウム濃度が生理的濃度と比較して低く設定されており，図2Aに近い状況であることに起因する．そのため，透析液にカリウムや無機リンを添加することも試みられている[9]．

■ 文献

1) 山本武人, 樋坂章博, 大野能之, 他. 持続的腎機能代替療法（CRRT）導入時の薬剤投与量調節の考え方. 臨牀透析. 2010; 26: 91-7.
2) Yamamoto T, Yasuno N, Katada S, et al. Proposal of a pharmacokinetically optimized dosage regimen of antibiotics in patients receiving continuous hemodiafiltration. Antimicrob Agents Chemother. 2011; 55: 5804-12.
3) Uchino S, Bellomo R, Morimatsu H, et al. Continuous renal replacement therapy: a worldwide practice survey. The beginning and ending supportive therapy

for the kidney（B.E.S.T. kidney）investigators. Intensive Care Med. 2007; 33: 1563-70.

4）山本武人, 樋坂章博, 鈴木洋史. クリアランス理論に基づく持続的腎代替療法（CRRT）施行時の薬物投与量の考え方. 日本腎臓病薬物療法学会誌. 2014; 3: 3-19.

5）山本武人, 樋坂章博, 大野能之, 他. CRRT 中の薬物投与量. Intensivist. 2010; 2: 329-45.

6）Berger MM, Shenkin A, Revelly JP, et al. Copper, selenium, zinc, and thiamine balances during continuous venovenous hemodiafiltration in critically ill patients. Am J Clin Nutr. 2004; 80: 410-6.

7）Cano NJ, Aparicio M, Brunori G, et al. ESPEN Guidelines on Parenteral Nutrition: adult renal failure. Clin Nutr. 2009; 28: 401-14.

8）門川俊明. CRRT 中の栄養・電解質. Intensivist. 2010; 2: 323-7.

9）Broman M, Carlsson O, Friberg H, et al. Phosphate-containing dialysis solution prevents hypophosphatemia during continuous renal replacement therapy. Acta Anaesthesiol Scand. 2011; 55: 39-45.

NOTES

CHDF による薬剤除去メカニズムは限外濾過, 拡散に加え, 透析膜への吸着も知られている. 例えば, テイコプラニン（TEIC）は PMMA 膜によく吸着することが知られており, 投与量調整に影響する可能性が示唆されている. 膜への吸着については限外濾過や拡散に比べると報告が限られているため, 今後, さらなるデータの蓄積が期待されるところである.

〈山本武人〉

I. 総論

Question 4

透析患者におけるポリファーマシー，潜在的に不適切な処方の現状と対処法について教えてください

Answer

1) 透析患者の多くはポリファーマシーである．
2) 透析患者では処方薬の種類だけでなく，服用方法も増え，服薬遵守されていないが効果不十分とされ，さらに薬剤が追加される可能性がある．
3) 処方薬の優先順位を考え，非薬物療法も含めて検討する．
4) 処方薬の見直し，患者への説明，その後の経過観察などポリファーマシー対策のために多職種連携が必要である．

■ 1. 透析患者における特徴

ポリファーマシーとは，単に服用する薬剤数が多いことではなく，それに関連して薬物有害事象のリスク増加，服薬過誤，服薬アドヒアランス低下などの問題につながる状態であり，何剤からポリファーマシーとするかについての厳密な定義はない．

透析患者では，糖尿病や高血圧，糸球体腎炎といった原疾患に対する治療薬に加え，慢性腎臓病（chronic kidney disease：CKD）合併症治療薬，治療薬の副作用予防薬，症状の訴えに対する対症薬処方や，処方意図不明薬の漫然投与などにより処方薬の種類も数も多くなる傾向にある．透析患者の 3/4 以上が 6 種類以上服用していた[1] 報告や，ポリファーマシー（服用薬の種類が 6 種類以上）の割合は 90.5％ であった[2] とする報告がある．透析患者では処方薬の種類だけでなく，食直前に服用する慢性腎臓病に伴う骨・ミネラル代謝異常（CKD-mineral and bone disorder：CKD-MBD）治療薬であるリン吸着薬や，透析日と非透析日で降圧薬の服用方法が異なる，非透析日のみ服用する高カリウム血症改善薬

など服用方法が増える場合があることも透析患者における特徴である.

また，透析患者では服用薬だけではなく，静注製剤も投与されることもあり，注射薬も含めポリファーマシーとなっていないか考える必要がある.

■ 2. 薬剤の適応

透析患者では，多剤併用となることが多く，透析療法における薬物動態や透析患者の特徴を踏まえ，薬物有害事象の回避，服薬アドヒアランスの改善など薬物療法の適正化を図る.

薬剤師が中心となり，まずは現在投薬されている薬物療法について有効性，安全性を評価する.治療薬か予防薬であるかを確認し，治療薬の場合は効果を評価し，継続の必要性を検討する.予防薬の場合には，メリットとデメリットを評価し，継続の必要性を検討する.罹病期間が長期にわたる場合や，これまでに複数の診療科から処方を受けている場合などには，処方開始時期が不明，処方意図が不明である処方薬もある.また，医師が自科の診療科以外の処方薬を中止や調整することに消極的であることも少なくないため，他科の医師に助言を得るとよい（表1）.ただし，処方薬の種類や剤数のみに着目するのではなく，透析療法中であること，病態，個々の患者の全体像を踏まえて，処方内容を評価する.透析患者の場合，食事療法や生活管理を行うことで，減薬につながる場合がある.そのため，医師，薬剤師だけでなく，看護師，管理栄養士，臨床工学士など多職種間で連携を図り，治療方針や患者の状態などに関する情報を共有し，処方薬の見直しを行う.また，薬剤を中止した場合には，経過観察を十分に行い，有効性と副作用の検証，薬剤中止による

表 1 ■ 他科の処方薬を見直す際の確認事項（高齢者医薬品適正使用検討会. 病院における高齢者のポリファーマシー対策の始め方と進め方. 厚生労働省. 2021; 医政安発 0331 第 1 号, 薬生安発 0331 第 1 号, 8)[3]

・処方見直しの明確な理由
・処方見直しの手順
・処方見直しにより起こりうる問題
・処方見直しにより問題が起こった後の対応策，フォローアップ体制

不安で症状の悪化や再燃していないか十分に注意する.

　透析患者では，長期にわたり同じ薬剤が処方されている場合があり，自己判断で薬剤の服用を調整したり，薬剤に対してこだわりを持っている場合もある．そのため，実際にはどのように服薬しているのか，食事内容や生活リズム，患者や家族の思いを聴取し，医療スタッフが不要とした薬剤からではなく，患者が中止を希望する薬剤から中止するといった配慮も必要である．また，薬剤を中止した場合には，薬剤中止による不安で症状の悪化や再燃していないか十分に注意する.

　処方内容を見直す場合には，処方薬の優先順位を考える．ただし，薬剤を減らすことで本来処方されてなくてはならない薬剤まで削減されていないか[*1]評価することも必要である．お薬手帳，薬剤サマリーなどを活用して処方を一元管理し，医師や薬剤師からの薬剤に関する説明だけでなく，患者が安心して継続して服薬や療養生活を行えるように，地域包括ケアを担うスタッフを含め多職種でサポートする必要がある.

■ 3. 薬剤の選択

　透析患者の場合，服用薬剤数が多くなりがちであり，服用薬の種類や服用方法の煩雑さから起こる服薬アドヒアランスは治療効果に大きな影響を及ぼす.

　リン吸着薬はリンをコントロールするために服薬錠数が多くなることが多い．また，リン吸着薬や高カリウム血症治療薬である陽イオン交換樹脂製剤の服用により，便秘，下痢，吐気などの患者が自覚する消化器症状が現れやすいため，下剤や消化管機能調整薬なども併用され，ポリファーマシーにつながる場合がある．腎性貧血も併発している場合には，鉄の補充と副作用である下痢を期待して鉄含有リン吸着薬を選択することが減薬につながる場合もある．鉄含有リン吸着薬であるクエン酸第二鉄水和物は高リン血症の改善に加え，鉄欠乏性貧血の効能・効果の適応を有しているが，高リン血症の改善に対する用法・用量と鉄欠乏性貧血

[*1]　アンダーユーズ：薬剤を減らすことで本来処方されていなくてはならない薬剤が処方されていない状態

に対する用法・用量が異なるため，注意が必要である．腎性貧血治療薬には，注射薬である赤血球造血刺激因子製剤（erythropoiesis stimulating agent：ESA）と，内服薬であるHIF-PH（hypoxia-inducible factor-prolyl hydroxylase）阻害薬があり，ESAとHIF-PH阻害薬は，個々の患者の状態や嗜好，通院頻度，ポリファーマシーや服薬アドヒアランスなどに応じて選択する．

　実際には服薬遵守されていないが，処方量では効果不十分であるとし，さらに薬剤が追加される可能性がある．透析患者では水分摂取が制限されているため，服薬アドヒアランスの低下だけでなく，内服錠数が多いと飲水が増え透析間体重増加をきたす，大きな錠剤が食道にひっかかり食道潰瘍の発生につながる場合もある．また，乾燥した皮膚に貼付することによる瘙痒が出現することもある．そのため服薬状況や療法環境を確認し，患者個々に応じて，口腔内崩壊錠（orally disintegrating tablet：OD錠）や配合薬，貼付薬への変更，嚥下ゼリーの使用，一包化調剤，用法の簡素化などの服薬支援を行う．

■ 4. 実際の投与量，投与回数および投与期間の目安

　透析患者の場合，薬物有害事象を回避するためにも透析患者独自の投与法や薬剤の透析性の有無などを考慮して投与量や投与間隔を検討する必要がある．

　透析導入後も排尿が認められる場合にはループ利尿薬の投与により水分制限がやや軽減されるため，患者のQOLを考慮し継続投与は可能である．しかし，透析導入後数カ月〜数年でループ利尿薬を投与しても1日の尿量が100mL未満となり効果は期待できず，副作用のリスクが高まるため中止する必要がある．

　透析患者は，食事や水分制限，時間的拘束，レストレスレッグス症候群や瘙痒などの身体症状，経済的な不安，死の不安など透析患者特有の非常に大きな不安やストレスから，不眠や抑うつ症状などの精神症状を引き起こすことも多い．患者の訴えや薬物療法に満足しないことなどによって処方薬が増え，ポリファーマシーへとつながる．そのため，生活習慣の改善を行い，薬物療法を行う場合には，原因や症状に応じた治療

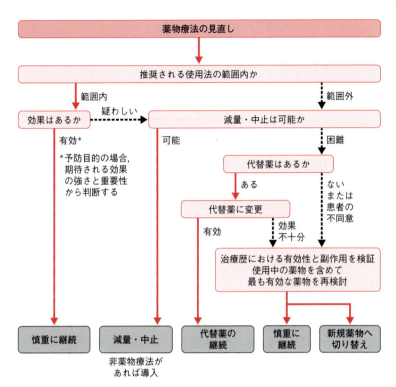

図1 ■ 薬物療法の適正化のためのフローチャート（高齢者医薬品適正使用検討会. 高齢者の医薬品適正使用の指針 総論編. 厚生労働省. 2018; 5: 9)[4]

薬を選択し，定期的に治療評価を行い，過剰投与にならないようにする（図1）．

■ 5. 透析の影響

　透析が開始された場合には，必ず処方薬を確認し，見直さなければならない．保存期CKD時に投与されていた治療薬が透析療法を導入することで，透析療法で代替できる治療薬は中止することができる．また，代謝性アシドーシスのために使用していた炭酸水素ナトリウムや，高尿酸血症治療薬，高カリウム血症治療薬などは透析導入によって中止できる場合が多い．そのため，透析導入時には球形吸着炭は中止されている

か，中止できる薬剤はないかなど処方を見直す必要がある．また，保存期 CKD 時のままの投与量，投与間隔を継続することによって過量投与，逆に過少投与になってしまう場合がある．

■ 6. 注意すべき副作用

　二次性副甲状腺機能亢進症治療薬であるシナカルセト塩酸塩錠は投与初期に悪心・嘔吐といった副作用が出現しやすい．また，抗うつ薬である選択的セロトニン再取り込み阻害薬（SSRI）も投与初期に悪心・吐気の副作用が出現しやすく，その予防薬あるいは治療薬として消化管機能調整薬が処方される場合がある．このような薬剤を症状が消失しても漫然と投与することにより錐体外路症状といった副作用が発現し，それを新たな問題として誤認し，その症状に対してさらに他の薬剤を処方し，また新たな副作用や症状の悪化を招く処方カスケードを引き起こし，薬剤が増えている可能性もある．

■ 7. 他剤との相互作用

　リン吸着薬である炭酸カルシウムと胃酸分泌抑制薬との併用により十分なリン低下効果が得られず，効果不十分としてリン吸着薬が追加，増量されている可能性もあり，薬物相互作用も不適切な処方の要因となる場合がある．

　HIF-PH 阻害薬のなかには，リン吸着薬や多価陽イオンを含有する鉄剤などとの併用により，作用が減弱するおそれがあり，併用する場合は，服用間隔をあけて服用する必要がある．薬物間相互作用を回避し，かつ服薬可能な 1 日 1 回の服用時間を設定するためにも患者に他院からの処方薬だけでなく，OTC 医薬品，健康食品の使用状況，生活リズムについても確認する．

■ 文献

1) 永野伸郎, 伊藤恭子, 本多雅代, 他. リン吸着薬に医薬品添加剤として含まれるマグネシウムが透析患者の血清マグネシウム値に影響する可能性. 透析会誌. 2016; 49. 571-80.
2) 坂本　愛, 浦田元樹, 岩川真也, 他. 慢性腎臓病を有する高齢者のポリファーマシーにおける有害事象の潜在的リスク因子に関する検討. 日本腎臓病薬物

療法学会誌. 2018; 7: 13-23.

3) 高齢者医薬品適正使用検討会. 病院における高齢者のポリファーマシー対策の始め方と進め方. 厚生労働省. 2021; 医政安発0331第1号, 薬生安発0331第1号, 8.

4) 高齢者医薬品適正使用検討会. 高齢者の医薬品適正使用の指針 総論編. 厚生労働省. 2018; 5: 9.

〈木村 健〉

II. 感染症

Question 1

透析患者における市中肺炎の特徴と治療法を教えてください

Answer

1) 透析患者は市中肺炎に罹患しやすく，予後が悪い．
2) 起炎菌が同定されるまでエンピリック（経験的）な治療を行う．
3) 細菌性肺炎が疑われる場合，初期治療薬として β-ラクタマーゼ阻害薬配合ペニシリン系薬を用いる．
4) ペニシリン系，セフェム系抗菌薬の多くは透析性があるため，透析後に投与する．

■ 1. 透析患者における特徴

わが国の透析患者における市中肺炎の特徴は，1) 生命予後が悪い，2) 起炎菌が検出されにくい，3) 耐性菌が検出されやすい，などの点である．

一般人口では肺炎は死因の第 3 位（10.0%）であるが，透析患者では男性で第 1 位（15.1%），女性で第 3 位（10.5%）であり，死亡率は約 1.3 倍高い[1]．

国内の市中肺炎では，肺炎球菌，インフルエンザ菌，黄色ブドウ球菌の順で起炎菌が分離される[2]．海外の透析患者では，メチシリン感受性黄色ブドウ球菌（MSSA），クレブシエラ肺炎桿菌，肺炎球菌の順で分離されるが，起炎菌の分離率が 30% と一般人口の半分程度である[3]．検出率が低い理由として，血液透析患者では透析開始前に採取した喀痰のみ陽性率が高いことから，検体採取のタイミングが関連する可能性がある[4]．また，国内透析施設の報告[4,5]では，メチシリン耐性ブドウ球菌（MRSA）の分離率が最も多い．

II 感染症

■ 2. 薬剤の適応

日本呼吸器学会の「成人市中肺炎診療ガイドライン 2017」[2] では，市中肺炎と診断した場合，A-DROP 方式（☞ NOTES）を参考に治療方針を決定することを推奨している．原則，起炎菌が同定されるまでの初期数日間は，エンピリック（経験的）な治療を行う[2]．

■ 3. 薬剤の選択

診断後，速やか（4 時間以内）に抗菌薬を開始する．軽症から中等症の肺炎で，食事が摂取できる場合は，外来治療で良い．一方，重症または中等症で，食事摂取が不可能な場合は，入院治療が必要となる．

❶外来治療の場合（内服薬）

細菌性肺炎が疑われる場合，頻度が高くて重症化しやすい肺炎球菌，さらにインフルエンザ菌を念頭に置き，単独でβ-ラクタム系薬を投与する．肺炎球菌にはアモキシシリン，インフルエンザ菌ではβ-ラクタマーゼ阻害薬配合ペニシリン系の経口薬が第 1 選択となる．

第 2 選択薬はレスピラトリーニューキノロンであるが，肺結核の合併例では診断の遅れを誘発する危険性があり，予後不良因子となりうる．さらに，ニューキノロン耐性のリスクがあることから，投薬前に結核の有無は考慮する．

レジオネラ肺炎を除く非定型肺炎は軽症例が多く，外来治療する機会は少なくない．しかし，市中肺炎に対するエンピリックな治療として，β-ラクタム系薬にマクロライド系薬を併用することは推奨されていない[2]．現在，非定型肺炎の 30〜40% を占める肺炎マイコプラズマは，咽頭ぬぐい液を検体として核酸増幅法（LAMP 法）で遺伝子診断ができる．

外来で抗菌薬を注射する場合は，半減期が長く 1 日 1 回の点滴静注が可能なセフトリアキソン，レボフロキサシン，アジスロマイシンを用いる．

❷入院治療の場合（注射薬）

細菌性肺炎が疑われる場合，β-ラクタマーゼ阻害薬配合ペニシリン系注射薬，ピペラシリン（高用量のペニシリンが望ましい）に加え，セ

表 1 ■ 主な初期治療薬の投与量と投与間隔（日本呼吸器学会. 成人市中肺炎診療
ガイドライン 2017. 日本呼吸器学会. 2017. p.1-175）[2]

系統	一般名（略語）	代表的な先発品名	Ccr>50mL/分	血液透析（HD）
ペニシリン系薬	アモキシシリン（AMPC）	サワシリン® （経口）	1回 500mg 1日 3～4回	1回 250mg, 1日1回, HD 日は HD 後
	スルバクタム/アンピシリン（SBT/ABPC）	ユナシン®-S （注射）	1回 3g 1日 3～4回	1回 1.5～3g, 1日1回, HD 日は HD 後
	タゾバクタム/ピペラシリン（PIPC/TAZ）	ゾシン® （注射）	1回 4.5g 1日 3～4回	1回 2.25～4.5g 1日 2回
	ピペラシリン（PIPC）	ペントシリン® （注射）	1回 4g 1日 3～4回	1回 2g, 1日 2回, HD 日は HD 後
セフェム系薬	セファゾリン（CEZ）	セファメジン®α （注射）	1回 1～2g 1日 3回	1回 0.5～1g, 毎 HD 後
	セフォチアム（CTM）	パンスポリン® （注射）	1回 1g 1日 3～4回	1回 0.5g, 1日1回, HD 日は HD 後投与
	セフジトレンピボキシル（COTR-PI）	メイアクト MS® （経口）	1回 200mg 1日 3回	1回 100mg 1日 1～2回
	セフトリアキソン（CTRX）	ロセフィン® （注射）	1回 2g 1日 1回	1日 1～2g 1日 1回
ニューキノロン系薬	ガレノキサシン（GRNX）	ジェニナック® （経口）	1日 400mg 1日 1回	
	シタフロキサシン（STFX）	グレースビット® （経口）	1回 100mg 1日 1～2回	1回 50mg 2日に 1回
	モキシフロキサシン塩酸塩（MFLX）	アベロックス® （経口）	1回 400mg 1日 1回	
	レボフロキサシン水和物（LVFX）	クラビット （経口，注射）	1回 500mg 1日 1回	初回 1回 500mg 1日 1回 3日目以降 250mg を 2日に 1回
マクロライド系薬	アジスロマイシン（AZM）	ジスロマック® （注射）	1回 0.5g 1日 1回	
オキサゾリジノン系薬	リネゾリド（LZD）	ザイボックス® （経口，注射）	1回 600mg（0.6g） 1日 1回	
グリコペプチド系薬	バンコマイシン（VCM）	塩酸バンコマイシン	eGFR に応じて初回およびその後の投与量を設定	初回 20～25mg/kg その後は透析後に 7.5～10mg/kg

フェム系注射薬が適応となる．重症な非定型肺炎が疑われる場合は，β-ラクタマーゼ系薬にマクロライド系薬を併用する．MRSA 感染が疑われる場合は，第 1 選択薬がバンコマイシン，テイコプラニン，リネゾリド，第 2 選択薬はアルベカシンとなる．

治療開始前に行った細菌検査の結果が判明すれば，抗菌薬の de-escalation を検討する．表 1 に，血液透析患者における主な初期治療薬の投与量と投与間隔を示す[2]．

■ 4. 薬剤の効果評価

❶ 早期効果の判定

抗菌薬の早期効果は，抗菌薬を投与して 3 日後に判定する．体温（発熱），咳嗽，喀痰量の 3 項目で判定し，2 項目以上を「改善（改善傾向あり）」とする[2]．

❷ スイッチ療法

治療によって症状・検査所見の改善があれば，注射用抗菌薬から内服抗菌薬への切り替え（スイッチ療法）を検討する．スイッチ療法の導入基準の目安として，①呼吸器症状（咳，呼吸困難など）の改善，②血清 CRP<15mg/dL，③経口摂取の十分な改善，④体温が少なくとも 12 時間以上 38℃以内であること，の 4 項目があげられる[2]．

❸ 治療の終了時期

抗菌薬の終了時期は，上述したスイッチ療法の導入基準を満たし，さらに，① 37℃以下の解熱，②末梢血白血球数の改善（正常化），③血清 CRP の改善（最高値の 30% 以下への低下），④胸部 X 線撮影の明らかな改善，などを用いて総合的に判断する[2]．

❹ 治療期間の目安

軽症から中等症の肺炎で初期治療が奏効している場合は，1 週間以内（5〜7 日間）の治療期間が推奨される．一方，菌血症の合併，あるいは MRSA，緑膿菌，レジオネラ・ニューモフィラなどが起炎菌の場合には，7 〜 14 日間（以上）の治療期間が必要となる[2]．

■ 5. 透析治療の影響（表 1）

多くのペニシリン系，セフェム系薬剤は透析性があるため，透析日は

血液透析終了後に投与する．セフトリアキソンやセフジトレンピボキシルは透析性がないため，必ずしも透析後に投与する必要はない．

ニューキノロン系薬では，注射用パズフロキサシンとレボフロキサシンに透析性がある．一方，マクロライド系およびテトラサイクリン系薬は透析性がないため，腎機能正常者と同じ投与法で良い．

■ 6. 注意すべき副作用や他剤との相互作用

✿ **1.** N-methyl tetrazole thiol 基（NMTT 基）を有するセフェム系抗菌薬は，ビタミン K 依存的凝固因子の合成を抑制し，出血傾向をきたすことがある．

✿ **2.** セフトリアキソンによって偽性胆石が発症する．

✿ **3.** レボフロキサシンはアキレス腱断裂や低血糖を起こすことがある．

✿ **4.** リネゾリドは骨髄抑制によって血小板減少症や貧血を起こすことがある．

■ 文献

1）Wakasugi M, Kawamura K, Yamamoto S, et al. High mortality rate of infectious disease in dialysis patients: A comparison with the general population in Japan. Ther Apher Dial. 2012; 16: 226-31.

2）日本呼吸器学会. 成人市中肺炎診療ガイドライン 2017. 日本呼吸器学会. 2017. p.1-175.

3）Lee JH, Moon JC. Clinical characteristics of patients with hemodialysis-associated pneumonia compared to patients with non-hemodialysis community-onset pneumonia. Respir Med. 2016; 111: 84-90.

4）佐々木公一，山口　慧，部坂　篤，他. 維持透析患者における肺炎の起因菌および菌検出の因子の検討. 日腎会誌. 2014; 56: 524-31.

5）Kawasaki S, Aoki N, Kikuchi H, et al. Clinical and microbiological evaluation of hemodialysis-associated pneumonia（HDAP）: should HDAP be included in healthcare-associated pneumonia? J Infect Chemother. 2011; 17: 640-5.

NOTES

A-DROP システム（Lee JH, et al. Respir Med. 2016; 111: 84-90）[3]

A（Age）：男性 70 歳以上，女性 75 歳以上
D（Dehydration）：BUN 21mg/dL 以上または脱水あり
R（Respiration）：SpO$_2$ 90% 以下（PaO$_2$ 60torr 以下）
O（Orientation）：意識変容あり
P（Blood Pressure）：血圧（収縮期）90mmHg 以下

軽症： 上記 5 つの項目のいずれも満たさないもの
中等度： 上記項目の 1 つまたは 2 つを有するもの
重症： 上記項目の 3 つを有するもの
超重症： 上記項目の 4 つまたは 5 つを有するもの．ただし，ショックがあれば 1 項目のみでも超重症とする

　診療群分類包括評価（DPC）データを用いた解析によると，本邦の血液透析患者では，A-DROP システムより下記の 7 項目を用いた重症度スコアの方が，院内死亡の予測に優れると報告されている（Clin Exp Nephrol. 2020; 24: 715-24）.

年齢：男性 70 歳以上，女性 75 歳以上
呼吸不全：SpO$_2$ 90% 以下（PaO$_2$ 60torr 以下）
オリエンテーション：意識変容あり
血圧低下：収縮期血圧 90mmHg 以下
ADL 低下（バーセルインデックス）：食事や排便コントロールに介助が必要
高度または中等度のやせ：BMI＜17kg/m^2
重症度規定因子：血清 CRP≧20mg/dL あるいは胸部 X 線画像陰影の広がりが一側肺の 2/3 以上

合計が 7 点満点中 3 点以上の場合，院内死亡リスクが高くなる（感度 70.6%，特異度 73.7%）

〈加藤明彦〉

II. 感染症

Question 2 透析患者における尿路感染症の診断と治療はどうすればよいですか?

本稿では，本邦の透析の約 96% を占める血液透析（hemodialysis: HD）患者について主に述べる．

Answer

1) 透析患者の尿路感染症は，典型的な症状を呈さないことがあり，重症化・再発もしやすいため，早期診断・早期治療開始が重要である．

2) 診断には，血液検査（炎症反応），血液培養（必要時），一般検尿・尿沈渣（膿尿），尿培養，画像検査（エコー，CT など）を行う．

3) 単純性尿路感染症では主に抗菌薬治療で治療可能だが，複雑性尿路感染症では，抗菌薬治療に加えて外科的ドレナージを要することが多く，速やかに泌尿器科にコンサルトする．

4) 抗菌薬は，尿路移行性，蓄積性や透析性を考慮して投与量・投与期間を調節する．

■ 1. 透析患者における特徴

❶透析患者における尿路感染症の特徴

感染症は透析患者全体の死因の第 2 位（21.5%），新規導入患者死因の首位（26.3%）を占める[1]．透析患者では，感染症のうち尿路感染症（UTI: urinary tract infection）は 11〜25% と報告されている[2]．腎不全に伴う免疫能低下・低栄養による易感染性，尿量減少・尿路の荒廃による尿路の洗浄機能低下，原疾患として最多の糖尿病に伴う神経因性膀胱，人工材料（人工血管，留置カテーテル）多用，などにより透析患者は，尿路感染を生じやすく，再発もしやすいため，早期診断・早期

II 感染症

治療開始が必要である[3,4].

　尿路感染症は，主に腸内細菌属の外尿道口からの逆行性感染により起こる．臨床経過により急性と慢性，基礎疾患の有無により単純性と複雑性に，解剖学的部位により上部UTI（腎盂腎炎，囊胞感染など）と，下部UTI（膀胱炎，尿道炎，前立腺炎など）に大別される[5]．上部UTIでは敗血症となり，重篤な状態になり得る．

　非特異尿路感染症（急性単純性の膀胱炎や腎盂腎炎など）では，起因菌の70〜80%がグラム陰性桿菌（うち大腸菌が60〜70%）を占め，適切な抗菌薬治療で比較的速やかに治療可能である[6]．他方，尿路基礎疾患併存例（尿路先天性異常，神経因性膀胱，前立腺肥大症，尿道狭窄，尿路結石，尿路カテーテル留置など）や基礎疾患合併例（糖尿病，抗がん剤・免疫抑制薬による免疫不全例）による複雑性尿路感染症では，抗菌薬投与に加えて，基礎疾患に対する外科的・内科的治療，人工材料の除去（バイオフィルム感染症の土台となりやすい）などを要する[4,6].

❷診断

診察・症状：上部UTIの急性期症状は側腹部〜腰背部痛，発熱，肋骨脊柱角部叩打痛（CVA［costvertebral angle］tenderness）などで，慢性例では無症状もある．下部UTIでは血尿，混濁尿，排尿痛，残尿感などを認める．乏尿・無尿例では典型的な症状を呈さない場合もあり，注意を要する[3]．発熱，全身倦怠，食欲不振などの全身症状は腎盂腎炎，前立腺炎，精巣上体炎などで認める[6]．一方，尿道炎・膀胱炎では全身症状はほとんどなく，あっても軽微である．

臨床検査：血液検査（白血球の増多と核の左方移動，CRP陽性，赤沈亢進，敗血症のマーカーPCT［プロカルシトニン］など），尿検体提出可能例では一般検尿・尿沈渣・尿培養を行う[2,3]．PCTはCRPに比べて感染症のバイオマーカーとしては鋭敏だが，腎不全患者ではクリアランス低下により，正常腎機能患者に比べて高めに出るため注意する．

　尿路感染症の確定診断では，尿検査による膿尿と細菌尿の確認が最も重要である[6]．膿尿は尿中に白血球が排泄される状態で，適切な採尿法（contaminationに注意）の下，尿沈渣法で400倍視野（high-power field: HPF）で白血球が5個以上観察されれば診断される[7]．膿尿をきたす最多疾患はUTIであるが，尿路の術後，性器の炎症性疾患，尿路の結核症・上皮癌でも膿尿を生じることを念頭に置いて評価する[7]．透析患者では28〜90%に膿尿，25%に細菌尿が見られ，尿路は細菌感染の供給源になるが，尿検体が採取の困難なことが多い[2]．また，腎膿瘍や嚢胞感染では，感染巣と尿路に交通がないため，膿尿や細菌尿を認めない場合がある．乏尿・無尿で自排尿による尿検査が困難な場合は，導尿（厳密な滅菌操作）による検体採取，滅菌生理食塩水による膀胱洗浄液採取も検討する[3]．透析患者における検出菌は，グラム陽性菌から陰性菌まで多岐にわたるが，複雑性尿路感染症の原因菌はキノロン系薬剤耐性菌，ESBL（extended spectrum beta lactamase）産生菌，メタロ-β-ラクタマーゼ産生菌などの多剤耐性菌が増加傾向にあり，注意する[2]．ウロセプシス（尿路原性敗血症）が想定される場合は，抗菌薬投与前に血液培養（2セット）を行い起因菌の同定を行う[6]．

　複雑尿路感染症を疑う場合，画像検査（腹部の超音波検査・CT検査など）は，水腎症・腎膿瘍・腎結石・前立腺肥大・神経因性膀胱・気腫性腎盂腎炎・フルニエ壊疽など基礎疾患の診断に有用であり，積極的に行う[2,5]．尿路結石に伴う閉塞性腎盂腎炎では尿管ステントなど尿路ドレナージ，気腫性腎盂腎炎では経皮的・開放ドレナージ，腎膿瘍・腎周囲膿瘍では経皮的ドレナージや腎摘出を要するため，速やかに泌尿器科にコンサルトする[5]．

■ 2. 薬剤の適応・選択

　抗菌薬の投与方法については，薬剤の排泄動態，蛋白結合率，透析での除去率，透析スケジュールなどを考慮して投与量（初回投与量と維持量），投与時期，投与期間を設計する．アミノグリコシド系薬，グリコペプチド系薬の投与時はTDM（薬物血中濃度モニタリング）の実施が望ましい[2]．尿路感染症には腎排泄性抗菌薬を選択する[5]．免疫能が低下している透析患者に対しては，殺菌的で水溶性・尿中排泄率の高い抗菌薬〔β-ラクタム系（セフェム系，ペニシリン系，カルバペネムなど），アミノグリコシド系，キノロン系〕を選択する[4]．

❶膀胱炎（表1）[2]

透析患者の膀胱炎では，下部尿路症状（膀胱刺激症状）を欠く場合は抗菌薬治療の適応とはならず，症状を有する急性増悪時に抗菌薬を投与する[2]．透析患者の膀胱炎治療では，可能な限り尿培養により原因菌と薬剤感受性を把握しておくことが重要である[2]．透析患者の膀胱炎に対する empiric therapy は設定しにくいため，新経口セフェム系薬剤やキノロン系薬剤など抗菌スペクトルが広く抗菌力に優れた薬剤を選択する[2]．薬剤感受性試験成績の判明後は，その結果に基づいて薬剤選択を行う．急性単純性膀胱炎では抗菌薬投与により治癒しやすい．一方，複雑性膀胱炎では，尿路感染症の再発・再燃を繰り返しやすく，前述のよ

表1 ■ 透析患者の膀胱炎治療薬・投与法（JAID/JSC 感染症治療ガイド・ガイドライン作成委員会，編．尿路感染症．JAID/JSC 感染症治療ガイド．東京：ライフサイエンス出版; 2021. p.202-20）[2]

第1選択
- LVFX 経口初日1回500mg・1日1回ローディング，以降1回250mg・隔日投与・7〜14日間
- CPFX 経口1回200mg・1日1回・7〜14日間

第2選択
- CFDN 経口1回100mg・1日1回，透析日は透析終了後に投与・7〜14日間
- CPDX-PR 経口1回100mg・48時間ごと，透析日は透析終了後に投与・7〜14日間

難治性膀胱炎の場合
- MEPM 点滴静注 初日1回1g・1日1回ローディング，2日目以降1回0.5g・1日1回，透析日は透析終了後に投与・7〜14日間
- CPR 点滴静注 初日1回1g・1日1回ローディング，2日目以降1回0.5g・1日1回，透析日は透析終了後に投与・7〜14日間
- SBT/ABPC 点滴静注1回1.5g・1日1回，透析日は透析終了後に投与・7〜14日間
- CPFX 点滴静注[†] 初日1回300mg・1日1回ローディング，2日目以降1回200mg・1日1回，透析日は透析終了後に投与・7〜14日間
- TAZ/CTLZ 点滴静注初日750mg・1回，150mg・2回（計3回），2日目以降1回150mg・1日3回，透析日は透析終了後に投与・7〜14日間*

* β-ラクタマーゼの関与が考えられ，本剤に感受性の原因菌による感染症である場合に投与すること.
†：保険適用外
LVFX: レボフロキサシン，CPFX: シプロフロキサシン，CFDN: セフジニル，CPDX-PR: セフポドキシム　プロキセチル，MEPM: メロペネム，CPR: セフピロム，SBT/ABPC: スルバクタム・アンピシリン，TAZ/CTLZ: タゾバクタム・セフトロザン

うに抗菌薬治療と同時に基礎疾患の治療を行う[6]．起因菌は，単純性膀胱炎に比べてグラム陽性菌や薬剤耐性菌が増加する．カテーテル関連尿路感染症では緑膿菌，真菌の頻度も増す．empiric therapy として広域スペクトラムの抗菌薬を選択し，抗菌薬感受性検査結果に基づいて

表2■透析患者の腎盂腎炎治療薬・投与法（山下新吾. 尿路性器感染症. In: 最新ガイドラインに基づく腎・透析診療方針 2021-'22. 東京: 総合医学社; 2021. p.195-201.）[6*]
*: 原表に抗菌薬一般名を付記した.

●軽症〜中等症:
◆第1選択:
　処方A レボフロキサシン（クラビット®）錠 500mg 1錠　1日1回（500mg/日）
　処方B シタフロキサシン（グレースビット®）錠 50mg 2錠　1日2回（合計 200mg/日）
　いずれも 7〜14 日間
◆第2選択:
　処方A セフカペンピボキシル塩酸塩水和物（フロモックス®）錠 75mg 2錠　1日3回（450mg/日）
　処方B セフポドキシムプロキセチル（バナン®）錠 100mg 2錠　1日2回（400mg/日）
　いずれも 7〜14 日間
＜one-time intravenous agent（治療開始時）＞
処方A セフトリアキソン Na 水和物（ロセフィン®）静注用 1g 1日1回　点滴静注 1日間
処方B アミカシン硫酸塩（アミカシン®）200mg 1日1回　筋注または点滴静注（合計 200mg/日）1日間

●重症:
　処方A セフトリアキソン Na 水和物（ロセフィン®）静注用 1g バッグ　1〜2 バッグ 1日1〜2回　点滴静注（合計 2〜4g/日）
　処方B フロモセフ Na（フルマリン®キット静注用）1g 1〜2 バッグ　1日2回点滴静注（合計 2〜4g/日）
　処方C タゾバクタム Na・ピペラシリン Na（ゾシン®）静注用 4.5g　1日3回点滴静注（合計 13.5g/日）
　処方D メロペナム水和物（メロペン®点滴用）バイアル 0.5g 1〜2 バイアル　1日3回（合計 1.5〜3g/日）
　処方E　レボフロキサシン（クラビット®）点滴静注バッグ　500mg 1日1回（合計 500mg/日）
　処方F タゾバクタム Na・セフトロザン硫酸塩（ザバクサ®配合）点滴静注用（1.5g）1日3回（合計 4.5g/日）

de-escalation を行う．難治性例では静注抗菌薬も検討する．

❷腎盂腎炎（表2）[6]

急性単純性腎盂腎炎では，画像検査で複雑性腎盂腎炎を除外後，尿培養で抗菌薬感受性試験を実施後，治療を開始する．empiric therapy として，腎排泄型のセフェム系またはキノロン系抗菌薬を開始する．軽症・中等症では，外来で経口抗菌薬を開始し，同時に初回来院時の単回注射薬（one-time intravenous agent）併用（血中半減期の長い抗菌薬）も推奨される．重症例（発熱，全身倦怠，脱水，摂食不良など）や糖尿病・ステロイド長期投与などハイリスク例では入院・点滴治療を原則とする．

❸多嚢胞腎の嚢胞感染症[5]

膀胱炎や腎盂腎炎で第1選択となるβ-ラクタム系抗菌薬の多くは水溶性が高く，嚢胞内に移行困難である．この場合，組織移行性の高いST合剤（バクタ®）やフルオロキノロン系抗菌薬を使用すべきである．

■ 3. 実際の投与量，投与回数および投与期間の目安

抗菌薬は，排泄経路，蓄積性や透析性を考慮して投与量・投与間隔を調節する．腎障害のある成人患者への抗微生物薬ごとの投与量・投与間隔の詳細は，日本語版サンフォード感染症治療ガイド2021を参照されたい[8]．クレアチニンクリアランス（CrCl）別，透析のモダリティ別〔HD，腹膜透析（CAPD），持続的腎代替療法（CRRT）〕に詳述されている．

❶投与回数[4]

アミノグリコシド系，フルオロキノロン系の抗菌薬はグラム陽性・陰性菌の両方に対して長時間のPAE〔post antibiotic effect：抗菌薬がMIC（minimum inhibitory concentration：細菌の最小発育阻止濃度）以上の濃度で細菌と接触後，血中濃度や組織内濃度がMIC以下に低下しても細菌の増殖が一定期間抑制される現象〕を示し，濃度依存性の抗菌薬であり，1日1回投与が原則である．一方，β-ラクタム系抗菌薬（ペニシリン系，セフェム系など）は消失半減期が短く，時間依存性の抗菌薬であり，腎機能正常者に対しては1日2回程度では十分な効果は期

待できない．腎不全では，アミノグリコシド系，グリコペプチド系，β-ラクタム系抗菌薬の消失半減期は延長するため，1回量を減量する投与調節法では治療濃度に達するまで数日を要することもあり，初回投与量は減量すべきでない．

❷投与期間

透析患者の易感染性を考慮し，腎障害が軽度な患者よりも長期間の治療を要する[2]．具体的には7～14日間の投与期間が必要で，症例により21日間の投与も必要になる．尿路感染症に用いる腎排泄型抗菌薬は，透析患者では腎血流低下により病巣部への移行や尿中排泄率低下が生じるが，ある程度尿量が保持されている場合は内服薬でも効果が期待できる．Empiric therapy 開始3～4日後に尿（または血液）培養による抗菌薬感受性結果が出たら，狭域スペクトラム抗菌薬に変更する（de-escalation）[6]．

■ 4. 透析の影響

❶ HD

HDでは，透析液流量（約500mL/min）よりも血流量（200mL/min程度）が低く，より小さいほうのクリアランス以上は得られないため，血流量がHDクリアランスを決定する最大要因（律速要因）となる[9]．したがって，小分子物質のHDクリアランスは血流量と相関する．血流量200mL/minでは，クレアチニン（分子量113Da）ではCcrは150mL/min程度，尿素（分子量60Da）では180mL/minとなる．ただし，標準的HDは4時間/回×3回/週しか行われず，週平均のCcrは10.7mL/min，尿素クリアランスは12.8mL/minとなる．一般的な薬物の分子量は200Da以上であり，ある程度の蛋白結合率（PBR）と体内の分布容積を考慮すると，0～10mL/min程度のクリアランスしか得られない．多くのβ-ラクタム系抗菌薬（セフェム系，ペニシリン系）は，胆汁排泄性のもの（セフトリアキソンなど）を除き，蛋白結合率（protein binding rate: PBR）が低く，HDで除去されやすいため，透析日はHD後に投与することが推奨される[4]．セフトリアキソンやセフジトレンピボキシルは透析性が低いため，必ずしも透析後に投与する必要

はない．ニューキノロン系の多くは透析性が低いが，レボフロキサシンは透析性があり，透析後の投与が望ましい．

❷ CHDF（持続的血液透析濾過：continuous hemodiafiltration）[9]

CHDF は，HD では効率的に除去できない炎症性サイトカインや低分子蛋白などの中〜大分子物質の除去目的に血液を持続的に体外循環し，膜口径の大きい血液濾過器（ヘモフィルター）内に透析液を流し，限外濾過と核酸の原理によって血液浄化，過剰な水分・電解質の補正を行う血液浄化法である．ICU・CCU などで重症心不全・多臓器不全など循環動態不安定例の腎代替療法・体液是正，敗血症・SIRS の臓器障害への治療の他，重症急性膵炎・劇症肝炎など腎不全を伴わない病態にも適応がある．海外での CHDF を含めた持続的血液浄化療法（CRRT：continuous renal replacement therapy）では血流量・透析液流量・補充液流量が日本より多いため，薬物除去率を海外文献から引用すると過剰投与になることがあり，注意を要する．24 時間以上の CRRT についてサンフォード感染症治療ガイド 2021（前述）では Ccr 10〜50mL/min の至適用量とほぼ同じ記載となっており，欧米の CRRT でも日本の CHDF でも適合するよう記載されている．

■ 5. 注意すべき副作用や他剤との相互作用

❶注意すべき副作用

水溶性で腎排泄性の抗菌薬を透析患者に投与する場合，腎機能に応じて適切に減量しないと，体内に薬物が蓄積して中毒症状を起こすことがあり，十分な注意を要する[4]．一般的に β-ラクタム系抗菌薬は毒性が少ないと言われているが，抗菌薬関連脳症（antibiotic associated encephalopathy：AAE）には注意を要する[4]．AAE は，β-ラクタム系抗菌薬ではピペラシリン / タゾバクタム（PIPC/TAZ），セフタジジム（CAZ），セファゾリン（CEZ），セフェピム（CPPM，リスク大）で報告が多い．カルバペネム系抗菌薬も β-ラクタム系抗菌薬の一種であり，痙攣・意識障害など AAE 症状出現には十分注意する．

アミノグリコシド系抗菌薬・グリコペプチド系抗菌薬は，共に腎排泄性で，薬剤性腎障害（drug induced kidney injury：DKI）や耳毒性

（聴覚障害）など重篤な副作用を起こしやすい[4].

ニューキノロン系（クラビット®など）[10]：神経症状（痙攣，せん妄，錐体外路症状など），消化器症状（悪心，嘔吐，下痢，肝酵素上昇など），血球異常（白血球減少，血小板減少など）の中毒症状などの副作用に注意する．稀ではあるが重大な副作用として，中毒性表皮壊死融解症（toxic epidermal necrolysis：TEN），皮膚粘膜眼症候群（Stevens-Johnson 症候群）にも留意する．

❷注意すべき相互作用

カルバペネム系薬物との併用により，バルプロ酸（デパケン®）の血中濃度が顕著に低下することが知られ，添付文書上は併用禁忌とされており，カルバペネム系抗菌薬投与時は，バルプロ酸併用に注意する[4].

セフトリアキソンナトリウム（ロセフィン®）とカルシウム含有輸液の併用により，肺・腎臓・肝臓などに，セフトリアキソンがカルシウム塩として沈着する可能性があり，「新生児では投与間隔をあけること，成人では同時に投与しないこと」と添付文書上に明記されている．高カロリー輸液製剤はほぼ全品，末梢輸液でも多くがカルシウムを含む．併用時は，カルシウム含有輸液を一時止めてセフトリアキソンナトリウムを投与する[11].

セフジニル（セフゾン®）および経口ニューキノロン系：経口鉄剤やアルミニウムおよびマグネシウム含有制酸薬などとの併用で，腸管からの吸収が阻害され，効果が減弱するため併用時は注意する[10, 12].

■ 文献

1) 導入患者の死亡原因分類. 2019 年死亡患者の死亡原因分類. In: 日本透析医学会統計調査委員会, 編. わが国の慢性透析療法の現況（2020 年 12 月 31 年現在）: p623, 627. 透析会誌. 2021:54: 611-57.

2) JAID/JSC 感染症治療ガイド・ガイドライン作成委員会, 編. 尿路感染症. JAID/JSC 感染症治療ガイド. 東京: ライフサイエンス出版; 2021. p.202-20.

3) 尿路感染症. 日本透析医学会, 編. 専門医試験問題解説集改訂第 7 版. 東京: 医学図書出版; 2012. p.254.

4) 平田純生, 他編著. 腎不全患者への感染症治療薬の適正使用, 腎不全と薬の

使い方 Q & A. 2 版. 東京: じほう; 2020. p.583-687.

5）東郷容和, 山下新吾. 尿路感染へのアプローチ　3）複雑性尿路感染症. 腎と透析. 2020; 89: 73-8.

6）山下新吾. 尿路性器感染症. In: 最新ガイドラインに基づく腎・透析診療方針 2021-'22. 東京: 総合医学社; 2021. p.195-201.

7）三井貴彦, 武田正之. 尿路感染へのアプローチ　1）膿尿. 腎と透析. 2020; 89: 65-6.

8）菊池　賢, 橋本正良, 監修. 腎臓・膀胱. 腎障害のある成人患者への抗微生物薬の投与量. 日本語版サンフォード感染症治療ガイド 2021. 東京: ライフサイエンス出版; 2021. p.63-5, 319-39.

9）向山政志, 平田純生, 監修. 中山裕史, 竹内裕紀, 門脇大介, 編. 感染症科編. 腎機能に応じた投与戦略—重篤な副作用の防ぎかた. 医学書院; 2017. p.178-202.

10）クラビット®錠 250mg, 500mg, 細粒 10%, 医薬品インタビューホーム, 第一三共株式会社, 2019 年 11 月改訂（第 16 版）.

11）松井乃利子. 薬物相互作用など. In: 磯﨑泰介, 編. 臨床医のための栄養療法進め方ノート. 東京: 羊土社; 2011. p.110-2.

12）セフジニルカプセル, セフゾン®カプセル 50mg, 100mg, 添付文書. LTL Pharma, 2020 年 9 月改訂（第 19 版）.

〈磯﨑泰介〉

II. 感染症

Question 3 カテーテル関連感染症の診断と抗菌薬の使いかた，予防法を教えてください

> **Answer**
> 1) カテーテル刺入部に感染徴候を認めないことが多い．
> 2) 抗菌薬を選択する際に原因菌として MRSA を考慮する．
> 3) 先行的腎移植や計画的な内シャント作成を行いカテーテル留置の機会を減らす．

■ 1. 特徴

　血液透析患者に合併する感染症のなかでは，バスキュラーアクセス感染症が最も多い．なかでも短期留置型カテーテルの感染症リスクは高く，自己血管内シャントと比較して 10 倍以上である．血液透析患者のカテーテル関連血流感染症（catheter-related bloodstream infection：CRBSI）の原因菌は黄色ブドウ球菌が最多である．また血液透析患者は一般人口と比較して約 100 倍侵襲性メチシリン耐性黄色ブドウ球菌（methicillin resistant *Staphylococcus aureus*：MRSA）感染症のリスクが高く，MRSA 菌血症の死亡率が約 40％ と高いことを考えると抗菌薬を選択する際に MRSA を考慮する必要がある．

■ 2. 診断

❶ CRBSI を疑うポイント

1) カテーテル刺入部に感染徴候を認める場合
2) 発熱などの感染徴候を認めるが感染巣がはっきりしない場合
3) 血液培養から CRBSI の原因となり得る細菌が検出されたが，感染巣がはっきりしない場合

　カテーテル刺入部の発赤，腫脹，疼痛の感度は 15％ 以下と低く，感染巣がわからない場合にこそ CRBSI を鑑別診断にあげるべきである．

❷診断基準

下記いずれかを満たす場合に CRBSI と診断する.

1) 末梢血の培養と抜去したカテーテルの先端培養から同一菌が検出される.

2) カテーテル血の培養が末梢血の培養よりも 2 時間以上早く陽性化する.

3) 2 つのカテーテルルーメンから血液を定量培養しコロニー数に 3 倍以上の差がある.

4) カテーテル血と末梢血の定量培養の結果，カテーテル血のコロニー数が 3 倍以上多い.

*日本国内で定量培養を行っている施設は限られており，3），4）による診断は難しい.

■ 3. 原因菌

原因菌としては黄色ブドウ球菌が最多である（表 1）. 日本では検出される黄色ブドウ球菌の 50〜60% が MRSA である.

表 1 ■ 血液透析患者の CRBSI の原因菌（Katneni R, et al. Nat Clin Prac Nephrol. 2007; 3: 256-66）[2]

原因菌	%
グラム陽性球菌	52〜85
黄色ブドウ球菌	22〜60
表皮ブドウ球菌	9〜13
腸球菌	2〜18
グラム陰性桿菌	20〜28
緑膿菌	2〜15
アシネトバクター	13
大腸菌	10
カンジダ	まれ

■ 4. 治療

❶原則

1) カテーテルを抜去する.
2) 各施設のアンチバイオグラムを把握したうえで抗菌薬を選択する.

❷抗菌薬

1) 原因菌判明までの選択例

　　バンコマイシン　1回　15〜20mg/kg　4〜7日毎

　　セフェピム　1回　1g　24時間毎（透析日は透析後に1g追加投与）

を併用し, スペクトラムとしてMRSAとグラム陰性桿菌を考慮する.

2) 原因菌判明後

　原因菌, 感受性に合わせて抗菌薬を変更する. バンコマイシンは適宜血中濃度を測定し, 薬剤師と相談しながら投与方法を調整する.

❸治療期間

1) 合併症がない場合

　原因菌毎に治療期間が異なる. カテーテルを抜去したうえで, 黄色ブドウ球菌（☞NOTES）では14日間以上, 表皮ブドウ球菌では7日間, 腸球菌では7〜14日間, グラム陰性桿菌では7〜14日間, カンジダでは血液培養陰性化確認日から14日間抗菌薬を使用する.

2) 合併症がある場合

　各合併症の治療期間に準じて治療を行う. 合併症としては感染性心内膜炎, 骨髄炎, 椎体椎間板炎, 化膿性血栓性静脈炎, 腸腰筋膿瘍, 敗血症性塞栓, 眼内炎などが代表的である.

■ 5. 経過観察する際のポイント

1) 黄色ブドウ球菌, カンジダが原因菌の場合, 血液培養の陰性化を確認する.
2) カテーテルを抜去し適切な抗菌薬を使用しているのにもかかわらず, 72時間以上経過しても解熱しない, 血液培養が陰性化しない場合, 積極的に合併症を検索する.
3) 敗血症後には心血管合併症が増加するため心血管合併症の多い血液透析患者では特に注意を要する.

■ 6. 予防

❶カテーテル留置以前のポイント

1) 先行的腎移植を予定する.
2) 自己血管内シャントを事前に作成し透析に向け準備をしておく.

　カテーテルを留置しなければCRBSIは発症しない. 先行的腎移植を予定しても, 移植医や移植施設へ紹介するタイミングが遅い場合, 移植前にカテーテルを用いた短期間の透析を必要とする場合がありCKD stage 4の段階では紹介が必要である. 腎代替療法として血液透析を選択した場合, 自己血管内シャント, 人工血管内シャント, 長期留置型カテーテル, 短期留置型カテーテルの順に感染症のリスクが少なく, 短期留置型カテーテルの留置を可能な限り避ける.

❷カテーテル留置時のポイント

1) 留置操作前に手指衛生を行う.
2) 無菌操作を適切に施行する.
3) マキシマルバリアプリコーションを施行して留置する.
4) アルコールが含有された0.5％以上の濃度をもつクロルヘキシジンで皮膚を消毒する.
5) 鼠径部など汚染しやすい部位への留置を避ける.
6) 無菌のガーゼもしくはドレッシングで刺入部を覆う.

❸カテーテル留置後のポイント

1) 中心静脈ラインを操作する際に手指衛生を行う.
2) 接続部を使用する前にアルコール綿などの適切な消毒剤を用いてごしごしと擦る.
3) 接続部には無菌のラインのみを接続する.
4) 濡れてしまったり, 汚染したり, はがれてしまったドレッシング剤は交換する.
5) ドレッシング剤を交換する際は清潔な手袋を使用する.
6) カテーテルが必要かどうか毎日評価し不要なカテーテルは早期に抜去する.

■ 文献

1) Mermel LA, Allon M, Bouza E, et al. Clinical practice guidelines for the diagnosis and management of intravascular catheter-related infection: 2009 Update by the Infectious Diseases Society of America. Clin Infect Dis. 2009; 49: 1-45.
2) Katneni R, Hedayati SS. Central venous catheter-related bacteremia in chronic hemodialysis patients: epidemiology and evidence-based management. Nat Clin Pract Nephrol. 2007; 3: 256-66.
3) O'Grandy NP, Alexander M, Burns LA, et al. Guidelines for the prevention of intravascular catheter-related infections. Clin Infect Dis. 2011; 52: e162-3.

NOTES

黄色ブドウ球菌によるCRBSIの治療期間: 黄色ブドウ球菌が原因菌の場合, 14日間で抗菌薬投与を終了することができるのは, 糖尿病がない, 免疫抑制状態でない, カテーテルを抜去している, 体内に人工物がない, 感染性心内膜炎や血栓性静脈炎が否定的, 抗菌薬投与開始後72時間以内に解熱している, 診察や検査によって転移性感染症を認めないことのすべての条件を満たすことである. この条件を満たさない場合は4〜6週間の治療期間を考慮する.

〈伊藤健太〉

II. 感染症

Question 4

透析患者における MRSA 感染症の特徴と抗 MRSA 薬の使い方を教えてください

Answer

1) 透析患者は MRSA 感染症が多く，致死的になることがある．
2) 菌血症は MRSA 菌血症として第 1 選択として DAP または VCM を使用する．
3) 抗 MRSA 薬にはそれぞれ適応症が決まっている．
4) 透析患者では透析による抗 MRSA 薬の除去を考慮した投与を行う．
5) 抗 MRSA 薬の副作用には，red neck（man）症候群，血小板減少および貧血，第 VIII 神経障害，骨格筋への影響などがみられる．

■ 1. 透析患者における特徴

入院患者から検出される黄色ブドウ球菌の 50% は MRSA であり，感染経路は接触感染である．MRSA 感染には肺炎，敗血症，皮膚・軟部組織感染，手術創感染，尿路感染，CAPD における腹膜炎などがある[1]．透析患者の特徴はカテーテル留置に伴う MRSA 敗血症の発症が多く，敗血症性ショックを起こし，致死的になることがある．また高齢透析患者には嚥下障害による誤嚥性肺炎が多く，院内 MRSA 肺炎がみられる．

■ 2. 薬剤の適応

透析患者の菌血症の場合には，グラム染色でグラム陽性球菌が確認されたら，感受性の結果が判明するまで MRSA 菌血症として治療する．カテーテル留置患者では原則としてカテ抜去を行う．血液培養で原因菌が判明したら，感受性のある抗菌薬に変更する．

肺炎の場合に鼻腔や喀痰から MRSA が分離培養されたら MRSA を

肺炎の原因菌の1つとして考慮する．また，喀痰や気管内採痰のグラム染色でグラム陽性球菌の貪触像が確認されたらMRSAを肺炎の原因菌の1つと考える．

■ 3. 薬剤の選択

抗MRSA薬には，グリコペプチド系薬［バンコマイシン（VCM），テイコプラニン（TEIC）］，アミノ配糖体［アルベカシン（ABK）］，オキサゾリジノン系薬［リゾネリド（LZD）］，環状リポペプチド系薬［ダプトマイシン（DAP）］があり，それぞれ作用機序・作用様式が異なる[2]．さらに，最近オキサゾリジン系抗菌薬プラチン新規（デジゾリド）が開発された．なお，抗MRSA薬が承認されている適応症には，抗MRSA薬の種類により適応が異なっているので確認が必要である．菌血症ではDAPまたはVCMを第1選択とし，TEIC，ABK，LZNを第2選択とする．

■ 4. 実際の投与量，投与回数の目安

抗菌薬の投与量および間隔は基本的には薬物動態学‒薬物動力学（PK‒PD理論）にもとづくが，特に透析患者の場合は透析による除去を考慮する必要がある[3]．

主な抗MRSA薬の投与量，投与回数を表1に示す．VCMの場合は初回20〜30mg/kg，2回目以降は毎透析後10mg/kgの点滴でピーク値を25〜40μg/mLにトラフを10〜15μg/mL程度にコントロールできる．高機能透析膜を使用する時には透析による除去を考慮する必要がある．組織移行性は良好で組織と体液に十分な治療濃度に分布する．TEICは初回16mg/kg投与し，2・3日目は8mg/kg，4日目以降は毎透析ごとに6〜8mg/kg投与する．VCMに比し脂溶性が高く良好な組織移行性を示すが，髄液への移行は不良である．目標トラフは15〜30μg/mLに設定する．LZDの薬物動態は腎機能に影響されず，腎機能低下者でも用量調整は必要ない．したがって，減量の必要はなく1日600mgを2回投与する．良好な組織移行性を示す．ABKは初回4mg/kg投与し，以後は透析後に3〜4mg/kg投与する．標準的血中濃度の目安は15〜20μg/mLが推奨されている．DAPは透析で除去されにくく，6mg/kgを48

表 1 ■ 主な抗 MRSA 薬の種類と透析時の使用量

薬品名		蛋白結合率	透析性	透析患者の使用法
一般名	商品名			
バンコマイシン塩酸塩（VCM）	塩酸バンコマイシン®	37〜55%	あり	初回: 20〜30mg/kg 毎透析後: 10mg/kg
テイコプラニン（TEIC）	タゴシッド注®	約90%	されにくい	初回: 16mg/kg, 2・3日目: 8mg/kg 以後: 毎透析後に6〜8mg
リゾネリド（LZD）	ザイボックス®	31%	あり	1200mg/日・分2
アルベカシン硫酸塩（ABK）	ハベカシン®	2〜12%	あり	初回: 4mg/kg 2日目以降: 3〜4mg/kg 毎透析後
ダプトマイシン（DAP）	キュビシン注®	90〜93%	されにくい	1日6mg/kg: 48時間毎透析後
デジゾリドリン酸エステル（TZD）	シベクトロ注®	86.6%	されにくい	200mg. 1日1回

時間毎透析後に投与する.

■ 5. 透析の影響

透析による薬物の除去は薬剤の蛋白結合率，分子量，分布容積などが関与している．また，透析方法の違い，透析条件（透析膜，血流量，時間）なども関係してくる[4]．特に高機能透析膜を使用すると除去率が高くなる.

VCM の分子量は 1,486Da とやや大きいが蛋白結合率は 37〜55% で，透析による除去率は 5〜57% である．TEIC は VCM に比し分子量が少し大きく，蛋白結合率は 90% と高く，透析による除去率は低いが，最近の高機能膜では除去率が 20% の報告もある．LZD は蛋白結合率は 31% で透析による除去率は 30% 以上である．ABK は蛋白結合率は 2〜12% で，透析で除去される．DAP および TZD は蛋白結合率は 86.6〜93% で透析で除去されにくい.

■ 6. 注意すべき副作用や他剤との相互作用[2]

VCM は急速に投与するとヒスタミン遊離作用による red neck

(man) 症候群，血圧低下などの副作用がみられることがあるので，60分以上かけて点滴する．TEIC は VCM に比し，ヒスタミン遊離作用が少ないが，肝障害，腎障害，聴覚障害が報告されている．LZD は副作用として血小板減少および貧血が高頻度に発生するので注意が必要である．また，セロトニン作動薬との併用にて，セロトニン症候群（錯乱，せん妄，情緒不安，振戦，紅潮，発汗，超高熱）がまれに発生する．ABK には副作用として，腎障害，肝障害，第 VIII 神経障害がある．DPA は骨格筋への影響が知られている．治療中は週 1 回以上の CPK のモニタリングが必要である．

■ 文献

1）日本医師会. 感染症診療 update. 日本医師会雑誌. 2014; 143: S55-6.
2）MRSA 感染症の治療ガイドライン作成委員会, 編. MRSA 感染症の治療ガイドライン改訂版 2017. 東京: 日本化学療法学会・日本感染症学会; 2017.
3）平田純生, 古久保　拓, 編著. 透析患者への投薬ガイドブック改訂 3 版. 東京: じほう; 2017.
4）日本腎臓薬物療法学会, 編. 平田純生, 木村　健, 竹内裕紀, 監修. 腎臓病薬薬物療法専門・認定薬剤師テキスト. 東京: じほう; 2013.

NOTES

MRSA（メチシリン耐性黄色ブドウ球菌）：黄色ブドウ球菌のなかで β-ラクタマーゼ系薬に耐性を獲得した菌で，他の抗菌薬にも耐性を有する場合が多い．

〈原田孝司〉

II. 感染症

Question 5

ESBL 産生菌とは何ですか？ 透析患者における特徴と現状を教えてください. また抗菌薬をどう使えばよいですか？

Answer

1) ESBL 産生菌とは，ペニシリン系抗菌薬だけでなく，第3世代や第4世代のセフェム系抗菌薬にも耐性をもつ細菌である.
2) ESBL 産生菌は主に大腸菌や肺炎桿菌などで検出されるがその検出率や菌種は拡大傾向である.
3) 標準予防策に加えて，接触予防策が重要である.
4) カルバペネム系抗菌薬が第1選択であるが，透析性があるため，透析日は透析後に投与する.

ESBL 産生菌とは，基質特異性拡張型β-ラクタマーゼ（extended-spectrum β-lactamase）産生菌の略称であり，βラクタム環をもつ抗菌薬を分解する酵素を産生し，抗菌薬に対する耐性をもつ細菌である. ESBL は，主にペニシリン系抗菌薬を分解するという基質特異性をもったβ-ラクタマーゼにさらにアミノ酸置換が生じて，第3世代や第4世代のセフェム系抗菌薬をも分解可能とする基質特異性が拡張したβ-ラクタマーゼである.

ESBL 検出の対象となる菌は，主に大腸菌，肺炎桿菌（*Klebsiella pneumonia*）であるが，その他，*Klebsiella oxytoca*，*Proteus mirabilis*，緑膿菌，*Enterobacter* 属，*Serratia* 属などの細菌でも検出され，その菌種は拡大傾向である.

ESBL 産生菌は，健常人の糞便からも数パーセント検出され，同菌種間を超えて異なる菌種にもその耐性遺伝子が伝播しうるため，特に院内感染で問題となっていたが，最近では市中感染例の増加も問題となっている[1].

ESBL 産生菌などの耐性菌獲得のリスク因子として，長期入院，過去90 日以内に 2 日以上の抗菌薬使用歴，経管栄養などがあげられる．

■ 1. 透析患者における特徴

ESBL 産生菌による感染症としては，尿路感染，肺炎などが中心であるが透析患者においては，内シャントや血管グラフト感染，留置カテーテル感染，腹膜透析に関連する腹膜炎などの原因菌となりうる．

日本人透析患者における ESBL 産生菌の保菌や分離率に関する報告はないが，海外の報告では，MRSA や多剤耐性グラム陰性桿菌の保菌を外来透析患者の 28% に認めたという報告がある[2]．

特に透析患者の肺炎は NHCAP という医療・介護関連肺炎として分類され，耐性菌性肺炎を惹き起こしやすく，入院患者でなくとも発症早期から ESBL 産生菌を含めた耐性菌を考慮した抗菌治療が推奨されている．また透析患者では，透析日透析前の喀痰が起因菌検出率を向上させる可能性が報告されている[3]．

■ 2. 薬剤の適応

培養検査で ESBL 産生菌が検出された場合，まずは感染症の起因菌であるか，保菌に過ぎないのかを判断する必要がある．起因菌でないにもかかわらず ESBL 産生菌をターゲットにした不必要な抗菌薬治療はさらなる耐性菌の拡散に繋がるため，菌の検出部位と臨床症状からその適応を総合的に判断する．

■ 3. 薬剤の選択

ESBL 産生菌が起因菌と判断した場合は，カルバペネム系抗菌薬が第1 選択薬である．セファマイシン系抗菌薬が ESBL 産生菌に対して有効であるとの報告もあるが，透析患者における ESBL 産生肺炎桿菌の菌血症の報告では，カルバペネム系抗菌薬の方が，セファマイシン系抗菌薬よりも有効性を示した[4]．その他，薬剤感受性検査で感受性ありと示されたセフェム系抗菌薬，β-ラクタマーゼ阻害薬配合βラクタム系薬やニューキノロンなどの 薬剤でも効果が不十分のことがある．

■ 4. 実際の投与量，投与回数および投与期間の目安

透析患者における代表的なカルバペネム系抗菌薬の投与方法を表 1

表1 ■ 透析患者におけるカルバペネム系抗菌薬の投与方法

一般名（略名）	商品名	Ccr＞50mL/分	血液透析（HD）	透析性
イミペネム・シラスタチンナトリウム配合（IPM/CS）	チエナム®	1～2g 分2	0.25g 分1，HD 日は HD 後投与	○
テビペネムピボキシル（TBPM-PI）	オラペネム®	4～6mg/kg 12h 毎	慎重投与	○
ドリペネム水和物（DRPM）	フィニバックス®	70≦：0.5～3g 分2～3，50≦Ccr＜70：0.5～2g 分2～3	0.25～0.5g 分1，HD 日は HD 後投与	○
パニペネム・ベタミプロン配合（PAPM/BP）	カルベニン®	1～2g 分2	0.5g 分1，HD 日は HD 後投与	○
ビアペネム（BIPM）	オメガシン®	0.6～1.2g 分2	0.3g 分1，HD 日は HD 後投与	○
メロペネム水和物（MEPM）	メロペン®	0.5～3g 分2～3	1回 0.25～0.5g24h 毎，HD 日は HD 後投与	○

に示す[5].

ESBL 産生菌などの伝播は接触感染であるため，外来患者でも個室での隔離透析が望ましい[6]．その他，標準予防策に加えて，聴診器，体温計，血圧計などの専用化，使用した機器の消毒など接触予防策が重要である．透析後，実際に患者に対処したスタッフが透析後速やかに，ベッド周囲を環境清掃・消毒する[6].

■ 5. 透析の影響

ほとんどのカルバペネム系抗菌薬は透析性があるため，透析日には透析終了後に投与する（表1参照）.

■ 6. 注意すべき副作用や他剤との相互作用

腎不全患者や高齢者では，カルバペネム系抗菌薬による痙攣をきたすことがあり，過剰投与にならぬよう注意が必要である.

■ 文献

1） Chong Y, Shimoda S, Yakushiji H, et al. Community spread of extended-spectrum β-lactamase-producing *Escherichia coli*, *Klebsiella pneumoniae* and *Proteus mirabilis*: a long-term study in Japan. J Med Microbiol. 2013; 62:1038-43.

2） Pop-Vicas A, Strom J, Stanley K, et al. Multidrug-resistant gram-negative bacteria among patients who require chronic hemodialysis. Clin J Am Soc Nephrol. 2008; 3:752-8.

3） 佐々木公一, 山口 慧, 部坂 篤, 他. 維持透析患者における肺炎の起因菌および菌検出の因子の検討. 日腎会誌. 2014; 56: 524-31.

4） Yang CC, Wu CH, Lee CT, et al. Nosocomial extended-spectrum beta-lactamase-producing *Klebsiella pneumoniae* bacteremia in hemodialysis patients and the implications for antibiotic therapy. J Infect Dis. 2014; 28: 3-7.

5） 日本腎臓学会, 編. CKD 診療ガイド 2012. 東京: 東京医学社; 2012. p.122-3.

6） 日本透析医会「透析施設における標準的な透析操作と感染予防に関するガイドライン」改訂に向けたワーキンググループ. 透析施設における標準的な透析操作と感染予防に関するガイドライン（五訂版）. 2020.

〈辻 孝之〉

Ⅱ. 感染症

Question 6 透析患者に対するアミノグリコシド系抗菌薬の使い方と注意点を教えてください

Answer

1) 腎障害や聴力低下などの重大な副作用があるため，第2選択薬や，併用治療薬として使用し，適応症や投与量について十分な配慮が必要である.

2) 主として腎排泄性であり，1回投与量の減量あるいは投与間隔の延長が必要である.

3) 薬剤血中濃度モニタリング（therapeutic drug monitoring: TDM）を行い，トラフ値を測定し副作用の発症を防止する[1].

4) 併用薬剤は，腎障害を助長しない薬剤を選択する.

■ 1. 透析患者における特徴

アミノグリコシド系抗菌薬（以下 AGs）は有効治療域と毒性域が近く，主に腎排泄性であるため腎障害患者では高濃度が遷延しやすく，聴力低下や残存腎機能がある透析患者では無尿となる危険性がある. ゲンタマイシン（GM）の半減期は通常 2～3 時間であるが，Ccr 30mL/min 以下で 7.13 時間に延長，透析患者では非透析時，20 時間以上に延長する[2]とされる.

■ 2. 薬剤の適応

AGs は，グラム陽性菌，グラム陰性菌，抗酸菌と幅広い抗菌力をもち，主に緑膿菌を含むグラム陰性桿菌感染症に用いられてきたが，広域 β-ラクタム薬などの出現で，より安全に治療が可能となり，AGs の使用機会は減少している. ところが近年，ESBL 産生菌やカルバペネム耐性腸内細菌の広まりを受け，これらに抗菌活性を示す AGs の重要性が増している. AGs の作用点は，細菌内のリボゾームに酸素依存性に結合

し蛋白合成を阻害するため，嫌気性条件や pH が低い場合には抗菌活性が低下する．したがって膿瘍や膿胸，嫌気性菌には効果が低いことに注意したい．

また，AGs を単独で使用すると，耐性変異体が高頻度に急速に出現することから，併用治療が望ましい．

適応例

グラム陰性菌（緑膿菌，大腸菌，肺炎桿菌，セラチアなど）による敗血症や難治性肺炎，腎盂腎炎，グラム陽性菌による感染性心内膜炎に対して使用され，アルベカシン（ABK）のみ MRSA 敗血症，ストレプトマイシン（SM），カナマイシン（KM）が結核症に対して使用される．CAPD 腹膜炎では，腸球菌による重症腹膜炎や複数の腸内細菌による混合感染の場合に，AGs の腹腔内投与が考慮される．

■ 3. 実際の投与量，投与回数および投与期間の目安

AGs は濃度依存性の殺菌作用と PAE（post antibiotic effect）を有し，投与間隔を延長させても効果が期待できる．一方，副作用はトラフ値と相関するため，低用量を 1 日複数回投与するより，高用量で間隔を延長して投与するインターバル投与法が副作用予防に有利とされる．ただし，腎障害（CCr＜30mL/min または腎機能が急速に低下しているとき），妊娠中，大量腹水貯留，熱傷（体表面積 20％ 以上）症例には高用量は禁忌とする報告もあり[3]，慎重な投与量の調整が必要である．

なお，グラム陽性菌感染症（感染性心内膜炎）には，細胞壁に対して抗菌活性を示す薬剤（β-ラクタム薬，グリコペプチドなど）と相乗効果があるため，AGs を低用量分割して併用することが推奨されている．

透析患者への投与タイミングは，透析後に投与し，次回透析まで 48 時間以上投与間隔をあける[4, 5]．

その他，透析前に投与してピーク値に到達後，透析で除去することで，正常腎機能に近い血中濃度を維持する方法も開発されている[3]．

1. 初期投与量の決定

表 1 参照　＜腎機能低下時の投与量＞

表1 ■ 腎機能低下時のアミノグリコシド製剤投与量
（抗菌薬TDMガイドライン2016 [7] 腎機能低下時に最も注意が必要な薬剤投与量一覧 2021 [4] より抜粋）

eGFR mL/min/1.73m²	ゲンタマイシン/トブラマイシン (GM/TOB)				アミカシン (AMK)			
	重症		軽～中等症		重症		軽～中等症	
	1回量 (mg/kg)	間隔 (時間)	1回量 (mg/kg)	間隔 (時間)	1回量 (mg/kg)	間隔 (時間)	1回量 (mg/kg)	間隔 (時間)
≧80	7	24	5	24	20	24	15	24
70～79	5		4		15		12	
60～69	5		4		15		7.5	
50～59	4		3.5		12		7.5	
40～49	4		2.5		12		4	
30～39	5		2.5		15		4	
20～29*	4	48	4	48	12	48	7.5	48
10～19*	3		3		10		4	
透析	初回2.5 (維持1.7)	透析後	初回2 (維持1)	透析後	7.5	透析後	5	透析後

高用量での治療期間は5日以内とすることが望ましい。
* eGFR<30の症例では、慎重な投与設計が必要

2. 各薬剤の TDM 目標値へ適宜投与量，投与間隔を調節する

表 2 参照　＜TDM 目標値＞

透析患者では，2 回目投与日の透析前に採血して，AGs の血中濃度を測定し，トラフ値として目標値になるよう投与量を調整する[6,7]．ピーク値は初回投与後 30 分で測定するが，腎機能により変動が大きい[3]．

■ 4. 透析の影響

AGs は水溶性のため組織移行性は不良で，分布容積は 0.26L/kg と小さく，蛋白結合率が 0 〜 10%[3] と低いため透析で容易に除去される．透析での除去率は 50% 前後とされるが，透析条件に大きく依存する．また，CHDF 時の投与設計や腹膜炎時の腹腔内投与法も考案されている[8]．表 3，4 参照．

■ 5. 注意すべき副作用や多剤との相互副作用

トラフ値が毒性域の状態が繰り返されると，腎障害や聴覚障害の危険性が高くなる．

❶腎障害

腎障害の発症頻度は AMK トラフ値約 3 〜 7 μg/mL で 2.7 〜 6% とされる[9]．腎皮質内濃度は血清濃度の 10 〜 20 倍に達する．尿中に排泄

表 2 ■ TDM での目標値（サンフォード感染症治療ガイド 2021[3]）

グラム陰性菌感染症			
抗菌薬	適応疾患	ピーク目標値	トラフ目標値
ゲンタマイシン / トブラシン（GM/TOB）	致死的感染症	8〜10μg/mL	<1〜2μg/mL
	重症感染症	6〜8μg/mL	
	尿路感染症	4〜6μg/mL	
アミカシン（AMK）	致死的感染症	25〜30μg/mL	<4〜8μg/mL
	重症感染症	20〜25μg/mL	
	尿路感染症	15〜20μg/mL	
グラム陽性菌感染症（感染性心内膜炎）			
抗菌薬		ピーク目標値	トラフ目標値
ゲンタマイシン / トブラシン（GM/TOB）		3〜4μg/mL	<1μg/mL

表3 ■ CHDF 時の投与設計（抗菌薬 TDM ガイドライン 2016[7]）

アミノグリコシド系薬	グラム陰性菌感染				グラム陽性菌感染に対する併用療法（24～36h ごと）
	初回負荷投与	維持投与量			
		透析液＋濾過液流量			
		2,000mL/h（米国）	800mL/h（日本．保険適応）	AmL/h（施設での透析条件）	
GM/TOB	3.0mg/kg	2.0mg/kg 24～48h ごと	0.8mg/kg～ 24h ごと	2.0mg/kg×（A÷2,000）～ 24h ごと	0.4mg/kg（GM のみで適応）
AMK	10.0mg/kg	7.5mg/kg 24～48h ごと	3.0mg/kg～ 24h ごと	7.5mg/kg×（A÷2,000）～ 24h ごと	適応なし

表4 ■ 腹膜炎治療時の腹腔内投与量（腹膜透析ガイドライン 2019[8]）

	間欠投与（1日1回）	連続投与（すべての交換毎）
アミカシン（AMK）	2mg/kg/day	初回投与量 25mg/L 維持投与量 12mg/L
ゲンタマイシン（GM）	0.6mg/kg/day	
トブラシン（TOB）	0.6mg/kg/day	

間欠投与時は，6時間以上腹腔内貯留させる
ペニシリン系やセフェム系とは配合禁忌であるため，同一透析液へ添加は避ける

された AGs は，受容体を介して近位尿細管細胞内に取り込まれた後ライソゾームに蓄積し，水解酵素の放出を惹起して，急性尿細管壊死に至る．動物実験では腎毒性の強さは GM＞AMK≒KM＞TOB≒ABK＞SM とされる[10]．

❷聴器障害

内耳の蝸牛部や前庭部の有毛細胞の変性，壊死により，難聴，耳鳴などの聴覚障害，めまいや平衡感覚異常などが現れる．投与前に聴力検査を行っておくと，高音域の聴力低下の早期発見が可能である．

❸神経筋遮断作用

まれに筋脱力感，呼吸抑制などの可能性がある．

❹相互副作用

β-ラクタム薬との直接混合は，配合変化により活性低下する．また，利尿薬との併用時に血中濃度上昇による腎障害の増悪に注意する．その他，腎毒性や聴器毒性を有する薬剤（シスプラチン，バンコマイシン，アンホテリシンBなど）との併用，呼吸筋抑制を助長する麻酔薬や筋弛緩薬との併用に注意を要す．

■ 文献

1) 日本腎臓学会. エビデンスに基づくCKD診療ガイドライン2018.
2) ゲンタシン添付文書, インタビューフォーム. 2013年改訂（改訂第4版）.
3) David NG, Henry FC, 菊池　賢, 他, 監修. サンフォード感染症治療ガイド 2021.51版. 東京: ライフサイエンス出版.
4) 日本腎臓薬物療法学会. 腎機能低下時に最も注意が必要な薬剤投与量一覧. 2021年9月7日改訂34.1版.
5) 日本腎臓学会. 薬剤性腎障害診療ガイドライン. 日本腎臓学会誌. 2016; 58: 521-47.
6) Clinical Pharmacology of Antibiotics. Clin J Am Soc Nephrol. 2019; 14: 1080-90.
7) 日本化学療法学会・日本TDM学会. 抗菌薬TDMガイドライン2016. 日本化学療法学会雑誌. 2016; 64: 445-60.
8) 日本透析学会. 腹膜透析ガイドライン2019.
9) 日本環境感染学会. アミカシン投与時における腎機能障害の発生割合と血中トラフ濃度に関する回帰分析. Vol.35 no.1, 2020.
10) 厚生労働省. 重篤副作用疾患別対応マニュアル. 急性腎不全. 平成19年6月.

NOTES

PAE（post antibiotic effect）: 抗菌薬を除去しても持続して微生物の増殖を抑制できる効果.

> **NOTES**
>
> 　耐性について：AGsは互いに交叉耐性を示すことが多い．また近年，カルバペネム，ニューキノロン，AGsなど同時に耐性を示す多剤耐性緑膿菌（multiple drug resistant *P. aeruginosa*：MDRP）の出現が問題となっており，施設内に蔓延，定着しないよう監視と対策の強化が重要である．

〈糟野裕子　福永 惠〉

II. 感染症

Question 7 透析患者における結核，非結核性抗酸菌症の特徴，抗菌薬の使いかたを教えてください

Answer

1) 透析患者では活動性結核を発症しやすく，約半数が肺外結核である．
2) 喀痰塗抹で結核菌が陽性の場合，他患者と隔離して結核治療と透析治療の両方が行える入院施設で加療する．
3) 結核の初回標準治療は4剤併用であり，全治療期間は6カ月である．
4) 潜在性結核菌感染症では，発病予防のため，イソジアニドまたはリファンピシンの投与を積極的に行う．
5) 非結核性抗酸菌症の治療は，個々の患者の状態や副作用などを考慮して総合的に判断する．

■ 1. 透析患者における特徴

❶結核

透析患者の活動性結核発病の相対危険度は 10 〜 25 倍[1] とされている（表1）．内因性再燃での発症が多く，肺外結核（リンパ節結核，結核性胸膜炎，粟粒結核など）が全結核の約半数と多いのも特徴である．患者発生時は透析施設内に長時間の滞在が繰り返されるため集団感染のリスクが高い．

診断方法は成書に譲る[2-4]が，感染リスク評価の上でも喀痰検査が重要である．喀痰が得られない場合は誘発喀痰や胃液検査，気管支鏡も考慮する．

胸水 ADA（adenosine deaminase）40 〜 50IU/mL 以上は結核性胸膜炎の可能性が高いが，偽陽性率・偽陰性率ともに高いため，内腔

を観察しながら生検と組織培養を行うことができる局所麻酔下胸腔鏡を行う施設も増えている.

ツベルクリン反応（ツ反）やクオンティフェロン検査（QFT）も参考となるが結果の解釈には注意を要する（☞ NOTES）.

❷潜在性結核感染症（LTBI: latent tuberculosis infection）

結核感染後の発病リスク低下を目的として行う化学予防が LTBI 治療である. 結核菌に感染していること自体が潜在的な疾患であるとの考え方で, 透析患者は積極的な治療対象となる（表1）.

❸非結核性抗酸菌（non-tuberculous mycobacteria: NTM）症

臨床的基準と細菌学的基準から成る肺 NTM 症の診断基準[5] が定められている.

M. avium および *M. intracellulare* の 2 菌種による肺 MAC（*Mycobacterium avium* complex）症は全体の 70% 前後と最も多く, *M. kansasii* が 10 ～ 20% とこれに続く. 透析患者での NTM 症のまとまった報告はないが, 腹膜透析患者でカテーテル感染・腹膜炎が報告されている.

■ 2. 薬剤の適応

❶結核

結核と診断されれば治療の適応で, 喀痰塗抹陽性であれば隔離が必要となるため結核治療と透析の両方が行える施設への入院が必要となる.

❷LTBI

透析導入患者にはインターフェロンγ遊離試験（interferon gamma release assay: IGRA）を実施し, 感染が疑われる場合には発病していないことを確認のうえ治療を考慮する.

❸NTM 症

肺 MAC 症の治療開始時期に明確な指針は示されておらず, 個々の患者の状態や副作用などを考慮して総合的に判断されている. *M. kansasii* による肺 NTM 症は治療が有効である. 腹膜透析時の NTM による腹膜炎ではカテーテル抜去の上, 血液透析を行いつつ菌種に応じた[5-7] 多剤併用療法を行うことになる.

表 1 ■ 感染者中の活動性結核発病リスク要因（日本結核病学会予防委員会・治療委員会. 結核. 2013; 88: 497-512[1]）より一部改変）

対象	発病リスク*	勧告レベル	備考
HIV/AIDS	50〜170	A	
臓器移植（免疫抑制薬使用）	20〜74	A	移殖前のLTBI治療が望ましい
珪肺	30	A	患者が高齢化しており，注意が必要
慢性腎不全による血液透析	10〜25	A	高齢者の場合には慎重に検討
最近の結核感染（2年以内）	15	A	接触者検診での陽性者
胸部X線で線維結節影（未治療の陳旧性結核病変）	6〜19	A	高齢者の場合には慎重に検討
生物学的製剤使用	4.0	A	発病リスクは薬剤によって異なる
副腎皮質ステロイド（経口）使用	2.8〜7.7	B	用量が大きく，リスクが高い場合には検討
副腎皮質ステロイド（吸入）使用	2.0	B	高用量の場合はリスクが高くなる
その他の免疫抑制薬使用	2〜3	B	
コントロール不良の糖尿病	1.5〜3.6	B	コントロール良好であればリスクは高くない
低体重	2〜3	B	
喫煙	1.5〜3	B	
胃切除	2〜5	B	
医療従事者	3〜4	C	最近の感染が疑われる場合には実施

*発病リスクはリスク要因のない人との相対的危険度

勧告レベル　A: 積極的にLTBI治療の検討を行う
　　　　　　B: リスク要因が重複した場合に，LTBI治療の検討を行う
　　　　　　C: 直ちに治療の考慮は不要

■ 3. 薬剤の選択

❶結核

　結核に使用される薬剤はその抗菌力と安全性に基づいて3群に分類

されている[4]．初回の標準的治療法は表2に示した．多剤耐性結核（INH および RFP に耐性）や超多剤耐性結核（多剤耐性結核のうちアミノグリコシド薬，フルオロキノロン薬に耐性があるもの）では，デラマニドやベダキリン，クロファミジン，リネゾリドを含む多剤併用療法も選択となる．

❷ LTBI

使用薬剤はイソニアジド（INH）であるが，感染源が INH 耐性の場合や INH が副作用で使えない場合にはリファンピシン（RFP）を選択する．

❸ NTM 症

肺 MAC 症では RFP，エタンブトール（EB），クラリスロマイシン（CAM）の3剤併用が基本で，必要に応じストレプトマイシン（SM）またはカナマイシン（KM）を併用する．

CAM 単剤での治療は数カ月以内に CAM 耐性を生じるため決して行ってはならない．

難治性 MAC 症に対する新たな治療として，アミカシン硫酸塩の吸入療法が可能となったが，腎機能障害を有する症例での安全性は十分に評価されていない．

表2 ■ 初回標準治療例の標準的治療法（日本結核病学会治療委員会. 結核. 2018; 93: 61-8）[4]

原則として RFP，INH，PZA を用いる下記の治療法を用いる．
　RFP＋INH＋PZA に EB（または SM）の4剤併用で初期強化期2カ月間治療後，
　維持期は RFP＋INH を4カ月継続し，全治療期間6カ月（180日）とする．
なお，下記の条件がある場合には維持期を3カ月延長し，維持期を7カ月，全治療期間9カ月（270日）とすることができる．
　(1) 結核再治療例
　(2) 治療開始時結核が重症: 有空洞（特に広汎空洞型）例，粟粒結核，結核性髄膜炎
　(3) 排菌陰性化遅延: 初期2カ月の治療後も培養陽性
　(4) 免疫低下を伴う合併症: HIV 感染，糖尿病，塵肺，関節リウマチなどの自己免疫疾患など
　(5) 免疫抑制薬の使用: 副腎皮質ステロイド剤，その他の免疫抑制薬
　(6) その他: 骨関節結核で病巣の改善が遅延している場合など

M. kansasii による肺 NTM 症では INH, RFP, EB による多剤併用療法が基本で, SM などのアミノグリコシド, CAM, フルオロキノロン, ST 合剤なども有効である.

稀少菌種では標準とよべる治療はないが, ガイドラインを参考[6]に薬剤を選択する.

■ 4. 実際の投与量, 投与間隔および投与期間の目安

❶結核

主要な薬剤の最高投与量, 透析患者での投与量, 投与間隔, 透析性を表 3 に示した. 投与期間は PZA を使用できる場合には, まず, INH, RFP および PZA に SM または EB を加えた 4 剤併用療法を 2 カ月間行い, その後 INH および RFP の 2 剤併用療法を 4 剤併用療法開始時から 6 カ月 (180 日) を経過するまでの間行う. 再治療例や重症例, 糖尿病やステロイド使用下の発症では治療期間を 3 カ月延長する.

❷ LTBI

原則として次の (1) または (2) に掲げる通りとする. ただし, INH

表 3 ■ 主な抗結核薬の用法・用量・透析性・副作用 (文献 4,7,8,9 を参考に作成)

薬剤名	略号	標準量 (mg/kg/day)	最大量 (mg/body/day)	透析時	透析性 (除去率)	主な副作用
リファンピシン	RFP	10	600	正常時と同じ	0%	発疹, 発熱, 嘔気, 肝障害, 血小板減少
イソニアジド	INH	5	300	正常時と同じ*	73%	肝障害, 末梢神経障害, 発疹, 発熱
ピラジナミド	PZA	25	1500	透析後 1500 mg	※	肝障害, 高尿酸血症, 胃腸障害
エタンブトール	EB	15 (20)	750 (1000)	透析後 750 mg	12%	視覚障害, 末梢神経炎, 発疹
ストレプトマイシン	SM	15	750 (1000)	透析後 750 mg	50%	第 VIII 脳神経障害, 腎障害, 発熱, 発疹
レボフロキサシン	LVFX	8	500	透析後 500 mg	34.6%	胃腸障害, 中枢神経症状, 肝障害

*透析により除去されるため透析日は透析後が望ましい
※ 3～4 時間の HD で血清 PZA 約 55%, 代謝物 50～60% 減少との報告あり
透析日には透析後にすべての薬剤を服用し, 医療従事者が目の前で確認する直接服薬確認療法 (DOTS; directly observed treatment short-course) を行うのも服薬順守率を高めるのに有効である.

II 感染症

が使用できない場合または INH の副作用が予想される場合は RFP 単独療法を 4 カ月間行う．用量は活動性肺結核の場合と同様である．

（1）INH の単独療法を 6 カ月間行い，必要に応じてさらに 3 カ月間行う．

（2）INH および RFP の 2 剤併用療法を 3 カ月または 4 カ月間行う．

❸ NTM

肺 MAC 症では RFP 10mg/kg（600mg まで）/ 日　分 1，EB 15mg/kg（750mg まで）/ 日　分 1，CAM 600 〜 800mg/ 日（15 〜 20mg/kg）分 1 または分 2（800mg は分 2），SM と KM は 15mg/kg 以下（1000mg まで）を週 2 回または 3 回筋注が標準的な用法および用量で，薬剤毎に投与量および投与法を調節する（表 3 参照）．CAM の透析性について十分なデータはないが，分布容積が大きいことから効率的には除去されにくいと考えられている．常用量の 50% 程度を連日投与，常用量を透析後に，といった方法で使用されるが肺 MAC 症に対するCAM の至適投与法は不明である．

投与期間はガイドライン[5,6]でも「菌陰性化後約 1 年」とされているがエビデンスに乏しい．

■ 5. 透析の影響

表 3 に記載．

■ 6. 注意すべき副作用

薬剤毎に特徴的と思われるものは表 3 に記載した．EB による視神経炎は不可逆性の視力障害を起こす可能性があり，視力障害のある場合には原則として使用は避ける．SM は聴力低下がある場合には使用を避ける．

■ 7. 他剤との相互作用

RFP は多くの薬剤（ステロイド，アゾール系抗真菌薬，抗 HIV 薬，スルフォニル尿素薬，ワルファリン，など）の血中濃度に影響を与える可能性があり，ステロイド使用中に RFP を投与する場合，ステロイドを倍量にするなどの調節が必要となる．相互作用で使用が難しい場合にはリファブチン（RFB）への変更も行われる．

INHではフェニトインやカルバマゼピンの代謝が阻害されるため血中濃度が上昇する．CAMはコルヒチンやジゴキシンとの併用で死亡例の報告もある．

■ 文献

1) 日本結核病学会予防委員会・治療委員会. 潜在性結核感染症治療指針. 結核. 2013; 88: 497-512.
2) 日本結核病学会, 編. 結核診療ガイドライン. 改訂第3版. 東京: 南江堂; 2015.
3) 日本結核病学会教育委員会. 結核の基礎知識（改訂第5版）. 結核. 2021; 96: 95-123.
4) 日本結核病学会治療委員会.「結核医療の基準」の改訂. 2018年. 結核. 2018; 93: 61-8.
5) 日本結核病学会非結核性抗酸菌症対策委員会. 日本呼吸器学会感染症・結核学術部会. 肺非結核性抗酸菌症化学療法に関する見解— 2012年改訂. 結核. 2012; 87: 83-6.
6) Daley CL, Iaccarino JM, Lange C, et al. Treatment of Nontuberculous Mycobacterial Pulmonary Disease: An Official ATS/ERS/ESCMID/IDSA Clinical Practice Guideline. Clin Infect Dis. 2020; 71: 905-13.
7) Gilbert DN, Chambers HF, Eliopoulos GM, et al. The Sanford Guide to Antimicrobial Therapy. 2021. Sperryville, VA. 2021
8) Milburn H, Ashman N, Davies P, et al. Guidelines for the prevention and management of mycobacterium tuberculosis infection and disease in adult patients with chronic kidney disease. Thorax. 2010; 65: 559-70.
9) 平田純生, 和泉　智, 古久保　拓, 編. 透析患者への投薬ガイドブック. 改訂2版. 東京: じほう; 2009.

NOTES

ツベルクリン反応とインターフェロンγ遊離試験（interferon gamma release assay：IGRA）：慢性腎不全や血液透析の患者でツ反が陰性化することは以前から指摘されている．IGRA はツ反より高感度で BCG の影響も受けないため有用性が高い．IGRA には QFT と T-SPOT があるが，透析患者の活動性結核 162 例に QFT を施行し特異度 89.7%，感度 100% であったとの報告がある．QFT が全血を用いて特異抗原刺激後のインターフェロンγ量を ELISA 法で測定するのに対し，T-SPOT は血液からリンパ球を分離して，数を調整した後に特異抗原で刺激を行うため末梢血リンパ球数に左右されにくいとされる．

〈横村光司　須田隆文〉

II. 感染症

Question 8

透析患者における深在性真菌症の特徴と抗真菌薬の使い方を教えてください

Answer

1) 透析患者は深在性真菌症に罹患しやすく，特にカンジダの頻度が高い．

2) 真菌感染が疑われる場合には，ガイドラインに基づいた経験的治療を早期から開始する．

3) 透析患者において減量せずに使用可能な抗真菌薬は，注射薬ではキャンディン系とアムホテリシンBリポソーム製剤（L-AMB），内服薬ではイトラコナゾール（ITCZ）とボリコナゾール（VRCZ）である．

4) フルコナゾール（FLCZ），フルシトシン（5-FC）は透析によって除去されるため，透析後に投与する．

■ 1. 透析患者における特徴

　真菌感染は免疫不全，低栄養，糖尿病，一般抗菌薬の長期投与，手術などがリスク因子となり，これらは透析患者においてよく認められる問題である．米国腎臓データシステムからの報告では，透析患者の真菌感染発症リスクは一般人口の9.8倍と高く，菌種としてカンジダが79%を占め最多であった[1]．バスキュラーアクセスとしても用いられる中心静脈カテーテルの留置はカンジダ血症，眼内炎を合併しうるため注意が必要である．陳旧性肺結核はアスペルギルス感染のリスク因子となり，遺残空洞には真菌球（アスペルギローマ）も生じやすい．腹膜透析患者における真菌性腹膜炎は難治性で死亡率25%以上と高く，ただちにカテーテル抜去が必要である[2]．

■ 2. 薬剤の適応

カンジダは皮膚，口腔，気道，消化管などに常在する真菌であり，創部，喀痰，尿などの検体から検出された場合には，症状などとの関連から治療の必要性を判断する．血液など無菌であるはずの検体から検出された場合には速やかに治療を開始する．真菌感染の確定診断には病変部における菌の証明（培養，病理組織検査）が必要だが，しばしばその施行は困難で培養陽性率も低い．治療開始の遅れは予後を悪化させるおそれがあるため，血清診断（☞ NOTES），画像診断などから真菌感染が疑われる場合には，ガイドラインに基づいた経験的治療を早期から開始する．本邦では日本医真菌学会[3] および真菌症フォーラム[4] より，国際的には米国感染症学会[5-7] よりそれぞれガイドラインが発表されている．

■ 3. 薬剤の選択

主な薬剤の抗真菌活性を表1に[8]，カンジダ（菌種不明時），アスペルギルスに対するガイドラインでの推奨治療を表2に示す[4]．カンジダについては，近年 non-albicans にアゾール系耐性傾向がみられているため菌種に注意を払う必要がある．特に，C. glabrata，C. krusei はキャンディン系の使用が原則である．キャンディン系は副作用が少なく，肝排泄の薬剤であるため腎不全患者でも使用しやすいが，眼内への移行性は低く（FLCZ は良好），カンジダ，アスペルギルス以外の真菌には無効であること，カンジダのうち C. parapsilosis（第1選択は FLCZ）に対する活性は弱いことに注意する．アムホテリシンB（AMPH-B）は臨床上問題となるほとんどの真菌に対し有効な強力な薬剤だが（ただし A. terreus，スケドスポリウムには無効），発熱，悪寒，悪心，腎障害などの副作用発現頻度が高く忍容性に問題がある．そのため現在はリポソーム化により副作用を軽減した L-AMB の方が主に使用される．口腔咽頭カンジダ症には AMPH-B シロップ，ミコナゾール（MCZ）ゲルなど外用薬（非吸収性）による含嗽，食道カンジダ症には外用薬ではなく全身投与（FLCZ カプセル，ITCZ 内用液，内服困難の場合には注射）が適応となる．

表1 ■ 主な抗真菌薬の抗真菌活性（吉田耕一郎. 日内会誌. 2013; 102: 2915-21[8] より改変）

系統／薬剤名（略号）	ポリエン系 アムホテリシンB (AMPH-B) (L-AMB)	イミダゾール系 ミコナゾール (MCZ)	アゾール系 トリアゾール系 フルコナゾール (FLCZ)	イトラコナゾール (ITCZ)	ボリコナゾール (VRCZ)	キャンディン系 ミカファンギン (MCFG) カスポファンギン (CPFG)	ピリミジン系 フルシトシン (5-FC)
C. albicans	◎	○	◎	◎	◎	◎	○
non-albicans candida sp.	◎	○	△	○	○	○	△
Cryptococcus sp.	◎	△	◎	◎	◎	×	○
Aspergillus sp.	○	×	×	◎	◎	◎	△
Trichosporon sp.	○	×	○	○	○	×	×
Fusarium sp.	○	×	×	×	○	×	×
Mucor	○	×	×	△	×	×	×

◎良好な活性. ○活性あり. △一部で活性あり. ×活性なし. ○以上で活性あり.
注）上記評価は一般論であり. 低感受性の株も存在する.

表 2a ■ 内科領域（血液疾患・呼吸器内科領域を除く）におけるカンジダ血症，播種性カンジダ症の標的治療（深在性真菌症のガイドライン作成委員会，編. 深在性真菌症の診断・治療ガイドライン 2014[4] より改変）

第 1 選択薬（菌種不明時）

- （F-）FLCZ 400mg/回　1 日 1 回静脈内投与

F-FLCZ のみ loading dose: 800mg/回　1 日 1 回静注を 2 日間［B I］
FLCZ は 1 分間に 10mL を超えない速度で投与する
患者の状態が重症と考える場合
- MCFG 100〜150mg/回　1 日 1 回点滴静注［A I］
- CPGF 50mg/回（loading dose: 初日のみ 70mg/回）　1 日 1 回点滴静注［A I］
- L-AMB 2.5〜5mg/kg/回　1 日 1 回点滴静注［B I］

第 2 選択薬（菌種不明時）

- VRCZ 4mg/kg/回（loading dose: 初日のみ 6mg/kg/回）　1 日 2 回点滴静注［B I］
- L-AMB 2.5〜5mg/kg/回　1 日 1 回点滴静注［B I］
- AMPH-B 0.5〜1mg/kg/回　1 日 1 回点滴静注［C1 I］
- ITCZ 200mg/回　1 日 1 回点滴静注（loading dose: 200mg/回　1 日 2 回点滴静注を 2 日間）［C1 III］

注）上記は腎機能正常者における標準投与量であり，腎不全患者においては表 3 に従って調整する．
［　］内は推奨度とエビデンスレベル

表 2b ■ 呼吸器内科領域における侵襲性肺アスペルギルス症の標的治療（深在性真菌症のガイドライン作成委員会，編. 深在性真菌症の診断・治療ガイドライン 2014[4] より改変）

第 1 選択薬

- VRCZ 4mg/kg/回（loading dose: 初日のみ 6mg/kg/回）　1 日 2 回点滴静注，あるいは 200mg/回（loading dose: 初日のみ 300mg/回）　1 日 2 回経口投与［A I］
- L-AMB 2.5〜5mg/kg/回　1 日 1 回点滴静注［A I］

第 2 選択薬

- ITCZ 200mg/回　1 日 1 回点滴静注（loading dose: 200mg/回　1 日 2 回点滴静注を 2 日間）［B II］
- CPGF 50mg/回（loading dose: 初日のみ 70mg/回）　1 日 1 回点滴静注［B II］
- MCFG 150〜300mg/回　1 日 1 回点滴静注［B II］
重症例で MCFG や CPFG は他薬剤との併用で使用［C1 III］

注）上記は腎機能正常者における標準投与量であり，腎不全患者においては表 3 に従って調整する．
［　］内は推奨度とエビデンスレベル

表3 ■ 主な抗真菌薬の腎機能別投与量と薬物動態

一般名	商品名	腎機能別投与量	尿中未変化体排泄率	半減期	蛋白結合率	透析による除去	併用禁忌
フルコナゾール (FLCZ)	ジフルカン注® ジフルカンカプセル®	Ccr>50: 通常量 Ccr≦50: 半量 透析患者: 透析後に通常量	70%	30時間	10%	3時間の透析で50%が除去	トリアゾラム
ホスフルコナゾール (F-FLCZ)	プロジフ注®	Ccr>50: 通常量 Ccr≦50: 半量 透析患者: 透析後に通常量	85.6%	33時間	12%	3時間の透析で50%が除去	トリアゾラム
イトラコナゾール (ITCZ)	イトリゾール注® イトリゾール内用液® イトリゾールカプセル®	Ccr<30: 禁忌* 減量なし 減量なし	1%未満 1%未満 35.2%	22時間 27時間 27時間	99.8% 99.8% 99.8%	除去されない 除去されない 除去されない	トリアゾラム, シンバスタチン, アゼルニジピン, アリスキレン
ボリコナゾール (VRCZ)	ブイフェンド注®	Ccr<30: 原則禁忌* Ccr 30~50: 慎重投与	2%未満	5時間	58%	4時間の透析で8%が除去 (添加物は46%除去)	トリアゾラム, リファンピシン, リファブチン, カルバマゼピン
	ブイフェンド錠®	減量なし	2%未満	5時間	58%	4時間の透析で8%が除去	
ミカファンギン (MCFG)	ファンガード注®	減量なし	1%	14時間	99.8%以上	除去されない	
カスポファンギン (CPFG)	カンサイダス注®	減量なし	1.4%	14時間	97%	除去されない	
アムホテリシンBリポソーム製剤 (L-AMB)	アムビゾーム注®	減量なし	10%	10時間	10.1%(リポソーム型89.1%)	除去されない	
フルシトシン (5-FC)	アンコチル錠®	Ccr>40: 25~50mg/kg/回を6時間ごと (1日4回) Ccr 20~40: 25~50mg/kg/回を12時間ごと (1日2回) Ccr 10~20: 25~50mg/kg/回を24時間ごと (1日1回) Ccr<10: 50mg/kg/回を24時間以上の間隔で 透析: 25~50mg/kg/回を毎透析後1回	98%以上	5時間	5%未満	速やかに除去される	

*ITCZ, VRCZの注射薬は, 腎排泄の添加物であるシクロデキストリンが蓄積するため禁忌 (有効成分自体は肝代謝). 各薬剤の添付文書より引用改変.
Ccr: クレアチニンクリアランス (mL/min)

■ 4. 実際の投与量，投与回数および投与期間の目安

表3に抗真菌薬の投与量，投与間隔を示す．腎排泄性（尿中未変化体排泄率50%以上）のものは減量が必要である．透析患者において減量せずに使用可能な抗真菌薬は，注射薬ではキャンディン系とL-AMB，内服薬ではITCZとVRCZである．カンジダ血症では血液培養が陰性化し症状なども改善した後さらに2週間の投与が必要であり，眼内炎では3週間以上，感染性心内膜炎や関節炎では6週間以上，骨髄炎では6カ月以上と，長期投与を必要とする[3]．このような長期投与においては，病状が落ち着き経口投与が可能になれば，step-down治療としてFLCZ，ITCZ，VRCZの経口投与が考慮される．アスペルギルス症では最低でも6〜12週間は投薬し，免疫状態が回復しかつ病変が消失するまで継続が必要である[6]．

■ 5. 透析の影響

FLCZ，5-FCは透析によって除去されるため，透析後に投与する．蛋白結合率が高い薬剤は透析では除去されにくい（表3）．L-AMBは蛋白結合率自体は低くともリポソーム化されているいため透析では除去されない．

■ 6. 注意すべき副作用や他剤との相互作用

アゾール系抗真菌薬はCYP3A4阻害作用が強く，また薬物排泄輸送体であるP糖蛋白の阻害作用も有するため相互作用が生じやすい（併用薬物の血中濃度を増加させてしまう）．多くの併用注意薬があるため，使用時には随時確認するべきだが，透析患者において使用頻度が高い併用禁忌薬を表3に示した．カルバマゼピン，リファンピシンについてはこれらによりCYP3A4が誘導されVRCZの血中濃度が低下する．VRCZは重篤な肝障害や羞明，霧視，視覚障害をきたすことがある．キャンディン系は一般的に安全性が高いが，主な副作用として肝機能障害が知られている．

■ 文献

1) Abbott KC, Hypolite I, Tveit DJ, et al. Hospitalizations for fungal infections after initiation of chronic dialysis in the United States. Nephron. 2001; 89: 426-32.

2) Li PK, Szeto CC, Piraino B, et al. Peritoneal dialysis-related infections recommendations: 2010 update. Perit Dial Int. 2010; 30:393-423.

3) 日本医真菌学会, 編. 侵襲性カンジダ症の診断・治療ガイドライン 2013.

4) 深在性真菌症のガイドライン作成委員会, 編. 深在性真菌症の診断・治療ガイドライン 2014.

5) Pappas PG, Kauffman CA, Andes D, et al. Clinical practice guidelines for the management of candidiasis: 2009 update by the Infectious Diseases Society of America. Clin Infect Dis. 2009; 48: 503-35.

6) Walsh TJ, Anaissie EJ, Denning DW, et al. Treatment of aspergillosis: clinical practice guidelines of the Infectious Diseases Society of America. Clin Infect Dis. 2008; 46: 327-60.

7) Perfect JR, Dismukes WE, Dromer F, et al. Clinical practice guidelines for the management of cryptococcal disease: 2010 update by the Infectious Diseases Society of America. Clin Infect Dis. 2010; 50: 291-322.

8) 吉田耕一郎. 抗真菌薬の進歩と使い分け. 日内会誌. 2013; 102: 2915-21.

◯→ NOTES

　培養, 病理組織による確定診断が困難な深在性真菌症において血清診断は有用である. 真菌細胞壁の構成成分である *β-D-グルカン* はスクリーニング検査として位置づけられ, *Pneumocystis jirovecii* を含む多くの真菌感染で上昇するが, クリプトコックス, ムーコルでは上昇しないことに注意が必要である. また医療材料（セルロース系透析膜や大量ガーゼ使用）, 血液製剤（アルブミン製剤やグロブリン製剤）の使用, 高γグロブリン血症（多発性骨髄腫など）など様々な原因で偽陽性を生じることも念頭におく必要がある.

◯◯ NOTES

　2020年より新たなアゾール系抗真菌薬としてポサコナゾール（PSCZ）が内服および静注薬として使用可能となった．本邦における適応は，（1）造血幹細胞移植患者または好中球減少が予測される血液悪性腫瘍患者における深在性真菌症の予防，（2）既存の抗真菌薬が無効あるいは忍容性に問題がある真菌症（侵襲性アスペルギルス症，フサリウム症，ムーコル症，コクシジオイデス症，クロモブラストミコーシス，菌腫）の治療である．用法用量は「成人に，初日は1回300mgを1日2回，2日目以降は1日1回300mgを投与．点滴静注の場合は，中心静脈ラインから約90分かけて緩徐に点滴静注」となっている．腎機能障害のある患者でも用量調節は必要ないが，重度の腎機能障害例では曝露量がばらつくおそれがある．また，中等度以上の腎機能障害例に点滴静注製剤を使用する場合には，添加剤スルホブチルエーテルβ-シクロデキストリンナトリウムが蓄積し，腎機能障害を悪化させるおそれがあるため，最小限の投与期間とする．PSCZは蛋白結合率が98%超と高く，血液透析では除去されない．

〈坂尾幸俊〉

II. 感染症

Question 9 透析患者のヘルペス感染症の特徴と治療法について教えてください

> **Answer**
> 1) 透析患者は帯状疱疹に罹患しやすい.
> 2) 早期診断, 早期治療が重要である. 病変が小さい時点から薬剤の全身投与を開始する.
> 3) 新規薬であるアメナメビルは腎機能に応じた減量が不要で, 入院治療を要する場合を除いて第1選択薬と考えられる.
> 4) 既存のアシクロビル, パラシクロビル, ファムシクロビルは腎排泄性であるため投与量の調節と精神神経症状の観察が重要となる. 特に低体重で高齢の透析患者の場合, アシクロビル脳症 (中毒) が起きやすい. その場合 VZV 髄膜脳炎との鑑別が重要となる.
> 5) 帯状疱疹後神経痛を発症するリスクがあるため, 早期より疼痛対策を行う.

　ヘルペス感染症には, 主に単純ヘルペスウイルス (HSV) による口唇ヘルペスや性器ヘルペスなどの単純ヘルペス (herpes simplex) と, 水痘・帯状疱疹ウイルス (VZV) による水ぼうそう (水痘) や帯状疱疹 (herpes zoster) がある. 皮膚や粘膜で感染症を引き起こした後, 感覚神経節に潜み, 体調不良時などに再活性化を起こす. VZV では初感染で水痘, 再活性化で帯状疱疹となる. ヘルペスウイルスは, ウイルス特異免疫が誘導されることで水疱などの症状を呈するが, 免疫不全の程度によりウイルスの広がりと免疫応答が異なり, 病変形成はさまざまである.

■ 1. 透析患者における特徴

透析患者は細胞性免疫の障害からウイルスの活性化が起きやすくなり，ヘルペス感染症にかかりやすいと考えられる．台湾からの報告によると，帯状疱疹については，その罹患リスクが一般人口に比べて腹膜透析患者で3.61倍，血液透析患者で1.35倍（腎移植患者は8.46倍）であった[1]．

■ 2. 薬剤の適応

- 単純ヘルペス：症状がごく軽微な場合，抗ヘルペス薬の外用を行うが，Bell麻痺（顔面神経麻痺），ヘルペス脳炎を合併する可能性や耐性ウイルスの出現リスクもあり，基本的には抗ヘルペス薬の全身投与を行う．

- 帯状疱疹：全例に抗ウイルス薬を全身投与する．神経支配領域の皮膚炎にとどまらず，眼合併症，Hunt症候群（耳介疱疹，顔面神経麻痺，難聴・眩暈），VZV髄膜脳炎に進展することがあるため，できるだけ早い時期に抗ヘルペス薬を投与開始する．

- 急性期痛，帯状疱疹後神経痛（PHN）：高齢者や免疫弱者においてはリスクが高まるとされるため早期から積極的な疼痛対策を行う．アセトアミノフェンが第1選択となるが，PHNを発症した場合は専門家への紹介が望ましい[2]．除痛が困難であることが多いため帯状疱疹予防を目的としたワクチン接種が勧められる．

■ 3. 薬剤の選択

抗ヘルペス薬にはヘリカーゼ・プライマーゼ阻害薬と核酸アナログ（核酸類似体）製剤がある．

❶ ヘリカーゼ・プライマーゼ阻害薬

- アメナメビル経口：
  ① 核酸アナログ製剤よりも早い段階でウイルスDNAの複製を阻害する．
  ② 肝代謝・糞便排泄であることから，腎機能により薬物動態への影響が少なく用量調節が不要．
  ③ 1日1回投与で十分な抗ヘルペスウイルス作用を発揮する．
  などの特徴から，基本的には外来で治療するすべての帯状疱疹患者が

対象となる[3].

❷核酸アナログ製剤

すべて腎排泄性の薬剤であることから，透析患者には特に注意して適用すべきである．

- アシクロビル経口：消化管での吸収率が悪い．効果が劣る可能性がある．
- アシクロビル点滴：薬剤を確実に全身投与できる．髄膜炎や脳炎などの重症例には選択されるべきである[4].
- バラシクロビル経口：アシクロビルのプロドラッグで消化管吸収率が高い．血中濃度が上がりやすく副作用が出やすい[4].
- ファムシクロビル経口：ペンシクロビルのプロドラッグ．消化管吸収率が高いが，中枢へは移行しない．透析患者に有用な選択肢となるが臨床データが不足している[4].
- ビダラビン点滴：免疫抑制下の帯状疱疹に適応があるが，透析患者のデータが不足していて第1選択薬とはならない．

■ 4. 実際の投与量，投与回数および投与間隔の目安

表1に透析患者に投与する場合の薬剤別投与量，投与間隔を示す．これまで抗ヘルペス薬は高齢者，特に腎機能障害のある場合は副作用が出やすく注意が必要とされた．しかし新規薬アメナメビルは高齢者や透析患者の場合も用量調節が不要である．アシクロビル脳症を発症した透析患者の30%は添付文書通りの投与量であったとの報告[9]もある．使用頻度の高いバラシクロビルは脳症の副作用が多いことから1日250mgを妥当とする意見が少なくない．透析患者に1日500mg投与する場合は毎透析時に精神神経症状の観察が欠かせない．また腹膜透析の場合は，薬剤除去が血液透析より劣ることから，より慎重に投与されなければならない．

■ 5. 透析の影響

アメナメビルは水に溶けにくい．血漿蛋白結合率は75%[10]，透析除去率は28%[11]という報告がある．一方，アシクロビルは透析で除去されやすい．血液透析や血液濾過透析を4時間行えば血液中のアシクロ

表 1 ■透析患者におけるヘルペス治療薬と投与量（文献 3-8 を参考に作成）

一般名	商品名	単純ヘルペス	帯状疱疹
アメナメビル錠	アメナリーフ®		1 日 1 回朝食後に 400mg を 7 日間
アシクロビル錠	アシクロビル®, ゾビラックス®	（軽症例）1 回 200mg を 1 日 1〜2 回	非透析日は 1 回 200mg を 1 日 2 回, 透析日は朝 200mg, 透析後に 400mg
バラシクロビル錠	バルトレックス®	250mg を 1 日 1 回（透析日は透析後）	250mg を 1 日 1 回（透析日は透析後）. 体重≧65kg または残腎機能がある場合は 500mg を 1 日 1 回, ただし精神神経症状に留意する.
ファムシクロビル錠	ファムビル®	250mg 透析後 1 度のみ	250mg 毎透析後
アシクロビル注射	アシクロビン®, ゾビラックス®	（重症例）3.5 〜 5mg/kg を週 3 回透析後	（重症例）3.5 〜 5mg/kg を週 3 回透析後

ビル濃度は 60 〜 80％ 低下する.

■ 6. 注意すべき副作用や他剤との相互作用

- アメナメビルは，リファンピシンとの併用が禁忌とされている[3]. 相互作用において，明らかにアメナメビルの血中濃度が下がりリファンピシンの血中濃度も下がるためである.

- 核酸アナログ製剤は，薬剤濃度が上昇した場合に一般患者には急性腎不全などの問題が生じるが，透析患者の場合は精神神経障害（アシクロビル脳症）に注意が必要である. 身体的には構語障害，構音障害，会話障害などのしゃべりにくさ，家族からの傾眠傾向，異常行動，落ち着きのなさ，せん妄の指摘などがある. 高齢，女性，低体重でリスクが高くなり，特にバラシクロビルでの報告が多い.

- アシクロビル脳症はヘルペスウイルスによる髄膜脳炎（VZV 髄膜脳炎）との鑑別が重要となる. 表 2 に鑑別方法を示す.

- プロベネシド，シメチジンの併用はアシクロビルの血中濃度を高めるので注意を要する.

表 2 ■ アシクロビル脳症と VZV 髄膜脳炎の鑑別（文献 12 などを参考に作成）

	アシクロビル脳症	VZV 髄膜脳炎
意識障害	あり	あり
発症の様式	皮疹以外の前駆症状なく投与開始後早期に突然発症する	前駆症状があることが少なくない．多くは皮疹発症後 1 〜 2 週間で発症する
発熱	ほとんどない	多い
頭痛	ほとんどない	多い
巣症状（麻痺，痙攣など）	ほとんどない	多い
髄液検査 　細胞	正常	単核球増加など
ウイルス PCR	陰性	多くは陽性
CT，MRI での異常所見	ほとんどない	少なくない
アシクロビル血中濃度	4 μg/mL 以上	
透析効果	症状改善	無効

■ 文献

1) Lin SY, Liu JH, Lin CL, et al. A comparison of herpes zoster incidence across the spectrum of chronic kidney disease, dialysis and transplantation. Am J Nephrol. 2012; 36: 27-33.
2) 渡邊大輔. 帯状疱疹. 日本医事新報. 2021; No5068: p.42.
3) 渡邊大輔. 抗ヘルペスウイルス薬アメナメビル. 臨床とウイルス. 2018; 46: 107-13.
4) 古久保拓. 抗ヘルペスウイルス薬の上手な使い方. 透析会誌. 2012; 45: 126-8.
5) 吉澤一巳, 田代真弓, 益田律子. ペインクリニック治療においておさえておくべき薬物相互作用. 帯状疱疹に対する抗ウィルス薬の薬物相互作用. ペインクリニック. 2014; 35（別冊秋）: 337-44.
6) 本田まり子. 腎機能低下患者における抗ウイルス薬アシクロビル・バラシクロビルの使い方. 臨床医薬. 2004; 20: 579-86.
7) 白木公康, 大黒　徹. 抗ウイルス薬の至適投与. 腎と透析. 2013; 74: 390-6.
8) http://www.rxlist.com/famvir-drug/indications-dosage.htm
9) 青地聖子, 後藤　光. Valaciclovir による神経症状と腎機能障害. 皮膚病診療. 2005; 27: 1327-30.

10) https://www.maruho.co.jp/medical/dL/pdf/amenalief_if.pdf
11) Tsuruoka S, Endo T, Seo M, et al. Pharmacokinetics and dialyzability of a single oral dose of amenamevir, an anti-herpes drug, in hemodialysis patients. Adv Ther. 2020; 37: 3234-45.
12) Rashiq S, Briewa L, Mooney M, et al. Distinguishing acyclovir neurotoxicity from encephalomyelitis. J Intern Med. 1993; 234: 507-11.

〈松本芳博〉

II. 感染症

Question 10

透析患者・腎移植患者におけるサイトメガロウイルス感染症の臨床像と治療法を教えてください

Answer

1) 透析患者・腎移植患者におけるサイトメガロウイルス（CMV）感染症の多くは，CMV 再活性化により発症し，多彩な臨床像を呈する．

2) 診断には，CMV 感染のウイルス学的証明，臨床症状，臓器病変を必要とする．

3) ガンシクロビル（GCV，デノシン点滴静注用®）あるいはバルガンシクロビル塩酸塩（VGCV，バリキサ®）で治療する．

4) GCV は腎機能に応じ減量し，透析患者では透析後に投与する．

5) 透析患者では，VGCV 錠は使用できず GCV 静注に変更する．

6) GCV・VGCV では，特に血球減少に注意する．

■ 1. CMV 感染症の臨床像

CMV 感染とは，体内に CMV が同定される状態を意味し，臓器障害由来の臨床症状を伴う場合を CMV 感染症とする．通常，CMV は乳幼児期の不顕性感染により宿主に潜伏感染する．日本人成人の 80～90% は CMV 抗体陽性である．最近，若年者の CMV 抗体陽性率が 60% 台に低下傾向を示している[1]．腎移植や透析患者での CMV 感染症の多くは，細胞性免疫障害に伴う CMV の再活性化によると考えられる．腎移植患者では免疫抑制薬も関与する．発症様式として，CMV 抗体陰性レシピエントが陽性ドナーから移植される腎や CMV 抗体陽性血液からの初感染，CMV 抗体陽性レシピエントでの CMV 再活性化による回帰感染，CMV 抗体陽性ドナーから陽性レシピエントへの移植や陽性血液輸血による再感染がある．抗体陰性患者では初感染になり重篤化しやすい．

CMVは種々の組織や臓器に親和性をもち症状は多彩である．全身症状（発熱，倦怠感，筋肉痛，関節痛など）の他に，CMV感染部位により，CMV肺炎・間質性肺炎（乾性咳嗽・呼吸困難），CMV胃腸炎・膵炎（悪心・腹痛・下痢・下血），CMV網膜炎（視野狭窄・視力低下），肝炎（AST・ALT上昇），腎炎，脳炎（神経症状），神経炎（下肢の脱力・麻痺），皮膚潰瘍などを呈する．CMV感染症の中で頻度が高く重篤になりうるものに間質性肺炎と胃十二指腸潰瘍がある．消化管はCMV感染の好発臓器の1つであり，腹痛や消化管出血を呈する．また消化管穿孔をきたし，緊急手術を余儀なくされることもある．

免疫能正常宿主では，まれだが大腸炎が最も頻度が高く，高齢，男性，手術介入や免疫変調をきたす併存疾患の存在が予後不良因子と報告されており，腎不全も影響を受けやすいようである[2]．しかし，透析患者におけるCMV感染症の特徴は明らかではない．

CMV感染は最も頻度の高い腎移植後感染症であり，腎移植後拒絶の高頻度な原因となるため，迅速な診断治療が移植片の機能と生着維持に極めて重要である．

■ 2. 薬剤投与の適応

CMV感染症と診断したら速やかに治療を開始する．診断には，CMV感染のウイルス学的証明，臨床症状，臓器病変を必要とする[3]．CMVの活動性感染の証明は，①CMVの分離・同定，②CMVの抗原や核酸の検出，③抗体陽転あるいは抗体価の上昇，またはCMV-IgM抗体の検出，のうちどれかが陽性であることが条件となる[3]．CMV腸炎や網膜炎は血中のCMV抗原やウイルスゲノムが検出されにくいため，臓器生検検体の免疫組織学的検査やin situ hybridizationによるCMV同定が唯一の診断法となる．

移植患者では，ドナーにCMV IgG抗体陽性，レシピエント陰性の場合は，腎移植に際して高率に感染するため，抗ウイルス薬の予防投与や早期投与が行われている[4]．予防投与は，急性拒絶反応治療後，血液型不適合症例，抗ドナー抗体陰性の症例に対しても考慮する．早期投与は，CMV抗原血症検査が陽性であった場合速やかに開始し，2回続け

て陰性になるまで 2 週間以上継続投与する．CMV 抗原血症検査による
スクリーニングは，腎移植後 3 カ月間は 1〜2 週間に 1 度の頻度で実施
することが推奨され，CMV 抗原が陽性になった場合は，感染症に進展
する前の早期治療が考慮される．

■ 3. 薬剤の選択

ガンシクロビル（GCV，デノシン点滴静注用®）静脈内投与が第 1
選択である．腎移植では CMV 感染の場合，GCV 静脈内投与またはバ
ルガンシクロビル塩酸塩；VGCV（バリキサ®）を経口投与する．
CMV 感染症の場合は，GCV 静脈内投与を先行させ，症状が軽減すれ
ば VGCV 経口投与に変更する[4]．GCV 耐性ウイルスにはホスカルネッ
トが用いられるが，本邦での保険適応はない．また，CMV 高力価免疫
グロブリンも状況により投与する．

■ 4. 実際の投与量，投与回数および投与期間の目安

GCV の初期投与量は 1 回 5mg/kg，1 日 2 回を 12 時間毎に 1 時間以
上かけて 14 日間点滴静注する．免疫抑制薬投与中の患者で維持療法が
必要と判断される場合は，1 日 6mg/kg 週 5 日間または 1 日 5mg/kg 週
7 日間を 1 時間以上かけて点滴静注する．腎機能障害の程度に応じて減
量が必要である．維持治療中または投与終了後，CMV 感染症の再発が
認められる患者では必要に応じて初期治療の用法・用量で再投与する．
CMV 血症の陰性化を確認した場合には初期治療を終了する．

腎移植後では，CMV 感染症の場合は VGCV 1 回 450〜900mg を 1
日 2 回，耐性 CMV の出現防止目的で最低でも 2 週間以上投与する．リ
スクが高い場合は，まず GCV 静脈内投与とし，症状が軽減すれば
VGCV 450〜900mg/ 日経口投与に変更する．また，免疫抑制薬の適正
化・減量を考慮する．早期投与は，抗原血症検査陽性であれば，
VGCV 450（〜900）mg/ 日を抗原が陰性になるまで 2 週間以上投与す
る[4]．CMV 抗体陽性ドナーから抗体陰性レシピエントへの移植での予
防投与は，急性拒絶反応治療後・血液型不適合例・抗ドナー抗体陰性症
例に対して考慮する．VGCV450〜900mg/ 日で 200 日間の投与継続が
可能と考える[5]．

■ 5. 透析の影響

GCV は，腎排泄型の薬剤であるため腎機能障害の程度に応じて減量が必要である．血液透析患者では，初期治療：用量 1.25mg/kg で投与間隔は透析後週 3 回，維持治療：用量 0.625mg/kg，投与間隔は透析後週 3 回とする．

VGCV は，経口投与されるとエステラーゼにより GCV に変換される．血液透析患者では，VGCV 錠の 1 日投与量は 1 錠中の含量450mg 未満となるため，処方を GCV 静注に変更する．

■ 6. 注意すべき副作用や他剤との相互作用

GCV・VGCV では，重篤な白血球減少，好中球減少，貧血，血小板減少，汎血球減少，再生不良性貧血，および骨髄抑制に注意する．血液検査を定期的に実施することが望ましく，好中球減少 500/mm³ 未満，血小板減少 25,000/mm³ 未満またはヘモグロビン 8g/dL 未満が認められた場合は，骨髄機能が回復するまで休薬する．通常，断薬後 3〜7 日で回復し始める．長期投与による腎機能障害に注意する．また，耐性化やCMV の晩期発生の問題がある．種々の薬剤との併用で血球減少や毒性の増強があるため注意が必要である．腎移植患者に CMV 感染症を生じた場合，免疫抑制療法の適正化（シクロスポリンやタクロリムスのトラフ値）や代謝拮抗薬の減量や中止を考慮する．

■ 文献

1) 山田秀人, 山田　俊, 水上尚典, 他. 妊産婦の感染症とその対策　先天性サイトメガロウイルス感染症と免疫グロブリン療法. 産婦人科治療. 2008; 97: 485-93.

2) Galiatsatos P, Shrier I, Lamoureux E, et al. Meta-analysis of outcome of cytomegalovirus colitis in immunocompetent hosts. Dig Dis Sci. 2005; 50: 609-16.

3) 大黒　徹, 武本　眞, 白木公康. サイトメガロウイルス感染症の基礎研究. 今日の移植. 2010; 23: 180-9.

4) 日本臨床腎移植学会, 編. 腎移植後サイトメガロウイルス感染症の診療ガイドライン 2011. 東京: 日本医学館; 2011.

5) Humar A, Lebranchu Y, Vincenti F, et al. The efficacy and safety of 200 days valganciclovir cytomegalovirus prophylaxis in high-risk kidney transplant recipients. Am J Transplant. 2010; 10: 1228-37.

〈藤垣嘉秀〉

94

II. 感染症

Question 11 免疫抑制薬を使っている透析患者では, 感染予防はどうすればよいですか？

Answer

1) 免疫抑制薬を使用中の透析患者にはニューモシスチス肺炎の予防が必要であり, ST 合剤（バクタ®）が推奨される.

2) 免疫抑制薬を使用中の透析患者にはインフルエンザワクチンや肺炎球菌ワクチン, SARS-CoV-2 ワクチンの接種が推奨される.

3) ニューモシスチス肺炎およびインフルエンザ予防薬の多くは透析性があるため, 透析後に投与する.

4) SARS-CoV-2 ワクチンを接種していない透析患者が SARS-CoV-2 感染者と接触した際には, カシリビマブ / イルデビマブ（ロナプリーブ®）の投与を検討する.

■ 1. 透析患者における特徴 （表 1～3）

透析患者は感染症に罹患しやすく, その原因として外的要因（病院という感染リスクの高い閉鎖環境への頻回通院）および内的要因（免疫能の低下, 栄養障害, MIA 症候群）が影響していると考えられている. 慢性腎不全および透析患者では B リンパ球や CD4 陽性 T リンパ球数が減少し, 抗原刺激に対する T リンパ球の反応や好中球の機能が低下する[1]. さらに透析患者には糖尿病や心血管疾患の合併が多く, それらは感染のリスクを高める. このように感染リスクの高い透析患者に対する免疫抑制薬の投与は感染リスクをさらに上昇させることが予測される.

■ 2. 免疫抑制薬が必要な透析患者に対する感染予防薬の適応

免疫抑制療法薬による細胞性免疫の抑制はニューモシスチス肺炎のリスクだが, 明確な予防開始基準はない.

非透析患者かつ非 HIV 患者において, プレドニゾロン 20mg/ 日を 1

II 感染症

JCOPY 498-22478

表1 ■ ニューモシスチス肺炎予防

	透析患者への予防量	透析性	
ST合剤（バクタ®）内服	バクタ®1錠週3回（透析後）	○	エビデンスが確立されており第1選択となる. 肝障害，骨髄抑制などの副作用あり. CYP2C9阻害.
ペンタミジン（ベナンバックス®）吸入	300mg/日	?	喘息，COPD患者，喫煙者へは気管支攣縮に注意. 換気障害あると効果減弱する.
アトバコン（サムチレール®）内服	1,500mg/日	?	バクタ®，ベナンバックス®と比べ高価である.

表2 ■ インフルエンザ予防

		透析患者への治療量	透析患者への予防量	透析性	
ノイラミニダーゼ阻害薬	オセルタミビル（タミフル®）内服	75mg単回投与	不明	○	
	ザナミビル（リレンザ®）吸入	10mg 1日1回 10日間吸入	10mg 1日1回 10日間吸入	×	喘息，COPD患者へは気管支攣縮に注意
	ラニナミビル（イナビル®）吸入	20mg 1日1回 2日間吸入	（20mg 1日1回2日間吸入）	×	
	ペラミビル（ラピアクタ®）点滴静注	50〜100mg単回投与	不明	○	
活性阻害薬エンドヌクレアーゼキャップ依存性	バロキサビル（ゾフルーザ®）内服	不明	不明	?	日本小児科学会予防接種感染対策委員会は12歳未満への積極的な投与を推奨しないとしている.

カ月投与する場合にニューモシスチス肺炎の発症予防を検討すべき[2]と考えられている. ステロイド投与患者の約1/4がプレドニン投与量が

表3 ■ 新型コロナウイルス感染症（COVID-19）予防

	腎機能正常者/腎機能低下・透析患者への予防量	透析性	
カシリビマブ/イムデビマブ（ロナプリーブ®）	カシリビマブ600mg・イムデビマブ600mg 単回点滴静注	△	下記①②③を満たす者が適応である.インフュージョンリアクションに注意

① SARS-CoV-2による感染症患者の同居家族または共同生活者等の濃厚接触者，または無症状のSARS-CoV-2病原体保有者
②原則として，SARS-CoV-2による感染症の重症化リスク因子を有する者
③ SARS-CoV-2による感染症に対するワクチン接種歴を有しない者，またはワクチン接種歴を有する場合でもその効果が不十分と考えられる者
（2021年11月時点）

16mg/日以下でニューモシスチス肺炎を発症したという報告もある[3]．透析患者はより感染リスクの高い集団であり，免疫抑制が少量短期間のみの投与である場合や予防薬が副作用などで使用できない場合を除き，全例に予防薬の投与が推奨される．

抗インフルエンザ薬について，インフルエンザを発症した患者に接触した透析患者に対して投与することが推奨されている．インフルエンザ感染後，発症1日前から感染力があると考えられているため，インフルエンザ感染患者に接触した場合，抗インフルエンザ薬の予防投与はできるだけ早期から開始する[4]．

新型コロナウイルス感染症（COVID-19）において罹患した透析患者の致死率は非常に高い．わが国における「新型コロナウイルス感染症COVID-19診療の手引き（第6版）」では慢性腎臓病は重症化リスク因子としており，ステロイドや生物学的製剤の使用は評価中だが要注意とされている[5]．

SARS-CoV-2感染を診断された家族と接触した家族（感染歴なし）に対して中和抗体であるカシリビマブ/イムデビマブの接触4日以内の予防投与にて，症候性・無症候性SARS-CoV-2感染全体の予防効果が認められたことが報告された（相対リスク低下66.4%）[6]．2021年11月5日わが国で以下①，②，③の全てを満たす者に対しカシリビマブ/

イルデビマブ（ロナプリーブ®）の投与が認められた．①SARS-CoV-2による感染症患者の同居家族または共同生活者等の濃厚接触者，または無症状の SARS-CoV-2 病原体保有者，②原則として，SARS-CoV-2による感染症の重症化リスク因子を有する者（血液透析患者，免疫抑制薬投与中の患者は含まれる），③SARS-CoV-2 による感染症に対するワクチン接種歴を有しない者，またはワクチン接種歴を有する場合でもその効果が不十分と考えられる者．

■ 3. 薬剤の選択

❶ニューモシスチス肺炎

非 HIV 患者において ST 合剤はニューモシスチス肺炎発症を 9 割程度予防できることが報告されており，ニューモシスチス肺炎予防の第 1選択薬は trimethoprim/sulfamethoxazole: ST 合剤（バクタ®，ダイフェン®）である[2]．副作用などで ST 合剤が使用できない際は第 2選択としてペンタミジン（ベナンバックス®）やアトバコン（サムチレール®）を使用する[7]．透析患者への ST 合剤の使用は添付文書では推奨されていない．サムチレール®は，バクタ®，ベナンバックス®に比べ非常に高価であることを留意する（サムチレール®: 1727.6 円/750mg/包，予防量は 1,500mg/ 日である）．

❷インフルエンザ

抗インフルエンザ薬は，オセルタミビル（タミフル®），ザナミビル（リレンザ®），ラニナミビル（イナビル®），ペラミビル（ラピアクタ®），バロキサビル（ゾフルーザ®）が存在する．

咳嗽などで適切に吸入できない場合や肺炎合併例で気道からの吸収が不安定な場合にはオセルタミビル（タミフル®）を選択する．点滴静注剤のベラパミル（ラピアクタ®）は重症患者に主に用いられるため，予防よりは治療として用いられているが，経口投与が困難な場合，確実な投与が求められる場合には予防薬として使用を検討する．

2018 年 2 月よりウイルスの mRNA 合成を阻害する，新しい機序の薬剤であるバロキサビル（ゾフルーザ®）が製造販売承認された．オセルタミビルと同様の有効性，安全性が確認されているが，薬剤耐性ウイル

スの出現が確認されている．日本小児科学会予防接種・感染症対策委員会は，これらと小児に特化した検討が少ないことをもって，2021 年 12 月時点では 12 歳未満の小児に対する同薬の積極的な投与を推奨しないとしている．

❸新型コロナウイルス感染症（COVID-19）

2021 年 12 月時点でわが国で新型コロナウイルス感染症（COVID-19）発症および無症候性 SARS-CoV-2 感染に対し予防投与の適応があるのは，カシリビマブ / イムデビマブ（ロナプリーブ®）のみである．

■ 4．実際の投与量，投与回数および投与期間の目安

❶ニューモシスチス肺炎

HIV 患者に対する予防投与量として CDC ガイドライン[7] では，①ST 合剤の場合 1 〜 2 錠 / 日または 2 錠 / 日×週 3 回経口投与，②ベナンバックス®吸入の場合 300mg/ 月，③サムチレール®の場合 1500mg/ 日経口投与（食直後）としている（本邦においてニューモシスチス肺炎への適応外の薬剤については本稿では割愛する）．

腎機能正常者へのニューモシスチス肺炎に対する治療量は ST 合剤 9 〜 12 錠 / 日なので，予防量としては治療量の 1/6 〜 1/12 となる．

透析患者に ST 合剤を使用する場合，日本腎臓学会からの CKD 診療ガイドライン 2012[8] ではバクタ®2 錠 / 日と記載されており，透析性があることから透析後の投与が妥当だが，予防量については記載がない．予防量としてはトリメトプリム 80mg（バクタ®1 錠相当）×週 3 回（透析後）が推奨されているが[9]，エビデンスとして不十分である．

ベナンバックス®の治療量は静注 4mg/kg を 48 時間毎とされているが[8]，予防量については定まっていない．ベナンバックス®吸入についても適切な予防投与量の記載はないが，添付文書に記載されている血漿中濃度は非常に低く，透析患者においても正常腎機能患者と同量で使用可能と考える．

サムチレール®は腎機能低下にて減量は不要である．

予防投与期間に明確なエビデンスはないが，免疫抑制薬投与中は可能な限り継続することが勧められている．

❷インフルエンザ（Ⅱ-Q13 を参照）

　腎機能正常者の抗インフルエンザ薬の予防投与量はタミフル®75mg
1 カプセル 1 回 7 ～ 10 日内服，リレンザ®は 10mg 1 日 1 回 10 日間吸
入，イナビル®は 20mg を 1 日 1 回 2 日間吸入，ゾフルーザ®は体重
80kg 以上の場合 80mg を，80kg 未満の場合 40mg を 1 回内服とされて
いる．

　透析患者ではタミフル®について添付文書では治療，予防ともに推奨
用量は確立されていないと記載されているが，日本透析医会および日本
透析医学会では治療量として 75mg 1 カプセル 1 回内服を推奨してい
る．リレンザ®は減量の必要なく，イナビル®は一部腎排泄だが腎不全
患者でも減量は不要とされている[4]．

　点滴静注剤であるラピアクタ®の透析患者に対する治療量については，
通常の 1/6 の 50 ～ 100mg が推奨されている[10]．また，透析で速やかに
除去されるため，患者の状態に応じ複数回の投与が必要となる．

　ゾフルーザ®は腎排泄は少なく，添付文書では腎不全患者や透析患者
への用量調整に関しての記載がない．ただし臨床試験にて透析患者への
検討は行われておらず，慎重に検討する必要がある．

❸新型コロナウイルス感染症（COVID-19）（Ⅱ-Q14 を参照）

　カシリビマブ / イムデビマブ（ロナプリーブ®）に関して添付文書で
は腎不全患者や透析患者への用量調整，また透析性に関して記載はない．
SARS-CoV-2 モノクローナル抗体であり腎機能正常者と同様にカシリ
ビマブ 600mg，イムデビマブ 600mg を 1 回静注とする．

■ 5. 透析の影響

❶ニューモシスチス肺炎

　バクタ®は透析性があるため，透析後の投与が妥当である．ベナン
バックス®，サムチレール®はともに透析性は不明である．

❷インフルエンザ

　タミフル®は透析で除去されるが，75mg 1 回投与し 2 回の血液透析
施行後または腹膜透析継続 1 週間後においても治療に有効な血中濃度
が得られると報告されている[11, 12]．ラピアクタ®も透析性があるため透

析後の投与が推奨されている[4]. ゾフルーザ®の透析による除去率は該当資料なく不明である.

リレンザ®, イナビル®はインフルエンザウイルスが感染している肺, 気管支に直接作用し, 血中への移行は少ないとされているため, 透析除去率は不明だが, 作用機序からは透析の影響は少ないと思われる.

❸新型コロナウイルス感染症 (COVID-19)

ロナプリーブ®は, 免疫グロブリンでありカシリビマブ (分子量約 14,800), イムデビマブ (分子量約 14,700) ともに分子量は大きく透析性は少ないと考えられる.

■ 6. 注意すべき副作用や他剤との相互作用

ST合剤は肝障害や骨髄抑制などの副作用を生じやすい. また, チトクローム P450 2C9 (CYP2C9) を阻害するため, ワルファリン, メトトレキサート, フェニトイン, ジゴキシン, スルホニルウレア, 三環系抗うつ薬の血中濃度上昇, 効果過剰が生じる.

ベナンバックス®吸入については換気障害のある患者では効果が減弱すると考えられ, ベナンバックス®吸入中においてもニューモシスチス肺炎を発症した報告もある. また気管支攣縮の報告があるため, 気管支喘息, 慢性閉塞性肺疾患の患者や喫煙者に対して使用する際は留意する.

抗インフルエンザ薬はいずれも主な薬物代謝酵素の阻害・誘導は認めない. タミフル®は内服後の異常行動のため 10 歳以上の未成年者に対しては, 原則投与を差し控えるように厚生労働省から勧告が出されていたが, その後 2018 年 8 月タミフルの異常行動との因果関係はわからず, 服用の有無や薬の種類で異常行動の発生に差はないと判断され, 注意は, すべての抗インフルエンザ薬共通として記載が統一された.

また, 日本感染症学会からの「抗インフルエンザ薬の使用適応について (改訂版)」によると, 気管支喘息患者にリレンザ®を投与後に気管支攣縮の報告がされているため, 気管支喘息や慢性閉塞性肺疾患の患者に対して吸入薬を使用する際は留意することが記載されている[13].

ロナプリーブ®はモノクローナル抗体製剤であり, インフュージョンリアクション (急速輸液反応) に注意が必要である.

■ 文献

1) Ishigami J, Matsushita K. Clinical epidemiology of infectious disease among patients with chronic kidney disease. Clin Exp Nephrol. 2019; 23: 437-47.

2) Limper AH, Knox KS, Sarosi GA, et al. An official American Thoracic Society statement: Treatment of fungal infections in adult pulmonary and critical care patients. Am J Respir Crit Care Med. 2011; 183: 96-128.

3) Yale SH, Limper AH. Pneumocystis carinii pneumonia in patients without acquired immunodeficiency syndrome: associated illness and prior corticosteroid therapy. Mayo Clin Proc. 1996; 71: 5-13.

4) 透析施設における標準的な透析操作と感染予防に関するガイドライン（五訂版）. 2020.

5) 厚生労働省診療の手引き検討委員会. 新型コロナウイルス感染症 COVID-19 診療の手引き（第6.0版）.

6) O'Brien MP, Forleo-Neto E, Musser BJ, et al. Subcutaneous REGEN-COV antibody combination to prevent Covid-19. N Engl J Med. 2021; 385; 1184-95.

7) Kalpan JE, Benson C, Holmes KK, et al. Guidelines for prevention and treatment of opportunistic infections in HIV-infected adults and adolescents: recommendations from CDC, the National Institutes of Health, and the HIV Medicine Association of the Infectious Diseases Society of America. MMWR Recomm Rep. 2009; 10: 1-207.

8) 日本腎臓学会, 編. CKD 診療ガイド 2012. 東京: 東京医学社; 2012. p.100-28.

9) Kaplan JE, Masur H, Holmes KK, et al. Guidelines for preventing opportunistic infections among HIV-infected persons--2002. Recommendations of the U.S. Public Health Service and the Infectious Diseases Society of America. MMWR Recomm Rep. 2002; 51: 1-52.

10) Pneumocystis Jiroveci (formerly *Pneumocystis carinii*). Am J Transplant. 2004; Suppl 10: 135-41.

11) 椿 幸広, 鈴木美枝, 松澤美香, 他, 経口インフルエンザウィルス治療薬 リン酸オセルタミビルの薬理作用および体内動態. 化学療法の領域. 2001; 17: 103.

12) Robson R, Buttimore A, Lynn K, et al. The pharmacokinetics and tolerability of oseltamivir suspension in patients on haemodialysis and continuous ambulatory peritoneal dialysis. Nephrol Dial Transplant. 2006; 21: 2556-62.

13) 日本感染症学会提言. 抗インフルエンザ薬の使用適応について（改訂版）2011.

〈山城良真　安田日出夫〉

II. 感染症

Question 12 透析患者における HIV 感染症の診断法と治療を教えてください

Answer

1) HIV 感染症の診断には HIV スクリーニング検査が有用であるが，まれに偽陽性反応がみられることがあるため，ウエスタンブロット法などによる確認検査が必要である．
2) HIV 感染者の透析導入例が増えている．
3) すべての HIV 感染者は抗 HIV 治療を開始することが推奨されており，生涯内服を継続する必要がある．
4) 透析患者は一部の抗 HIV 薬の投与回数・投与量の調整が必要である．
5) 抗 HIV 薬は他剤との相互作用が多く，注意が必要である．

■ 1. HIV 感染症の診断

HIV スクリーニング検査（第 4 世代試薬）では約 0.1 〜 0.3％ で偽陽性反応がみられることがあるため，確定診断のためにはウエスタンブロット法による抗体検査や，RT-PCR 法による HIV-RNA 検出などの確認検査が必要である．

■ 2. 透析患者における特徴

HIV 感染者の予後は HAART（ハート：highly active anti-retrovirus therapy）とよばれる多剤併用療法が行われるようになり，劇的に改善した一方で，糖尿病，高血圧などを原因とする慢性腎臓病が増加し，透析導入例が増えてきている[1]．

一般人口と比較して，HIV 感染者は末期腎不全に至りやすいとされている[2]．HIV 感染者の末期腎不全のリスクとして糖尿病，高血圧，心血管疾患に加えて，高 HIV ウイルス量，低 CD4 数，C 型肝炎などが知

られている[3].

■ 3. 薬剤の適応

　ガイドラインでは HIV 感染が進行するリスクを抑えること，また他者への HIV の感染を予防することを目的にすべての HIV 感染者に抗 HIV 治療を開始することを推奨している[4, 5].

■ 4. 薬剤の選択

　HAART は，通常キードラッグ（key drug）1 剤と，バックボーンドラッグ（backbone drugs）2 剤を組み合わせた 3 剤以上で行われる.

　キードラッグは，プロテアーゼ阻害薬あるいは非核酸系逆転写酵素阻害薬，インテグラーゼ阻害薬などが選択され，バックボーンドラッグは，核酸系逆転写酵素阻害薬が 2 剤併用される.

　多くの核酸系逆転写酵素阻害薬は腎臓より排泄されるため，透析患者では高い血中濃度が持続する可能性がある. 投与回数・投与量の調整が必要であり，ガイドラインで推奨されている第 1 選択薬は使用できないものもある.

　2018 年 11 月にインテグラーゼ阻害薬であるドルテグラビルと非核酸系逆転写酵素阻害薬であるリルピビリンの合剤であるジャルカ®配合錠が承認されている. 既治療によりウイルス学的抑制が得られているなどの条件を要するものの，腎機能に応じた調整が不要な治療薬であり，透析患者における治療薬の選択肢となり得る.

　実際の内服薬の組み合わせについては服薬錠数，基礎疾患，併用薬との相互作用なども考慮したうえで選択される.

■ 5. 実際の投与量，投与回数および投与期間の目安

　米国 DHHS ガイドラインから推奨されている治療薬および透析時の投与量を示す[4]（表 1）.

　HAART をもってしても，HIV を感染者の体内から駆逐することは困難であり，HAART を開始した患者は生涯治療を継続する必要がある.

表1 ■ 主な治療薬と投与量

一般名	略号	商品名	通常1日内服量	透析時
核酸系逆転写酵素阻害薬				
アバカビル	ABC	ザイアジェン®	300mg×2回	通常量
エムトリシタビン	FTC	エムトリバ®	200mg×1回	200mg×24時間毎（透析日は透析後投与）
ラミブジン	3TC	エピビル®	300mg×1回 or 150mg×2回	初回のみ50mg その後25mg×24時間毎（透析日は透析後投与）
テノホビル	TDF	ビリアード®	300mg×1回	300mg×週1（透析日は透析後投与）
合剤	TDF/FTC	ツルバダ®	1錠×1回	推奨されない
合剤	TAF/FTC	デシコビ®	1錠×1回	推奨されない
非核酸系逆転写酵素阻害薬				
ドラビリン	DOR	ピフェルトロ®	100mg×1回	データなし
エファビレンツ	EFV	ストックリン®	600mg×1回	通常量
エトラビリン	ETR	インテレンス®	200mg×2回	通常量
ネビラピン	NVP	ビラミューン®	200mg×2回 or 400mg×1回	透析後に200mgを追加投与
リルピビリン	RPV	エジュラント®	25mg×1回	通常量
合剤	RPV/TAF/FTC	オデフシィ®	1錠×1回	通常量 透析日は透析後
合剤	RPV/TDF/FTC	コムプレラ®	1錠×1回	推奨されない
合剤	RPV/DTG	ジャルカ®	1錠×1回	通常量
プロテアーゼ阻害薬				
アタザナビル	ATV	レイアタッツ®	400mg×1回 or ATV300mg＋RTV100mg×1回	抗HIV薬未導入：通常量 抗HIV薬導入済：推奨されない

（次頁に続く）

Ⅱ 感染症

表1■つづき

一般名	略号	商品名	通常1日内服量	透析時
ダルナビル	DRV	プリジスタ®	DRV800mg＋RTV100mg×1回 or DRV600mg＋RTV100mg×2回	通常量
合剤	DRV/COBI	プレジコビックス®	1錠×1回	通常量
合剤	DRV/COBI/TAF/FTC	シムツーザ®	1錠×1回	通常量 透析日は透析後
ロピナビル/リトナビル	LPV/R	カレトラ®	LPV/r 400/100mg×2回 or LPV/r 800mg/200mg×1回	1日1回を避ける
リトナビル	RTV	ノービア®	プロテアーゼ阻害薬のブースターとして100〜400mg	通常量
インテグラーゼ阻害薬				
合剤	BIC/TAF/FTC	ビクタルビ®	1錠×1回	通常量 透析日は透析後 ウイルス抑制下での使用開始が望ましい
ドルテグラビル	DTG	テビケイ®	50mg×1回 or 50mg×2回	通常量
合剤	DTG/ABC/3TC	トリーメク®	1錠×1回	推奨されない
合剤	DTG/3TC	ドウベイト®	1錠×1回	推奨されない
合剤	EVG/COBI/TAF/FTC	ゲンボイヤ®	1錠×1回	通常量 透析日は透析後
合剤	EVG/COBI/TDF/FTC	スタリビルド®	1錠×1回	推奨されない
ラルテグラビル	RAL	アイセントレス®	400mg×2回	通常量
合剤	DTG/RPV	ジャルカ®	1錠×1回	通常量
CCR5阻害薬				
マラビロク	MVC	シーエルセントリ®	併用薬により異なる	併用薬により異なる

■ 6. 注意すべき副作用や他剤との相互作用

　プロテアーゼ阻害薬や非核酸系逆転写酵素阻害薬は，CYPで代謝される抗痙攣薬，抗不整脈薬，HMG-CoA還元酵素阻害薬，ワルファリンカリウム，ベンゾジアゼピン系薬など多くの薬剤との相互作用があり，注意が必要である．

　また，一部の抗HIV薬は副作用として脂質代謝異常，耐糖能異常，肝機能障害，精神障害，骨密度低下などを引き起こす可能性がある．詳細はガイドラインなどに譲るが，その使用にあたっては細心の注意が必要である．

■ 文献

1) 日本透析医会・日本透析医学会. HIV感染患者透析医療ガイドライン. 2019. p.1-16.
2) Rasch MG, Helleberg M, Feldt-Rasmussen B, et al. Increased risk of dialysis and end-stage renal disease among HIV patients in Denmark compared with the background population. Nephrol Dial Transplant. 2014; 29: 1232-8.
3) Jotwani V, Li Y, Grunfeld C, et al. Risk factors for ESRD in HIV-infected individuals: traditional and HIV-related factors. Am J Kidney Dis. 2012; 59: 628-35.
4) Department of Health and Human Services（DHHS）. Guidelines for the use of antiretroviral agents in adults and adolescents living with HIV. October 1, 2021. https://clinicalinfo.hiv.gov/sites/default/files/guidelines/documents/AdultandAdolescentGL.pdf
5) 抗HIV治療ガイドライン. 厚生労働科学研究費補助金エイズ対策研究事業「HIV感染症およびその合併症の課題を克服する研究」班. http://www.haart-support.jp/pdf/guideline2021.pdf

〈柴田 怜〉

II. 感染症

Question 13 インフルエンザの診断法と，治療薬の使い方について教えてください

Answer

1) 透析患者はインフルエンザ重症化のハイリスク群であり，インフルエンザ迅速検査が陽性の場合のみならず，流行時には陰性であっても症状からインフルエンザが疑われる場合には抗インフルエンザ薬を投与することが推奨される．

2) オセルタミビル（タミフル®），ペラミビル（ラピアクタ®）は透析患者では減量が必要である．吸入薬のザナミビル（リレンザ®），ラニナミビル（イナビル®）は減量の必要はないが，重症で生命の危険がある患者，喘息，肺炎を合併している患者など，吸入が困難な場合は推奨されない．バロキサビル マルボキシル（ゾフルーザ®）は糞便排泄が主体（80％）なため腎不全患者でも常用量が使用できる．

3) インフルエンザを発症した患者に接触した透析患者に対して，抗インフルエンザ薬の予防投与が推奨される．

4) 透析患者においてもインフルエンザワクチンは有効であり，インフルエンザ流行前にインフルエンザワクチンを接種しておくことが推奨される．

■ 1. 透析患者におけるインフルエンザの診断と薬剤投与の適応の特徴

透析患者はインフルエンザ重症化のハイリスク群であり，死亡率も健常人より高い[1]．透析患者が，1) 急激で高度の発熱，2) 頭痛，腰痛，筋肉痛，全身倦怠感などの全身症状，3) 鼻汁，咽頭痛，咳などの呼吸器症状を呈したら，インフルエンザ感染を疑い迅速検査を施行する．ただし，迅速検査の感度と特異度はそれぞれ 62.3％，98.2％ と偽陰性が

ありえるので[2]，A 型あるいは B 型が陽性である場合に加え，陰性であっても臨床症状などからインフルエンザと疑診される場合は抗インフルエンザ薬を投与し，透析以外の外出を禁じて自宅療養とする[3]．抗インフルエンザ薬投与において発症後 48 時間以内にはこだわらない．インフルエンザとしては非典型的な場合にも，経過を十分観察して高熱など変わったことがあれば当日中でも再受診するよう患者に伝え，治療のタイミングを失わないよう留意する．なお，迅速検査を行わず，流行状況と病歴と理学所見のみで診断してもよい[3]．透析患者は重症化のハイリスク群と判断されるので，経過中，呼吸困難や意識障害の徴候があれば，ためらわずに呼吸管理と透析のできる病院での入院加療に切り替える．重症の合併症を有する透析患者に限っては，初診時から入院加療を選択することも考慮する．

　透析患者においてもインフルエンザワクチンは有効であり，インフルエンザ流行前にインフルエンザワクチンを接種しておくことが推奨される[4]．透析室での感染拡大を避けるため，流行時，新たな有熱患者には来院前に透析担当施設への連絡を促す．インフルエンザ感染患者に透析を行う場合，他患者への伝播を防止するために個室で透析を行うか，他の患者と時間をずらして，あるいは空間的に隔離して透析を行うことが推奨される[4]．

■ 2. 薬剤の選択

　抗インフルエンザ薬のなかでアマンタジンは耐性化が進み，透析患者を含む重篤な腎障害患者では，蓄積して精神神経症状を発症しやすいため禁忌である．

　現在，わが国ではノイラミニダーゼ阻害薬のオセルタミビル，ザナミビル，ラニナミビル，ペラミビル，キャップ依存性エンドヌクレアーゼ阻害薬のバロキサビル　マルボキシルが利用可能である．ノイラミニダーゼ阻害薬の使い分けは，基礎疾患の有無やその程度にかかわらず患者の重症度を重視して選択することが日本感染症学会より提言されている（表 1）[5]．

　キャップ依存性エンドヌクレアーゼ阻害でウイルス増殖を抑制するバ

表 1 ■ 抗インフルエンザ薬: ノイラミニダーゼ阻害薬の使用指針

重症度		薬剤（推奨順）	治療指針
A 群　入院管理が必要とされる患者			
A-1 群	重症で生命の危険がある患者	オセルタミビル（タミフル®） ペラミビル（ラピアクタ®）	重症例での治療経験はオセルタミビルが最も多い．経口投与が困難，確実な投与が求められるなど静注治療が適当と判断される場合にはペラミビルの使用を考慮する．なおペラミビルの反復投与においては副作用の発現などに十分留意する必要がある．呼吸困難を呈している患者が多いため吸入剤の投与は避ける．
A-2-1 群	生命の危険は迫っていないが入院管理が必要と判断され，肺炎を合併している患者	オセルタミビル（タミフル®） ペラミビル（ラピアクタ®）	オセルタミビルの使用を考慮するが，静注治療が適当であると判断される場合にはペラミビルの使用を考慮する．
A-2-2 群	生命の危険は迫っていないが入院管理が必要と判断され，肺炎を合併していない患者	オセルタミビル（タミフル®） ペラミビル（ラピアクタ®） ザナミビル（リレンザ®） ラニナミビル（イナビル®）	オセルタミビルの使用を考慮するが，静注治療が適当と判断される場合にはペラミビルを考慮する．吸入投与が可能であればザナミビル，ラニナミビルも考慮する．
B 群　外来治療が相当と判断される患者		オセルタミビル（タミフル®） ラニナミビル（イナビル®） ザナミビル（リレンザ®） ペラミビル（ラピアクタ®）	オセルタミビル，ラニナミビル，ザナミビルの使用を考慮する．静注治療が適当と判断される場合にはペラミビルの使用も考慮できる．

（日本感染症学会提言．抗インフルエンザ薬の使用適応について（改訂版）．2011 年 3 月 1 日[5]より抜粋）

　ロキサビル マルボキシルは，ノイラミニダーゼ阻害薬耐性ウイルスへの有効性，また新型インフルエンザ出現時での使用も期待されている[6]．その一方で，アミノ酸変異が高率（小児で 23.3%，成人で 9.7%）に生じ，バロキサビル低感受性ウイルス株が報告されるようになった．バロ

キサビル低感受性ウイルス株が臨床経過に与える影響ついては，エビデンスが十分ではないが，日本感染症学会はバロキサビル マルボキシルの使用に関し以下の提言[6]を行っている．

1) 12～19歳および成人：臨床データが乏しいなかで，現時点では，推奨/非推奨は決められない．
2) 12歳未満の小児：低感受性株の出現頻度が高いことを考慮し，慎重に投与を検討する．
3) 免疫不全や重症患者では，単独での積極的な投与は推奨しない．

■ 3. 投与量，投与間隔，投与期間

透析患者を含む腎機能障害者への抗インフルエンザ薬の治療および予防の投与量を表2に示す．

鳥インフルエンザA（H7N9）での腎機能障害や透析患者での投与量は定まっていないが，健康成人への投与に関する日本感染症学会インフルエンザ委員会の救命第一という観点からの推奨[7]を以下に示す．

● 鳥インフルエンザA（H7N9）例（疑い例も含む）への抗インフルエンザ薬使用指針（成人の用法・用量）

下記の薬剤のうち，タミフル®の保険上の用法・用量の上限は，成人では1回1カプセル（75mg），1日2回，5日間であるが，重症化が懸念されるような例では下記の（1）を推奨する．経口内服薬困難例や，血行動態および全身状態が不安定で経口薬の効果が期待できないような例では（2）から投与開始する．

(1) タミフル® 1回1カプセル（75mg）または2カプセル（150mg），1日2回内服，10日間
(2) ラピアクタ® 600mg点滴静注，単回投与，症状により連日反復投与
(3) 現時点では，リレンザ®，イナビル®は原則として推奨しない．

■ 4. 透析の影響

オセルタミビルとペラミビルは腎機能の低下に応じて減量が必要であるが，オセルタミビルは血液透析で約75％低下する[8]．ペラミビルも透析性があり，点滴開始2時間後から4時間かけて血液透析すること

表 2 ■ 腎機能低下時の抗インフルエンザ薬の投与量（成人）

	腎機能：GFR または Ccr mL/min	治療	予防
オセルタミビル（タミフル®）	GFR または Ccr>30	1 回 75mg を 1 日 2 回, 5 日間[10]	1 回 75mg を 1 日 1 回, 7〜10 日間[10]
	10<GFR または Ccr≦30	1 回 75mg を 1 日 1 回, 5 日間[10]	1 回 75mg を隔日, 4〜5 回[10]
	GFR または Ccr≦10	1 回 75mg を単回[10]	初回 75mg, 7 日目に 75mg 追加（計 2 回）[10]
	透析患者	1 回 75mg を単回投与で, 5 日後症状が残っている場合, もう 1 回投与[4]	血液透析：初回 75mg, 5 日後に 75mg（計 2 回）[4] 腹膜透析：初回 75mg, 7 日目に 75mg 追加（計 2 回）[10]
ザナミビル（リレンザ®）	腎機能による調節は不用[4, 10]	1 回 10mg を 1 日 2 回 吸入, 5 日間[4, 10]	10mg を 1 日 1 回吸入, 10 日間[10] 透析患者：10mg を 1 日 1 回吸入, 7〜10 日間[4]
ラニナミビル（イナビル®）	腎機能による調節は不用[4, 10]	［吸入粉末剤］40mg を単回吸入[4, 10] ［吸入懸濁用］160mg を生食 2mL で懸濁し, ネブライザーを用いて単回吸入[10]	［吸入粉末剤］40mg を単回吸入[10] または 20mg を 1 日 1 回吸入, 2 日間[4, 10] 透析患者：20mg を 1 日 1 回吸入, 2 日間[4]
ペラミビル（ラピアクタ®）	50≦GFR または Ccr	1 回 300mg を 15 分以上かけて単回点滴静注. 合併症等により重症化するおそれがある患者には, 1 日 1 回 600mg を 15 分以上かけて単回点滴静注, 連日反復投与も可[10]	
	30≦GFR または Ccr<50	通常：1 回 100mg 重症化のおそれがある患者：1 回 200mg[10] 1 日 1 回 150mg（FDA）[10]	
	10≦GFR または Ccr<30	通常：1 回 50mg 重症化のおそれがある患者：1 回 100mg[10] 1 回 100mg（FDA）[10]	
	GFR または Ccr<10	初回 100mg, 以後は 15mg を連日 1 回投与（FDA）[11]	
	透析患者	血液透析：初回 100mg, 以後は透析終了 2 時間後に 100mg 追加（FDA）[10] CAPD：初回 100mg, 以後は 1 日毎に 100mg 追加[10]	
バロキサビルマルボキシル（ゾフルーザ®）	腎機能による調節は不用[4, 10]	40mg（80kg 以上は 80mg）単回投与[10]	

Ccr（creatinine clearance）：クレアチニンクリアランス；FDA（Food and Drug Administration）：アメリカ食品医薬品局；GFR（glomerular filtration rate）：糸球体濾過量

によって血漿中濃度は約 1/4 まで低下するので（添付資料より），投与は透析後がよい．

■ 5. 注意すべき副作用

インフルエンザでは異常行動を伴うことがあり，また，異常行動による転落などの万が一の事故を防止するための予防的な対応に関する「重要な基本的注意」は，すべての抗インフルエンザ薬共通として記載されている．

■ 文献

1) Wakasugi M, Kawamura K, Yamamoto S, et al. High mortality rate of infectious diseases in dialysis patients: a comparison with the general population in Japan. Ther Apher Dial. 2012; 16: 226-31.

2) Chartrand C, Leeflang MM, Minion J, et al. Accuracy of rapid influenza diagnostic tests: a meta-analysis. Ann Intern Med. 2012; 156: 500-11.

3) 緊急のご連絡～慢性透析患者の新型インフルエンザの診断と治療に関するご注意，日本透析医会・日本透析医学会 新型インフルエンザ対策合同会議，2009 年 10 月 16 日. http://www.touseki-kai.or.jp/htm/03_info/doc/20091016_flu.pdf

4) 日本透析医会. 透析施設における標準的な透析操作と感染予防に関するガイドライン（五訂版）. 2020 年 4 月 30 日. http://www.touseki-ikai.or.jp/htm/05_publish/doc_m_and_g/20200430_infection%20control_guideline.pdf

5) 日本感染症学会提言. 抗インフルエンザ薬の使用適応について（改訂版）. 2011 年 3 月 1 日. https://www.kansensho.or.jp/modules/guidelines/index.php?content_id=25

6) 日本感染症学会提言. ～抗インフルエンザ薬の使用について～. 2019 年 10 月 24 日. https://www.kansensho.or.jp/modules/guidelines/index.php?content_id=37

7) 日本感染症学会・インフルエンザ委員会. 日本感染症学会提言. 鳥インフルエンザ A（H7N9）への対応【暫定】. 2013 年 5 月 17 日. https://www.kansensho.or.jp/modules/guidelines/index.php?content_id=23

8) 栫 幸宏, 鈴木美枝, 松澤美香, 他. 経口抗インフルエンザウイルス治療薬 リン酸オセルタミビルの薬理作用および体内動態, 化学療法の領域. 2001; 17: 103-11.

9) NIID 国立感染症研究所. 抗インフルエンザ薬耐性株サーベイランス. https://www.niid.go.jp/niid/ja/influ-resist.html

10) 日本腎臓病薬物療法学会. 腎機能別薬剤投与法一覧. 2020 年 4 月 改訂45

版.

11）Emergency Use Authorization of Peramivir IV Fact Sheet for Health Care Providers. Authorized by FDA on November 19, 2009. https://www.fda.gov/downloads/drugs/drugsafety/postmarketdrugsafetyinformationforpatientsandproviders/ucm187811.pdf#search=%27Fact+Sheet+for+Health+Care+Providers+for+Peramivir%27

NOTES

　ノイラミニダーゼ阻害薬のオセルタミビル，ペラミビルに対する耐性株が検出されている．キャップ依存性エンドヌクレアーゼ阻害薬のバロキサビル マルボキシルに対する低感受性ウイルスの出現は，インフルエンザに対する免疫能の低い幼児や免疫不全患者ではバロキサビル使用後に高くなるものと思われるが[6]，その臨床的な影響はまだ十分解明されていない．地域の薬剤耐性株の検出状況は，国立感染症研究所の抗インフルエンザ薬耐性株サーベイランス[9] が参考になる．

〈山本龍夫〉

II. 感染症

Question 14 新型コロナウイルス感染症（COVID-19）の診断法と治療薬の使い方について教えてください

Answer

1) 一般人口と比較して，透析患者では，重症度が高く致死率が高率であることから，早期の診断を行い，早期に治療を行う必要がある．
2) 診断方法は一般人口と同じであり，疑い例への積極的な抗原検査や核酸検出検査の施行が推奨される．
3) 抗ウイルス薬としては，点滴静注注射によるレムデシビルの投与，内服によるモルヌピラビルの投与が推奨され，透析患者での生命予後改善効果が報告されている．
4) 透析患者での中和抗体薬の点滴静注注射により生命予後改善効果が報告されており，オミクロン株に対してはソトロビマブの投与が推奨される．

■ 1. 透析患者における COVID-19 の特徴

❶感染者数と致死率

　2022年1月27日時点の累積患者数2,990人（男性1,944人，女性831人，未報告215人）であり，男性の感染者数が多い[1]．透析導入の原疾患は，糖尿病性腎症1,213人，慢性糸球体腎炎479人，腎硬化症327人，その他355人，不明・未報告616人となっており，本邦の透析患者全体の原疾患の分布と同様である．

　透析患者における全体の2022年1月27日時点の致死率（生存死亡の未報告例を含む）は14.5%（433/2,990）であり[1]，2022年1月25日時点の一般人口の致死率0.8%（18,019/2,267,997）と比較して[2]，15倍以上と非常に高率である．また，一般人口では致死率が非常に低い60

歳未満においても，透析患者の致死率は，40歳代4.5%，50歳代5.3%と非常に高率で，60歳代からの致死率はさらに高率である．

透析患者は年齢にかかわらず致死率が高率であることから，徹底した感染対策により罹患しないようにすること，積極的なワクチン接種により重症化や死亡を抑制することが重要となる．

❷透析患者における感染後の酸素需要

初診時に1,578人中1,224人（77.6%）に，COVID-19に特徴的な肺炎像を認め，入院後の酸素投与状況では，透析患者2,253人中，酸素投与935人，人工呼吸器使用215人，ECMO使用15人と，情報のある患者の51.7%に低酸素血症に対する治療が行われている[1]．厚生労働省の新型コロナウイルス感染症（COVID-19）診療の手引き・第6.2版[3]による分類，中等症Ⅱから重症に該当する患者が半数以上となることから，透析患者は酸素需要が高率であり重症度が高い患者が多い．

■ 2. COVID-19の検査 （表1）[4]

❶核酸検出検査

新型コロナウイルス（SARS-CoV-2）のRNA遺伝子配列を増幅して検出する．感度が高いという長所はあるが，検査時間が長いこと（1〜5時間）が短所である．リアルタイムPCR法は，ウイルス量の測定が可能で，ウイルス量の比較や推移の検討が可能である．LAMP法，TRC法やTMA法などの等温核酸増幅法は，簡便で検査時間が短い（35〜50分）ことが長所だが，リアルタイムPCR法と比較して感度が低い．

❷抗原検査

抗原検査には定量法と定性法があり，SARS-CoV-2の蛋白質を検出する検査法である．抗原定性検査は発症9日以内の有症状者の確定診断に使用可能であり，感度は低いが迅速にベッドサイドでの検査が可能である．抗原定量検査は，抗原を定量的に測定可能で，検査感度も簡易な核酸検出検査と同レベルで検査時間も短時間である．

■ 3. COVID-19に対する治療

本邦でのCOVID-19に対する治療は，透析患者においても，厚生労働省より発表される「新型コロナウイルス感染症診療の手引き」に準じ

表 1 ■ 新型コロナウイルス感染症の検査

検査の対象者		核酸検出検査			抗原検査（定量）			抗原検査（定性）		
		鼻咽頭	鼻腔*	唾液	鼻咽頭	鼻腔*	唾液	鼻咽頭	鼻腔*	唾液
有症状者（症状消退者を含む）	発症から9日以内	○	○	○	○	○	○	○	○	×（※1）
	発症から10日目以降	○	○	−（※3）	○	○	−（※3）	△（※2）	△（※2）	×（※1）
無症状者		○	−（※3）	○	○	−（※3）	○	−（※4）	−（※4）	×（※1）

※1: 有症状者への使用は研究中．無症状者への使用は研究を予定している．
※2: 使用可能だが，陰性の場合は臨床像から必要に応じて核酸検出検査や抗原定量検査を行うことが推奨される（△）．
※3: 推奨されない（−）．
※4: 確定診断としての使用は推奨されないが，感染拡大地域の医療機関や高齢者施設などにおいて幅広く検査を実施する際にスクリーニングに使用することは可能．ただし，結果が陰性の場合でも感染予防策を継続すること，また，結果が陽性の場合であって医師が必要と認めれば核酸検出検査や抗原定量検査により確認すること．
*: 引き続き検討が必要であるものの，有用な検体である．

て行われる．紙面の都合上，すべての治療薬の解説を行うことは難しいこと，COVID-19 に対する治療方法は目まぐるしく変化し，エビデンスについても変わる場合がある．このため，COVID-19 に対する治療の投与対象や投与方法，副作用については，最新の「新型コロナウイルス感染症診療の手引き」を参照いただきたい．

❶抗ウイルス薬

a. レムデシビル

レムデシビルは RNA ポリメラーゼ阻害薬であり，本邦では 2020 年 5 月 7 日に特例承認として使用が開始され，2021 年 8 月 12 日に保険適用となっている．投与方法は，成人には投与初日に 200mg を，投与 2 日目以降は 100mg を 1 日 1 回，30 分から 120 分かけて点滴静注する．目安として，5 日目まで投与し，症状の改善が認められない場合には 10 日目まで投与する[3]．

ただし，腎機能障害患者では，添加剤であるスルホブチルエーテル β-シクロデキストリンナトリウム（SBECD）が蓄積することが報告さ

れており，eGFR 30mL/min/1.73m^2 未満では，治療上の有益性が危険性を上回ると判断される場合にのみ投与を考慮することと，添付文書に記載されている．

1) 透析患者におけるレムデシビルの投与方法と注意点

2021 年 8 月 31 日に発行の，厚生労働省「新型コロナウイルス感染症診療の手引き 第 5.3 版」以降，2022 年 1 月 27 日に発行の第 6.2 版まで，透析患者の治療は以下のように記載されている[3]．

- 透析患者におけるレムデシビルの有効性のエビデンスは限られているが忍容性は一般に高いと考えられる．
- 健常成人に比して，半減期は約 2 倍，初回投与後最高血中濃度は約 3 倍（その代謝産物 GS-441524 は 6 倍）になる．
- 血液透析により GS-441524 の血中濃度は約 50% にまで低下する．ローディングを行わず 100mg を透析 4 時間前に投与，最大 6 回までなどの投与法が報告されている．
- 投与時の注意点は，肝機能障害があらわれることがあるので，定期的な肝機能検査を行うこと，アナフィラキシーを含む過敏症が起こることがあるので，患者の十分な観察を行い，異常を認めた場合は直ちに中止する．

2) 透析患者におけるレムデシビルの生命予後に関する研究

Kikuchi らは，日本透析医会，日本透析医学会および日本腎臓学会による，新型コロナウイルス感染対策合同委員会の COVID-19 透析患者レジストリーを使用し，透析患者におけるレムデシビルの生命予後に対する効果の研究を行った[5]．レムデシビル投与群と非投与群について，年代と酸素投与（酸素投与のありなし，人工呼吸器か ECMO 使用のありなし）など，重症化や致死率に重要な因子で 1：3 もプロペンシティスコア（PS）マッチングを行い，生命予後に対するレムデシビルの効果を検討した．PS マッチング後の Cox 回帰分析では，レムデシビル非投与群を参照とした投与群の HR 0.45（95%CI: 0.26-0.80）と，レムデシビル投与による生命予後の改善効果が示された．また，レムデシビル投与群と非投与群で入院後から改善までの期間を比較すると，投与群

は 20.9 ± 13.2 日，非投与群は 16.2 ± 8.1 日，平均差 4.7 日（95%CI：2.2-7.4），P<0.001 と，レムデシビル投与群では入院期間が有意に短縮された．

b. モルヌピラビル

モルヌピラビルは，内服の RNA ポリメラーゼ阻害薬であり，本邦では 2021 年 12 月 24 日に特例承認として使用が開始された．投与方法は，18 歳以上の患者には，モルヌピラビルとして，1 回 800mg を 1 日 2 回，5 日間経口投与する[3]．日本国内の 3 施設を含む 20 カ国，107 施設での，ランダム化二重盲検試験が行われ，発症 5 日以内の治療開始により，重症化の相対リスクが 30% 減少したことが報告されている．透析患者に対しても上記の投与量および投与方法での治療が可能である．2022 年 1 月 28 日時点で，透析患者に対し 33 例に投与されているが，効果については十分に検討されていない[1]．

❷中和抗体薬（カシリビマブ / イムデビマブ，ソトロビマブ）

カシリビマブ / イムデビマブは，新型コロナウイルス（SARS-CoV-2）のスパイク糖蛋白質に対する中和抗体カシリビマブおよびイムデビマブの 2 種類を同時に投与する抗体カクテル療法であり，本邦では 2021 年 7 月 19 日に特例承認として使用が開始された．投与方法は，成人にはカシリビマブ（遺伝子組換え）およびイムデビマブ（遺伝子組換え）として，それぞれ 600mg を併用により単回点滴静注または単回皮下注射する[3]．なお，オミクロン株に対する中和活性が低下していると報告されており，オミクロン株感染者への投与は推奨されない．

ソトロビマブは，SARS-CoV-2 スパイク蛋白の受容体結合ドメインに対するモノクローナル抗体であり，本邦では 2021 年 9 月 27 日に特例承認として使用が開始された．投与方法は，成人にはソトロビマブ（遺伝子組換え）として，500mg を併用により単回点滴静注する[3]．なお，オミクロン株に対する効果は期待できる．

中和抗体薬は，SARS-CoV-2 の宿主細胞への侵入を阻害することにより，体内でのウイルスの増殖を抑制する．透析患者に対しても上記の投与量および投与方法での治療が可能である．

a. 透析患者における中和抗体薬の効果

　日本透析医会，日本透析医学会および日本腎臓学会による，新型コロナウイルス感染対策合同委員会のCOVID-19透析患者レジストリーによると，2022年1月28日時点で230例のCOVID-19透析患者に中和抗体薬治療（カシリビマブ/イムデビマブ156例，ソトロビマブ74例）が施行され，うち8例の患者が死亡しており，致死率は3.5%であった[1]．年代別の致死率では，60歳代未満の患者における死亡は0%，70歳以上が7.8%であった．透析患者全体の致死率と比較して，COVID-19透析患者に対する中和抗体薬治療により，致死率1/4に減少させており，生命予後を改善させる非常に有効な治療法である．

■ 文献

1) 菊地　勘, 山川智之, 竜崎崇和, 他. 新型コロナウイルス感染対策合同委員会. 透析患者における累積の新型コロナウイルス感染者の登録数（2022年1月25日時点）. http://www.touseki-ikai.or.jp/htm/03_info/doc/corona_virus_infected_number_20220128.pdf（2022年1月30日確認）
2) 厚生労働省. 新型コロナウイルス感染症の国内発生動向（令和4年1月25日24時点）. https://www.mhlw.go.jp/content/10906000/000888134.pdf（2022年1月30日確認）
3) 厚生労働省. 新型コロナウイルス感染症診療の手引き 第6.2版. https://www.mhlw.go.jp/content/000888608.pdf（2022年1月30日確認）
4) 厚生労働省. 新型コロナウイルス感染症（COVID-19）病原体検査の指針 第4.1版. https://www.mhlw.go.jp/content/000841541.pdf（2022年1月30日確認）
5) Kikuchi K, Nangaku M, Ryuzaki M, et al. Survival and predictive factors in dialysis patients with COVID-19 in Japan: A nationwide cohort study. Ren Replace Ther. 2021; 7: 59.

〈菊地　勘〉

II. 感染症

Question 15 透析患者に対するワクチン接種法を教えてください

▶ インフルエンザワクチンについて

Answer
1) インフルエンザの重症化防止こそが最大の目的.
2) 12 月中旬頃までに接種.
3) 60 歳以上の腎不全患者は公的補助の対象.
4) 重大な副作用報告もあるが因果関係の証明はない.

■ 1. 期待される効果

発症予防効果も認められるが, 完全に抑えることはできない. むしろ, 発症後の重症化（肺炎や脳炎）阻止こそが, 最も期待されるところである.

■ 2. 接種時期

ワクチンの予防効果は, 接種後 2 週間から 5 カ月間程度までとされる. 流行は例年 12 月～3 月頃であり, 12 月中旬までにワクチン接種を終えることが望ましい[1].

■ 3. 接種対象者

すべての透析患者に接種すべきとの指針は存在しない. ただし, 60 歳以上の腎不全患者, 65 歳以上の高齢者は, 費用対効果の観点から公的補助の対象となっている.

■ 4. 副作用

アナフィラキシーの出現はまれとされる. 軽度の副作用として, 局所の発赤・腫脹が 10～20％, 軽い全身症状（発熱, 頭痛, 悪寒, 倦怠感など）が 5～10％ にみられるものの, 通常 2～3 日で軽快する[1].

その他，遅発性（通常6週間以内）の副作用として，ギランバレー症候群（GBS），急性脳症，急性散在性脳脊髄炎，血小板減少性紫斑病などの報告もまれにあるが，ワクチンとの因果関係は証明されていない．

> **◯◯ NOTES**
>
> ギランバレー症候群（GBS）とインフルエンザワクチンの関係：1976年，ニュージャージー州でインフルエンザワクチン接種後にGBS発症が多発したという報告がある．しかし，その後の大規模調査で，両者の関係は否定されている．ちなみに，ワクチン接種後6週間以内のGBS発症の相対危険度は1.52だが，インフルエンザ罹患後6週間以内のGBS発症の相対危険度は15.81と高い[2]．

▶ 肺炎球菌ワクチンについて

> **Answer**
> 1) 肺炎球菌感染症の約80％を予防．
> 2) 60歳以上の腎不全患者に推奨．5年後に再接種可能．
> 3) 重大な副作用はまれ．

■ 1. 期待される効果

肺炎球菌には93種類の血清型があり，そのうち23種に対応するポリサッカライドワクチン（ニューモバックス®NP）が流通しており，肺炎球菌感染症の約80％を予防する．このなかには，ペニシリン耐性肺炎球菌も含まれる．

■ 2. 接種推奨者

米国疾病対策センター（CDC）は，脾摘後の患者をはじめ，65歳以上の高齢者や60歳以上の慢性腎不全患者などにも接種を推奨している．2014年10月から1人1回，節目年齢（65歳，70歳…）において公費助成制度が適応され，定期接種の対象となる機会がある．ちなみに透析

患者は，60 歳からその対象となる．

■ 3．接種方法と副作用

1 回 0.5mL を筋肉内または皮下に注射する．ワクチンの安全性は高く，アナフィラキシーなどの重篤な副反応はまれである．2～3％ の患者で局所的な発赤，腫脹のほか，1～5％ の患者で筋肉痛や発熱がみられることがある．これらの症状は 2～3 日で消失する[3]．

■ 4．再接種

肺炎球菌感染により重篤な状態に陥りやすい患者や，肺炎球菌の抗体価が急速に低下しやすい患者については，初回接種から 5 年以上が経過すればワクチンの再接種対象者とされる．透析患者もそのなかに含まれる[3]．

▶ B 型肝炎ワクチンについて

Answer

1) 透析患者の HBs 抗体獲得率は一般人と比べ低く，有効期間も短い．
2) 通常は 3 回接種だが，透析患者には 4 回接種や高用量投与も考慮してよい．
3) HBV 陽性血液による事故後の感染予防にも有効．

■ 1．B 型肝炎ワクチンの特徴

「ビームゲン®」（KM バイオロジクス株式会社）と「ヘプタバックス®II」（販売：万有製薬，製造：米国メルク社）の 2 種類の組換え沈降 B 型肝炎ワクチン（不活化ワクチン）があり，有効性，安全性ともに高い．感染予防のため，すべての透析患者にその接種が推奨されている[4]．

■ 2．B 型肝炎ワクチンの有効性とその期間

1) 有効性：若年ほど抗体獲得率が高い．60 歳までの抗体獲得率が 90％ だが，60 歳以上になると 70％ に低下する．一方，透析患者の抗体獲得率は，全体でも 50％ 程度との報告がある[4]．

2) 抗体持続期間: 通常, 20 年以上続くとされるが, 個人差も大きい. 透析患者での抗体持続期間は, 一般に短縮しているとの報告がある.

■ 3. Ｂ型肝炎ワクチンの接種スケジュール

3 回接種で完了する. 一般的には, 0, 1, 6 カ月に 0.5mL を筋肉内または皮下注射する (10 歳未満では 0.25mL). ただし, 透析患者など免疫機能が低下していることが想定される場合には, 4 回接種や高用量投与も検討してよい.

NOTES

HBs 抗原陽性かつ HBe 抗原陽性の血液による汚染事故後の Ｂ型肝炎発症予防: Ｂ型肝炎ワクチンを早期に高力価抗 HBs ヒト免疫グロブリン (HBIG) とともに接種すると, その感染予防効果は大きい. 通常, 0.5mL を 1 回, 事故発生後 7 日以内に皮下または筋肉内に注射する. さらに 0.5mL ずつを初回注射の 1 カ月後および 3〜6 カ月後の 2 回, 同様の方法で注射する (10 歳未満では 0.25 mL).

▶ COVID-19 ワクチンについて

Answer

1) 透析患者が COVID-19 に罹患した際の致死率は, 健常人に比べて 20 倍以上高い.
2) 追加接種 (3 回目) は, 特に重症化予防 (入院阻止) への効果が期待できる.
3) ワクチン接種による透析患者の副反応出現頻度は, 健常者に比べて少ないとされる.

■ 1. 透析患者の罹患状況

2022 年 4 月 22 日までのわが国における COVID-19 罹患者総数は,

約 770 万人，死亡者数約 2 万 9 千人，致死率は 0.4% である．一方，透析患者の罹患総数は 6,032 人，死亡者数 540 人，致死率は 9.0% と健常人に比べてきわめて高い．特に，ワクチン未接種の透析患者が罹患した場合の致死率は 16.9% と顕著である[5]．背景として，抗体上昇をきたしにくい透析患者の免疫状態に加え，ワンフロアーで治療が行われる透析施設ならではの特殊性も看過できない．すなわち，透析患者への積極的なワクチン接種が望まれる．

■ 2．ワクチンの種類と接種時期，接種対象者

2022 年 4 月現在，追加接種（3 回目）が全国的に実施され，4 回目接種も計画されている．日本に流通しているワクチンは 3 種類で，それぞれの特徴，接種方法，接種時期について表 1 に示す．

■ 3．有効性

初回接種（1 回目と 2 回目）により，デルタ株までのすべての変異株に対し高い発症予防効果（94～95%）を示していたが，オミクロン株（BA.1）の出現は，接種後 3 カ月までの効果を 70% 以下，6 カ月以降の効果は 10% 以下までに低下させた．しかし，追加接種（3 回目）により，接種後 6 カ月までは発症予防を 40～50% 程度まで改善すること，特に重症化予防（入院阻止）への効果は，接種後 9 週までのデータだが，80～95% 阻止できたという[6]．

■ 4．有害事象

アナフィラキシーの発生頻度は，ファイザー社製で 100 万回あたり 4.7 回，武田 / モデルナ社製で 2.5 回である．それ以外の一般的な副反応は，ファイザー社製の統計によると，2 回目の方が若干多く，55 歳までの若年者で，倦怠感 59%，頭痛 52%，筋肉痛 37%，発熱 16% など[7]と報告されているが，透析患者におけるこれら副反応の出現頻度は，健常者に比べて少ないとされる．

特記すべき有害事象として心筋炎や心膜炎の報告がある．若年の男性で，さらにファイザー社製より武田 / モデルナ社製に多いとされる．しかしいずれの場合も，COVID-19 に感染した際の合併頻度より明らかに低い[8,9]．

表1 ■ COVID-19 ワクチン

製造元	タイプ	初回接種（1回目と2回目の接種）		追加接種（3回目）		
		対象年齢	接種方法	対象年齢	接種量	接種時期（2回目接種からの間隔）
ファイザー/BioNTech社	mRNA	5歳以上	原則20日の間隔あけ、速やかに接種	12歳以上	初回接種量と同量	医療従事者、高齢者施設等の入所者、その他65歳以上の高齢者⇒原則6カ月
武田/モデルナ社	mRNA	18歳以上	原則27日の間隔あけ、速やかに接種	18歳以上	初回接種量の1/2量	64歳以下の者⇒原則7カ月（予約枠に空きがあれば6カ月でも可）
アストラゼネカ社	ウイルスベクター	40歳以上	原則27日〜83日までの間に2回接種	未認可	—	—

＊初回接種（1・2回目接種）については、原則、同一ワクチン使用が望ましいとされるが、異なるワクチン接種（交互接種）も可能
　この場合、1回目接種より27日以上の間隔を置くこと
＊他の予防接種を行う場合は、原則として13日以上の間隔を置くこと
＊COVID-19の既感染者であっても、感染から3カ月、かつ2回目接種から6カ月以上経過を目安に追加接種を受けることが望ましい

▶ 帯状疱疹ワクチンについて

> **Answer**
> 1) 帯状疱疹の発症率は 50 歳以上になると高まるが，透析患者の発症率はさらに高い．
> 2) 帯状疱疹後神経痛（postherpetic neuralgia: PHN）は ADL 低下の一因である．
> 3) 帯状疱疹の発症および関連合併症の予防に期待される帯状疱疹ワクチンとして，弱毒性水痘ワクチン「ビケン®」と，組換えワクチン「シングリックス®」がある．
> 4) シングリックス®の方がビケン®よりも予防効果，持続期間ともに優れているとの臨床成績がみられる．

■ 1. 帯状疱疹とは

　加齢などにより水痘・帯状疱疹ウイルス（Varicella-Zoster virus: VEZ）に対する免疫，特に細胞性免疫が低下した場合，神経節に潜在するウイルスが再活性化し，末梢神経に沿って帯状に形成された有痛性の小水疱群をいう．頭部から顔面に現れることもあり，顔面神経麻痺や視力低下，難聴などの合併症を引き起こすことがある．また，後遺症として帯状疱疹後神経痛（postherpetic neuralgia: PHN）が残ることがあり，ADL 低下の一因となっている．帯状疱疹は 50 歳以上になると発症率が高まり，80 歳までに 3 人に 1 人が罹るとされる[10]．なお，透析患者の発症率は健常人に比べ高いとされ（HR 1.98; 95%CI 1.72-2.27），帯状疱疹ワクチンによる積極的な予防を行っていくことが望ましいとする報告もみられる[11]．

■ 2. 帯状疱疹ワクチン

　帯状疱疹の発症および関連合併症予防に用いるワクチンとして，2016 年に認可された弱毒性水痘ワクチン「ビケン®」と，2020 年に認可された組換えワクチン「シングリックス®」がある．前者は生ワクチ

Ⅱ　感染症

表2 ■ 帯状疱疹ワクチン

	ビケン®（弱毒性ワクチン）	シングリックス®（組換えワクチン）
対象者	50歳以上	
発症予防効果	51.3%	50歳以上 97.2%，70歳以上 89.8%
PHN予防効果	66.5%	（70歳以上）88.8%
長期予防効果	8年〜10年	8年後の有効率 84.0%
副反応	局所；発赤 44%，腫脹 17% 全身；接種1〜3週間後の発熱・水痘様発疹（1〜3%）	局所；疼痛 79%，発赤 38%，腫脹 26% 全身；筋肉痛 41%，疲労感 40%，頭痛 34%
接種不適当者	発熱者，重篤な急性疾患者，本剤成分にアナフィラキシーを呈したことがある者	
	妊娠中の者，免疫機能に異常をきたしている者および免疫抑制をきたす治療中の者	―
接種方法	0.5mLを1回皮下注	0.5mLを2カ月の間隔で2回筋注
費用（薬価基準適応外）	8,000円	44,000円（22,000円×2回）
	一部，費用助成の自治体あり	

ンだが，後者はウイルス表面の糖蛋白（gE）を抗原としたもので生ワクチンではないため，免疫機能の低下した患者（造血幹細胞移植など）においても接種可能．両者の特徴を表2に示す[12,13]．

　いずれのワクチンも，帯状疱疹の発症および関連合併症を予防する効果が期待される．一般に，シングリックス®の方がビケン®よりも予防効果，持続期間ともに優れているとの臨床成績がみられるが，コスト面でのデメリットもある．

■ **文献**

1) インフルエンザ予防接種ガイドライン等検討委員会報告. 平成13年11月（平成15年9月改編）.
2) Kwong JC. Risk of Guillain-Barré syndrome after seasonal influenza vaccination and influenza health-care encounters: a self-controlled study. Lancet Infect Dis. 2013; 13: 769-76.

3）日本感染症学会. 肺炎球菌ワクチン再接種に関するガイドライン. 2009.

4）国立感染症研究所. B 型肝炎ワクチンに関するファクトシート（平成 22 年 7 月 7 日版）.

5）透析患者における累積の新型コロナウイルス感染者の登録数. 日本透析医会・日本透析医学会・日本腎臓学会 新型コロナウイルス感染対策合同委員会. 2022 年 4 月 22 日報告書.

6）COVID-19 vaccine surveillance report week 7. UK Health Security Agency, 17 Feb 2022.

7）Ploack FP, Thomas SJ, Kitchin N, et al. C4591001 Clinical Trial Group: Safety and efficacy of the BNT162b2mRNA Covid-19 vaccine. N Engl J Med. 2020; 383: 2603-15.

8）第 70 回厚生科学審議会予防接種・ワクチン分科会副反応検討部会. 令和 3 年 10 月 15 日開催資料.

9）第 74 回厚生科学審議会予防接種・ワクチン分科会副反応検討部会. 令和 3 年 12 月 24 日開催資料.

10）Kuo CC, Lee CT, Lee IM, et al. Risk of herpes zoster in patients with long-term hemodialysis: a matched cohort study. Am J Kidney Dis. 2012; 59: 428-33.

11）宇野健司. IV 腎不全 / 透析と感染症. 日本内科学会雑誌. 2019; 108: 2275-85.

12）Lal H, Cunningham AL, Godeaux O, et al. Efficacy of an adjuvanted herpes zoster subunit vaccine in older adults. N Engl J Med. 2015; 372: 2087-96.

13）Cunningham AL, Lal H, Kovac M, et al. Efficacy of the herpes zoster subunit vaccine in adults 70 years of age or older. N Engl J Med. 2016; 375: 1019-32.

〈成瀬正浩〉

II. 感染症

Question 16

B 型肝炎について透析患者における現状と治療法を教えてください

Answer

1) 透析患者の HBs 抗原陽性率は高い.

2) 有効な HBV 感染対策はワクチンにより HBs 抗体陽性者を増やすことである.

3) B 型肝炎の治療は B 型肝炎治療ガイドラインに基づいて行われることが望ましいが, 透析患者での報告は少なく, 治療方法は確立されていない.

4) 透析患者では一般的にウイルス量が少なく, ALT 値の基準値が低いため活動性肝炎の評価が難しい.

■ 1. 透析患者における特徴

2008 年の日本透析医学会の統計調査によれば, 透析患者の HBs 抗原陽性率は男性 2.12%, 女性 1.78% と初回供血者の陽性率から推測される 0.71% に比べて高率である[1,2]. 一方, 透析患者は免疫不全の状態にあるため B 型肝炎ウイルス (HBV) に感染するとキャリアに移行する率が高く, 新たな感染源となり, 院内感染の感染源として問題となる. 過去に透析施設で集団発症した HBV 感染は劇症化による死亡率が高く, 透析室で最も感染対策が必要な感染症である.

有効な HBV 感染対策はワクチンにより HBs 抗体陽性者を増やすことである. しかし, 透析患者では健常人に比して抗体獲得率が低いため, 1 クールのワクチン接種で抗体を獲得できない場合には 2 クール目の接種を行う. また, 抗体を獲得しても抗体価は低下するため, 抗体が陰性化した場合にはブースターを必要とする (Ⅱ. 感染症 Q15 を参照).

B 型肝炎の治療は B 型肝炎治療ガイドライン[3] に基づいて行われる

ことが望ましいが，透析患者についてはガイドラインに記載がないため健腎者に準じて治療が行われる．しかし，透析患者のインターフェロン（IFN）治療は報告例が少なく，投与方法や有効性を支持する明確なエビデンスはない．また，核酸アナログ製剤は投与量の調節により透析患者にも投与でき，治療効果もあるようであるが報告は少なく，長期成績は不明であり，透析患者における治療法は確立されていないのが現状である．また，透析患者では一般的にウイルス量が少なく[4]，ALT値の基準値が低いため活動性肝炎の評価が難しい[5]．

■ 2. 薬剤の適応

治療目標は，肝炎の活動性と肝線維化の抑制による慢性肝不全の回避ならびに肝細胞癌発生の抑止，およびそれらによる生命予後ならびにQOLの改善である．HBV持続感染者における抗ウイルス治療の長期目標はHBs抗原の消失である．HBs抗原消失に至るまでの抗ウイルス治療の短期目標は，ALT持続正常化（30U/L以下），HBe抗原陰性かつHBe抗体陽性，HBV DNA増殖抑制である．HBV DNA量の目標は，慢性肝炎と肝硬変で異なり，また，治療薬剤により異なる．B型肝炎治療ガイドラインでは，慢性肝炎はALT≧31 U/LかつHBV DNA量≧2,000 IU/mL（3.3LogIU/mL）で治療対象となり，肝硬変ではHBV DNAが陽性であればALT値，HBe抗原，HBV DNA量にかかわらず治療対象となる．HBe抗原陽性の無症候性キャリアおよびHBe抗原陰性の非活動性キャリアは治療適応がない．透析患者のALT値は健腎者に比べて低値のため，ALTの上限は17 IU/Lとすることも提案されている[6]．治療は経験のある肝臓専門医に相談すべきである．

■ 3. 薬剤の選択

抗ウイルス薬としては核酸アナログ製剤と持続型IFNであるペグインターフェロン（Peg-IFN）があるが，両者はその特性が大きく異なる治療薬であり，その優劣を単純に比較することはできない．治療に当たっては，両製剤の薬剤特性をよく理解し，個々の症例の病態に応じた方針を決定する必要がある．

核酸アナログ製剤はラミブジン（LAM），アデホビル（ADV），エン

テカビル（ETV），テノホビル・ジソプロキシルフマル酸塩（TDF），テノホビル・アラフェナミド（TAF）があり，強力な HBV DNA 抑制作用を有する．しかし，投与中止により再燃率が高いため長期継続投与が必要であり，さらに，長期投与において薬剤耐性変異株が出現する可能性と安全性の問題がある．LAM は高率に耐性ウイルスが出現するため核酸アナログ製剤の第 1 選択薬ではない．ADV は LAM 耐性株にも有効であるが，長期投与により耐性ウイルスが出現する可能性がある．ETV は核酸アナログ製剤未治療例に対する成績は良好であり，耐性ウイルスの出現率も低いため，核酸アナログ製剤を使用する場合の第 1 選択薬であるが，催奇形性のリスクがあるため挙児希望のある女性への長期継続治療には適さず，また，長期内服の安全性も確立されていない．TDF は従来の核酸アナログ製剤に抵抗性または無効例に対しても有効であり，胎児への安全性が比較的高い．核酸アナログ製剤治療中の目標は，慢性肝炎・肝硬変にかかわらず，高感度リアルタイム PCR 法での HBV DNA 陰性である．慢性肝炎で核酸アナログ製剤を中止した場合には，HBV DNA 量 2,000 IU/mL（3.3LogIU/mL）未満を維持することが治療を再開せず経過観察を継続する指標となる．線維化進行例や肝硬変例では核酸アナログ製剤の中止は推奨されない．核酸アナログ製剤は腎排泄が主体のため透析患者では減量が必要である．

TAF はテノホビルのプロドラッグであり，活性代謝産物であるテノホビル二リン酸が肝細胞内に効率的に取り込まれることから，必要な薬剤量は少ないため血中濃度は低く抑えられ，副作用は軽減される．TAF は，薬剤耐性変異は検出されず，腎機能低下患者・肝機能低下患者における用量調節は不要であるが，現時点では，クレアチニンクリアランスが 15mL/min 未満に低下した場合は中止を考慮するため，透析患者では使用できない．

Peg-IFN は期間を限定して投与することで持続効果をめざす治療である．治療反応例では投与終了後も drug free で治療効果が持続する利点がある．HBe 抗原セロコンバージョンが達成されればその効果は持続的であり，肝硬変や肝癌への進展が抑制され生命予後が改善する．

Peg-IFN による治療効果が得られる症例は健腎者において，HBe 抗原陽性の場合 20 ～ 30%，HBe 抗原陰性では 20 ～ 40% にとどまるが，投与終了時に無効と判定された症例でも，投与後 1 年時点での HBe 抗原セロコンバージョンが 14% で達成され，そのうち 86% の症例で効果が持続した．Peg-IFN の肝硬変に対する保険適応はない．Peg-IFN にはα-2a と α-2b 製剤があるが，B 型慢性活動性肝炎に保険適応があるのは α-2a 製剤のみである．Peg-IFN は透析患者では血中濃度が上昇するため減量する必要がある．Peg-IFN では耐性ウイルスの出現はない．

　長期目標である HBs 抗原陰性化率は Peg-IFN の方が優れているが，短期目標である ALT 持続正常化率，HBV DNA 増殖抑制率は核酸アナログ製剤の方が良好である．

■ 4. 実際の投与量，投与回数および投与期間の目安

　透析患者では，LAM は初回 35mg，その後 10mg を 1 日 1 回投与する．ADV は 10mg を 7 日に 1 回投与する．ETV は 0.5mg を 7 日に 1 回，LAM 不応患者では 1mg を 7 日に 1 回投与する．TDF は 300mg を 7 日に 1 回または累積約 12 時間の血液透析（HD）終了後に 300mg を投与する．

　Peg-IFN は，透析患者に 135μg 投与した時の曝露量は健康成人に 180μg 投与した場合と同様であったため，透析患者には 90 ～ 135μg を週1 回 24 ～ 48 週間皮下投与する．

■ 5. 透析の影響

　核酸アナログ製剤は HD 日には HD 後に投与する．LAM は HD で約50% 除去され，AUC の減少は約 30% である．ADV の HD による除去率は 63% で，10mg 単回投与の約 36% が 4 時間の HD により除去される．ETV は 4 時間の HD で投与量の約 13%，CAPD で投与量の約 0.3%が除去される．TDF の HD による除去率は 54% で，4 時間の HD により 300mg 単回投与の約 10% が除去される．

　Peg-IFN は透析膜の通過性と吸着性はほとんどなく，投与のタイミングは問わない．

■ 6. 注意すべき副作用や他剤との相互作用

すべての核酸アナログ製剤はミトコンドリア障害をきたす可能性がある。ミトコンドリア障害は乳酸アシドーシス，ミオパチーなどの原因になる。

IFN の副作用は多い。全身倦怠感・発熱・頭痛・関節痛などのインフルエンザ症状は最も多く認められるが，消炎解熱鎮痛薬の投与により多くがコントロール可能である。血液検査所見では白血球減少と血小板減少がみられる。しばしば ALT の上昇をきたすが，これは IFN の免疫賦活作用によるものと理解され，通常は治療継続が可能であるが，肝予備能低下例では肝不全にならないための対応が必要である。抑うつ・不眠などの精神症状，慢性甲状腺炎などの自己免疫疾患を惹起または悪化させる可能性，間質性肺炎，心筋症，網膜出血，脳出血なども認められる。IFN の PEG 化により IFN 血中濃度が安定するため軽〜中等度の副作用は軽減する。Peg-IFN 治療における副作用による中止率は健腎者で 2 〜 8% である。

核酸アナログ製剤は，催奇形性，長期投与での発癌の可能性は否定できない。Peg-IFN は催奇形性，発癌性はないが，妊娠中または妊娠している可能性のある女性には原則として不可である。

■ 文献

1) 日本透析医学会統計調査委員会. わが国の慢性透析療法の現況（2007 年 12 月 31 日現在）. 2008.
2) Tanaka J, Koyama T, Mizui M, et al. Total numbers of undiagnosed carriers of hepatitis C and B viruses in Japan estimated by age- and area-specific prevalence on the national sacale. Interviology. 2011; 54: 185-95.
3) 日本肝臓学会　肝炎診療ガイドライン作成委員会, 編. B 型肝炎治療ガイドライン. 第 3.4 版. 2021.
4) Fabrizi F, Lunghi G, Alongi G, et al. Biological dynamics of hepatitis B virus load in dialysis population. Am J Kidney Dis. 2003; 41: 1278-85.
5) Wong PN, Fung TT, Mak SK, et al. Hepatitis B virus infection in dialysis patients. J Gastroenterol Hepatol. 2005; 20: 1641-51.

6) Hung KY, Lee KC, Yen CJ, et al. Revised cutoff values of serum aminotransferase in detecting viral hepatitis among CAPD patients: experience from Taiwan, an endemic area for hepatitis B. Nephrol Dial Transplant. 1997; 12: 180-3.

〈大石和久〉

II. 感染症

Question 17 C型肝炎について透析患者における現状と治療法を教えてください

Answer

1) 有病率が一般人よりも約10倍高い.
2) 透析導入時にすでに感染している場合と導入後に感染する場合（院内感染など）とがある.
3) 透析患者は，トランスアミナーゼはもともと低値であり，正常範囲でも活動性肝炎の可能性がある.
4) 透析患者では，生命予後改善効果，院内感染防止効果から，積極的な抗ウイルス療法の適応となる.
5) 透析患者でも使用可能なDAAsがガイドラインで示され，常用量で使用可能であり，治療効果も高い.

■ 1. 透析患者における特徴

わが国の透析患者におけるHCV抗体陽性率は，4.7％で初回献血者における陽性率（0.13％）よりもはるかに高い[1].

透析患者のC型ウイルス肝炎の原因としては，1）C型肝炎関連腎症が慢性腎臓病の原因となっている場合，2）たまたま，C型ウイルス肝炎感染後に透析導入となった場合，3）透析導入後に感染した場合，がある．1）と2）は透析導入時にウイルスがすでに陽性となっているケースで，いわゆる「持ち込み例」であるが，透析導入例のHCV抗体陽性率は高く，多くは「持ち込み例」と考えられる[2].3）は院内感染が問題となる.

C型ウイルス肝炎を有する透析患者は，肝硬変や肝細胞癌による死亡率が高くなることが報告されているが，肝病変の有無にかかわらず生命予後が悪い[3,4].

ウイルス肝炎は，かかった透析患者自身の予後に影響するとともに，院内感染の元ともなることから，適切に診断し，対応することが重要である．

■ 2. 薬剤投与の適応

一般には，非代償性肝硬変を除くすべてのC型肝炎感染症例が抗ウイルス療法の治療対象となる．肝の炎症を反映するALT値が上昇している症例（ALT 30 U/L超），あるいは，肝の線維化の程度を反映する血小板数が低下している症例（血小板数15万/μL未満）は，肝硬変，肝癌に進行するリスクが高いので，抗ウイルス療法を早急に検討する必要がある．透析患者では，もともとALT，AST値が低く，たとえ肝炎があっても，ALT，AST値は正常範囲内のことが少なくないことや，肝の線維化を確実に診断する肝生検が出血傾向のため難しいということを考慮する．

従来，インターフェロンが治療の主流だった時代の透析患者におけるC型肝炎の薬剤投与の適応としては，1）長期生存（5年）が期待できる患者，2）腎移植が予定されている患者，3）急性のHCV感染に罹患し，12週間以内にウイルスが排除されない場合とされていた[5]．しかし，後述するHCVを直接阻害する薬剤（direct acting antivirals：DAAs）が登場してから，その効果の高さや副作用が少ないことを勘案すると，C型ウイルス肝炎感染透析患者の生命予後を改善する可能性が高いことやC型肝炎ウイルスによる院内感染の元を絶つという意味でも，前述したようにすべてのC型肝炎ウイルス感染透析症例に対して抗ウイルス療法を行うことが推奨される．

■ 3. 薬剤の選択

C型肝炎の治療は，HCVを排除すること（完全著効，sustained virological response：SVR）が重要で，これには，インターフェロンを使用する方法とHCVを直接阻害する薬剤（direct acting antivirals：DAAs）を使用する方法があったが，インターフェロンは腎障害患者では副作用の問題で普及していなかった．また，インターフェロンと併用すると治療効果が上がるリバビリンはGFR 50mL/min/1.73m^{2}未満では，

投与禁忌となっている.

　DAAs は高度腎障害・透析患者でも使用可能なものがあり，現在は，インターフェロンを用いない DAAs（インターフェロンフリー DAAs）が C 型肝炎の治療の主流となっている.

　日本肝臓学会から，C 型肝炎治療ガイドライン第 5 版が 2016 年 5 月に発表され，慢性腎臓病患者および透析患者を対象にした章を，Special population に対する治療戦略というところで取り上げられ，以後新たな DAAs に合わせて，順次改訂されており，原稿執筆時点（2022 年 1 月）では，2020 年 7 月に改訂された第 8 版である[6]（表 1）.

　ゲノタイプ 1 で，透析例でも投与可能な DAAs は，エルバスビル

表 1 ■ CKD・透析患者に対する DAAs 治療薬（C 型肝炎治療ガイドライン第 8 版. 2020. p.80-1）[6]

CKD ステージ	1	2	3	4	5	5D
eGFR (mL/分 /1.73m²)	≧90 (正常・亢進)	60〜89 (軽度低下)	30〜59 (中等度低下)	15〜29 (高度低下)	＜15 (腎不全)	（透析例）
GT1	SOF/LDV EBR+GZR GLE/PIB	SOF/LDV EBR+GZR GLE/PIB	SOF/LDV EBR+GZR GLE/PIB	EBR+GZR GLE/PIB	EBR+GZR GLE/PIB	EBR+GZR GLE/PIB
GT2	SOF+RBV GLE/PIB SOF/LDV	SOF+RBV GLE/PIB SOF/LDV	GLE/PIB SOF/LDV (SOF+RBV)	GLE/PIB	GLE/PIB	GLE/PIB

SOF/LDV: ソホスブビル/レジパスビル，SOF+RIB: ソホスブビル+リバビリン，EBR+GZB: エルバスビル+グラゾプレビル，GLE/PIB: グレカプレビル/ピブレンタスビル

【Recommendation】
● CKD ステージ 4 以上の重度腎機能障害を合併したゲノタイプ 1 型 C 型肝炎患者に対する抗ウイルス治療としては，有効性・安全性からエルバスビル+グラゾプレビル併用あるいはグレカプレビル/ピブレンタスビル配合錠が推奨される（レベル 2a，グレード A）.
● エルバスビル+グラゾプレビル併用，グレカプレビル/ピブレンタスビル配合錠いずれも腎機能障害患者における用量調整の必要はない（レベル 2b，グレード A）.
● ソホスブビル+リバビリン併用治療は，ゲノタイプ 2 型の腎機能低下例・透析例に対して禁忌である（グレード D）.
● CKD ステージ 4 以上の重度腎機能障害を合併したゲノタイプ 2 型 C 型肝炎患者に対する抗ウイルス治療としてはグレカプレビル/ピブレンタスビル配合錠が推奨される（レベル 2a，グレード B）.

（EBR）＋グラゾプレビル（GZR）併用療法およびグレカプレビル / ビブレンタスビル配合錠の 2 種類である.

エルバスビル＋グラゾプレビル併用については，海外で CKD ステージ 4 ～ 5（eGFR＜30mL/ 分 /1.73m^2）の腎機能障害・透析患者を対象とした大規模なプラセボ対照二重盲検試験（C-SURFER 試験）が行われ，透析患者 116 例中 SVR12 を達成した症例は 115 例（SVR12 達成率は 99.1％）と良好であった[7]. また，わが国での市販後 67 例の CKD 合併ゲノタイプ 1 型 C 型肝炎患者に対するエルバスビル＋グラゾプレビルの CKD ステージ 5 における SVR12 達成率は 100％（10/10）であった[8].

グレカプレビル / ピブレンタスビル配合錠については，海外で慢性腎機能障害を有するゲノタイプ 1 ～ 6 型 C 型肝炎患者 104 例を対象とした試験が行われ，CKD ステージ 4, 5 はそれぞれ 14 例，90 例で，透析例が 85 例であった. SVR12 達成率は全体で 98％（102/104）で，良好な結果であった[9]. グレカプレビル / ピブレンタスビル配合錠の国内第 3 相試験では eGFR 30mL/ 分 /1.73m^2 未満であった重度腎機能障害患者が 12 例組み込まれ，全例 SVR12 を達成した[10].

グレカプレビル / ピブレンタスビル配合錠の海外試験ではゲノタイプ 2 型が 17 例含まれており，治療効果は良好であった[9]. 国内第 3 相試験ではゲノタイプ 2 型症例が含まれ，全例で SVR が得られており，ゲノタイプ 2 型の C 肝炎の治療については，グレカプレビル / ピブレンタスビル配合錠が有用である[10].

なお，エルバスビル＋グラゾプレビル併用，グレカプレビル / ピブレンタスビル配合錠いずれも非代償性肝硬変は適応外である.

以上のような，ウイルス排除を目的とした抗ウイルス療法が困難であり，ALT が異常値（30U/L 超）の場合は，強力ミノファーゲン C やウロソデオキシコール酸による肝庇護療法が適応となる.

■ 4. 投与量，投与間隔および投与期間

❶ DAAs

透析患者で用量調節の必要はない.

ⅰエルバスビル＋グラゾプレビル併用療法（EBR＋GZR）

　エルバスビル 50mg とグラゾプレビル 100mg を 12 週投与する．

ⅱグレカプレビル / ピブレンタスビル配合錠

　グレカプレビルは 300mg，ピブレンタスビル 120mg を慢性肝炎では 8 週，肝硬変では 12 週投与する．

❷インターフェロン

ペグインターフェロンおよび天然型インターフェロン α-2a または遺伝子組み換え型インターフェロン α-2b は透析患者では減量して投与する．天然型インターフェロン β は通常量である．

ⅰペグインターフェロン

　90〜135mg 週 1 回皮下注射，総投与期間 24〜48 週

ⅱ天然型インターフェロン α-2a または遺伝子組み換え型インターフェロン α-2b

　300〜600 万単位 1 日 1 回皮下または筋肉注射週 3 回，総投与期間 24〜48 週

ⅲ天然型インターフェロン β

　300〜600 万単位 1 日 1 回点滴静脈注射（30〜60 分）週 3 回，総投与期間 24〜48 週

❸肝庇護薬

ⅰ強力ネオミノファーゲン®注 1 回 40〜100mL 静脈注射，透析ごと

ⅱウルソデオキシコール酸（100mg）6〜9 錠分 3 連日内服

■ 5. 透析の影響

いずれの薬剤も透析の影響は考慮する必要はない．

■ 6. 注意すべき副作用

❶DAAs

肝機能異常がみられることがあり，定期的な肝機能検査を行う．肝機能異常以外にはグレカビル / ピブレンタスビル配合錠で瘙痒の副作用がみられるが対応は可能であり，その他に目立った副作用はない．

❷インターフェロン

発熱・関節痛などのインフルエンザ様症状，血球減少，精神症状（う

つ，不眠），自己免疫現象，間質性肺炎，心筋症，眼底出血があげられる．天然型インターフェロンβでは，うつ症状などの重篤な副作用は軽減されるが，透析患者への短時間での静脈注射は，急激な血中濃度の上昇から頭痛・悪心・血圧低下などの副作用を惹起するため，30～60分程度の点滴静脈注射での投与が推奨される．

❸肝庇護薬

強力ミノファーゲンCでは，ショック，アナフィラキシー，偽性アルドステロン症が，ウルソデオキシコール酸では，間質性肺炎がいずれもまれにみられる．

■ 7. 他剤との相互作用

❶エルバスビル＋グラゾプレビル併用

エルバスビルはCYP3Aの基質であり，CYP3A誘導薬との併用により血中濃度が低下する．グラゾプレビルはCYP3A，OATP1Bの基質であり，CYP3A誘導薬との併用により血中濃度の低下，OATP1B阻害薬との併用により血中濃度が上昇する．このため，エルバスビル＋グラゾプレビル併用治療において，CYP3A誘導薬やOATP1B阻害薬などとの併用は禁忌あるいは注意となっている．具体的には，併用により，多くのスタチン系薬物の血中濃度の上昇をきたし，併用注意となっている．また，一部の抗HIV薬との併用により血中濃度が上昇し，カルバマゼピンをはじめとした一部の中枢神経系薬との併用により血中濃度が低下するため，いずれも併用禁忌となっている．さらに，シクロスポリンとの併用により血中濃度が増加するため併用禁忌，タクロリムスとの併用によりタクロリムス血中濃度が増加するため併用注意となっている．

❷グレカプレビル／ピブレンタスビル配合錠

グレカプレビルはOATP1B1/1B3の基質であり，阻害薬である．ピブレンタスビルはOATP1B1の阻害薬である．グレカプレビル／ピブレンタスビル配合錠の血中濃度が上昇するためアタザナビル硫酸塩，血中濃度を低下させるためリファンピシン，併用薬自体の血中濃度が上昇するためアトルバスタチンカルシウム水和物が併用禁忌となっている．また，一部の抗HIV薬との併用により，血中濃度が上昇するため併用禁

忌あるいは併用注意，一部の中枢神経系薬との併用により，血中濃度が低下するので併用注意となっている．シクロスポリンとの併用により血中濃度が増加するため併用注意となっている．

❸インターフェロン

漢方薬である小柴胡湯との併用で間質性肺炎が起きることがあるので併用禁忌となっている．また，テオフィリン，アンチピリンの血中濃度上昇や，免疫抑制薬の効果低下がみられることがあるので併用注意となっている．

■ 文献

1）日本透析医学会統計調査委員会, 編. わが国の慢性透析療法の現況. 2018 年 12 月 31 日現在.

2）Iwasa Y, Otsubo S, Sugi O, et al. Patterns in the prevalence of hepatitis C virus infection at the start of hemodialysis in Japan. Clin Exp Nephrol. 2008; 12: 53-7.

3）Nakayama E, Akiba T, Marumo F, et al. Pathogenesis of anti-hepatitis C virus antibody-positive patients on regular hemodialysis therapy. J Am Soc Nephrol. 2000; 11: 1896-902.

4）Fabrizi F, Takkouche B, Lunghi G, et al. The impact of hepatitis C virus infection on survival in dialysis patients; meta-analysis of observationa stuies. J Viral Hepatitis. 2007; 14: 697-703.

5）日本透析医学会. 透析患者の C 型ウイルス肝炎治療ガイドライン. 透析会誌. 2011; 44: 481-531.

6）日本肝臓学会 肝炎診療ガイドライン作成委員会. C 型肝炎治療ガイドライン（第 8 版）. 2020.

7）Roth D, Nelson DR, Bruchfeld A, et al. Grazoprevir plus elbasvir in treatment-naive and treatment-experienced patients with hepatitis C virus genotype 1 infection and stage 4-5 chronic kidney disease（the C-SURFER study）: a combination phase 3 study. Lancet 2015; 386: 1537-45.

8）厚川正則, 豊田秀穂, 高口浩一, 他. 慢性腎臓病合併 C 型慢性肝炎に対するエルバスビル・グラゾプレビル療法の有効性と安全性. 肝臓. 2017; 58: 678-80.

9）Gane E, Lawitz E, Pugatch D, et al. Glecaprevir and pibrentasvir in patients with HCV and severe renal impairment. N Engl J Med. 2017; 377: 1448-55.

10）Kumada H, Watanabe T, Suzuki F, et al. Efficacy and safety of glecaprevir/pibrentasvir in HCV-infected Japanese patients with prior DAA experience, severe renal impairment, or genotype 3 infection. J Gastroenterol. 2018; 53: 566-75.

〈安藤亮一〉

II. 感染症

Question 18
透析患者においてピロリ菌の診断，治療，効果判定はどうすればよいですか？

Answer

1) 透析患者のピロリ菌感染率は正常腎機能者よりも低い．

2) 透析患者はピロリ菌に関連する消化性潰瘍や胃癌の罹患率が高い．

3) 透析患者のピロリ菌の感染診断は尿素呼気試験や便中抗原法などの非侵襲的診断法が推奨される．

4) 透析患者は血清や尿中抗体法で偽陰性となることがあり，感染診断に注意を要する．

5) 透析患者では保険診療内の通常除菌療法の除菌効果や安全性は確立されていない．

■ 1. 透析患者のピロリ菌感染の特徴

透析患者は嘔気や心窩部痛などの消化器症状を自覚することが多く，消化性潰瘍や胃癌の罹患率が一般成人と比較して2〜4倍高い[1]．また，抗血栓薬を内服している循環器系疾患併発例も多く，ピロリ菌感染と関連した消化管出血がしばしば問題となる．ピロリ菌感染は消化性潰瘍や胃癌の最大の危険因子であり，その対策を練ることが重要である．

透析患者のピロリ菌感染率を検討したメタ解析では，正常腎機能者の49.8％と比較して，透析患者は43.9％と有意に低いものであった[2]．ピロリ菌感染の特徴は東アジア諸国と欧米諸国とで異なるが，日本人を対象とした報告でも透析患者の感染率は有意に低いことが報告されている[3]．透析開始後の観察研究で，透析導入後4年以内に35％の症例でピロリ菌の自然除菌が確認される[3]．

そのため，ピロリ菌の除菌治療をいつ行うかが問題だが，透析患者は

上部消化管疾患の罹患率が高いこと，ピロリ菌の除菌治療により消化性潰瘍や胃癌のリスクが有意に抑制されることから，透析導入後早期の除菌治療が推奨される．

■ 2. 透析患者のピロリ菌感染診断法

ピロリ菌の感染診断法は，表1のごとく侵襲的検査法と非侵襲的検査法がある．侵襲的検査法は，内視鏡検査の際に行うことが多く，迅速ウレアーゼ試験，組織鏡顕検査，培養検査などが観血的に行われる[4]．後者は，尿素呼気試験（UBT），血清尿中抗体法検査，便中抗原検査が

表1 ■ ピロリ菌感染診断検査の長所と短所

	検査	長所	短所
非侵襲的検査	^{13}C-尿素呼気試験	非侵襲的で簡便で迅速 胃全体のウレアーゼ活性を反映 感度，特異度とも高いことが特徴で除菌判定に有用	酸分泌抑制薬内服で偽陰性となる可能性 口腔内細菌により偽陽性となる可能性 胃亜全摘術後の症例での検査が困難
	抗 *H. pylori* 抗体（血液，尿）	簡便 多数例のスクリーニングに有用（検診など） 疫学研究に適当	過去の感染も認識 除菌後も一定期間（約1年前後）陽性が持続
	便中 *H. pylori* 抗原	非侵襲的で簡便 感度，特異度とも高いことが特徴で除菌判定に有用	検体の採取に被験者の抵抗感がある
侵襲的検査	迅速ウレアーゼ試験	迅速診断が可能 安価で手技が簡便	酸分泌抑制薬内服で偽陰性となる可能性 結果を保存できない 口腔内細菌により偽陽性となる可能性 検出感度のばらつきが大きい（主観が入る） 採取場所により偽陰性となる可能性
	鏡検法	同時に組織診断が可能 後日の再検討が可能	酸分泌抑制薬内服で偽陰性となる可能性 検査医の熟練が必要 他のらせん菌との鑑別が困難 採取場所により偽陰性となる可能性
	培養法	特異度が高い 抗菌薬の感受性検査が可能 菌のタイピングが可能	酸分泌抑制薬内服で偽陰性となる可能性 判定までに5日前後かかる 施設間の精度に差 採取場所により偽陰性となる可能性

含まれる．確実な感染診断には異なる2種類の方法で行う必要がある．また，プロトンポンプ阻害薬（PPI）やカリウムイオン競合型アシッドブロッカー（P-CAB，ボノプラザン）のような酸分泌抑制薬や，抗ウレアーゼ活性のある薬物，抗生物質の投与下では偽陰性に注意が必要である．そのような場合には最低2週間休薬をした後に検査を行う．

透析患者の感染診断は，対象者が透析という特殊な環境下である点を踏まえて行う必要がある．透析患者は通常透析時にヘパリンを使用しており，同時に抗血栓薬を定期内服していることが多い．日本消化器内視鏡学会は抗血栓薬服用者に対する内視鏡診療ガイドラインを作成し，血栓塞栓危険性が高い症例の場合には，ワルファリンはPT-INRが2～3に調節されていることが条件だが，他の抗血栓薬は1剤のみでは生検を可能とした．しかし，出血傾向の有無や使用薬剤に注意が必要で，UBTや便中抗原検査，血清抗体検査などの非侵襲的診断法が推奨される．特にUBTは，高い感度と特異度を示し，感染診断や除菌判定に頻用される．さらに腎機能に影響なく，透析患者でも有用である．

血清抗体検査は，胃粘膜内の免疫反応による抗体産生を利用した感染診断法である．血液採取だけと簡便であるが，除菌療法後の抗体価低下には時間がかかるため，除菌判定には6カ月以上を要する．また，透析患者は偽陰性率が高く，注意を要する．

■ 3. 透析患者のピロリ菌除菌治療の現状

2013年2月に公知申請にてピロリ菌に感染したピロリ菌感染胃炎の症例全員に除菌治療が保険認可された．現在，消化性潰瘍の再発予防や胃癌発生予防のため[5]，除菌治療が第1選択治療法として確立している．

現行のシステムでは，除菌治療前に内視鏡検査が必須で，内視鏡的なピロリ菌関連胃炎の存在と，ピロリ菌感染が確認される必要ある（図1）．また，他施設で内視鏡を半年以内にした場合も，感染が確認された場合には除菌治療を行うことが可能である．

一次除菌治療は酸分泌抑制薬（PPIまたはボノプラザン）＋アモキシシリン（AMPC）＋クラリスロマイシン（CAM）を使用し，二次除菌は酸分泌抑制薬（PPIまたはボノプラザン）＋AMPC＋メトロニダゾー

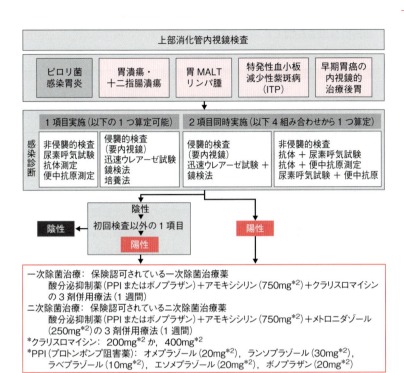

図1 ■ ピロリ菌感染診断と除菌治療のフローチャート
*2 1日2回投与
保険適応の5つのピロリ菌感染症のいずれかが疑われた場合，まず感染診断を実施する．
検査は図に示す1項目のみ，または2項目を組み合わせたもののうちいずれか1つが保険適応となり，陽性と判定された場合，1週間の一次除菌治療が実施される．

ル（MNZ）が選択される（図1）．CAMは1回投与量を200mgか，400mgで選択可能だが，他剤は用法用量が定められている．重篤な肝疾患や腎障害などの全身的な合併症を有する患者の除菌治療は，除菌治療の適応や薬剤使用量の配慮など，症例に応じた慎重な対応が必要である．しかし，透析患者におけるピロリ菌除菌のために薬物動態を考慮し

て薬物投与量を検討した報告はなく，現行の保険診療では他の用法用量で除菌治療を行うことは認められていない．

臨床研究で通常量の3剤併用療法と同様にAMPCを通常量の半量（750mg/日）にした3剤併用療法でも十分な効果が得られている[6, 7]．AMPCは腎排泄の薬剤であり，薬物動態を考慮した際はAMPCを減量した除菌療法が適切であるが，EBMは確立していない．

PPIの酸分泌抑制効果は，PPIの薬物代謝酵素であるCYP2C19遺伝子多型により異なる．そのため，遺伝子多型別にPPIを投与計画した個別化療法の有用性が報告されている[8]．透析患者でのPPI投与方法の最適化は明らかでないが，PPIは肝代謝であり，正常腎機能者と同様に難治例に対しては用量や投与回数は増やすべきである．またP-CABはCYP2C19遺伝子多型の影響は少なく，強力な酸分泌抑制も得られるため，高い除菌率が得られることが報告されている．

除菌失敗の最大の因子は抗菌薬への耐性菌の感染である．特にCAM耐性菌の増加に伴う除菌率の低下が問題となっているが，腎不全患者はCAM耐性菌の感染率が非尿毒症例の15.2%と比較して36.4%と高いことが報告され[9]，特に注意を要する．

まとめ

国民総除菌時代に突入し，日常臨床の現場でピロリ菌の除菌治療が行われているが，透析患者の場合は，感染診断，治療薬や投与方法の選択など検討事項も多く，EBMが確立しない現状では，専門医へ紹介した形で除菌治療を行うことが適切と思われる．

■ 文献

1) Cengiz K. Increased incidence of neoplasia in chronic renal failure（20-year experience）. Int Urol Nephrol. 2002; 33: 121-6.
2) Sugimoto M, Yamaoka Y. Review of *Helicobacter pylori* infection and chronic renal failure. Ther Apher Dial. 2011; 15: 1-9.
3) Sugimoto M, Sakai K, Kita M, et al. Prevalence of *Helicobacter pylori* infection in long-term hemodialysis patients. Kidney Int. 2009; 75: 96-103.

4) Sugimoto M, Wu JY, Abudayyeh S, et al. Unreliability of results of PCR detection of *Helicobacter pylori* in clinical or environmental samples. J Clin Microbiol. 2009; 47: 738-42.

5) Fukase K, Kato M, Kikuchi S, et al. Effect of eradication of *Helicobacter pylori* on incidence of metachronous gastric carcinoma after endoscopic resection of early gastric cancer: an open-label, randomised controlled trial. Lancet. 2008; 372: 392-7.

6) Mak SK, Loo CK, Wong AM, et al. Efficacy of a 1-week course of proton-pump inhibitor-based triple therapy for eradicating *Helicobacter pylori* in patients with and without chronic renal failure. Am J Kidney Dis. 2002; 40: 576-81.

7) Itatsu T, Miwa H, Nagahara A, et al. Eradication of *Helicobacter pylori* in hemodialysis patients. Ren Fail. 2007; 29: 97-102.

8) Sugimoto M, Uotani T, Sahara S, et al. Efficacy of tailored *Helicobacter pylori* eradication treatment based on clarithromycin susceptibility and maintenance of acid secretion. Helicobacter. 2014; 19: 312-8.

9) Aydemir S, Boyacioglu S, Gur G, et al. *Helicobacter pylori* infection in hemodialysis patients: susceptibility to amoxicillin and clarithromycin. World J Gastroenterol. 2005; 11: 842-5.

NOTES

　透析患者のピロリ菌感染率は正常腎機能保持者よりも低いものの，消化性潰瘍や胃癌の罹患率が高いことが問題である．ピロリ菌の感染診断は UBT や便中抗原法などの非浸襲的診断法が推奨されるが，正確な感染診断を行うことが除菌治療への第一歩である．透析患者では保険診療内の通常除菌療法の効果や安全性は確立されていない．現在臨床試験が行われており，結果が待たれる．

〈杉本光繁〉

II. 感染症

Question 19 多発性嚢胞腎の透析患者に対する腎臓および肝臓の嚢胞感染症の治療法を教えてください

Answer

1) 嚢胞感染症は，多発性嚢胞腎の透析患者で，しばしば見られる合併症で難治化しやすい．
2) 起因菌の同定が重要で，血液培養や尿培養を抗菌薬開始前にできる限り提出する．
3) グラム陰性菌を広くカバーする脂溶性抗菌薬であるニューキノロン系抗菌薬は，治療に推奨されるが，濫用に注意する．
4) 難治性な場合には，嚢胞ドレナージ術を検討する．

■ 1. 嚢胞感染症とは

多数の腎嚢胞または肝嚢胞を有する常染色体優性多発性嚢胞腎（ADP-KD）患者で，嚢胞感染症はしばしば見られる合併症で，30 ～ 50% のADPKD が嚢胞感染症を経験し[1]，ADPKD 全体の入院のうち 11% を占めると報告がある[2]．閉鎖腔である嚢胞内での感染のため，難治化し再発を繰り返すことがある．嚢胞感染症には，腎嚢胞感染，肝嚢胞感染がある．免疫力の低下している透析患者では嚢胞感染症が難治化しやすい[3,4]．

症状としては，一般的には，突然の高い発熱（38℃以上）を認める．約 60% の患者に腹痛がみられると報告がある[3-5]．腎嚢胞感染では，膿尿や血尿を伴うこともある．また，上気道炎や腸炎に続いて嚢胞感染症を起こすこともあり，風邪だと思っていても発熱が続く場合には，注意が必要である．

診断には，PET-CT が有用とされているが[2]，PET-CT は，使用可能な施設が限られており，本邦では保険適応ではなく高額な検査である．

また，放射線被曝の問題もある．我々は，MRI を用いた診断基準を用いて，囊胞感染症を診断している[3-5]．

囊胞感染症の起因菌としては，大部分が腸管内由来の細菌で，なかでもグラム陰性桿菌が多いとされている[2-6]．門脈を介した血行性，あるいは，尿路，胆道からの逆行性に腎または肝囊胞に感染すると考えられる．

■ 2. 薬剤の適応

囊胞感染症が疑われたら，すぐに抗菌薬を開始する．治療が遅れると，多数の囊胞に感染が広がってしまう可能性がある．複数の囊胞に感染が広がると，予後が悪くなると報告されている[6]．そして，できるだけ抗菌薬投与前に，2 セット以上の血液培養，尿が出ている場合には尿培養などの培養検査を提出することが望ましい．囊胞感染症では，起因菌が同定できず，治療に難渋することがしばしばあるからである．

■ 3. 薬剤の選択

水に溶けやすい水溶性抗菌薬は囊胞内への透過性が悪く，一方で油に溶けやすい脂溶性の抗菌薬は囊胞内へ良好に移行すると報告されている．表 1 に代表的な水溶性抗菌薬と脂溶性抗菌薬を提示する．

グラム陰性桿菌を広くカバーし，一部のグラム陽性菌にも効果があり，脂溶性で囊胞透過性良好なニューキノロン系抗菌薬は，囊胞感染症の治療に特に推奨されている[7]．しかし，感染症治療は，個々の症例や施設による薬剤感受性の違いが見られ，一概には言えない困難さがある．実際に本邦においては一般的に大腸菌にキノロン耐性が多いと報告されている[8]．当院においても，囊胞感染症患者の囊胞液培養から検出された大腸菌で高頻度にキノロン耐性が認められた[3]．また当院においては，グラム陰性菌以外の起因菌が 15％ 以上に認められ，特に肝囊胞液培養から検出された菌は約 50％ がグラム陰性菌以外であった[3,6]．グラム陰性菌以外の起因菌に対してはニューキノロン系抗菌薬は通常適応にはならない．

水溶性抗菌薬であるペニシリン系抗菌薬やセフェム系抗菌薬は，実際に使ってみると有効である場合が多く，状況に応じて工夫して使ってい

くことが，耐性菌の出現を減らし，囊胞感染症をより効果的に治療していくことに大変重要であると考えられる．グラム陰性菌に抗菌力があるという観点からは，第2世代以降のセフェム系抗菌薬，ペニシリン系抗菌薬が適応になり得る．しかし，囊胞感染症では，薬剤感受性以外にも囊胞透過性の観点から抗菌薬を選択する必要がある．著者らは，抗菌薬の血中半減期が，ある程度，囊胞透過性に関係するのではないかと考

表1■主な水溶性・脂溶性抗菌薬と血液透析患者の投与量

		一般名	商品名	Ccr＞50mL/分	血液透析患者
水溶性	ペニシリン系	スルバクタムナトリウム・アンピシリン（SBT/ABPC）	ユナシンS®	6g 分2〜4g	1.5〜3g 分1〜2
		タゾバクタムナトリウム・ピペラシリン（PIPC/TAZ）	ゾシン®	1回4.5g 1日2〜4回	4.5〜9g 分2
	セフェム系	セフトリアキソン（CTRX）	ロセフィン®	1〜2g 分1〜2	1〜2g 分1〜2
		セフメタゾン（CMZ）	セフメタゾン®	1〜2g 分2	1g 分1
	カルバペネム系	メロペネム（MEPM）	メロペン®	1〜3g 分2〜3	0.25〜0.5g 分1
		イミペネム（IPM）	チエナム®	1〜2g 分2〜3	0.25〜0.5g 分1
脂溶性	ニューキノロン系	レボフロキサシン（LVFX）	クラビット®	500mg 分1	初回500mg 分1 3日目以降250mgを2日に1回
		シプロフロキサシン（CPFX）	シプロキサン®	600mg 分2	200mg 分1
	サルファ剤	ST合剤	バクタ®	4錠（トリメトプリム換算320mg）分2	末期腎不全，透析患者には投与しないことが望ましい
	抗MRSA薬	バンコマイシン（VCM）	バンコマイシン®	1〜2g 分2〜4	初回20〜25mg/kg投与後にTDM（治療薬物モニタリング）を実施

Ⅱ 感染症

えている．つまり，血中半減期の長い抗菌薬ほど，囊胞透過性良好で，囊胞感染症により効果的になり得るのではないかと考えている．以下に主な水溶性抗菌薬の血中半減期を示す（表2）．特に透析患者では，抗菌薬の血中半減期は，薬剤により随分異なることがわかる．

　起因菌が判明したら，それに応じた抗菌薬を選択するべきである．例えば，検出された菌が腸球菌（*Enterococcus faecalis*）やB群溶連菌であればアンピシリンが適応になり，*Enterococcus faecium*（通常アンピシリンに耐性）やMRSAではバンコマイシンが適応，ESBL産生性*E.coli*であれば，カルバペネム系抗菌薬が適応になる．しかし，もし水溶性抗菌薬を選択する場合には，囊胞内への透過性が不良であることを十分に考慮する必要がある．また，複数の抗菌薬を併用投与すると治療効果が増すという報告がある[2]．

表2 ■ 主な水溶性抗菌薬の血中半減期

	健常人での半減期（hr）	透析患者での半減期（hr）
SBT/ABPC	SBT 1/ ABPC 1.3	SBT 13.4 / ABPC 17.4
PIPC	約1	3.3 ～ 5.1
TAZ/PIPC	TAZ 0.9/ PIPC 1.0	TAZ 7.4 / PIPC 2.1
CEZ	約2	26.4
CTM	1	2.7
CMZ	約1	6.2 ～ 7.4
CAZ	約2	13 ～ 25
CTX	約1	2.4
CTRX	6 ～ 8	12 ～ 24
CFPM	2 ～ 2.5	18
FMOX	0.76	α相 0.4, β相 17.4
MEPM	1.1	6 ～ 8
IPM	約1.0	4 ～ 6

（平田純生, 小久保拓, 編著. 透析患者への投薬ガイドブック. 改訂3版. 東京: じほう; 2017による）

■ 4. 投与量・投与期間

　透析患者への投与量については，表1に提示する．生命に関わるような重症囊胞感染症では，高用量投与も検討する．囊胞感染症に対する抗菌薬の投与期間に関して定説はないが，通常は最低でも4週間は継続し，難治例では6週間は継続するとされている[9]．中途半端に抗菌薬治療を中止してしまうと，高率に再発するため，徹底的に治療することが重要である．

■ 5. 透析の影響

　多くの抗菌薬には透析性があるため，基本的に1日1回投与の抗菌薬は透析日には透析後に投与する．

■ 6. 難治例への対応

　初期治療に反応しない場合には，抗菌薬を変更する．単剤での治療効果が不十分な場合には，併用投与もためらわずに行っていく必要がある．生命が危険な状態にある最重症の囊胞感染症に対しては，カルバペネム系抗菌薬または3,4世代セフェム系抗菌薬，ニューキノロン系抗菌薬，バンコマイシンなどを組み合わせて，強力に治療を行っていく．抗生剤抵抗性な場合には，囊胞ドレナージ術も検討する．一般的には，適切な抗菌薬投与後も1～2週間，発熱が続くようであれば，経皮的または，外科的な囊胞ドレナージがなされるべきだとされている[10]．囊胞ドレナージを行い排膿することは，治療効果を高めるだけではなく，起因菌を同定できることもある．どの囊胞を穿刺するかについては，MRI所見などを参考にして，感染性囊胞を同定する．該当する部位に一致して疼痛が確認されればわかりやすいが，疼痛を伴わないこともある．感染性囊胞の部位により，囊胞ドレナージ術が非常に困難な場合もある．さらに難治例に対しては，腹腔鏡下囊胞開窓術，外科的開窓術，腎摘除術，肝部分切除術などが報告されている．

■ 文献

1) Alam A, Perrone RD. Managing cyst infections in ADPKD: an old problem looking for new answers. Clin J Am Soc Nephrol. 2009; 4: 1154-5.
2) Sallée M, Rafat C, Zahar JR, et al. Cyst infections in patients with autosomal dominant polycystic kidney disease. Clin J Am Soc Nephrol. 2009; 4: 1183-9.
3) 諏訪部達也, 乳原善文, 高市憲明, 他. 常染色体優性多発性嚢胞腎（ADPKD）に伴う嚢胞感染症. 臨牀透析. 2014; 30: 862-73.
4) 諏訪部達也, 乳原善文, 高市憲明, 他. 常染色体優性多発性嚢胞腎（ADPKD）に伴う嚢胞感染症. 腎と透析. 2014; 76: 405-14.
5) Suwabe T, Ubara Y, Sumida K, et al. Clinical features of cyst infection and hemorrhage in ADPKD: New diagnostic criteria. Clin Exp Nephrol. 2012; 16: 892-902.
6) Suwabe T, Araoka H, Ubara Y, et al. Cyst infection in autosomal dominant polycystic kidney disease: causative microorganisms and susceptibility to lipid-soluble antibiotics. Eur J Clin Microbiol Infect Dis. 2015; 34: 1369-79.
7) 厚生労働省難治性疾患克服研究事業進行性腎障害に関する調査研究班. エビデンスに基づく多発性嚢胞腎診療ガイドライン 2014.
8) 厚生労働省院内感染対策サーベイランス事業, 公開情報 2013 年 1 月～ 3 月四半期報. 院内感染対策サーベイランス 検査部門. p15.
9) Chapman AB, Rahbari-Oskoui FF, Bennett WM. Urinary tract infection in autosomal dominant polycystic kidney disease. UpToDate, updated: Dec, 3, 2014.
10) Harris PC, Torres VE. Autosomal dominant polycystic kidney disease. GeneReviews, National Institutes of Health, Initial Posting January 10, 2002, Update June 11, 2015.

〈諏訪部達也　乳原善文〉

III. 循環器・脳血管

Question 1

透析患者の不整脈はどう診断し，どう治療すればよいですか？

Answer

1) 透析患者は不整脈の出現頻度が高く，突然死も多い．

2) 頻脈性，徐脈性のすべての不整脈が起こりうるため，12誘導心電図を撮り，透析中は心電図モニターを行う．

3) まず，基礎心疾患や修飾因子の治療を行う．致死性または重篤な合併症をきたす場合は，ただちに不整脈に対する治療を開始する．

4) 肝代謝の抗不整脈薬を使用する．腎排泄の薬剤を使用する場合は，血中濃度を監視し，少量から注意深く投与する．

5) 抗不整脈薬使用時は，QT延長，心不全，徐脈，血圧低下などに注意する．

■ 1. 透析患者における不整脈の特徴

透析患者では，不整脈の出現頻度が高く，突然死も多い．理由は，1) 基礎心疾患を有する割合が高い，2) 不整脈を発生させる修飾因子が多い，である[1]．基礎心疾患としては，加齢，高血圧，糖尿病，脂質代謝異常，慢性腎不全を基礎にした虚血性心疾患（狭心症，心筋梗塞），心筋症（肥大性，拡張性），弁膜症（大動脈弁，僧帽弁，三尖弁）などがある．修飾因子は，透析前の体液過剰状態，貧血，電解質・酸塩基平衡の異常，透析による体液量・電解質・酸塩基平衡の急激な変化，交感神経系およびレニン-アンジオテンシン系の活性亢進などである．

■ 2. 不整脈の種類と診断

頻脈性，徐脈性のすべての不整脈が起こりうるが，治療の対象となりうる不整脈は，頻脈性不整脈として，心房細動，心房粗動，発作性上室

表1 ■透析患者における抗不整脈薬の選択と特徴 [日本循環器学会. 不整脈薬物治療に関するガイドライン (2009年改訂版). 2009. p.12-4²⁾より改変]

抗不整脈薬	透析患者への投与	排泄経路(%)	左室収縮力	催不整脈要因	心臓外の副作用
Naチャネル遮断薬					
リドカイン (Ib)	●	肝	↑	(QRS幅拡大)	ショック, 嘔吐, 痙攣, 興奮
メキシレチン (Ib)	▲	肝	↑	(QRS幅拡大)	消化器症状, 幻覚, 紅皮症
プロカインアミド (Ia)	▲	腎(60), 肝(40)	→	QT延長, QRS幅拡大	SLE様症状, 顆粒球減少, 肝障害, 血圧低下
ジソピラミド (Ia)	×	腎(70)	→	QT延長, QRS幅拡大	口渇, 尿閉, 排尿困難, 低血糖
キニジン (Ia)	●	腎(20), 肝(80)	→	QT延長, QRS幅拡大	Cinchonism (眩暈など), 消化器症状
プロパフェノン (Ia,c)	●	肝	↑	QRS幅拡大	筋肉痛, 熱感, 頭痛, 悪心, 肝障害
アプリンジン (Ib)	●	肝	→	QRS幅拡大 (QT延長)	しびれ, 振戦, 肝障害, 白血球減少
シベンゾリン (Ia)	×	腎(80)	→	QRS幅拡大	頭痛, 眩暈, 口渇, 尿閉, 低血糖
ピルメノール (Ia)	▲	腎(70)	→	QT延長, QRS幅拡大	頭痛, 口渇, 尿閉
フレカイニド (Ic)	▲	腎(85)	→	QRS幅拡大	眩暈, 耳鳴, 霧視, 頭痛, 下痢
ピルジカイニド (Ic)	▲	腎	→	QRS幅拡大	消化器症状, 神経症状 (ともに少ない)
Caチャネル拮抗薬					
ベプリジル (IV)	●	肝	→	QT延長, 徐脈	眩暈, 頭痛, 肝障害, 便秘, 倦怠感
ベラパミル (IV)	●	腎(20), 肝(80)	↑	徐脈	便秘, 頭痛, 顔面のほてり
ジルチアゼム (IV)	●	腎(35), 肝(60)	→	徐脈	消化器症状, ほてり
Kチャネル遮断薬					
ソタロール (III)	×	腎(75)	→	QT延長, 徐脈	気管支喘息, 頭痛, 倦怠感
アミオダロン (III)	▲	肝	↑	QT延長, 徐脈	肺線維症, 甲状腺機能異常, 角膜色素沈着, 血圧低下
ニフェカラント (III)	▲	腎(50), 肝(50)	↑	QT延長	口渇, ほてり, 頭重感
β受容体遮断薬 (II)	●	腎, 肝	→	徐脈	気管支喘息, 血糖値低下, 脱力感, レイノー現象
アトロピン	●	腎	↑	頻脈	口渇, 排尿障害, 緑内障悪化
ATP		腎	↑	徐脈	頭痛, 顔面紅潮, 悪心, 嘔吐, 気管支攣縮
ジゴキシン	▲	腎	↑	ジギタリス中毒	食欲不振, 嘔吐

薬剤名の( )は Vaughan Williams分類. ●使用可能, ▲慎重投与, ×禁忌, 投与量設定注意: 催不整脈要因の( )は過量投与時.

性頻拍，心室性期外収縮，非持続性心室頻拍，単形性および多形性心室頻拍，心室細動であり，徐脈性不整脈として，洞機能不全，房室ブロックである．動悸，眩暈など自覚症状を訴えるとき，急激な血圧低下，頻脈，徐脈を認めるときは，12誘導心電図を撮り，透析中に心電図モニターを行う．透析外での不整脈は，24時間Holter心電図や携帯型心電計などで検出する．

■ 3. 治療の適応とタイミング

自覚症状が軽微であり，合併症や生命の危険がなく，透析にも支障がなければ，治療の必要はない．基礎心疾患や修飾因子に対する治療を優先する（☞ NOTES）．不整脈が，致死性または重篤な合併症をきたす場合は，専門医に相談のうえ，ただちに不整脈に対する治療を開始する．心房細動や心房粗動は，心不全に加えて頻拍時の血圧低下が透析困難症の原因となるので早期に治療を行う．

■ 4. 治療の種類と特徴

不整脈の治療には，抗不整脈薬（表1），カテーテルアブレーション，電気的除細動（AEDを含む），デバイス治療（ペースメーカー，植え込み型除細動器，心臓再同期療法＋除細動器）がある．治療薬の多くには透析患者での明確なエビデンスはないが，β遮断薬（カルベジロール，ビソプロロール）は，心臓突然死への予防効果が期待され，安全性も高いために推奨される．薬剤が無効，または副作用などで使用が困難な場合は，アブレーション，電気的除細動およびデバイス治療につき，専門医に相談する．

■ 5. 透析の影響

透析患者では，肝代謝の抗不整脈薬を使用することが勧められる（表1）[2]．しかし，腎排泄の薬剤しか有効でない不整脈もある．その場合は，血中濃度モニターが必須であり，常用量の1/3量以下を注意深く投与するか，隔日に投与すべきである[3]．また，透析による薬剤の除去も重要であり，ダイアライザーによる除去率の差異を考慮する．

■ 6. 注意すべき副作用

腎排泄される薬剤は，透析患者では血中濃度の変動が大きく，副作用

が生じやすい．代表的な副作用は，Vaughan Williams 分類の Ia 群，III群薬では QT 延長による多形性心室頻拍，Ic 群薬では心不全と催不整脈作用，II 群，IV 群薬では徐脈と血圧低下である（表1）．

■ 文献

1) 小川哲也, 市川明子, 松田奈美, 他. 透析患者の主な循環器合併症(6). 不整脈. 臨牀透析. 2008; 24: 79-88.
2) 日本循環器学会. 不整脈薬物治療に関するガイドライン(2009 年改訂版). 2009. p.12-4.
3) 酒井　毅, 杉　薫. 肝・腎疾患の不整脈（透析患者を含む）. In: 小川　聡, 他 編. 抗不整脈薬のすべて. 第 2 版. 東京: 先端医学社; 2003. p.267-75.

NOTES

　透析患者の不整脈には，基礎心疾患と修飾因子の管理が非常に大切である．虚血性心疾患合併の場合は，硝酸薬やスタチンの併用，冠動脈病変の精査とカテーテルインターベンション，冠動脈バイパス手術を考慮する．心不全合併例では，アンジオテンシン受容体拮抗薬，アンジオテンシン受容体ネプリライシン阻害薬（ARNI），抗アルドステロン薬を投与する（ACE 阻害薬は透析膜により注意が必要）．最近では，心アミロイドーシスが注目されており，注意を要する．体液貯留過剰，貧血，電解質異常（K^+, Mg^{2+}），酸塩基平衡異常は，不整脈増悪因子であり，併せて是正する．

〈佐藤　洋〉

III. 循環器・脳血管

Question 2

透析患者における発作性心房細動や上室性不整脈の特徴と治療法について教えてください

Answer

1) 透析患者では加齢とともに心房細動を認めることが多くなる. 洞調律患者に比べて心房細動患者では脳卒中発症のリスク, および死亡率は高くなる.

2) 薬物治療に関しては代謝臓器（腎代謝の有無）, 心機能抑制, および不整脈の作用目標を念頭に考える.

3) 薬物療法には日本循環器学会 / 日本不整脈心電学会のガイドラインが有用である.

4) 抗不整脈薬は, 他の循環器治療薬よりも副作用, および催不整脈作用を併せもつものが多い. したがってその使用, 特に使い慣れない薬剤の使用に関しては細心の注意が必要である. 抗不整脈薬の用量, および対象となる透析患者の特徴と病態を理解し, 治療に苦慮する場合には早期から循環器専門医との連携を取りながら治療を行うことが大切である.

■ 1. 透析患者における特徴

　透析患者に認める上室性不整脈の疫学研究は心房細動に関するものが多い. 透析導入患者の約 12% に心房細動が合併している反面, 導入時に正常洞調律であった患者の 12% が 2 年以内に心房細動となる[1,2]. 心房細動合併の透析患者の虚血性脳卒中発症率は正常洞調律の透析患者の 9.8 倍であり, 死亡率は 1.72 倍と高い[1]. 心房細動は加齢や透析期間が長くなるに従って合併頻度が増加し, 70 歳以上の血液透析患者では 30% 以上に認められ, その多くは持続性心房細動である[3]. 心房細動の発症リスクとして, 加齢と透析期間以外に左房拡大, 弁石灰化, 左室収

縮機能低下，低ヘモグロビン濃度，虚血性脳卒中の既往，脚ブロックが重要である[1,3]．2010年のDOPPS研究で本邦の透析患者の心房細動合併頻度は5.6％（国際平均12.5％）であり，75歳以上の透析患者の9％に心房細動を認めることが報告された[4]．

■ 2. 薬剤の適応

　透析中に起こる不整脈の多くは頻拍性不整脈であり，上室起源として，期外収縮，発作性上室頻拍，心房粗動，心房細動などがある．透析中の低血圧を避ける，適宜酸素投与する，透析中の電解質変動を小さくする，などにて，薬剤投与はできるだけ避ける．それでも血行動態の変動を認める場合には，個々の不整脈とその病態に応じて薬剤を使用するが，血行動態が急速に悪化する場合は電気的除細動（50〜100J）を行う．

　薬物療法は2020年に日本循環器学会／日本不整脈心電学会から発表された不整脈薬物治療ガイドライン[5]を参考に行う．薬物治療に関しては代謝臓器（腎代謝の有無），心機能抑制，不整脈の作用目標（何を目的に薬剤を使用するか）を念頭に考える．透析患者では薬剤の代謝が肝臓の場合には薬剤の減量の必要はないが，腎代謝の場合には減量が必要となる．心機能抑制作用のある薬剤を心機能低下症例に投与する際には慎重に投与すべきである．薬剤の作用点はその不整脈の発生機序により決める必要がある．抗不整脈薬には既存の不整脈が増悪，あるいは新たな不整脈が発生する，いわゆる催不整脈作用があるため，第1選択薬にて治療効果がない場合には安易に増量，あるいは第2選択薬の追加投与をすべきでなく，基礎疾患の有無と程度，カテーテルアブレーションによる根治の可能性の有無も考慮に入れて，循環器専門医と共同で治療に当たることが望ましい．

　心房細動ではレートコントロールとリズムコントロールという2つの治療方法がある．レートコントロールとは心房細動発作の起こったままで心拍数をコントロールし，速くなりすぎないようにする治療法であり，β遮断薬，ベラパミル，ジゴキシンなどが使用される．これに対してリズムコントロールとは心房細動を停止させてリズムそのものをコントロールする治療法である．心房細動を停止させるには抗不整脈薬を使

用するが，血行動態が悪化しているような緊急の場合には電気的除細動を行う．

心房粗動は心房細動よりも心室レートのコントロールに難渋することが多い．心房細動のレートコントロールに準じて治療するが，血行動態の悪化を認める場合には電気的除細動を行う．三尖弁輪を旋回している通常型心房粗動，あるいは常に同一の心電図波形を有する持続性心房粗動ではカテーテルアブレーションが予防に有用である．

副伝導路を介する房室リエントリー性頻拍や房室結節リエントリー性頻拍，心房内異所性起源による発作性上室頻拍では，急性期の頻拍停止に関して，血行動態の悪化がなければ，まず迷走神経刺激（頸動脈マッサージ，バルサルバ法など）を試みる．それで停止しなければ静注薬を中心とした薬物療法を行う．予防には，高い成功率と安全性のあるカテーテルアブレーションを第1選択とする．

■ 3. 薬剤の選択

❶ 心房細動

1) レートコントロール： β 遮断薬（ランジオロール，ビソプロロール，など）や非ジヒドロピリジン系 Ca 拮抗薬（ジルチアゼム，ベラパミル）によるレートコントロール治療を中心とする．透析患者に対するジゴキシン投与は容易にジゴキシン中毒をきたすこと，血中消失時間が長く，他の薬剤との相互作用も多いので安易なジゴキシン投与は避けることが望ましい．患者の腎障害の有無にかかわらず，心拍数調節目的に長年にわたってジギタリス製剤を使用することは禁忌である[5]．レートコントロールの目標安静時心拍数は，110/分未満とする．頻脈性心房細動に対するレートコントロールの方針の詳細は不整脈薬物治療ガイドラインを参照されたい[5]．心機能の低下した頻脈性心房細動症例（左室駆出率<40%）に対しては，非ジヒドロピリジン系 Ca 拮抗薬は禁忌である[5]．特殊な場合として，Wolf-Parkinson-White（WPW）症候群に伴う頻脈性心房細動では，Na チャネル遮断薬や K チャネル遮断薬による副伝導路の伝導抑制がレートコントロールにつながる．

Ⅲ　循環器・脳血管

2) リズムコントロール：薬理学的除細動を行う際には，心機能を先に評価しておく必要がある．心機能の程度により選択する薬剤が異なる．リズムコントロールには，Na チャネル遮断，あるいは K チャネル遮断作用をもつ薬剤で Vaughan Williams 分類の Ia・Ic・III 群に分類される薬物を使用することが多い.

薬物治療によるレートコントロール，またはリズムコントロールが難しい患者に対しては，非透析患者と同様にカテーテルアブレーション治療も検討すべきである．

❷心房粗動

レートコントロール，リズムコントロールともにその治療に関しては心房細動の薬物療法に準ずる．

❸発作性上室頻拍

急性期の頻拍停止には，静注薬（ATP，ベラパミル）を中心とした薬物療法を行い，予防にはカテーテルアブレーションを第 1 選択とする．

■ 4. 投与量，投与間隔および投与期間

表 1 に上室不整脈で使用する主な薬剤の排泄経路と透析時の投与量と投与間隔を示す．具体例を示す．

❶心房細動

1）心房細動発作時
- ベラパミル（ワソラン®）5～10mg＋5% ブドウ糖 20mL，
  5 分以上かけて静注
- ジゴキシン（ジゴシン®）0.125mg＋5% ブドウ糖 20mL，
  2 回まで

2）WPW 症候群に合併した頻脈性心房細動
- プロカインアミド（アミサリン®）200mg を生食 20mL に溶解し，10 分かけて静注（効果がなければ再度繰り返す．極量 500～600mg）

3）心房細動予防
- 心機能正常：
  ジソピラミド（リスモダン R®）100mg 分 1

表1 ■ 上室不整脈に用いる主な薬剤の排泄経路，透析性，投与量

一般名	商品名	主要消失経路	透析性	通常用量 (mg/day)	透析至適用量 (mg/day)
アジマリン	アジマリン®	肝	−	150~450	常用量
キニジン	硫酸キニジン®	肝 (腎 15~40%)	−	維持量：200~600	常用量
ジソピラミド	リスモダン®	腎 50~60%	±	300	100~150
	リスモダンR®			300	禁忌
	リスモダンP静注®			50~100mg/回	100
シベンゾリン	シベノール®	腎 60%, 肝 40%	−	300~450	禁忌
	シベノール静注®			1回 1.4mg/kg	
ピルメノール	ピメノール®	肝 (腎 17~31%)	−	200	100~150
プロカインアミド	アミサリン®	腎 50~60% (活性代謝物：80%)	+	750~2000	投与間隔を4倍に延長
	アミサリン®注			1回 200~1000mg 静注．または1回 500mg を4~6時間ごとに筋注	1回 200~400 を1日 1~2回
ピルジカイニド	サンリズムカプセル®	腎 80%	±	150~225	25
	サンリズム注射液®			最大用量 1.0mg/kg	不明
フレカイニド	タンボコール®	肝 70%, 腎 30%	−	100~200	50~100
	タンボコール静注®			1回 1.0~2.0mg/kg, 1日 150mg まで	投与間隔を2倍に延長
プロパフェノン	プロノン®	肝	−	450	常用量
ベプリジル	ベプリコール®	肝	−	1日 100~200mg を分 1~2	常用量

(次頁へ続く)

表1 ■ つづき

一般名	商品名	代謝・排泄		投与量	
ベラパミル	ワソラン®	肝	—	120~240	常用量（非腎クリアランス低下するため 1/2 に減量という報告もある）
	ワソラン静注®			必要に応じて 1回 5mg	
ジルチアゼム	ヘルベッサー錠®	肝	—	90~180	常用量
	ヘルベッサーR®			100~200	
	ヘルベッサー注射用 250®			1回 10mg/約 3 分間	
アミオダロン	アンカロン®	肝	—	導入期は 200~400, 維持期は 100~200	常用量
	アンカロン注®			添付文書参照	
ニフェカラント	シンビット静注用®	肝（腎 28~37%）	—	単回 0.3mg/kg/5min 維持 0.4mg/kg/hr	単回 0.1mg/kg/5min 維持 0.15~0.2mg/kg/hr
ソタロール	ソタコール®	腎 80%	+	80~320	禁忌
ビソプロロール	メインテート®	腎 50%	—	5	2.5
ランジオロール	注射用オノアクト®	肝（腎 8.7%）	+	添付文書参照	常用量
ジゴキシン	ジゴシン®	腎 75%	—	維持量 0.25~0.5	維持量 0.125mg を週に 2~4 回
	ジゴシン注®			維持量 0.25	維持量 0.1~0.125mg を週に 2~4 回
デスラノシド	ジギラノゲン注®	腎 75%	—	維持量 1日 1回 0.2~0.3mg	減量が必要だが不明
メチルジゴキシン	ラニラピッド®	腎 40%（活性代謝物 45%）	—	維持量 0.1~0.2	維持量 0.05mg を週に 2~4 回
アデノシン3リン酸 2Na	アデホスLコーワ注®	各細胞	+？	静注: 1回 5~40 を 1~2 回	常用量

ピルジカイニド（サンリズム®）25mg 分 1
アプリンジン（アスペノン®）40mg 分 2
フレカイニド（タンボコール®）100mg 分 2
・心機能低下：
アプリンジン（アスペノン®）40mg 分 2
プロパフェノン（プロノン®）300mg 分 2
アミオダロン（アンカロン®）導入期 1（〜2）週間：200mg 分 2,
維持期：100mg 分 1
・持続性心房細動のレートコントロール：
ビソプロロール（メインテート®）1.25〜2.5mg 分 1
ベラパミル（ワソラン®）120mg 分 3
ジゴキシンは，腎排泄性のため 0.125mg の隔日投与とし，血中
濃度の確認を行う．

❷心房粗動

心室レートのコントロールに使用する薬剤と投与法は心房細動の際と
同様．

❸発作性上室頻拍の停止

・ATP（アデホス L®）10〜20mg＋5% ブドウ糖 20mL，急速静注
・ベラパミル（ワソラン®）5〜10mg＋5% ブドウ糖 20mL，1 分間，
1mg の速度で静注

■ 5．透析の影響

薬剤の透析による影響を表 1 に示す．

■ 6．注意すべき副作用や他剤との相互作用

✿ 1. 抗不整脈薬には催不整脈作用がある．特に腎代謝の薬剤投与中に
はその血中濃度が上昇して，あるいは透析中 / 後の低カリウム血
症により致死性不整脈（QT 延長による torsades de pointes）が発
症することがあり，心電図による観察が必要である．

✿ 2. 低カリウム血症は心筋細胞の興奮性を高めるため，速やかに改善
する必要がある．薬剤による催不整脈作用やジギタリス中毒は低
カリウム血症の際に出現することが多い．透析前値カリウム値が

Ⅲ 循環器・脳血管

4.0mEq/L 以下の場合，透析により低カリウム血症（3.5mEq/L 以下）をきたし，透析の後半に不整脈を誘発することがある．その場合透析中にカリウムの補充（20mEq 程度）を行うか，透析液のカリウム濃度を 3～3.5mEq/L に調整する．

✿3. 陰性変力（心収縮力低下）作用，および陰性変時（徐脈）作用を有する薬剤の使用時には，心不全や徐脈・ブロックの出現 / 増悪に留意する．

✿4. アミオダロン投与患者では間質性肺炎，甲状腺機能低下症，肝機能障害，皮疹，消化器症状（悪心・嘔吐），などの副作用に注意する．アミオダロンを内服している患者に咳嗽や労作時呼吸困難がみられた際は間質性肺炎を疑う．

■ 文献

1) Vazquez E, Sanchez-Perales C, Garcia-Garcia F, et al. Atrial fibrillation in incident dialysis patients. Kidney Int. 2009; 76: 324-30.

2) Zimmerman D, Sood MM, Rigatto C, et al. Systematic review and meta-analysis of incidence, prevalence and outcomes of atrial fibrillation in patients on dialysis. Nephrol Dial Transplant. 2012; 27: 3816-22.

3) Genovesi S, Pogliani D, Faini A, et al. Prevalence of atrial fibrillation and associated factors in a population of long-term hemodialysis patients. Am J Kidney Dis. 2005; 46: 897-902.

4) Wizemann V, Tong L, Satayathum S, et al. Atrial fibrillation in hemodialysis patients: clinical features and associations with anticoagulant therapy. Kidney Int. 2010; 77: 1098-106.

5) 日本循環器学会 / 日本不整脈心電学会合同ガイドライン 2020 年改訂版. 不整脈薬物治療ガイドライン（https://www.j-circ.or.jp/cms/wp-content/uploads/2020/01/JCS2020_Ono.pdf）

〈夛田 浩〉

III. 循環器・脳血管

Question 3 透析患者における心不全治療薬の適応と使い方について教えてください

Answer

1) 虚血性心疾患や心臓弁膜症などの器質的疾患と，過剰塩分・水分摂取などの非心原性の原因により心不全をきたしやすい．

2) 減塩，飲水制限，体重管理などの一般的な管理とともに，薬物療法を行う．

3) 薬物療法は，β遮断薬，レニン-アンジオテンシン（RA）系阻害薬を中心に投与する．

4) 透析中の血圧低下や薬物の透析性を確認し，投与量や投与タイミングを調整する．

■ 1. 透析患者における特徴

　心不全とは，「なんらかの心臓機能障害，すなわち，心臓に器質的および/あるいは機能的異常が生じて心ポンプ機能が破綻した結果，呼吸困難・倦怠感や浮腫が出現し，それに伴い運動耐容能が低下する臨床症候群」と定義される．日本循環器学会のガイドラインにおいて，心不全の分類は左室収縮能による分類が用いられるようになり[1]，左室駆出率（LVEF: left ventricular ejection fraction）が40％未満に低下した心不全をHFrEF（heart failure with reduced ejection fraction），LVEFが50％以上保たれた心不全をHFpEF（heart failure with preserved ejection fraction），LVEF40％以上50％未満をHFmrEF（heart failure with mid-range ejection fraction）と定義している．

　心不全の分類には様々なものがあるが，心不全病期の進行については，米国心臓病学会財団の心不全ステージ分類が用いられることが多い．大多数は急性心不全を発症し，その後代償化された慢性心不全に移行し，

急性増悪を繰り返しながら徐々に重症化していくため，適切な治療介入を行うことが重要である（図1）.

また，急性心不全に対する初期対応としては，循環器内科医以外が速やかに対応できるよう血圧をもとに分類されたクリニカルシナリオ（CS）[2]がある（表1）.多くの場合，CSの1つの病態のみでなく，複数の病態を有しており，どの病態が主か評価を行いながら診療をすすめていく必要がある.

透析患者の多くは，虚血性心疾患，心臓弁膜症，高血圧性心筋症，不整脈など様々な心疾患を合併している[3].透析患者の約70%にHFrEFがあるとされ[4]，2019年末のわが国の慢性透析療法の現況によると，透析患者における死亡原因の第1位は心不全（22.7%）である[5].

透析患者は，過剰な塩分・水分摂取や重症貧血，高血糖，過大血流シャントなど，非心原性の原因によって体液過剰となりやすく，さらに，透析中に血圧低下を繰り返す，透析中の血圧低下のためドライウェイト

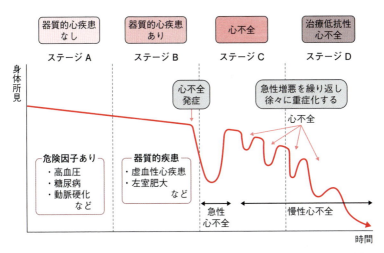

図1 ■ 心不全のステージ〔厚生労働省. 脳卒中, 心臓病その他の循環器病に係る診療提供体制の在り方に関する検討会. 脳卒中, 心臓病その他の循環器病に係る診療提供体制の在り方について（平成29年7月）[14] より改変〕

表1■急性心不全に対する初期対応のクリニカルシナリオ（CS）分類

	CS1	CS2	CS3	CS4	CS5
血圧 （mmHg）	＞140	100〜140	＜100	ー	ー
病態	急性発症 びまん性肺水腫 全身性浮腫は少ない（循環血液量減少の可能性あり） 血圧上昇とLVEFが維持された状態での充満圧の急激な上昇による 血管の要因	緩徐に発症 体重が徐々に増加し全身性浮腫 肺うっ血は軽度（静脈圧，肺動脈圧の上昇を含む，慢性的な充満圧の上昇） 臓器機能障害の症状（腎機能障害，肝機能障害，貧血，低アルブミン血症など）	急性発症または緩徐な発症 低灌流が主因（低灌流・ショックがある場合とない場合がある） 浮腫，肺水腫は軽度 慢性的に高い充満圧を有する傾向があり，多くは進行性または末期の慢性心不全がある	急性冠症候群 急性心不全の症状・徴候あり トロポニン単独の上昇のみでは不十分 CS1・2・3の臨床的特徴が含まれる可能性がある	急性または緩徐に発症 右心機能不全 肺水腫はなし 肺高血圧症がある可能性あり 全身性の静脈うっ血の徴候
治療	非侵襲的陽圧換気 硝酸薬	NPPV 硝酸薬 体液過剰の場合は利尿薬	体液貯留なければ補液 低血圧が持続する場合は血管収縮薬	ACSに対する治療	90mmHg以上で体液貯留あれば利尿薬 低血圧の場合は血管収縮薬

(Mebazaa A, et al. Crit Care Med. 2008; 36: S129-39[2]) より改変)

（dry weight: DW）の低減が困難，心胸郭比の急激な拡大などがみられる場合もあり，心不全症状が明らかでなくてもこれまで評価されていない器質的疾患やそれに伴う心不全発症の可能性を考慮し，精査を検討する必要がある.

■ 2. 薬剤適応

心不全治療の目的は，心不全のステージの進行を抑制し，症状の軽減と予後の改善である.

まず透析患者の一般的な心不全管理として，厳密な塩分制限（5g/

日）と飲水制限に基づく体液量管理が重要で，透析間体重増加を，中1日でDWの3%未満，中2日でDWの5%未満に留めるよう指導を行う[3]．うっ血症状がみられる場合にはDWを下方修正し，その他の因子の関連，例えば貧血改善，内シャント流量の是正，血糖管理を行うことも大切である．

左室収縮能や拡張能が低下した心不全では，交感神経系，レニン-アンジオテンシン-アルドステロン（RAS）系が賦活化され，心拍出量の低下を代償するために心臓のリモデリングが生じ，さらなる悪化へとつながる．この悪循環を断ち切るため，薬物療法は重要である．

■ 3. 薬剤の選択

透析患者に対するエビデンスは少ない．HFpEF，HFmrEF に対しては明らかなエビデンスが示されおらず，個々において治療法を検討する．HFrEF に対してはごく少数ではあるがエビデンスが報告されており，β遮断薬と RA 系阻害薬が投与の中心である．

● β遮断薬

透析患者において，β遮断薬（カルベジロール，メトプロロール，ビソプロロール）の使用は，非使用と比較して死亡率が低いことが示され，β遮断薬と RA 系阻害薬を併用したほうがより予後がよいことも示されている[6]．カルベジロールは，透析患者において，プラセボと比較して総死亡や入院，心不全の悪化を減らしたとの報告があり，透析患者においても有効性が示されている[7]．

● RA 系阻害薬

アンジオテンシン変換酵素阻害薬（ACEI）やアンジオテンシンII受容体拮抗薬（ARB）の透析患者に対する randomized control trial（RCT）の報告はほとんどない．小規模の研究では，ACEI 使用により死亡率が低下したとの報告[8]もあるが，差がなかったとの結果も散見される．ARB に関しては，1件 RCT があり，ACEI 内服中の透析患者にテルミサルタンを追加することで，プラセボと比較して心不全入院を減少させたとの報告がある[9]．いずれも高カリウム血症には注意が必要である．

●ミネラルコルチコイド受容体拮抗薬（MRA）

小規模な検討のみであるが，スピロノラクトンの使用により，左室心筋重量（LVmass）の低下やEFが改善したとの報告がある[10]．現在透析患者に対してスピロノラクトンを投与したRCTであるALCHEMIST trial，ACHIEVE trialが進行中である．高カリウム血症には注意が必要である．エプレレノン，エサキセレノンについては，添付文書上禁忌となっており，明らかなエビデンスはない．

●利尿薬

透析導入期で自尿が保たれていれば透析間体重増加を抑制する目的で投与してもよい．

●ヒドララジン／硝酸薬

β遮断薬やRA系抑制薬が登場する以前はよく使用されていたが，現在は使用される機会は少ない．硝酸薬単独使用は急性期の血行動態改善に使用されることがある．

●ジギタリス

有効域と中毒域が近く，安全域が狭いため，副作用が生じやすい．また，腎排泄性の薬で透析性も低く，透析患者においては死亡リスクの増加も報告されているため，積極的な投与は推奨されていない．

●アンジオテンシン受容体ネプリライシン阻害薬（ARNI）

サクビトリル／バルサルタンは，ネプリライシン阻害薬（プロドラック）とARBの合剤である．ネプリライシン阻害薬は，内因性ナトリウム（Na）利尿ペプチドの分解を阻害することでその作用を増大させ，利尿，血管拡張といった作用をもたらす．透析患者に対するエビデンスは乏しいが，透析患者に投与しLVEFを改善させたとの症例報告がある[11]．今後の大規模な研究が待たれる．高カリウム血症には注意が必要である．

●sodium/glucose cotransporter 2（SGLT2）阻害薬

近位尿細管のSGLT2受容体を阻害して，グルコースとNaの再吸収を抑制することで，浸透圧利尿とNa利尿をもたらす薬剤である．急性・慢性心不全診療ガイドライン2021アップデート版[12]において，

HFrEF に対する治療の基本薬として記載されているが，SGLT2 阻害薬は重度の腎機能障害患者，無尿の透析患者において，効果が期待できず投与をしないことと添付文書上記載されている．

● イバブラジン

イバブラジンは，心臓洞結節の過分極活性化環状ヌクレオチド依存性（HCN）チャネル遮断薬で，ペースメーカー電流 If を構成する HCN4 チャネルを阻害して心拍数を低下させる薬剤である．洞調律かつ，β遮断薬を最大忍容量投与しても安静時心拍数 75 回 / 分以上，またはβ遮断薬が使用できない患者が適応になる．心機能には影響を与えないという特徴がある．透析患者については，添付文書上禁忌とはなっていないが，エビデンスが乏しく不明である．

■ 4. 実際の投与量，投与回数および投与期間の目安

1 つの投与例としては，β遮断薬を少量から投与し，その後 RA 系阻害薬をカリウム値に注意しながら，少量から投与していくという方法がある．心不全治療に用いる薬剤について記載する（表2）[13]．

投与の時間帯については，透析中に血圧が低下する可能性もあることから，透析後や非透析日などの投与を検討する．

■ 5. 透析の影響

透析で除水を行うため，透析中に血圧が下がりやすい傾向がある．薬剤によっては透析により除去されてしまう可能性もあるため，透析後や非透析日に投与するなど，工夫が必要である．

■ 6. 注意すべき副作用や他剤との相互作用

複数の薬剤使用による透析中の血圧低下や，β遮断薬による徐脈，RA 系阻害薬による高カリウム血症や，一部の透析膜（AN69 膜など）においてブラジキニン分解抑制によるショックを引き起こす可能性があるため注意が必要である．

表2 ■ 心不全治療に用いられる薬剤

薬の種類	薬品名	透析性	透析患者の投与量
β遮断薬	ビソプロロール	なし	2.5mgを1日1回
	メトプロロール	なし	正常腎機能と同じ
	カルベジロール	なし	正常腎機能より少量から投与
ACEI	アラセプリル	あり（活性体）	12.5mg
	イミダプリル	あり	低用量から開始または投与間隔をあける
	エナラプリル	あり	2.5mg
	カプトプリル	あり	50%量に減量. 透析日は透析後
	キナプリル	なし	2.5mg
	シラザプリル	あり	50%量に減量. 透析日は透析後
	テモカプリル	不明	低用量から開始または投与間隔をあける
	デラプリル	不明	7.5mgから開始
	トランドラプリル	あり	低用量から開始
	ベナゼプリル	なし	25～50%に減量
	ペリンドプリルエルブミン	あり	50%量に減量. 透析日は透析後
	リシノプリル	あり	25%に減量. 透析日は透析後
ARB	ロサルタン	なし	正常腎機能と同じ
	カンデサルタン	なし	正常腎機能と同じ
	バルサルタン	なし	正常腎機能と同じ
	テルミサルタン	なし	正常腎機能と同じ
	イルベサルタン	なし	正常腎機能と同じ
	オルメサルタン	なし	正常腎機能と同じ
	アジルサルタン	なし	正常腎機能と同じ. AUCは約1.5倍に上昇
ARNI	サクビトリル・バルサルタン	不明	不明
MRA	スピロノラクトン	なし	無尿は禁忌
	エプレレノン	なし	中等度以上の腎機能障害には禁忌
	エサキセレノン	不明	重度の腎機能障害には禁忌

■ 文献

1) 日本循環器学会, 他. 急性・慢性心不全診療ガイドライン（2017年改訂版）.

2) Mebazaa A, Gheorghiade M, Piña IL, et al. Practical recommendations for pre-hospital and early in-hospital management of patients presenting with acute heart failure syndromes. Crit Care Med. 2008; 36: S129-39.

3) 第3章心不全. 日本透析医学会雑誌. 2011; 44: 369.

4) Silverberg D, Wexler D, Blum M, The association between congestive heart failure and chronic renal disease. Curr Opin Nephrol Hypertens. 2004; 13: 163-70.

5) わが国の慢性透析療法の現況（2019年12月31日現在）. 日本透析医学会雑誌. 2020; 53: 579-632.

6) Tang CH, Wang CC, Chen TH, et al. Prognostic benefits of carvedilol, bisoprolol, and metoprolol controlled release/extended release in hemodialysis patients with heart failure: A 10-year cohort. J Am Heart Assoc. 2016; 5: e002584.

7) Cice G, Ferrara L, D'Andrea A, et al. Carvedilol increases two-year survival in dialysis patients with dilated cardiomyopathy. A prospective, placebo-controlled trial. J Am Coll Cardiol. 2003: 41: 1438-44.

8) Berger AK, Duval S, Krumholz HM. Aspirin, beta-blocker, and angiotensin-converting enzyme inhibitor therapy in patients with end-stage renal disease and an acute myocardial infarction. J Am Coll Cardiol. 2003; 42: 201-8.

9) Cice G, Di Benedetto A, D'Isa S, et al. Effects of telmisartan added toangiotensin-converting enzyme inhibitorson mortality and morbidity in hemodialysis patientswith chronic heart failure a double-blind, placebo-controlled trial. J Am Coll Cardiol. 2010; 56: 1701-8.

10) Taheri S, Mortazavi M, Shahidi S, et al. Spironolactone in chronic hemodialysis patients improves cardiac function. Saudi J Kidney Dis Transpl. 2009; 20: 392-7.

11) Lee S, Oh J, Kim H, et al. Sacubitril/valsartan in patients with heart failure with reduced ejection fraction with end-stage of renal disease. ESC Heart Fail. 2020; 7: 1125-9.

12) 日本循環器学会, 他. 2021年 JCS/JHFS ガイドライン. フォーカスアップデート版. 急性・慢性心不全診療.

13) 山縣邦弘, 臼井丈一, 成田一衛, 他編. 薬剤性腎障害（DKI）診療Q&A―DKI診療ガイドラインを実践するために―. 東京: 診断と治療社; 2017.

14) 厚生労働省. 脳卒中, 心臓病その他の循環器病に係る診療提供体制の在り方に関する検討会. 脳卒中, 心臓病その他の循環器病に係る診療提供体制の在り方について（平成29年7月）http://www.mhlw.go.jp/file/05-Shingikai-10901000-Kenkoukyoku-Soumuka/0000173149.pdf

〈髙橋紘子　渋谷祐子〉

III. 循環器・脳血管

Question 4 透析患者に対する降圧薬の選びかた，使いかたを教えてください

> **Answer**
>
> 1) 透析室のみならず家庭血圧を含めて評価すべきである．
> 2) ドライウェイトの適正な設定が最も重要である．
> 3) ドライウェイトの達成 / 維持後も降圧不十分な場合に降圧薬を投与する．
> 4) 臓器保護効果や心血管イベント抑制効果のある薬剤を第 1 選択で使用する．
> 5) 心機能低下のない安定した維持透析患者の降圧目標は，週初め透析前血圧で 140/90mmHg 未満とする．

■ 1. 透析患者における高血圧の特徴

体液過剰，レニン-アンジオテンシン系異常，交感神経活性亢進，血管石灰化や血管内皮障害による血管拡張反応の障害，エリスロポエチンなどが関与するが，特に体液量過剰が主因である．

また，透析患者の血圧と生命予後の間には U 字型現象がみられるため，過度の降圧の危険性にも配慮して血圧管理を行う．

透析後収縮期血圧 110mmHg 未満および 180mmHg 以上は，140〜149mmHg を基準とした場合，心血管死亡率がそれぞれ 2.8 倍，2 倍増加する．また心血管疾患リスクの高い患者では透析中の最低血圧が 110/60mmHg 以下となると 5 年死亡率が有意に増加する．

■ 2. 降圧目標

「血液透析患者の心血管合併症に対する治療ガイドライン」[1] を参考に治療を行う．心機能低下のない安定した維持透析患者における降圧目標値は，週初めの透析前血圧で 140/90mmHg 未満とする．目標血圧達

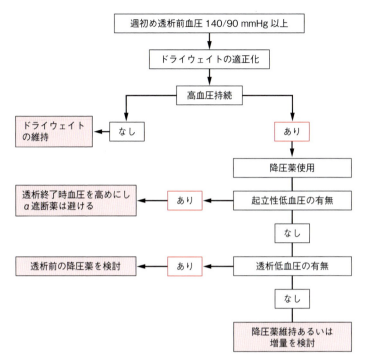

図1 ■ 血液透析患者の高血圧治療アルゴリズム

成にはドライウェイトの適正な設定が最も重要で，ドライウェイト達成後も降圧不十分な場合に降圧薬を投与する（図1）．

■ 3. 降圧薬の選択（表1）

心肥大抑制などの臓器保護効果があるものを優先し，作用時間の長短や透析性を考慮して種類や服用時間を決める．

アンジオテンシン受容体拮抗薬（ARB）やアンジオテンシン変換酵素阻害薬（ACE阻害薬）は，左室肥大抑制効果を有し，透析患者で第1選択となる降圧薬である[2]．ARBは胆汁排泄が主体であり，透析性もなく，投与しやすい．これで降圧不十分な場合にはカルシウム（Ca）拮抗薬の投与が勧められる．β遮断薬は，心筋梗塞既往や有意冠動脈狭

表 1 ■ 主な降圧薬と投与法

	特徴	代謝・排泄	透析患者での用量調整	注意点
ARB	左室肥大抑制効果	肝代謝 排泄は肝・腎それぞれあり	腎機能正常者と同量を低用量から開始	過度の降圧を避ける
ACE 阻害薬	左室肥大抑制効果	多くは腎排泄 （尿中へ未変化体として）	低用量から開始して調節	ブラジキニン分解抑制による透析時ショック ESA 必要量の増加
Ca 拮抗薬	心血管イベント抑制効果 確実な降圧作用・副作用が少ない	肝代謝 排泄は肝・腎それぞれあり	腎機能正常者と同じ	半減期を考慮して使い分ける
β遮断薬	虚血性心疾患での心保護効果 （降圧薬より心不全治療薬の意味合いが強い） 交感神経活性抑制	水溶性と脂溶性があり薬剤ごとに異なる	薬剤ごとに至適投与量を検討して使用	過度の血圧低下 種々の禁忌あり （喘息，徐脈ほか）
α遮断薬	動脈系静脈系いずれをも拡張する 臓器保護効果のエビデンスなし	肝代謝	腎機能正常者と同じ	起立性低血圧
ARB/Ca 拮抗薬合剤	複数の降圧機序を併せもつ	肝代謝	慎重投与	過度の血圧低下
ARB/ 利尿薬合剤	合剤としての効果を期待できない	肝代謝	基本的に透析患者には使用しない （合剤を使用する有利点が少ない）	
ARNI	血管拡張作用，交感神経活性抑制作用を有する	肝代謝	ACE 阻害薬内服中の患者では禁忌 ACE 阻害薬から切り替える場合は36 時間以上空けてから使用する 高カリウム血症や過度の血圧低下，血管浮腫に注意	

窄のある患者で積極的な適応となる．

　2021 年 9 月にアンジオテンシン受容体ネプリライシン阻害薬（ARNI）に高血圧の効能効果が追加された．利尿効果の期待できない透析患者においても，血管拡張や交感神経活性抑制作用などによる高血圧改善やそれに伴う臓器障害改善効果が期待されうる．

■ 4. 臨床効果

体液管理が十分できている患者では，Ca拮抗薬やARB，ACE阻害薬で十分な降圧効果が得られる．

■ 5. 注意すべき副作用

ACE阻害薬は，腎排泄型が多く薬物血中濃度が上昇しやすく，過降圧を生じやすいことや，AN69膜を使用する患者ではブラジキニン分解抑制効果の増強によりショックが起こる可能性があるため，ACE阻害薬よりもARBを用いた方が安全である．

また，HDを午前中に行う患者では，降圧薬の朝食後内服による降圧効果出現時期が，透析終了時の最大除水時期と重なることがあり，透析困難症や高度の血圧低下をきたすことがあり降圧薬服用のタイミングを検討することも必要である．

■ 6. 透析の影響

週3回の血液透析（HD）によって必ず体液変動が生じるため，体液量変動も考慮した血圧管理が必要となる．この点で，透析室における血圧のみならず，家庭血圧を含めた週あたりの平均血圧（WAB）を血圧管理の指標として用いることも勧められる[3]．

■ 文献

1) 日本透析医学会, 編. 血液透析患者の心血管合併症に対する治療ガイドライン. 第2章血圧異常. 透析会誌. 2011; 44: 358-68.
2) Takahashi A, Takase H, Toriyama T, et al. Candesartan, an angiotensin 2 type 1 receptor blocker, reduces cardiovascular events in patients on chronic hemodialysis-a randomized study. Nephron Dial Transplant. 2006; 21: 2507-12.
3) Moriya H, Ohtake T, Kobayashi S. Aortic stiffness, left ventricular hypertrophy and weekly averaged blood pressure（WAB）in patients on hemodialysis. Nephrol Dial Transplant. 2007; 22: 1198-204.

〈大竹剛靖〉

III. 循環器・脳血管

Question 5 透析中の低血圧の原因と対処法を教えてください

Answer

1) 透析中の低血圧は，①ドライウェイトの下方設定，②過度の除水による循環血液量の減少，が原因であることが多い．

2) 通常どおりの透析を行っていても血圧が低下する場合は，心機能の評価をすべきである．

3) 低栄養（低アルブミン血症）は plasma refilling rate を減少させて，血圧維持が困難となる原因となる．

4) 透析中の血圧低下を避けるためには，時間あたりの除水量を軽減することが必要であるが，不可能であれば昇圧薬を使用する．

■ 1. 透析患者における特徴

透析中の急激な血圧低下（透析低血圧または crash）は組織灌流を急激に低下させ，冠動脈や脳血流を減少させる．収縮期血圧 40mmHg 以上の透析低血圧では，生命予後が不良であるとされている[1]．

透析低血圧は，1）ドライウェイトが必要以上に低く設定されている，2）過度の除水により循環血液量が減少する，ことが原因であることが多い．一方で除水速度が通常どおりで，循環血液量の減少も顕著でないのに血圧が低下する場合には，心血管病の存在を念頭におき心臓超音波検査などで心機能や体液量を評価すべきである．栄養不良などによる低アルブミン血症が存在する場合，膠質浸透圧が低値となり plasma refilling rate が減少するため血圧低下をきたしやすくなる．また自律神経機能の障害，透析中の食事摂取，貧血，透析液の温度（高温）なども透析低血圧の原因として重要である[2]．

■ 2. 薬剤の適応

透析中に血圧低下をきたす症例では，まずその発症原因を検索すべきである.

ドライウェイトが必要以上に低く設定されている場合は，ドライウェイトを上げることで対処する．時間あたりの除水量が多い場合は，緩徐な除水を心がけるとともに透析時間の延長を考慮する．K/DOQIガイドラインでは，最大除水速度を15mL/kg/時以下にすることを推奨している[3].心機能低下例では，冠動脈疾患の有無について循環器内科へコンサルトすべきである．また低アルブミン血症，貧血に対する治療は基本的な事項であり，透析中の食事摂取を控えることも有用である．透析低血圧の予防策を講じても改善しない場合，昇圧薬を使用する.

■ 3. 薬剤の選択

（気分不快，意識障害などを伴う）透析低血圧の発作時，血圧の回復のためには生理食塩水の補液が有効であるが，不十分な場合にはエチレフリン塩酸塩（エホチール®）を経静脈投与する.

透析低血圧の発症予防には，メチル硫酸アメジニウム（リズミック®）などの経口昇圧薬の投与が有効との報告がある[4].また透析後の起立性低血圧に対して，ドロキシドパ（ドプス®）の内服が有効との報告がある[5].管理困難例では，両薬剤の併用療法の他，エチレフリン塩酸塩など経静脈昇圧薬の持続投与が有効な場合がある.

■ 4. 実際の投与量，投与回数および投与期間の目安

表1に主な昇圧薬と投与量・投与方法を示す．メチル硫酸アメジニウム，ドロキシドパについては，その薬物動態から透析前の内服が推奨

表1 ■ 透析中の血圧低下予防・治療薬の具体的投与例

経口薬 メチル硫酸アメジニウム（リズミック®） ドロキシドパ（ドプス®）	10mg 透析開始時 200〜400mg　透析開始30分〜1時間前
静注薬 エチレフリン塩酸塩（エホチール®）	10〜20mgを生理食塩水または10%食塩水20mLで溶解し，3〜5mL/hrで持続静注

されている．エチレフリン塩酸塩などの経静脈昇圧薬については透析開始時または開始後からの持続投与が行われる．

■ 5. 注意すべき副作用や他剤との相互作用

多くの昇圧薬は，不整脈の誘発や閉塞性動脈硬化症を増悪させる可能性がある．したがって透析低血圧の原因検索を十分に行わず，漫然と昇圧薬投与を続けることは避けるべきである．

■ 文献

1) Shoji T, Tsubakihara Y, Fujii M, et al. Hemodialysis-associated hypotension as an independent risk factor for two-year mortality in hemodialysis patients. Kidney Int. 2004; 66: 1212-20.

2) 日本透析医学会. 透析関連低血圧. 血液透析患者における心血管合併症の評価と治療に関するガイドライン. 日本透析医学会; 2011. p.363-8.

3) K/DOQI Workgroup: K/DOQI clinical practice guidelines for cardiovascular disease in dialysis patients. Am J Kidney Dis. 2005; 45 (Supple 3): S16-153.

4) Watari H, Mizuno K, Niimura S, et al. Antihypotensive and hormonal effects of amezinium metilsulfate in hypotensive hemodialysis patients. Curr Ther Res. 1993; 53: 367-74.

5) Akizawa T, Koshikawa S, Iida N, et al. Clinical effects of L-threo-3, 4-dihydroxyphenylserine on orthostatic hypotension in hemodialysis patients. Nephron. 2002; 90: 384-90.

◯ NOTES

「透析施行時の血圧低下の改善」の保険適応は，メチル硫酸アメジニウムのみに収載されている．ドロキシドパの保険適応は，「起立性低血圧を伴う血液透析患者におけるめまい，ふらつき，立ちくらみ，倦怠感，脱力感」であり，エチレフリン塩酸塩の保険適応は，「起立性低血圧」と「本態性低血圧」である．

〈深澤洋敬〉

III. 循環器・脳血管

Question 6

頻脈性心房細動に対するレートコントロール治療の仕方を教えてください

Answer

1) β遮断薬や非ジヒドロピリジン系カルシウム拮抗薬を中心に行う.
2) ジゴキシン投与時はジゴキシン中毒に注意する.
3) カテーテルアブレーションが有効な場合がある.

■ 1. 治療する疾患の特徴

心房細動の有病率は一般住民の 1~2% 程度[1] に対し, 透析患者では 30% 程度と高率である[2]. 透析患者の心房細動の発症リスク増加の原因として, 透析間の体重増加が一過性の僧帽弁逆流をきたすことによる左房拡大, 弁石灰化, 左室収縮機能低下などがある[2].

心房細動には, 1) 特に治療することなく自然に停止する発作性心房細動, 2) 薬物や電気刺激で停止する持続性心房細動, 3) 薬物や電気刺激でも停止しない永続性心房細動に分類されるが, 透析患者の心房細動の多くは永続性心房細動である[2].

■ 2. 薬剤投与の適応

心房細動中に 140 拍 / 分以上の心拍数が持続すると左室拡張不全が生じ, うっ血性心不全を惹起することから, 心房細動中の心拍数を 140 拍 / 分以上にしないことが重要である[3].

さらに, 生活の質や心筋症への進展などを考慮し, 2011 年の米国心臓病学会 / 米国心臓協会 / 欧州心臓病学会のガイドラインでは, 安静時 60~80 拍 / 分, 中等度運動時 90~115 拍 / 分を目標としている[4].

わが国のガイドラインでも, 急性期では 90 ~ 100 拍 / 分以下とし, 最終的には安静時心拍数を 60 ~ 80 拍 / 分, 中等度の運動時心拍数を

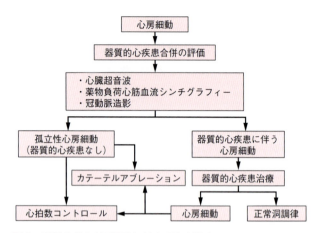

図 1 ■ 透析患者の心房細動に対する治療戦略
(血液透析患者における心血管合併症の評価と治療に関するガイドライン. 透析会誌. 2011; 44: 337-425[5]) より改変)

90～100 拍/分とすることが推奨されている[5]．

■ 3. 薬剤の選択

心拍数調節には，房室結節伝導を抑制する β遮断薬［カルベジロール（アーチスト®）など］，非ジヒドロピリジン系カルシウム拮抗薬［ジルチアゼム（ヘルベッサー®），ベラパミル（ワソラン®）など］やジギタリス製剤［ジゴキシン（ジゴシン®）など］が選択される[6]．左室駆出率（LVEF）40% 未満の低心機能例に合併した頻脈性心房細動に対しては，非ジヒドロピリジン系カルシウム拮抗薬の静注薬は禁忌である[7]．薬剤に代わる治療法として，左房拡張を合併していない症候性・再発性心房細動患者にはカテーテルアブレーション（☞ NOTES）が施行されることがある[8]（図 1 参照[5]）．

■ 4. 投与量，投与間隔，透析の影響

カルベジロール（アーチスト®），ジルチアゼム（ヘルベッサー®），やベラパミル（ワソラン®）は，尿中排泄率と透析除去率が低いため，透析患者の投与量は健常者の常用量と同様である．

ジゴキシン（ジゴシン®）は，透析除去率が低く，尿中未変化体排泄率が約70％であるため，1回0.125mgを週3回程度に減量する必要性がある.

■ 5. 注意すべき副作用

ジゴキシン（ジゴシン®）は治療域から中毒域までの幅が狭く，消化器症状（食欲不振，悪心・嘔吐，下痢），精神神経症状（めまい，頭痛，錯乱など），不整脈（高度の徐脈，二段脈，多源性心室性期外収縮，発作性心房性頻拍など）などのジギタリス中毒をきたしやすいため，血中濃度のモニタリングが必要である[9].

■ 6. 他剤との相互作用

ジゴキシン（ジゴシン®）は，ベラパミル（ワソラン®）など他の薬剤との相互作用が多く，安易な投与を避けることが望ましい.

■ 文献

1) Inoue H, Fujiki A, Origasa H, et al. Prevalence of atrial fibrillation in the general population of Japan: an analysis based on periodic health examination. Int J Cardiol. 2009; 137: 102-7.

2) Genovesi S, Pogliani D, Faini A, et al. Prevalence of atrial fibrillation and associated factors in a population of long-term hemodialysis patients. Am J Kidney Dis. 2005; 46: 897-902.

3) Rawles JM. What is meant by a "controlled" ventricular rate in atrial fibrillation? Br Heart J. 1990; 63: 157-61.

4) Fuster V, Rydén LE, Cannom DS, et al. 2011 ACCF/AHA/HRS focused updates incorporated into the ACC/AHA/ESC 2006 guidelines for the management of patients with atrial fibrillation: a report of the American College of Cardiology Foundation/American Heart Association Task Force on practice guidelines. Circulation. 2011; 123: e269-367.

5) 血液透析患者における心血管合併症の評価と治療に関するガイドライン. 透析会誌. 2011; 44: 337-425.

6) Camm AJ, Kirchhof P, Lip GY, et al. Guidelines for the management of atrial fibrillation: the Task Force for the Management of Atrial Fibrillation of the European Society of Cardiology（ESC）. Eur Heart J. 2010; 31: 2369-429.

7) 日本循環器学会, 他. 2020年改訂版　不整脈薬物治療ガイドライン.

8) カテーテルアブレーションの適応と手技に関するガイドライン.

9) Kaneko T, Kudo M, Okumura T, et al. Successful treatment of digoxin intoxication by haemoperfusion with specific columns for beta2-microgloblin-adsorption（Lixelle）in a maintenance haemodialysis patient. Nephrol Dial Transplant. 2001; 16: 195-6.

NOTES

心房細動におけるカテーテルアブレーションは，左心房と肺静脈の連結部分を円周状に焼灼することにより，肺静脈と左心房の間の電気的連絡を遮断し，肺静脈からの異常な電流が心房に入り込まないようにする「肺静脈隔離術」が一般的である.

〈大橋 温〉

III. 循環器・脳血管

Question 7

透析患者の経皮的冠動脈インターベンション（PCI）施行時および施行後の薬物療法について教えてください

Answer

1) 透析患者における冠動脈疾患の特徴は，無症候性心筋虚血が多い，重度の石灰化病変が多い，心筋微小循環障害の合併例が多い，である．
2) 透析患者の PCI は出血合併症のリスクが高い．
3) PCI 後は，アスピリン＋P2Y12 阻害薬による抗血小板薬 2 剤併用療法（DAPT）を行う．
4) 透析患者における PCI 後の DAPT 期間は 1〜3 カ月である．その後は抗血小板薬単剤を継続する．

■ 1. 透析患者における特徴

❶透析患者における冠動脈疾患の特徴

　透析患者では冠動脈疾患の合併が極めて多い．透析導入時，約半数の症例では症状の有無とは関係なく，すでに有意な冠動脈病変を有しているとされる[1]．

　透析患者における冠動脈疾患の特徴は，1）無症候性心筋虚血が多い，2）重度の石灰化病変が多い，3）心筋微小循環障害の合併例が多い，である．

　無症候性心筋虚血例では，透析中の血圧低下，ドライウェイトの減量に反応しない心不全，非特異的な心電図変化などを契機とし診断に至ることがある．また，心筋内細小動脈の壁肥厚や，心筋内毛細血管密度の減少，心筋細胞間線維化などの末梢血管床の異常が認められ，心筋微小循環障害を合併しやすい[2]．

JCOPY 498-22478　　　　　　　　　　　　　　　循環器・脳血管　**III**

❷透析患者に対する PCI の特徴

　最初に本稿における PCI とはステント留置を前提とした手技を意味することを明記しておく．日本心血管インターベンション治療学会のレジストリからの報告では，2014～2016 年に登録された PCI 症例のうち，透析症例は 6.6% であった[3]．透析患者に対する PCI は，重度の冠動脈石灰化，多枝病変，全身の動脈硬化，により手技の難易度や合併症のリスクが高いことが特徴である．シャント造設部である橈骨動脈を避け，大腿動脈からカテーテルを挿入する必要があるため，術中・術後の穿刺部出血合併症に注意を要する．実際，透析患者における PCI での出血合併症は多い[3]．

■ 2. 薬剤の適応および選択～ PCI 施行時・施行後における薬物治療～

　PCI 施行対象となる冠動脈疾患患者は，PCI 施行にあたり最適な薬物療法が行われていることが前提となるが，透析患者における最適な薬物療法についてのエビデンスは乏しく，現状では非透析患者に準じて薬物療法が行われている．

❶抗血小板薬（アスピリン，クロピドグレル，プラスグレル）

　アスピリンは急性冠症候群（ACS）の予後改善に有用で，早期に投与するほど死亡率は低下する．ACS が疑われた場合，投与禁忌患者を除き，PCI 予定の有無にかかわらず速やかにアスピリンを負荷投与する[4]．

　PCI 施行時にはステント血栓症の予防のために，アスピリン＋P2Y12 阻害薬（クロピドグレルあるいはプラスグレル）による抗血小板薬 2 剤併用療法（DAPT）が必要である．未服用患者では PCI 施行前に負荷投与を行う[4]．PCI 中は，抗血小板薬による血小板機能抑制効果が十分得られた状態で手技が行われる必要があるため，施行前の負荷投与は重要である．PCI 後は，DAPT 継続が標準治療となる[4]．また，消化管出血予防のため，DAPT 継続期間中あるいはアスピリン単剤を内服している限りはプロトンポンプ阻害薬を併用する．

❷スタチンおよびβ遮断薬，Ca 拮抗薬（表 1 参照）

スタチン： 非透析患者の冠動脈疾患の 1 次および 2 次予防において

LDL コレステロールの管理はきわめて重要であるが，透析患者においては，脂質管理の重要性は示唆されているもののエビデンスは豊富ではない．

β遮断薬：左室収縮機能低下症例や狭心症状がある症例が主な適応となる．

Ca 拮抗薬：高血圧合併および冠攣縮合併例では適応となる．

■ 3. 実際の投与量，投与回数および投与期間の目安および透析の影響

透析患者に使用される代表的な抗血小板薬，脂質異常治療薬およびβ遮断薬，Ca 拮抗薬の投与量を表 1 に示す．

❶ DAPT 継続期間と DAPT 後の抗血小板療法

DAPT で使用される抗血小板薬の至適用量は腎機能正常者と同様である[5]．

DAPT 継続期間は，ステント血栓症に代表される塞栓リスクと出血リスクを勘案して検討される．最新の日本循環器学会ガイドライン「冠動脈疾患患者における抗血栓療法」[4] では，本邦の実情に即した日本版 HBR（HBR：High Bleeding Risk）評価基準が発表された．本基準では，透析患者は HBR 群とされた．HBR 群では，ステント留置後の DAPT 期間は 1～3 カ月，その後の抗血小板薬単剤の継続が推奨されている[4]．DAPT 後の抗血小板薬については，アスピリン単剤あるいは P2Y12 阻害剤（クロピドグレルあるいはプラスグレル）単剤のいずれかが選択される．

❷ スタチンおよびβ遮断薬，Ca 拮抗薬

詳細は表 1 を参照されたい．

スタチン：頻用されるスタチンおよびエゼチミブのうち，透析にて配慮が必要な薬剤はロスバスタチンのみである（最大用量 5mg までとする）．

β遮断薬：非透析患者で頻用されるビソプロロールは，50％が腎排泄されるため，透析患者では非透析患者の半量で用いる必要がある[5]．

■ 4. 他剤との相互作用

併用薬注意・禁忌薬

表 1 ■ 透析患者に使用される抗血小板薬，脂質異常治療薬，β遮断薬，Ca拮抗薬

薬効分類		一般名	代表的な商品名	主要消失経路	負荷投与量 (mg)	維持用量/通常用量 (mg/day)	透析例に至適用量 (mg/day)
抗血小板薬	COX阻害薬	アスピリン	バイアスピリン®	肝	200~300	100	通常用量
		アスピリンダイアルミネート	バファリン®	肝	162~324	81	通常用量
	P2Y12阻害薬	クロピドグレル	プラビックス®	肝	300	75	通常用量
		プラスグレル	エフィエント®	肝	20	3.75	通常用量
		チカグレロル	ブリリンタ®	肝	180	180	通常用量
脂質異常症治療薬	HMG-CoA還元酵素阻害薬	アトルバスタチン	リピトール®	肝		10~40	通常用量
		シンバスタチン	リポバス®	肝		5~20	通常用量
		ピタバスタチン	リバロ®	肝		1~4	通常用量
		プラバスタチン	メバロチン®	肝		10~20	通常用量
		ロスバスタチン	クレストール®	肝(腎10~33%)		2.5~20	2.5~5
		フルバスタチン	ローコール®	胆汁→糞便		20~60	通常用量
	小腸コレステロールトランスポーター阻害薬	エゼチミブ	ゼチーア®	糞便、胆汁→糞便		10	通常用量
β遮断薬	β1選択	ビソプロロール	メインテート®	腎50%		5	2.5
		アテノロール	テノーミン®	腎90%		25~100	週3回 透析後に25
	αβ遮断	カルベジロール	アーチスト®	肝		2.5~20	通常用量
Ca拮抗薬	非ジヒドロピリジン系	ジルチアゼム	ヘルベッサーR®	肝		100	通常用量
	ジヒドロピリジン系	ニフェジピン	アダラートCR®	肝		40	通常用量
		ベニジピン	コニール®	肝		8	通常用量
		アムロジピン	アムロジン/ノルバスク®	肝		5	通常用量

ⅰ）抗血小板薬ではNSAIDs，ステロイドとの併用で出血合併症のリスクが高くなるため，注意が必要である．

ⅱ）CYP3A4で代謝されるスタチンは，グレープフルーツジュースとの同時摂取やCYP3A4阻害薬（イトラコナゾールなど）併用により血中濃度が上昇するため注意が必要である．

■ 文献

1）Ohtake T, Kobayashi S, Moriya H, et al. High prevalence of occult coronary artery stenosis in patients with chronic kidney disease at the initiation of renal replacement therapy: an angiographic examination. J Am Soc Nephrol. 2005; 16: 1141-8.

2）西村眞人. 血液透析患者における虚血性心筋症の特徴と診断. 心臓. 2007; 39: 778-82.

3）Numasawa Y, Inohara T, Ishii H, et al. An overview of percutaneous coronary intervention in dialysis patients: Insights from a Japanese nationwide registry. Catheter Cardiovasc Interv. 2019; 94: E1-8.

4）日本循環器学会. 2020年JCSガイドライン フォーカスアップデート版. 冠動脈疾患患者における抗血栓療法. 日本循環器学会. 2020. p.1-50.

5）平方秀樹, 新田孝作, 友 雅司, 他. 日本透析医学会血液透析患者における心血管合併症の評価と治療に関するガイドライン. 透析会誌. 2011; 44: 337-425.

NOTES

East Asian Paradox：日本人を含む東アジア地域の民族は，欧米人と比べて出血リスクが高く，血栓リスクが低いことが知られており，これはEast Asian Paradoxと呼ばれている．このため，P2Y12阻害薬の至適用量も欧米と比較し低用量に設定されている．近年の薬剤溶出ステントの改良に伴い，ステントに起因する血栓リスクが低下したことも受け，透析患者を含む高出血リスク患者におけるPCI後の至適DAPT期間が，最新のガイドラインにおいて1〜3カ月とされた[4]．

〈坂本篤志　前川裕一郎〉

III. 循環器・脳血管

Question 8
透析患者の冠動脈バイパス術（CABG）施行時および施行後の薬物療法について教えてください

Answer

1) 術前は P2Y12 受容体拮抗薬を休薬してアスピリン単剤とする.
2) 術後はアスピリンを生涯内服する.
3) 至適薬物治療（OMT）は, 血行再建の有無にかかわらず必須である.
4) スタチン, β遮断薬, レニン–アンジオテンシン系（RAS）阻害薬の使用は有益と考えられるが, 透析患者におけるエビデンスは乏しい.

■ 1. 透析患者に対する CABG の成績と問題点

透析患者は心血管死が 10 ～ 20 倍多く, 多くは冠動脈疾患によると考えられるが, CABG の大規模な報告は少ない. 国内外の透析患者における比較検討では, 心血管死亡や再血行再建回避の点でCABG は経皮的冠動脈インターベンション（PCI）より良好な長期予後を示している. 一方, 透析患者はCABG の周術期リスクが高く, 全身状態や生命予後に応じた個別の治療方針が必要である.

内胸動脈（ITA）は長期開存性が最も優れたグラフトであり, 非透析・非糖尿合併例では両側 ITA 使用が推奨されている. 一方, 透析患者は糖尿病合併例同様, 術後縦隔炎（深部胸骨感染）発生の高リスク群であり, 両側 ITA 使用はそのリスクを増加させる. 両側 ITA 使用が予後を改善し, 縦隔炎発生率に差はなかったとの報告もあるが, 多くの場合片側使用にとどまるのが現状である. 右胃大網動脈は, 透析患者では動脈硬化性変化が多いため, また橈骨動脈はブラッドアクセスに重要であるため, 使用される頻度は少ない. したがって, 透析患者においては,

片側内胸動脈と大伏在静脈の組み合わせでCABGが実施されることが多い．しかし透析患者は静脈グラフトの劣化も速いことが知られている．また末梢動脈病変合併例も多く，創治癒やdistal bypassのグラフトの問題もある．したがって，治療に際してはハートチームのみならず，透析医，血管外科医，リハビリテーション医を含めた多職種での検討が重要である．

■ 2. CABG施行時および術後の薬物療法について

❶抗血小板薬

非透析患者において，手術までのアスピリン継続は周術期の心筋梗塞や死亡を減少させる一方，抗血小板薬2剤併用療法（DAPT）の継続では周術期の出血性合併症が増加する．このため，PCI後の期間が短い場合や急性冠症候群（ACS）を除き，P2Y12受容体拮抗薬を休薬してアスピリン単剤とする[1,2]．休薬期間は，可逆的阻害であるチカグレロルは3日，不可逆的阻害薬であるクロピドグレルは5日，プラスグレルは7日以上が推奨されている[2]．

術後は48時間以内にアスピリンを再開する．3日以上経ってから再開した場合，グラフト開存率は改善されない[1]．アスピリンは，静脈グラフト開存率の改善，生存率改善，術後イベント発生率低下をもたらすため，生涯継続する．DAPTは静脈グラフトの開存を改善する[1,2]が，PCI後やACSを除き必須ではない．ACS後は，DAPTが心血管死，心筋梗塞，脳卒中を減少させることが示されており，最長1年間の継続が推奨されている[2]．PCI後のDAPTの継続期間についてはⅢ章Q7を参照されたい．

これら指針は，透析患者においても同様と考えられる．ただし慢性腎臓病（CKD）合併例は，透析患者はもちろん，非透析であってもDAPTの出血リスク因子である（ステント血栓症のリスク因子でもある）[2]．したがって，私見であるが，PCI後で必須の場合を除き，DAPTは回避するのが賢明と考えている（表1）．

抗凝固薬ワルファリンは，非透析患者のCABG術後においても，心房細動など他の適応がなければ推奨されない[1,2]．単独使用で静脈グラ

表 1 ■ 透析患者の CABG 施行時および施行後の抗血小板・抗凝固療法

薬剤	術前	術後
アスピリン	手術まで継続	2 日以内に再開
P2Y12 受容体拮抗薬	休薬	PCI 後の必要例で再開
・チカグレロル	・3 日以上	
・クロピドグレル	・5 日以上	
・プラスグレル	・7 日以上	
抗凝固薬	別に適応がなければ不要	別に適応がなければ不要

フトの開存率を改善させるが，効果はアスピリンと同等で，出血リスクが有意に高いためである．DOAC に関するエビデンスは乏しい．透析患者では出血リスクが高いため，心房細動例においても慎重な適応判断が必要で，使用する場合も PT-INR＜2 が推奨されており[3]，ワルファリンを投与する場合は抗血小板薬 1 剤とする[2]．透析患者における DOAC は，わが国では保険適用がない．

❷ OMT

安定冠動脈疾患患者では，大規模試験において，血行再建群（74％が PCI）と OMT 群の間の遠隔生存に差がないことが示されており，OMT の重要性が示されている（ただし eGFR＜30mL/ 分の CKD 患者は除外されている）．

CABG 後の薬物治療は，スタチン，β遮断薬，RAS 阻害薬が中心である．スタチンは，静脈グラフト閉塞抑制，内膜肥厚抑制，心血管イベント発生率および生存率の改善，自己冠動脈病変の進行抑制効果が報告され，必須である．LDL の目標値は 70mG/dL 以下とされる[1]．β遮断薬と RAS 阻害薬（特にアンジオテンシン変換酵素阻害薬 ACEI）も，生存，心不全抑制から推奨されており，前者は術後心房細動抑制効果も期待できる[1]．

透析患者に限定すると，これら薬剤の心事故抑制効果に関するエビデンスは乏しい．スタチンは，大規模試験において心血管病発症リスクを低下させなかったが，高 LDL 症例が多くエントリーされた試験では虚血性心事故発症を抑制した．メタ解析では心血管イベント抑制効果が示

されており，日本透析医学会統計でも，LDL 高値，HDL 低値，TG 高値は心筋梗塞発症のリスク因子である[3]．以上から透析患者においてもスタチンは有用と考えられている．一方，透析患者においては，総コレステロールが低いほど総死亡や心血管死亡のリスクが高いと報告されているが，栄養障害を反映したためと解釈されている[3]．なお，ほぼ全てのフィブラート系薬剤は，透析患者においては禁忌である[3]．

心不全患者における β 遮断薬の有益性は，透析患者においても認められる．一方，RAS 阻害薬については，透析患者の死亡や心血管事故を抑制したとの報告もあるが一定せず，エビデンスは乏しい．

■ 文献

1) 安定冠動脈疾患の血行再建ガイドライン（2018 年改訂版）. https://www.j-circ.or.jp/cms/wp-content/uploads/2018/09/JCS2018_nakamura_yaku.pdf
2) 2020 年 JCS ガイドライン フォーカスアップデート版. 冠動脈疾患患者における抗血栓療法. https://www.j-circ.or.jp/cms/wp-content/uploads/2020/04/JCS2020_Kimura_Nakamura.pdf
3) 血液透析患者における心血管合併症の評価と治療に関するガイドライン. 透析会誌. 2011; 44: 337-425.

〈椎谷紀彦〉

III. 循環器・脳血管

Question 9

末梢動脈疾患（PAD）には抗血栓薬や抗血小板薬の適応はありますか？
また，どのように使えばよいですか？

Answer

1) 透析患者の PAD の合併頻度は一般人口と比較し高いが，無症状であることも多い．

2) 透析患者で重症虚血肢に至ると予後は非常に不良である．

3) 下肢症状の有無にかかわらず PAD 患者であれば冠動脈疾患や脳血管疾患の発症のリスクがある．

4) PAD に対する抗血小板薬投与の目的は生命予後の改善と虚血肢の血流改善により QOL を良好にする，という 2 つである．

5) すべての PAD 患者は抗血小板薬投与を受けるべきである．

6) 抗血栓薬であるワルファリンは，血管バイパス術後，静脈グラフトを使用した場合に使われることがあるが，エビデンスは乏しい．

■ 1. 透析患者における PAD の特徴

　末梢動脈疾患（peripheral arterial disease：PAD）は心血管障害，脳血管障害と並んで透析患者にとって，頻度の高い重要な動脈硬化性疾患である．PAD の危険因子としては，糖尿病（オッズ比 3〜4 倍），高血圧（オッズ比 1.5 倍），喫煙（オッズ比 3〜4 倍）の他に，腎機能低下それ自体が独立した危険因子としてあげられる（オッズ比 2 倍）[1]．

　透析患者の PAD を含めた足病変の特徴を表 1 に示す．足病変が進行し，潰瘍や壊死を呈する重症虚血肢（critical limb ischemia：CLI）になると集学的治療を必要とするが，治癒は困難であり，生命予後は不良である．血液透析患者の PAD の予後は悪く，CLI 患者ではさらに不良である．ひとたび下肢大切断に至ると 1 年生存率が 51.9%，5 年生存率が

表 1 ■ 透析患者の足病変の特徴

- 膝関節以下の末梢動脈に下肢末梢動脈疾患（PAD）が起こることが多い.
- 血管の石灰化が著明である.
- 血管内治療やバイパス術が困難である.
- 血管内治療で狭窄・閉塞が解除されても, すぐ再閉塞しやすい.
- PAD だけでなく, 心血管障害・脳血管障害を合併しやすい.
- 関節症などのため歩行距離が短く間歇跛行の症状が出にくい.
- 低栄養・免疫不全のため, 創傷治癒が遅れる.
- 体液過剰で浮腫を生じやすく, 創傷治癒が遅れる.
- 血液透析で除水するたびに末梢循環が悪化する可能性がある.
- 尿毒症性物質の蓄積により瘙痒感が強く皮膚の障害が起きやすい.
- 足底の角化が著明で皮膚の亀裂を生じやすい.
- まれに広範囲の細小血管の石灰化と閉塞による皮膚潰瘍を生じ, 予後不良である calciphylaxis を発症する.
- 重症虚血肢（CLI）の透析患者では, 救肢できても生存率は不良である.
- CLI の透析患者の死因は, 感染症と心血管障害によるものが多い.

（日髙寿美, 他. Medicament News 第 2176 号. 2014 年 11 月 5 日発行. ライフ・サイエンス; p.11-2）

14.4% ときわめて予後不良である[2]. 死亡に至る原因としては敗血症を含む感染症と冠動脈疾患（coronary artery disease: CAD）や脳血管疾患（cerebrovascular disease: CVD）が多い.

　透析患者は歩行距離が短く間歇跛行など PAD の症状が出にくいため, 足関節-上腕血圧比（ankle-brachial pressure index: ABI）, 足趾-上腕血圧比（toe-brachial pressure index: TBI）, 皮膚灌流圧（skin perfusion pressure: SPP）などのスクリーニング検査をしないと見落としてしまう. そのため定期的に ABI, TBI, SPP などの検査を行い, 早期診断に努める必要がある.

　REACH Registry における日本人登録患者 5193 人のデータによると, PAD 患者は全体の 12.1% と, CAD や CVD 患者より少なかったが, PAD 患者の 43.8% に CAD, CVD, あるいはその両者の合併を認め, その比率は CAD や CVD 患者の約 2 倍であった[3]. すなわち, PAD 患者では多血管病である割合が, CAD や CVD 患者より多い. 以上より, 下肢 PAD がある場合, 下肢の虚血に対する治療だけでなく, 全身性アテローム血栓症と考え, CAD や CVD の一次および二次予防を行わな

表2 ■ 主な抗血小板薬の作用機序と投与量

一般名（種類）	商品名	PADに対する保険適応	作用機序薬物の特徴	Ccr>50mL/min	血液透析（HD）/腹膜透析（PD）
アスピリン（NSAIDs）	バイアスピリン®バファリン®	狭心症・心筋梗塞・虚血性脳血管障害・CABG後・PCI後の血栓・塞栓形成の抑制	COX-1の抑制. 平均作用発現時間<30分. PADに対する保険適応なし	81mgあるいは100mg 1×で内服	注意 eGFR<10 mL/min/1.73m²
チクロピジン（チエノピリジン）	パナルジン®	慢性動脈閉塞症に伴う潰瘍・疼痛・冷感などの阻血性諸症状の改善	P2Y12受容体の抑制	200mg 2×で内服	通常量
クロピドグレル（チエノピリジン）	プラビックス®	PADにおける血栓・塞栓形成の抑制	P2Y12受容体の抑制300mgのloading doseで<1時間75mgの通常使用量で2〜3日	50〜75mg 1×で内服	通常量
シロスタゾール（PDEインヒビター）	プレタール®	慢性動脈閉塞症に伴う潰瘍・疼痛・冷感の改善	血小板のcAMP増加	100〜200mg 2×で内服	通常量Ccr<25 mL/minで注意
サルポグレラート（セロトニン受容体インヒビター）	アンプラーグ®	慢性動脈閉塞症に伴う潰瘍・疼痛・冷感などの虚血性諸症状の改善	5HT2 A受容体の抑制	300mg 3×で内服	通常量
ベラプロスト（PGI2）	ドルナー®, プロサイリン®	慢性動脈閉塞症に伴う潰瘍・疼痛・冷感の改善	アデニレートシクラーゼ活性化	120μg 3×で内服	通常量
イコサペント酸エチル	エパデール®	慢性動脈閉塞症に伴う潰瘍・疼痛・冷感の改善	TXA₂産生減少	1800μg 2×で内服	通常量
アルプロスタジル（血管拡張薬）	パルクス注®リプル注®	慢性動脈閉塞症における四肢潰瘍ならびに安静時疼痛の改善	PGE1. 脂肪粒子を薬物単体	5〜10μgをそのままたは輸液に混和して緩徐に静注, または点滴静注	通常量血液透析終了時に静注
アルプロスタジルアルファデクス（血管拡張薬）	プロスタンディン注®	同上	PGE1	40〜60μgを輸液に溶解し2時間で点滴静注	通常量血液透析中に持続投与

ければならない.

■ 2. PAD に対する薬物（内服・注射薬）の適応と開始時期

PAD の治療目的は，生命予後の改善と QOL の改善の 2 つがある．PAD を早期診断し，早期から抗血小板薬投与を行い，心・脳血管リスクを減少させ，歩行距離を改善し，CLI への進展を阻止することが重要である．TASC（Trans Atlantic Inter-Society Consensus）II のガイドラインでは，PAD と診断されれば生命予後改善を目標としたリスクファクターの改善が基礎治療とされ，そのなかの 1 つとして抗血小板療法があげられている[1]．さらに，跛行の症状を改善させる目的でも抗血小板療法が行われる．アスピリンやチエノピリジン系のクロピドグレルが CAD や CVD に対する基本的な薬物としてよく使用されるが，わが国ではアスピリンは PAD に対する適応はない．間歇跛行症状のある PAD 患者に対するクロピドグレル単剤投与は，心血管障害による死亡，非致死性心筋梗塞，また非致死性脳卒中を含めた心血管障害複合イベントに関して，アスピリン単剤投与に比較して有意に良好であった[4]．シロスタゾール，サルポグレラート，ベラプロストも PAD による症状を改善できる薬物としてあげられ，表 2 に PAD に対する抗血小板薬を示す.

さらに，潰瘍形成がみられる CLI の場合には血管拡張薬であり抗血小板作用も有するアルプロスタジルが使用されることもある.

抗血栓薬であるワルファリンは，血管バイパス術後，静脈グラフトを使用した場合に使われることがあるが，エビデンスは乏しい[5]．透析患者に現在使用できる抗血栓薬はワルファリンしかないが，透析患者に対するワルファリンは原則禁忌であるとガイドラインでいわれている[6]．ワルファリン使用は出血のリスクを増やすだけでなく，カルシフィラキシス症例にみられるように血管石灰化の促進因子となる[7]．近年，4 種類の直接経口抗凝固薬（direct oral anticoagulants：DOAC）が静脈血栓塞栓症と非弁膜症性心房細動の治療薬として使用できるようになった．しかし，わが国では重度腎機能障害患者では使用が禁忌とされている.

■ 3. 透析患者に対する薬物の使いかた

抗血小板薬は透析の影響は少なく，通常量の使用でよい．ただし，血液透析患者は治療の際にヘパリンなど抗凝固薬を使用するため，出血傾向には注意が必要である．アスピリンは日本人では消化管出血をきたす頻度が他の抗血小板薬より高いため，注意が必要である[8]．

注射薬では潰瘍形成時に使用されるアルプロスタジルがある．プロスタンディン注®は透析中に持続点滴で使用されるが，血管拡張作用により血圧が低下する可能性がある．パルクス注®／リプル注®は透析時に吸着される可能性があるため終了時に静注する．

■ 4. 臨床効果とその限界

透析患者を対象とした抗血小板薬のエビデンスはいまだ少ない．プロスタグランディン I_2 アナログのベラプロストや，セロトニン受容体拮抗薬であるサルポグレラートは PAD を有する透析患者の SPP を約 15mmHg 改善することが明らかとなっている[9, 10]．

透析患者の下腿動脈に対する血管内治療（endovascular treatment：EVT）を行っても，3 カ月後には 70%，1 年後には 80% に再狭窄がみられる[11]．しかし，下腿動脈が開存している間に創のデブリドメントができ，潰瘍を治癒方向へ導くことができる．そのためにもなるべく長く動脈を開存させておくことは必要である．EVT や血管バイパス術後は，アジュバンド薬物療法としての抗血小板薬投与を継続して行うべきであるとガイドラインでもいわれている[12]．シロスタゾールは透析患者の EVT 治療後の再狭窄予防に有効である報告がある[13]が，心不全時には禁忌である．また，平均心拍数を約 7 拍増加させる作用があり[9, 10]，透析患者の PAD で使用する際には注意が必要である．

■ 5. 透析の影響

薬物に対する透析の影響は表 2 に示すように少ないため，腎機能正常者と同じでよい．クロピドグレルは腎機能正常者と同様に，75 歳以上あるいは体重 50kg 以下の場合には通常量 75mg から 50mg に減量する．

透析は PAD に対して大きく影響する．PAD を有する患者では，上肢

血圧が低下しているときには下肢血圧はそれ以上に低くなっており[14]，透析後低血圧を示す群で新規に EVT を必要とする患者が多かった[15]．血圧を下げないような透析の工夫が望ましい．

■ 文献

1) Norgren L, Hiatt WR, Dormandy JA, et al. Inter-society consensus for the management of peripheral arterial disease (TASC II). Eur J Endvasc Surg. 2007; 33 Suppl 1: S1-75.

2) Aulivola B, Hile CN, Hamdan AD, et al. Major lower extremity amputation. Arch Surg. 2004; 139: 395-9.

3) Yamazaki T, Goto S, Shigematsu H, et al. Prevalence, awareness and treatment of cardiovascular risk factors in patients at high risk of atherothrombosis in Japan –Results from domestic baseline data of REduction of Atherothrombosis for Continued Health (REACH) Registry-. Circ J. 2007; 71: 995-1003.

4) Schmit K, Dolor RJ, Jones WS, et al. Comparative effectiveness review of antiplatelet agents in peripheral artery disease. J Am Heart Assoc. 2014; 3: e001330.

5) Whayne TF. A review of the role of anticoagulation in the treatment of peripheral arterial disease. Int J Angiol. 2012; 21: 187-94.

6) 日本透析医学会. 血液透析患者における心血管合併症の評価と治療に関するガイドライン. 第 5 章不整脈・心臓弁膜症. I. 心臓突然死と不整脈. 透析会誌. 2011; 4: 383-8.

7) Tantisattamo E, Han KH, O'Neill WC. Increased vascular calcification in patients receiving warfarin. Arteioscler Thromb Vasc Biol. 2015; 35: 237-42.

8) Yamamoto T, Ebato T, Mishina Y, et al. Thienopyridine and cilostazol are safer for gastroduodenal mucosa than low-dose aspirin – second report of endoscopic evaluation. Thromb Res. 2010; 125: 365-6.

9) Ohtake T, Sato M, Nakazawa R, et al. Randomized pilot trial between prostaglandin I_2 analogue and anti-platelet drugs on peripheral arterial disease in hemodialysis patients. Ther Aphel Dial. 2014; 18: 1-8.

10) Hidaka S, Kobayashi S, Iwagami M, et al. Sarpogrelate hydrochloride, a selective $5-HT_{2A}$ receptor antagonist, improves skin perfusion pressure of the lower extremities in hemodialysis patients with peripheral arterial disease. Ren Fail. 2013; 35: 43-8.

11) Iida O, Soga Y, Kawasaki D, et al. Angiographic restenosis and its clinical impact after infrapopliteal angioplasty. Eur J Vasc Endovasc Surg. 2012; 44: 425-31.

12) 日本透析医学会. 血液透析患者における心血管合併症の評価と治療に関する
ガイドライン. 第8章末梢動脈疾患. 透析会誌. 2011; 4: 412-8.

13) Ishii H, Kumada Y, Toriyama T, et al. Cilostazol improves long-term patency after percutaneous transluminal angioplasty in hemodialysis patients with peripheral arterial disease. Clin J Am Soc Nephrol. 2008; 3: 1034-40.

14) London GM. Ultrafiltration intensification for achievement of dry weight and hypertension control is not always the therapeutic gold standard. J Nephrol. 2011; 24: 395-7.

15) Matsuura R, Hidaka S, Ohtake T, et al. Intradialytic hypotension is an important risk factor for critical limb ischemia in patients on hemodialysis. BMC Nephrol. 2019; 20: 473.

〈日髙寿美　小林修三〉

III. 循環器・脳血管

Question 10

透析患者の急性期脳梗塞の特徴と薬剤の使い方を教えてください

Answer

1) 新規導入患者の高齢化，糖尿病の増加とともに，透析患者の脳梗塞は増加傾向にある．

2) 透析患者の脳梗塞には高度な動脈硬化，細胞外液量の増加が関与している．

3) 発症早期には，持続血液透析濾過や血流を低下させた血液透析などの頭蓋内圧上昇の小さい透析方法を選択する．

4) 透析患者では，rt-PA（アルテプラーゼ）による血栓溶解療法は専門施設で行うのが望ましい．

5) 抗血栓療法では，抗血小板薬（アスピリン，クロピドグレル，オザグレルナトリウム），抗凝固薬（アルガトロバン）を用いる．

6) 治療による脳出血の合併に十分注意する．

■ 1. 透析患者における特徴

　新規に血液透析を導入する患者の高齢化，糖尿病患者の増加とともに，透析患者の脳梗塞は増加傾向にある[1]．透析患者の脳梗塞の 34% は血液透析中ないし透析終了後 30 分以内に発症したという報告がある[2]．透析患者では細胞外液量の増加により血圧は上がる一方，透析では急激な細胞外液量・体重の減少，血圧の急激な降下，透析後の血液濃縮が起こるため，脳梗塞が誘発されやすい[1]．

　脳梗塞には，ラクナ梗塞，アテローム血栓性脳梗塞，心原性脳塞栓症があるが，透析患者で比較的多いのは，ラクナ梗塞とアテローム血栓性脳梗塞である．これは透析患者では二次性副甲状腺機能亢進症や慢性炎症が関与すること，糖尿病，高血圧の合併が有意に高いことによる[3]．

表 1 ■ 透析患者の脳梗塞に対する治療薬剤（透析会誌. 2011; 44: 405-11[1] を改変）

一般名		商品名 （1錠・1アンプル）	尿中未変化体の排泄率(%)	投与量 Ccr<10mL/min または透析	透析性	推奨グレード	
						急性期	慢性期
抗血小板薬	アスピリン	バイアスピリン® （100mg） バファリン® （81mg）	2〜30% 尿のアルカリ化で増加する	160〜300mg	○	A （48時間以内）	A （ラクナ梗塞,アテローム血栓性脳梗塞）
	硫酸クロピドグレル	プラビックス® （75mg）	41%	75mg	×		A （ラクナ梗塞,アテローム血栓性脳梗塞）
	塩酸チクロピジン	パナルジン® （100mg）	0.01〜0.02%	200〜300mg	×		B （ラクナ梗塞,アテローム血栓性脳梗塞）
	シロスタゾール	プレタール® （100mg）	3.47%	200mg	×		B （ラクナ梗塞,アテローム血栓性脳梗塞）
	オザグレルナトリウム	カタクロット® （40mg） キサンボン® （40mg）	61.10%	1日20〜40mgを点滴 （通常は80〜160mg/日）	不明	B （5日以内）	
抗凝固薬	アルガトロバン	ノバスタン® （10mg） スロンノン® （10mg）	22.80%	60mg/日×2日＋20mg/日×5日	×	B （48時間以内のアテローム血栓性脳梗塞）	
	ヘパリンナトリウム	ヘパリンナトリウム®（1万単位）	0〜50%	適量, APTTが2〜3倍に延長する程度	×	C1 （48時間以内）	
	ワルファリンカリウム	ワーファリン® （0.5, 1mg）	2%以下	適量, PT-INRで決める	×		A （心原性脳塞栓症）
血栓溶解薬	アルテプラーゼ	アクチバシン® （2,400万単位） グルトパ® （2,400万単位）	0%	体重1kg当たり34.8万単位	×	（A） （4.5時間以内,ただし脳卒中の専門施設で適応を慎重に検討すべき）	

また，高度の動脈硬化性病変のためアテローム血栓性脳梗塞も起こしやすく，頭蓋内主幹動脈の狭窄，頸動脈の狭窄・石灰化をしばしばみる[3]．椎骨脳底動脈系の脳梗塞も多いが，これは内シャントの血流増加による鎖骨下動脈盗血現象による可能性がある[4]．

■ 2. 薬剤の適応

急性期には積極的な降圧療法は原則として行わない[5]．抗血栓薬を使用するときには，収縮期血圧 220mmHg または拡張期血圧 120mmHg 以上の場合は降圧する[5]．頭蓋内圧亢進を伴う大きな脳梗塞では，グリセロールの静脈内投与を行う[1]．抗血栓療法では，抗血小板薬（アスピリン，クロピドグレル，オザグレルナトリウム）や抗凝固薬（アルガトロバン）を使用する（表1)[6,7]．

一般的に脳梗塞発症後 4.5 時間以内の急性期では，抗凝固療法に組換え型組織プラスミノーゲン活性化因子（recombinant tissue plasminogen activator：rt-PA，アルテプラーゼ）を用いて脳梗塞の再発，静脈血栓症や肺塞栓の減少を試みる．しかし，透析患者の場合は出血性の合併症を引き起こしやすく，脳卒中の専門施設に搬送して適応を慎重に検討し，施行すべきである[8]．

■ 3. 薬剤の選択

抗血栓療法

抗血小板薬では，アスピリンを発症 48 時間以内の患者に経口投与したところ，早期死亡や急性期の再発を有意に抑制した[9]．アスピリンとともにオザグレルナトリウムが，急性期のラクナ梗塞，アテローム血栓性梗塞に対する効果が認められている．また急性期にアスピリンとクロピドグレルの併用（dual antiplatelet therapy：DAPT）が有用であるというデータが出てきている．一方，長期間の DAPT は出血リスクを増加させるため，脳梗塞発症から 1 カ月以内には減量し，単剤で継続することが進められる[10]．ただし高度腎機能障害患者での効果と安全性は十分確認されていない．

抗凝固薬では，アルガトロバンが急性期のアテローム血栓性梗塞に対して効果がみられる．ヘパリンの効果は科学的根拠に乏しい．ワルファ

リンは一般的に心房細動による心原性脳塞栓症の治療に用いられるが，高度腎機能障害患者では原則的に禁忌である．急性期の効果については未定で，むしろ出血性合併症の危険を増加させることから使用は控える[11]．

■ 4. 実際の投与量，投与回数および投与期間の目安

アスピリンは通常量を内服する．オザグレルナトリウムは血小板凝集や血管収縮の抑制に有効であるが，尿中排泄率が高いため透析患者では減量する[12]．アルガトロバンは発症48時間以内の脳梗塞，なかでも皮質梗塞に有用である．病変の最大径が1.5cmを越えるアテローム血栓性脳梗塞に使用する[8]．ただし，用量はAPTT値を測定しながら調整する．

■ 5. 透析の影響

脳梗塞急性期は，頭蓋内圧が亢進して脳浮腫が増強するので発症当日の透析は避ける．施行する場合は，脳灌流圧を維持できる持続的血液透析濾過あるいは血流を減じた血液透析を選択する[1]．透析での急速な大量の除水は避ける．

■ 6. 注意すべき副作用や他剤との相互作用

アスピリンは過敏症，消化性潰瘍に気をつける．オザグレルナトリウム，アルガトロバンは，脳塞栓症のおそれのある患者（心房細動，心筋梗塞，心臓弁膜疾患，感染性心内膜炎および瞬時完成型の神経症状を呈する患者）では出血性脳梗塞をきたしやすいので使用しない[8]．

■ 文献

1) 脳血管障害. II. 脳梗塞. 血液透析患者における心血管合併症の評価と治療に関するガイドライン. 透析会誌. 2011; 44: 405-11.
2) Toyoda K, Fujii L, Fujimi S, et al. Stroke in patients on maintenance hemodialysis: a 22-year single-center study. Am J Kidney Dis. 2005; 45: 1058-66.
3) 橋本　治, 中山　勝, 岡田　靖. 脳梗塞. 臨牀透析. 2008; 24: 855-9.
4) 尾前　豪, 岡田　靖. 維持透析患者の脳梗塞急性期における疾患の特徴（特殊性）. 血管医学. 2004; 5: 287-92.
5) 日本高血圧学会高血圧治療ガイドライン作成委員会. 高血圧治療ガイドライ

ン. 東京: ライフサイエンス出版; 2014. p.58-9.

6）高橋良知, 宮嶋裕明. 各臓器における新たな薬物-神経疾患. 臨牀透析. 2006; 22: 51-8.

7）平田純生, 和泉　智, 古久保　拓. 透析患者への投薬ガイドブック. 東京: じほう; 2009.

8）脳卒中合同ガイドライン委員会. In: 篠原幸人, 他編. 脳卒中治療ガイドライン 2009. 東京: 協和企画; 2009.

9）棚橋紀夫. 虚血性脳卒中の抗血小板療法. 日医雑誌. 2014; 143: 1887-91.

10）山上　宏. アスピリン？ 2剤併用？ In: 宮嶋裕明, 編. むかしの頭で診ていませんか？ 神経診療をスッキリまとめました. 東京: 南江堂; 2021. p.174-84.

11）Shah M, Avgil Tsadok M, Jackevicius CA, et al. Warfarin use and the risk for stroke and bleeding in patients with atrial fibrillation undergoing dialysis. Circulation. 2014; 129: 1196-203.

12）豊田一則. 維持透析患者の脳梗塞急性期治療-抗血栓療法の有効性. 血管医学. 2004; 5: 293-8.

〈宮嶋裕明〉

III. 循環器・脳血管

Question 11

頭部 MRI・MRA で脳動脈の狭窄がみつかった場合や，頸動脈エコーで頸動脈狭窄がみつかった場合は，抗血栓療法は行うべきですか？

Answer

1) 透析患者における抗血栓療法は，出血リスクの上昇や生存率の低下が報告されている．

2) 動脈硬化リスクファクターの管理は必要である．

3) 中等度以上の狭窄を認める場合，抗血小板療法を考慮するが，適応については個々の症例において慎重に検討する必要がある．

4) 抗血小板療法として，アスピリン・硫酸クロピドグレル・シロスタゾール・プラスグレル塩酸塩が適応となり，非透析患者と同様に投与可能である．

5) 高度な頸動脈狭窄を認める場合，内膜剥離術（CEA）やステント留置術（CAS）を考慮してもよいが，適応については個々の症例において熟達した専門医と慎重に検討する必要がある．

■ 1. 透析患者における特徴

　透析患者では脳血管障害（CVD）の発症率が高く，重症化しやすく死因の第4位である．CVD の内訳は脳出血の割合がまだ高いが，最近は脳梗塞発症が増加しており一般人口での割合に近づいている[1]．また，動脈硬化が進行しやすく高率に頸動脈病変を合併しているといわれ[1]，慢性腎不全は CVD のみならず虚血性心疾患，末梢血管障害とともに一連のアテローム血栓性疾患群と捉えることも可能である．

　透析患者における抗血栓療法（☞ NOTES 1）は出血リスクを高くするという報告や生存率を低下させるという報告があり，適応については慎重に決定すべきである[2]．

透析患者における脳動脈や頸動脈狭窄に対する脳梗塞発症予防のための確立した治療指針はない[1].

■ 2. 薬剤の適応

脳卒中治療ガイドライン 2021 では，一般的な脳梗塞発症予防として動脈硬化の危険因子（高血圧，糖尿病，脂質代謝異常症，肥満，喫煙など）のコントロールを勧めている[3].

無症候性の頭蓋内脳動脈狭窄においては他の心血管疾患の併存や出血性合併症のリスクを総合的に評価したうえで，必要に応じて抗血小板療法を行うことを考慮してもよいとしている[3]．無症候性の頸部頸動脈狭窄においては抗血小板療法の推奨について言及していない．両者とも脳梗塞一次予防に対しての抗血栓療法は有効であるかもしれないが，それを示す十分なエビデンスはなく，さらに透析患者では出血リスクが高くなることを考慮して適応を判断する必要がある.

MRI での無症候性梗塞の部位や範囲の程度，脳出血リスクといわれている T2*強調画像での微小出血（microbleeds）の評価，頸動脈エコーにおけるプラークの性状評価（☞NOTES 2），心機能検査や血圧脈波，

表 1 ■ 脳血管障害に対する抗血小板薬（日本腎臓病薬物療法学会，編. 腎機能別薬剤投与量 POCKET BOOK 第 3 版. 東京: じほう; 2020. p.230-3[6] より改変）

| 薬剤名 | 商品名 | Ccr（mL/min） | | | 透析性 |
		>50	10〜50	<10 または透析	
アスピリン	バイアスピリン® バファリン81®	100mg 81mg	腎機能正常者と同量を慎重投与		○
硫酸クロピドグレル	プラビックス®	75mg（年齢，体重，症状により 50mg）	腎機能正常者と同じ		×
シロスタゾール	プレタール®	200mg	腎機能正常者と同じ		×
塩酸チクロピジン	パナルジン®	200〜600mg	腎機能正常者と同じ		×
プラスグレル塩酸塩	エフィエント®	3.75mg（体重 50kg 以下では 2.5mg への減量を考慮）	腎機能正常者と同じ		×

下肢動脈エコーなど脳血管以外の動脈硬化性病変の有無，血圧コントロールの状態などを総合的に考慮して適応を判断すべきである[4]．

■ 3. 薬剤の選択，実際の投与方法，透析の影響

　脳動脈や頸部頸動脈の狭窄に対してはアテローム血栓性脳梗塞の治療に準じて，抗血小板療法を選択する．脳梗塞に適応のある抗血小板薬には，アスピリン，チクロピジン，クロピドグレル，シロスタゾール，プラスグレルがあり，非透析患者と同様に使用可能である（表1）[5, 6]．

　アスピリンは最も歴史があり多数のエビデンスがある．低用量投与が推奨されており，安価である．チクロピジンは抗血小板作用が強く，糖尿病合併例などに効果が高いが，重篤な副作用（肝障害，顆粒球減少症，血栓性血小板減少性紫斑病）が報告された．クロピドグレルは，これらの副作用発現率を低下することができ，抗血小板作用は同等の効果を認める同系統の薬剤である．現在チクロピジンを新たに投与することはなく，クロピドグレルを選択する．シロスタゾールは抗血小板作用の他，内皮細胞機能改善などの多面的作用を有し，出血性合併症が比較的少ないと考えられている[4]．

　最近クロピドグレルと同系統のプラスグレルが血栓性脳梗塞後の再発リスクが高い場合に限り適応承認された．クロピドグレルと比べ効果に個体差が少なく，効果発現が速いと言われている．

■ 4. 注意すべき副作用や他剤との相互作用

1）アスピリンは胃腸障害に注意が必要であり，消化性潰瘍の既往がある場合はプロトンポンプ阻害薬の併用も考慮する．

2）クロピドグレルとプラスグレルは肝障害，顆粒球減少症，血栓性血小板減少性紫斑病に注意が必要であり，投与開始後2カ月間は2週間に1回程度の血液検査などの実施を考慮する．また，空腹時投与は避けることが望ましい．

3）クロピドグレルは効果発現まで数日かかることと一部の患者では効果が十分に発揮されない可能性があることに注意する．

4）プラスグレルは有効性についてクロピドグレルに対する非劣性が検証されていないことや，脳梗塞の病型と再発リスク因子に要件があ

るため投与に際し必要と判断した理由をレセプトに記載する必要がある．

5）シロスタゾールは脈拍増加作用があり，うっ血性心不全には禁忌であり，虚血性心疾患に厳重な注意が必要である．動悸や頻脈を起こすことがある．また，血管拡張作用による頭痛も認めることがあるが，低用量から開始することで緩和できることもある．

6）抗血小板薬の併用や抗凝固薬との併用は出血リスクがさらに高くなるため，慎重な検討が必要である．

■ 5. 薬物療法以外の治療

脳卒中治療ガイドラインでは，無症候性脳主幹動脈狭窄や閉塞に対する extracranial-intracranial（EC-IC）bypass 術およびステントを用いた血管形成術は勧められない[3] とある．高度な無症候性頸部頸動脈狭窄に対しては，最良の内科的治療による効果を十分に検討し，画像診断で脳卒中高リスクと診断した症例では熟達した術者，施設において頸動脈内膜剥離術（CEA）を考慮することは妥当であり，CEA の代替治療として，適切な手技トレーニングを受けた術者による頸動脈ステント留置術（CAS）を行うことを考慮することも妥当[3] としている．しかし，腎不全患者での CEA あるいは CAS における有効性の報告は一定していない．透析患者に対しての有効性を示唆する報告も認める[7, 8] が，透析患者に対する CEA や CAS の適応に確立したコンセンサスはなく，有効性についてのエビデンスも乏しい．現状では，個々の症例において熟達した専門医と十分に検討する必要があり，適応決定には慎重でなければならない[5, 9, 10]．また，無症候性頸動脈閉塞に対する CEA や CAS は勧められない[3] としている．

■ 文献

1）長沼俊秀，武本佳昭．無症候性脳血管障害．臨牀透析．2020; 36: 611-7.
2）鶴屋和彦．慢性腎臓病における抗血栓療法のリスクとベネフィット．Vascular Lab. 2009; 6: 621-7.
3）脳卒中合同ガイドライン委員会．In: 宮本　享，他編．脳卒中治療ガイドライン 2021．東京: 協和企画; 2021. p.186-90.

4) 橋本洋一郎, 他編. 脳卒中の再発を防ぐ! 知っておきたいQ&A76. 東京: 南山堂; 2009.
5) 平方秀樹, 新田孝作, 友 雅司, 他. 血液透析患者における心血管合併症の評価と治療に関するガイドライン. 透析会誌. 2011; 44: 337-425.
6) 日本腎臓病薬物療法学会, 編. 腎機能別薬剤投与量POCKET BOOK 第3版. 東京: じほう; 2020. p.230-3.
7) 津村貢太郎, 長谷川真作, 伊藤圭介, 他. 透析患者における頚動脈Stent留置術の中長期予後. 日本血管内治療学会誌. 2011; 12: 18-22.
8) 村橋威夫, 上山憲司, 大里俊明, 他. 透析患者の頚部内頚動脈狭窄症に対する内頚動脈内膜剥離術 (CEA) の治療戦略と治療成績. No Shinkei Geka. 2017; 45: 127-32.
9) 米山 琢, 岡田芳和. 透析患者と脳卒中―特に頚動脈病変を中心に. 脳と循環. 2012; 17: 237-41.
10) 大川将和. 頚動脈狭窄に対する外科治療. 臨床透析. 2020; 36: 575-81.

NOTES 1

抗血栓療法には抗凝固療法と抗血小板療法がある. 脳梗塞の発症機序により, 心原性脳塞栓症には抗凝固薬 (ワルファリン, トロンビン阻害薬, Xa阻害薬) を, アテローム血栓性脳梗塞やラクナ梗塞には抗血小板薬 (本文) が選択される.

NOTES 2

頚動脈エコーではプラーク性状の評価も大切である. 内部性状が低エコー輝度で不均一である場合や表面性状で明らかな潰瘍形成がある場合は脳梗塞発症のリスクが高いとされている. また, プラークスコアやmaxIMTの計測値も脳梗塞危険度の評価に有用といわれている.

〈酒井直樹〉

III. 循環器・脳血管

Question 12 透析患者におけるワルファリンの導入期と維持期の調整のコツを教えてください

Answer

1) 透析患者では，ワルファリン内服により出血や血管石灰化のリスクが高くなる．
2) 心原性脳塞栓症は重症例が多く，一般的には，心房細動などに対して抗凝固療法による予防は必要．
3) ワルファリンは透析患者に対して原則的には禁忌であるが，治療が有益と判断された場合のみ適応がある．
4) 出血合併症のリスクを増加させないために，PT-INR＜2.0 に維持する．
5) PT-INR の測定に用いる血液は血管より直接採取する．

■ 1. 透析患者における特徴

　慢性腎臓病患者では心房細動の有病率が増加し，透析患者では8〜35％の有病率とされ，一般よりも有意に有病率は高い．また慢性腎臓病は塞栓症リスクを高め，透析が必要な心房細動患者では脳卒中リスクは5倍高くなるとされている[1]．

　心房細動合併透析患者の1671名を平均1.6年間観察した検討において，ワルファリン使用患者では非使用患者に比べて新規脳卒中の発症リスクが1.93倍高いという報告がある．これについては，出血のリスクが2.22倍高くなるだけでなく，梗塞のリスクも1.81倍高くなるとされている[2]．慢性腎臓病（CKD）患者では，リン酸塩の過剰などにより血管に石灰化を生じるが，特に透析患者においては，ビタミンK不足が血管の石灰化に関与すると報告されている[3]．つまり，ワルファリンは血管石灰化に寄与して虚血性脳卒中のリスクにもなりうる．これらによ

り透析患者では，ワルファリン治療により得られる脳梗塞の予防効果は，非透析患者ほどではないと考えられる[4]．

透析患者では，ワルファリンを内服すると 2 倍程度出血のリスクが増加するといわれており[5]，特に消化管出血が多い[6]．CKD 患者において，出血のリスクが高くなる理由としては，血小板機能の低下が想定されており，その背景に尿毒症，血小板におけるアラキドン酸代謝の異常，von Willebrand 因子の変化，血管内の adenosine diphosphate（ADP）やセロトニン産生の低下が想定されている．また，透析のために，繰り返し内シャントを穿刺したり，透析カテーテルを留置したりしなくてはならないことも出血のリスクになりうる[7]．

■ 2. 薬剤の適応

ワルファリンの適応疾患は，血栓塞栓症（脳塞栓症，静脈血栓症など）の治療および予防であり，具体的には脳塞栓症の原因となりうる心房細動などがあったときなどにワルファリンの内服が考慮される．心原性脳塞栓症では，大きな塞栓子が主幹脳動脈を突然閉塞するので大梗塞をきたしやすく，後遺症として寝たきりになる人が 40% と重症例が多い[8]．さらに，無治療の心原性脳塞栓症が再発しやすいことはよく知られており，非弁膜症性心房細動による心原性脳塞栓症の再発率は，12 〜 15 人 /100 人年とされている[9]．以上より，一般的には心房細動を有する脳梗塞患者では抗凝固療法による再発予防が積極的に推奨されている．

心房細動を有する透析患者におけるワルファリンの有効性を検討した後ろむきコホート研究では，ワルファリンの使用による脳卒中予防効果は認められず出血が増大しており，本邦の各ガイドラインにおいても透析患者における抗凝固療法は原則禁忌とされている[4,10]（☞ NOTES）．

しかし，TIA・脳梗塞の既往，左房内血栓の存在，人工弁置換術後，僧帽弁狭窄症合併があり，ワルファリン治療が有益と判断された透析患者ではワルファリンの内服を考慮してもよい[10]．

■ 3. 実際の投与量の目安

非透析患者では，脳梗塞既往のない一次予防で，CHADS2 スコア ≦

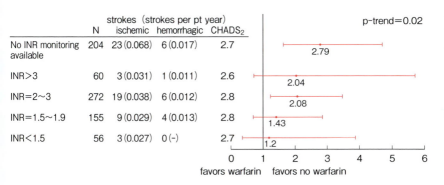

図1 ■ ワルファリン内服患者における脳卒中発症への PT-INR 値の影響
(Chan KE, et al. J Am Soc Nephrol. 2009; 20: 2223-33)[2]

2点の患者では，年齢によらず INR 1.6 ～ 2.6 で管理することが妥当とされている．一方，二次予防の患者や CHADS2 スコア≧3 点では，70歳以上では INR 1.6 ～ 2.6，70 歳未満では INR 2.0 ～ 3.0 が管理目標とされている[10]．透析患者では，抗凝固療法は原則禁忌とされており至適な INR は明確にされていないが，図1のように PT-INR が高値であるほど，脳卒中のリスクは高くなることが報告されており，出血合併症のリスクを増加させないために，PT-INR を定期的に測定し，2.0 未満に維持することが望ましい[4]．

透析中の患者では，留置カテーテルからの採血により，偽性 PT-INR 上昇を高頻度で認める．よって，PT-INR の測定に用いる血液は血管（静脈，内シャント，グラフトシャント）より直接採取することが推奨されている[4]．

ワルファリンの導入については，以前は初日に 15mg を投与し，36 ～ 48 時間後に採血をして以後の投与量を決める loading dose 法が行われていた．しかし，導入時にプロテイン C が急速に低下することで生じるワルファリンジレンマという過凝固が指摘されてきた．さらに，出血リスクが増大する可能性があることなどから，現在は，予測される維持投与量（日本人では 1 ～ 5mg，多くは 2 ～ 3mg）を連日投与（daily dose 法) して, モニターしながら維持投与量を決定する[11].

ワルファリン治療未経験者 (ワルファリンナイーブ) では, ワルファリン投与開始 3 カ月以内に大出血が多く[9], 出血リスクが高い透析患者の場合には, より低用量から開始し, 頻回に PT-INR 管理を行うことが望ましく, 透析時のヘパリン減量などの検討も必要とされている[12].

■ 4. 透析の影響

ワルファリンの主要消失経路は肝排泄であり, 血漿蛋白結合率が 97% と高いため透析によりほとんど除去されないと考えられるが, 血中遊離型ワルファリンが透析膜から除去され, 血中濃度が変動することが考えられるので, 頻回に血液凝固能検査を行うなど厳重な注意が必要である[13].

■ 5. 注意すべき副作用や他剤との相互作用

透析患者で最も注意すべきワルファリンの副作用は上記のように出血である. ワルファリンを内服する際には十分に血圧をコントロールすることが必要であると考えらえる.

ワルファリンは多くの薬剤と以下のような相互作用がある.

①ビタミン K が含まれている薬剤, 食品 (納豆, クロレラ, 青汁) の併用で, ワルファリンの効果は減弱する.

②ワルファリンは血漿蛋白結合率が高く, 結合力が弱いため, 血漿蛋白結合率の高い薬剤を併用すると, ワルファリンが血漿蛋白から遊離されやすくなり, 作用が増強する.

③ワルファリンは CYP2C9, CYP1A2, CYP3A4 などの肝薬物代謝酵素によって代謝される. この酵素を阻害する薬剤を併用すると, ワルファリンの作用は増強し, 誘導する薬剤を併用すると作用は減弱する.

④出血をきたしやすい薬物を併用すると出血が増加する[11, 13].

他の薬剤との具体的な相互作用については, 添付文書やワルファリン適正使用情報を参照されたい.

■ 文献

1) Shah M, Tsadok AM, Jackevicius AC, et al. Warfarin use and the risk for stroke and bleeding in patients with atrial fibrillation undergoing dialysis. Circulation. 2014; 129: 1196-203.

2) Chan KE, Lazarus JM, Thadhani R, et al. Warfarin use associates with increased risk for stroke in hemodialysis patients with atrial fibrillation. J Am Soc Nephrol. 2009; 20: 2223-33.

3) Fusaro M, Noale M, Viola V, et al. Vitamin K, vertebral fractures, vascular calcifications, and mortality: Vitamin K Italian (VIKI) dialysis study. J Bone Miner Res. 2012; 27: 2271-8.

4) 平方秀樹, 新田孝作, 友 雅司, 他. 血液透析患者における心血管合併症の評価と治療に関するガイドライン. 透析会誌. 2011; 44: 337-425.

5) Elliott MJ, Zimmerman D, Holden RM. Warfarin anticoagulation in hemodialysis patients: a systematic review of bleeding rates. Am J Kidney Dis. 2007; 50: 433-40.

6) Holden RM, Harman GJ, Wang M, et al. Major bleeding in hemodialysis patients. Clin J Am Soc Nephrol. 2008; 3: 105-10.

7) Marinigh R, Lane DA, Lip GY. Severe renal impairment and stroke prevention in atrial fibrillation: implications for thromboprophylaxis and bleeding risk. J Am Coll Cardiol. 2011; 57: 1339-48.

8) 小林祥泰. 脳塞栓症の疫学. Clin Neurosci. 2012; 30: 1226-7.

9) 伊藤義彰. 心原性脳塞栓症の再発とその予防（抗凝固療法）再発の疫学. Clin Neurosci. 2012; 30: 1284-6.

10) 日本循環器学会, 日本不整脈心電学会. 2020 年改訂版　不整脈薬物治療ガイドライン. 2020.

11) 橋本洋一郎, 山本文夫, 伊藤康幸. 心原性脳塞栓症の再発とその予防（抗凝固療法）ワルファリン. Clin Neurosci. 2012; 30: 1287-91.

12) 深江学芸. 透析患者における抗凝固療法はどうすればよいですか? 治療. 2012; 94: 1147-9.

13) 青崎正彦, 岩出和徳, 越前宏俊. Warfarin 適正使用情報. 第 3 版. 東京: エーザイ; 2006.

14) 日本脳卒中学会 / 脳卒中治療ガイドライン委員会: 脳卒中治療ガイドライン. 2021. p.96-7.

15) Reed D, Palkimas S, Hockman R, et al. Safety and effectiveness of apixaban compared to warfarin in dialysis patients. Res Pract Thromb Haemost. 2018; 2: 291-8.

⊂⊃● NOTES

　非弁膜症性心房細動に伴う脳梗塞の予防に対して，直接阻害型経口抗凝固薬（DOAC: direct oral anticoagulant）が使用可能であれば，ワルファリンよりも DOAC が推奨される[14]．しかし透析患者では DOAC は禁忌となっている．

　DOAC は製剤毎に腎排泄率が異なり，ダビガトラン（プラザキサ®）＞リバーロキサバン（イグザレルト®）＞エドキサバン（リクシアナ®）＞アピキサバンの順に高い．腎機能低下時には血中濃度が腎機能に影響されるため注意が必要である．透析患者において，アピキサバンがワルファリンよりも出血合併症が少なかったとの観察研究もあるが[15]，透析患者におけるランダム化比較試験はなく，クレアチニンクリアランス＜30mL/min ではダビガトランが禁忌，クレアチニンクリアランス＜15mL/min ではすべての DOAC が禁忌となる．

〈本間一成〉

IV. 消化管

Question 1

逆流性食道炎に対するプロトンポンプ阻害薬，カリウムイオン競合型アシッドブロッカー，H_2遮断薬と粘膜保護薬の使い方を教えてください

Answer

1) 酸分泌抑制薬であるプロトンポンプ阻害薬（PPI）または potassium competitive acid blocker（P-CAB）：ボノプラザンを逆流性食道炎に対する第1選択薬として用いる．

2) PPIは肝臓での代謝が主であり，透析患者に使用する場合も健常者の常用量と同等の投与が可能である．

3) H_2RAは腎排泄であり，透析患者に使用する場合には健常者の常用量の $1/2 \sim 1/3$ に減量する必要がある．

4) 粘膜保護薬や制酸薬は補助的に使用できるが，アルミニウムを含有するものは透析患者には基本的に使用禁忌である．

■ 1. 透析患者における特徴

　胃食道逆流症（gastroesophageal reflux disease：GERD）のうち，内視鏡所見にて食道に粘膜障害を有するものがびらん性GERD，すなわち逆流性食道炎であるが，わが国で半数以上を占めるのは，食道に粘膜障害を認めない非びらん性胃食道逆流症（non-erosive reflux disease：NERD）である．NERDも逆流性食道炎と同様に強い臨床症状を呈し，患者のQOLを著しく低下させることがあるため，内科的な治療介入が必要とされる場合が多い．

　日本人における逆流性食道炎（びらん性GERD）の有病率は10%程度と報告されているのに対し[1]，透析患者における逆流性食道炎の有病率は6%から81%と報告されており[2]，一般対象と比較して逆流性食道炎やGERDは透析患者により多くみられる印象がある．しかし，透

析患者のうち血液透析と腹膜透析とで GERD の頻度を調査したものでは，年齢と性をマッチした対照群と比較したところ，血液透析患者では必ずしも多くなかったが，腹膜透析群では逆流性食道炎も GERD もともに頻度が多いことが報告されている[2]．腹膜透析患者では，腹膜透析による腹圧上昇が胃酸逆流の大きな要因となっているようである[3]．

■ 2. 薬剤の適応

　逆流性食道炎や GERD に対する治療に関しては基本的に日本消化器病学会による胃食道逆流症（GERD）診療ガイドライン[1] に則って行う（図 1）．すなわち GERD を疑う症状があれば原則的に内視鏡検査を行い，内視鏡的重症度の判定（重症，軽症，NERD）および他疾患の否定をする．GERD と診断された場合は重症度に応じて内科的治療を開始し，症状が改善すればそのまま長期管理に移行する．今回 2021 年のガイドラインの改訂により，内視鏡を試行していなくても GERD 症状がある場合は PPI の内服をまず行い，症状が改善すれば維持療法に移行してよいことになっている．内視鏡の有無にかかわらず内科的治療に改善しない場合には食道インピーダンス，pH 測定などで胃酸逆流が証明された場合には外科的治療も視野に入れる必要がある．

■ 3. 薬剤の選択

　逆流性食道炎を含めて GERD の病態の主体は，胃酸などの胃内容物の逆流であるため，基本的には胃酸分泌を抑制する治療，すなわちプロトンポンプ阻害薬（PPI）や H_2 遮断薬（H_2RA）が最も重要である．PPI と H_2RA を比較した場合，PPI は H_2RA よりも胃内 pH を 4 以上に長く保持し，高い治癒率と早期の症状消失率をもたらすことより，逆流性食道炎の第 1 選択薬としては PPI を用いる[1] が，重症例においては原則的には potassium competitive acid blocker（P-CAB）：ボノプラザンを初期治療として用いる．ボノプラザンは 2015 年に発売された新しいタイプの胃酸分泌抑制薬であり，その臨床的位置付けに関しては，2021 年改訂の胃食道逆流症（GERD）診療ガイドライン[1] に明記されているように，軽症・重症どちらについても初期治療として選択可能であり，治療効果が認められた場合にはそのまま維持治療としても使用で

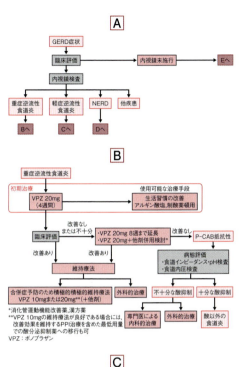

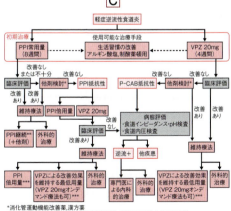

図1 ■ GERD治療のフローチャート

〔日本消化器病学会, 編. 胃食道逆流症（GERD）診療ガイドライン. 2015. p.xvi-xix[1]より改変〕

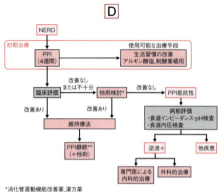

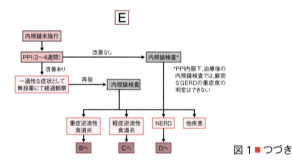

図1 ■ つづき

きる.

　胃内容物逆流の原因として下部食道括約筋圧の低下や食道体部の蠕動運動不全などが認められる症例に対しては消化管機能改善薬を追加投与する必要性がある．また，実臨床においては粘膜保護薬であるアルギン酸ナトリウムや制酸薬を酸分泌抑制薬に併用することにより症状のコントロールが可能になる症例も存在する．

■ 4. 実際の投与量，投与回数および投与期間の目安

　日本腎臓病薬物療法学会の「腎機能別薬剤投与量一覧」のなかから逆流性食道炎の治療に関係する内服薬の一覧を示す（表1）[4]．

　前述したように逆流性食道炎を含むGERDに対する第1選択薬は

表1 ■ 逆流性食道炎の治療に関係する薬剤の透析時の投与量
（日本腎臓病薬物療法学会. 腎機能低下時に最も注意の必要な薬剤投与量一覧　2021年改訂 34.1 版より一部改変）[4]

分類	薬剤名	腎機能正常者での投与量	腹膜透析（PD）　血液透析（HD）	透析性	禁忌	腎障害
H₂遮断薬	シメチジン	400〜800mg 分1〜4	1日1回200mg, HD患者はHD日にはHD後に投与	○		○
	ニザチジン	150〜300mg 分1〜2	1日1回75mgまたは1回150mgを週3回, HD患者はHD日にはHD後	○		
	ファモチジン	20〜40mg 分1〜2	1日1回10mg, HD患者では1回20mgを週3回HD後も可	○		○
	ラニチジン塩酸塩	150〜300mg 分1〜2	1日1回75mgまたは1回150mgを週3回. HD患者はHD日にはHD後に投与	×		
	ロキサチジン酢酸エステル塩酸塩	75〜150mg 分1〜2	1日1回37.5mgまたは75mgを週3回. HD患者はHD日にはHD後	×		
消化管運動調節薬	メトクロプラミド	1日10〜30mg 分2〜3	1日5〜15mgを分1〜2（Up to Date）総CLが健常者の30%に低下するという報告がある（Eur J Clin Pharmacol. 1981; 19: 437-41）	×		

PPIである. PPIおよびP-CABは基本的には肝で排泄される薬剤であるため，透析患者においても健常者と同量の投与が可能である. 易再発症例に関しては長期維持療法が必要になるが，維持療法においてもPPIが最も効果が高く，また安全性も高いとのステートメントがGERD診療ガイドラインに記載されている[1]. しかしながら後述するようにPPI

長期内服による様々なリスクも報告されており，漫然とした長期投与は慎むべきであり，オンデマンド療法や間欠療法，あるいは H₂RA への切り替えも考慮すべきである．H₂RA は腎排泄であり，透析患者に使用する場合は常用量の 1/2 〜 1/3 に減量する必要がある（表 1）．

■ 5. 透析の影響

PPI は透析性がないため必ずしも透析後に投与する必要はない．H₂RA は透析性があるため，透析日の血液透析終了後に投与する．

■ 6. 注意すべき副作用や他剤との相互作用

✿ **1.** ランソプラゾール服用患者が難治性の下痢を呈した場合は collagenous colitis の発症を念頭におく[5]．

✿ **2.** PPI の長期服用により骨折，*C. difficile* 腸管感染症，ビタミン B₁₂ 欠乏などの合併症が報告されている[6]．

✿ **3.** PPI や H₂RA の服用による胃酸の pH 上昇によりカルシウム含有リン吸着薬の効果が低下する[5]．

✿ **4.** 制酸薬の中で水酸化アルミニウムゲル・水酸化マグネシウムはアルミニウムを含有しているため透析患者への投与は禁忌である．

■ 文献

1) 日本消化器病学会, 編. 胃食道逆流症（GERD）診療ガイドライン. 2021. p.xvi-xix.
2) 本郷道夫, 金村政輝. 逆流性食道炎. 臨牀透析. 2008; 24: 225-7.
3) 石井隆幸, 山根建樹, 鬼沢信明. 持続腹膜透析患者の逆流性食道炎に関する基礎研究. 東京慈恵会医科大学雑誌. 2000; 115: 665-76.
4) 日本腎臓病薬物療法学会. 腎機能低下時に最も注意の必要な薬剤投与量一覧（2021 年改訂 34.1 版）.
5) 濱田千江子.《透析患者において使用上注意が必要な薬剤》消化性潰瘍薬. Modern Physician. 2012; 32: 457-62.
6) Sheen E, Triadafilopoulos G. Adverse effects of long-term proton pump inhibitor therapy. Dig Dis Sci. 2011; 56: 931-50.

〈杉本 健〉

IV. 消化管

Question 2
NSAID を処方しているとき，上部消化管の粘膜病変への対応はどうしたらよいですか？

Answer

1) 透析患者は胃炎を合併していることが多く，NSAID の服用はそうした粘膜傷害を増悪させる可能性が高い．

2) NSAID による上部消化管粘膜傷害の予防にはプロトンポンプ阻害薬（PPI）やボノプラザンの併用が推奨される．

3) 低用量アスピリンと NSAID を併用する際には，NSAID は COX_2 阻害薬を使用し，PPI と併用することが推奨される．

　透析患者では，腰痛や関節痛を合併している場合が多く，NSAID を常用している場合がみうけられる．また，狭心症，心筋梗塞や，脳血管障害などは，透析患者に多い病態であることから，低用量アスピリン（LDA）を内服している頻度が高く[1]，また，LDA はシャントの閉塞防止で用いられることもあり，総じて透析患者は NSAID/LDA を内服する機会が高く，それに伴う消化管の粘膜傷害を発症しやすい集団として認識しておく必要がある．

■ 1. NSAID による胃粘膜障害

　NSAID/LDA は，シクロオキシゲナーゼを阻害してプロスタグランジンの産生を低下させ，粘膜防御機能を低下させ，それに胃酸の作用も加わって胃粘膜障害を惹起する．したがって，NSAID/LDA による胃粘膜障害を予防するには，プロスタグランジン製剤の投与や胃酸分泌抑制薬が投与される．消化性潰瘍を対象とした潰瘍の治癒や再発率の比較において両者の効果は同等であるが[2,3]，下痢などの副作用の頻度やその内服の簡便さから胃酸分泌抑制薬であるプロトンポンプ阻害薬（PPI）やボノプラザン（VPZ）が選択される[4]．

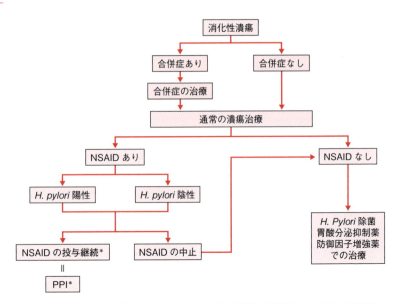

図 1 ■ 消化性潰瘍の治療のフローチャート（日本消化器病学会, 編. 消化性潰瘍診療ガイドライン 2020. 改訂第 3 版. 2020[4]) を参考に作図）
＊消化性潰瘍における NSAID の投与は禁忌であるが，中止不能でやむを得ず投与する場合である.

■ 2. 透析患者の胃粘膜の特徴

　透析患者では，消化性潰瘍の頻度は低いものの，胃炎の頻度は高いことが報告されている．透析患者の内視鏡所見として，伊藤[5]は，胃炎（発赤，びらん），出血・出血斑はそれぞれ，32.9％，40.6％に見られたと報告している．松久ら[6]も，胃炎（発赤，びらん，出血性びらん，浮腫）は 36.6％に認めたとしている．透析患者での胃病変の発生機序としては，透析患者での胃粘膜血流量の低下，酸素供給量の減少が指摘されている[5]．そうした状況での NSAID/LDA の内服は，胃粘膜の微小循環をさらに悪化させて胃粘膜傷害のリスクを増加させ，消化管出血などのリスクを高めることとなる．

■ 3. 透析患者におけるPPI，VPZの投与量について

PPIは，主に肝で代謝である．その代謝物には胃酸分泌抑制効果はない．透析の影響はないため，通常の成人と同様に常用量の投与が必要である．VPZも主に肝代謝であるが，透析症例ではCmax，AUCが上昇する．しかし，安全性，有効性に及ぼす大きな影響はないとされており[7]，投与量の調整は不要とされている．ただし，透析患者例での使用経験は浅いため，今後の臨床データの集積が必要である．

■ 4. NSAID内服時の胃粘膜傷害の治療・予防法

消化性潰瘍ガイドラインによれば，消化性潰瘍の治療では，NSAID投与の有無にかかわらず，まず，出血，狭窄，穿孔などの合併症に対する治療を行う．合併症への治療後，もしくは合併症のない場合では，その後の対応がNSAIDの有無で異なってくる．

NSAID潰瘍への対応として，NSAIDを中止できる場合には中止し，その場合には通常の潰瘍の治療に準じていくこととなる．NSAIDを中止できない場合は *H. pylori* 陽性陰性にかかわらず，まず，PPIの投与にて治療を行う．潰瘍が治癒した後もPPIを継続投与する．*H. pylori* 除菌

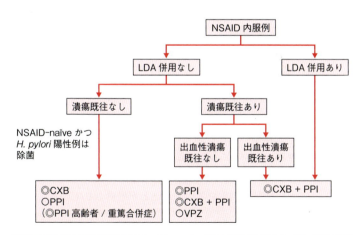

図2 ■ NSAID潰瘍予防のフローチャート（日本消化器病学会，編．消化性潰瘍診療ガイドライン 2020. 改訂第3版. 2020[4] より作図）

であるが，除菌による再発予防効果の上乗せは認めるものの，それは
NSAID新規開始予定例で顕著であって，NSAID投与中の症例での効
果は有意ではなかった[8]．しかし，有意ではなくとも除菌によって再発
の減少傾向があり，除菌による他のメリットもあるため[9]，*H. pylori*の
除菌は可能であれば行うべきであろう．

消化性潰瘍の既往のない場合のNSAIDによる胃粘膜傷害の予防に関
して，LDAの併用がなくでも，PPIの併用やさらにCOX$_2$選択的阻害
薬（CXB）への変更が推奨されている．特にNSAIDを新たに開始する
症例では*H. pylori*陽性なら除菌を行っておくことが有用である．

消化性潰瘍の既往があった場合のNSAID内服例では，LDAを併用
していない場合で，出血性潰瘍でなければPPIの併用，もしくは，
NSAIDをCXBに変更した上でPPIを併用することが推奨され，VPZ
に関しては提案されている．出血性潰瘍の既往がある場合には，
NSAIDをCXBに変更した上でPPIを併用することが推奨されている．

NSAID投与に加えてLDAが投与される場合には，潰瘍の既往の有
無のかかわらずNSAIDをCXBに変更した上でPPIを併用することが
推奨されている．

■ 5. 低用量アスピリン（LDA）内服時の胃粘膜傷害の治療・予防

LDAによる消化性潰瘍では，その中止が死亡率リスクを高めること
から[10]，なるべく中止せずにPPIの内服にて治療を行う．

予防に関して，潰瘍の既往がない場合，LDAによる粘膜傷害の予防
には，NSAIDの内服がなくともPPIの併用が推奨される．潰瘍の既往
があっても出血の既往がなければ，再発予防にPPIやVPZの併用が推
奨される．出血性潰瘍の既往があれば，*H. pylori*陽性であれば除菌をし
た上で，PPI/VPZの投与が必要である[11]．NSAIDとLDAが併用され
る場合には，潰瘍の既往の有無にかかわらず，上述したようにNSAID
をCXBに変更した上でPPIを併用することが推奨されている．

おわりに

透析患者の胃粘膜は，健常人と比較して胃炎所見が多いにもかかわら

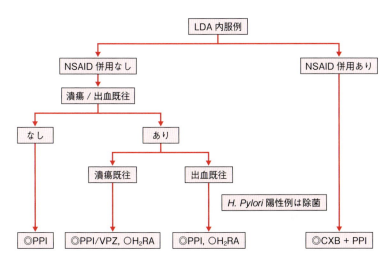

図3■LDA潰瘍予防のフローチャート（日本消化器病学会, 編. 消化性潰瘍診療ガイドライン 2020. 改訂第3版. 2020[4]）より作図）

ず，NSAID/LDA の内服が必要な病態を有していることが多い．胃粘膜傷害の防止には，現時点では実績の豊富な PPI や VPZ の併用投与が推奨される．

■ 文献

1) 根木茂雄, 美馬 亨, 重松 隆, 薬剤性胃腸障害とその対策 ―NSAIDs, セペラマー, シナカルセト, 炭酸ランタン―. 臨床透析. 2013; 29: 175-80.
2) Hawkey CJ, Karrasch JA, Szczepański L, et al., Omeprazole compared with misoprostol for ulcers associated with nonsteroidal antiinflammatory drugs. Omeprazole versus Misoprostol for NSAID-induced Ulcer Management (OMNIUM) Study Group. N Engl J Med. 1998; 338: 727-34.
3) Graham DY, Agrawal NM, Campbell DR, et al. Ulcer prevention in long-term users of nonsteroidal anti-inflammatory drugs: results of a double-blind, randomized, multicenter, active- and placebo-controlled study of misoprostol vs lansoprazole. Arch Intern Med. 2002; 162: 169-75.
4) 日本消化器病学会, 編. 消化性潰瘍診療ガイドライン 2020. 改訂第3版. 2020.
5) 伊藤和郎, 各種病態の合併症としての出血性消化器疾患, 尿毒症. 日本臨牀.

1998; 56: 2391-5.

6）松久威史, 山田宣孝, 鈴木美貴, 他. 血液透析患者における上部消化管疾患, *Helicobacter pylori* 感染の観察. Progress of Digestive Endoscopy. 2003. 62: 31-5.

7）武田薬品工業株式会社. タケキャブ錠インタビューフォーム. 2015.

8）Tang CL, Ye F, Liu W, et al. Eradication of *Helicobacter pylori* infection reduces the incidence of peptic ulcer disease in patients using nonsteroidal anti-inflammatory drugs: a meta-analysis. Helicobacter. 2012. 17: 286-96.

9）日本ヘリコバクター学会ガイドライン作成委員会. *H. pylori* 感染の診断と治療のガイドライン. 2016 改訂版. 東京: 先端医学社; 2016.

10）Sung JJ, Lau JY, Ching JY, et al., Continuation of low-dose aspirin therapy in peptic ulcer bleeding: a randomized trial. Ann Intern Med. 2010; 152: 1-9.

11）Lai KC, Lam SK, Chu KM, et al. Lansoprazole for the prevention of recurrences of ulcer complications from long-term low-dose aspirin use. N Engl J Med. 2002. 346: 2033-8.

〈古田隆久〉

IV. 消化管

Question 3 透析患者の消化器がんに対する抗がん薬の使い方について教えてください

Answer

1) 透析患者であってもがん化学療法は，治療選択肢として適切に検討されるべきである．
2) 腎毒性に留意する必要はなく，腎排泄薬では過量投与を防ぐために投与量を調節する．
3) 透析性を考慮した薬剤投与設計が必要で，透析施行時期が薬剤ごとに異なる．
4) 用量調節はあくまで目安で症例ごとの副作用に応じた用量調節，副作用マネジメントが重要である

■ 1. 透析患者におけるがん化学療法の特徴

透析技術の進歩により慢性腎不全患者の長期生存が可能となり，担がん透析患者数が増加傾向にある．担がん透析患者は，免疫能の低下，易感染性，貧血，低蛋白血症などがあり，化学療法を施行する条件としては high-risk である．抗がん薬の副作用発現の頻度，程度は健常者に比べて高い傾向があり，選択薬剤，至適投与量，透析施行時期の設定は難しい．対象症例が多くないため化学療法による生存期間の延長に関するエビデンスはない．各がん種のガイドラインには透析患者への対応についての記載がないため，各抗がん薬の代謝特性を考慮しながら限られた臨床試験や症例報告における投与量を参考にレジメンを決定する必要がある[1,2]．有害事象は非透析患者より高頻度であるとの報告があり，治療中の慎重な経過観察と有害事象のマネジメント，投与開始後の用量調節が必要である．

表1 ■各種抗がん薬の代謝経路，投与量，透析性，透析前後の投与時期について[2, 3, 6, 7]

薬剤	代謝
5-FU	肝代謝，腎排泄 10% 未満
テガフール・ギメラシル・オテラシルカリウム配合剤（S1）	肝代謝：テガフールは 5-FU へ代謝される
カペシタビン	肝代謝：カペシタビンは 5-FU へ代謝される
トリフルリジン（FTD）・チピラシル塩酸塩（TPI）配合剤	腎排泄 FTD 0.9 ～ 7.6%，TPI 19 ～ 22%
ゲムシタビン	腎排泄（ゲムシタビン 10% 未満，dFdU 90%）
メソトレキセート	腎排泄 60 ～ 90%
シクロホスファミド	肝代謝 70 ～ 80%，腎排泄 30 ～ 60%
シスプラチン	腎排泄 90%
カルボプラチン	腎排泄 95%
オキサリプラチン	腎排泄中心
ネダプラチン	腎排泄中心
イリノテカン	腎排泄 20% 未満（SN-38 含む）
ドキソルビシン	肝代謝，腎排泄 0 ～ 40%
ドセタキセル	肝代謝中心（腎排泄 10% 以下）
パクリタキセル	肝代謝中心（腎排泄 10% 未満）
ビンクリスチン	肝代謝（腎排泄 12%）
ゲフィチニブ	肝代謝（腎排泄 4%）
イマチニブ	肝代謝（腎排泄 13%）
エルロチニブ	肝代謝（腎排泄 8%）
スニチニブ	肝代謝（腎排泄 12% 未満）
レゴラフェニブ	肝代謝（腎排泄 19%）
リツキシマブ	網内系細胞により貪食
セツキシマブ	資料なし
パニツムマブ	資料なし
ベバシツマブ	資料なし
トラスツマブ	免疫グロブリンと同様経路で代謝
ラムシルマブ	免疫グロブリンと同様経路で代謝
ニボルマブ	免疫グロブリンと同様経路で代謝
ペムブロリズマブ	免疫グロブリンと同様経路で代謝

投与量（健常人と比較）	透析性	投与タイミング
減量の必要なし	あり	透析後
禁忌（ギメラシルの排泄遅延により血中濃度が上昇する恐れあり）	あり	データなし
禁忌（副作用が重症化または発現率が上昇する恐れあり）	ある程度あり	データなし
データなし	データなし	データなし
75% 減量	dFdU: あり	透析の 6 ～ 12 時間前
禁忌（排泄遅延により副作用が強く現れる恐れあり）	あり	データなし
75% 減量	あり	透析後
50% 減量（25 ～ 50mg/m^2，3 ～ 6 週毎）	あり	透析後または非透析日
AUC 目標値×（GFR＋25）（mg）	あり	非透析日
70% 減量	あり	非透析日
禁忌（重篤な腎傷害のある患者は腎障害が増悪）	あり	透析の 3 時間前
50mg/m^2/ 週に減量	イリノテカンあり SN-38 なし	非透析日
変更なし	なしと推測	非透析日
変更なし	なし	常時
変更なし	なし	常時
変更なし	なし	常時
変更なし	なし	常時
変更なし	なし	常時
変更なし	なし	常時
初回投与量は同じで 2 回目以降約 2 倍まで増量という報告と，用量変更は不要という報告あり	なし	常時
変更なし	なし	常時
変更なし	なし	常時
変更なし	低いと推測	常時
変更なし	なしと推測	常時
腎機能正常者と同じ	低いと推測	常時
変更なし	なしと推測	常時
変更なし	なしと推測	常時
変更なし	なしと推測	常時
変更なし	なしと推測	常時

■ 2. 薬剤投与の適応

　がん種により抗がん薬の治療における位置づけが異なるため，専門診療科または腫瘍内科の医師との連携が不可欠である．化学療法の目的が，①根治，②延命，③症状緩和のいずれかを明確化し，リスクとベネフィットを勘案して治療にあたる[1,2] ことが重要である．たとえば，緩和治療が目的であれば QOL の維持が最重視され，他方で根治が目的であれば一時的な有害事象は許容される場合が多くなる．がん種により治療目標も異なること，使用薬剤により用量調整や注意すべき有害事象が異なること，透析患者ではエビデンスが少ないことなどを考慮し，症例毎に充分な話し合いと慎重な治療方針決定が必要と考える．

■ 3. 薬剤の選択

　がん部位別の治療ガイドラインに基づくレジメンが基本となる．食道がんではシスプラチン＋5-FU，ドセタキセル，胃がんでは S1，パクリタキセル，イリノテカン，CapeOX，大腸がんでは FOLFIRI，FOL-FOX，mFOLFOX6＋ベバシツマブ，パニツムマブ投与の報告がある[3-5]．消化器がんにおいて key drug となる S1 とカペシタビンは透析患者での薬物動態が明らかでなく現時点では禁忌扱い[6,7] であることから，症例報告も散見されるが選択においては注意を要する．血液透析中の消化器がん患者を対象とした FOLFOX の臨床試験では，1 コース目は高アンモニア血症に注意を要すため 5-FU を一段階減量で開始しアンモニア値の推移より 2 コース目に標準量に戻すレジメンが選択され，オキサリプラチンは標準量投与で，投与日は非透析日に設定されている[8]．

■ 4. 薬剤の投与量と投与法

　抗がん薬ごとの代謝特性，透析患者に対する投与量，透析性，透析のタイミングについては Janus らの報告[2] があり，澤崎らがこれを改変したものを報告[3] している．近年使用されている分子標的治療薬，免疫チェックポイント阻害薬を加えて表 1 に主な消化器がん化学療法で使用される抗がん薬の投与法をまとめた．代謝特性は肝代謝中心と腎排泄中心に分けられ，肝代謝中心の殺細胞性薬剤（5-FU，ドセタキセル，パクリタキセル）や分子標的治療薬，免疫チェックポイント阻害薬では

投与量の減量は必要ない（☞ NOTES）[1,6]．腎排泄中心の薬剤（シスプラチン，カルボプラチン，ネダプラチン，オキサリプラチン，メソトレキセート）では減量の必要がある[2]．日本腎臓病薬物療法学会の「腎機能低下時に最も注意の必要な薬剤投与量一覧」も投与量，投与タイミングの参考になる[7]．

■ 5. 透析の影響

透析性のある抗がん薬は透析後の投与が勧められ，透析性のない薬剤については常時投与が可能である．5-FU は透析性があるため透析後投与が推奨され，ドセタキセルやパクリタキセルは透析性がないため常時投与可能[2] である．イリノテカンについては活性代謝物 SN-38 に透析性がなく，透析後も AUC が高く保たれるため減量が必要である．カルボプラチンは血漿蛋白との結合率が低く遊離型が多く存在し透析性が良好とされているが，シスプラチンは血漿蛋白との結合率が高く透析を施行しても大部分が体内に残存し，蛋白結合型シスプラチンの再解離により抗腫瘍効果と副作用の発現が起きる[2]．したがって，シスプラチン投与後に薬物除去目的の透析療法を行うことは推奨されない[9]．

■ 6. 注意すべき副作用

抗がん薬ごとの代謝特性，投与量，透析性と投与時期の推奨などのデータは，経験的な症例報告や少数例の臨床試験が基礎になっており，あくまで目安と考えるべきであり，症例ごとに残存腎機能や透析効率，さらには併用薬に伴う薬物相互作用などが複雑に関与するため個別の投与設計が必要である．血液毒性や感染症などの有害事象が非透析患者より多く出現するとの報告があり，骨髄抑制の出現などに留意し注意深い経過観察が必要である．シスプラチンでは上述のように複数回の投与による抗がん薬の蓄積による毒性出現が起こる可能性があり，十分に注意を払う必要がある．本邦 20 施設が参加した検討では化学療法施行の透析患者でがん以外の死亡率が高い可能性が指摘され，透析患者の化学療法については慎重な検討を勧めている[10]．

■ 文献

1) Kitai Y, Matsubara T, Yanagita M. Onco-nephrology: current concepts and future perspectives. Jpn J Clin Oncol. 2015; 45: 617–28.

2) Janus N, Thariat J, Boulanger H, et al. Proposal for dosage adjustment and timing of chemotherapy in hemodialyzed patients. Ann Oncol. 2010; 21: 1395-403.

3) 澤崎晴武, 山本伸也, 牧石徹也, 他. 担癌透析患者に対する化学療法: 3 例の治療経験をふまえて. 透析会誌. 2012; 45: 837-44.

4) 三野和宏, 久木田和丘, 佐藤正法, 他. 透析患者の大腸癌に対する抗癌剤治療成績―第 61 回日本透析医学会学術集会・総会ワークショップより―. 透析会誌. 2017; 50: 73-5.

5) Sasaki K, Zhou Q, Matsumoto Y, et al. Treatment of gastric and gastroesophageal cancer patients with hemodialysis by CapeOX. Intern Med. 2019; 58: 2791-5.

6) 平田純生, 古久保拓, 編著. 透析患者への投薬ガイドブック. 慢性腎臓病 (CKD) の薬物治療. 改訂 3 版. 東京: じほう; 2017. p.927―1001.

7) 日本腎臓病薬物療法学会. 腎機能低下時に最も注意が必要な薬剤投与量一覧. 2021 年改訂 34.1 版.

8) 片岡滋賀, 武藤 学. 透析患者へのがん薬物療法の臨床試験. 臨床透析. 2019; 35: 724-32.

9) 日本腎臓学会, 日本癌治療学会, 日本臨床腫瘍学会, 日本腎臓病薬物療法学会, 編. がん薬物療法時の腎障害診療ガイドライン 2016. 東京: ライフサイエンス出版; 2016.

10) Funakoshi T, Horimatsu T, Nakamura M, et al. Chemotherapy in cancer patients undergoing haemodialysis: a nationwide study in Japan. ESMO open. 2018; 3: e000301.

11) Kitchlu A, Jhaveri KD, Sprangers B, et al. Immune checkpoint inhibitor use in patients with end-stage kidney disease: an analysis of reported cases and literature review. Clin Kidney J. 2021; 14: 2012-22.

NOTES

　免疫チェックポイント阻害薬は透析患者でも用量調節が不要で効果が期待される一方，従来の抗がん薬と異なる有害事象であるirAE（immune-related Adverse Events）に注意が必要である．腎泌尿器科領域のirAEには尿細管間質性腎炎や糸球体腎炎があり，腎不全や透析に至った例も報告されている．マイクロサテライト不安定性固形がんに使用されるペムブロリズマブでは腎機能障害のGrade3以上のirAEは1.6%で，腎移植後症例では61%で拒絶反応が生じ透析再導入に至ったとの報告があり[11]，治療目標と有害事象を慎重に検討し治療方針を決定する必要がある．

〈山出美穂子　大澤 恵〉

IV. 消化管

Question 4

透析患者の便秘について対処法を教えてください

Answer

1) 透析患者は，さまざまな要因により便秘になりやすい．

2) 器質的疾患の除外を含め，便秘の病態を判断する．

3) 従来透析患者の便秘に対する薬物療法は刺激性下剤がその中心にならざるを得ないことが多かったが，近年新たな作用機序を持つ下剤が使用可能となり治療選択肢が増えた．

4) 便秘はときとして重篤な合併症を引き起こし生命予後に関わるため，適切な治療が必要である．

■ 1. 透析患者における便秘の特徴

　透析患者において便秘は高頻度に認められる症状の1つであり，その有病率は血液透析患者63.1％，腹膜透析患者で28.9％にも及ぶとするわが国からのsingle-center studyもある[1]．透析患者で便秘が頻発する誘因として，水分摂取の制限や透析による除水，食事療法に伴う食物線維の摂取不足，運動不足，さらには便秘を引き起こしやすい薬剤の服用などがあげられる．多くの透析患者が服用せざるを得ない高リン血症に対する沈降炭酸カルシウム，非吸収性ポリマー，炭酸ランタン水和物，また高カリウム血症に対する陽イオン交換樹脂（ポリスチレンスルホン酸カルシウム，ポリスチレンスルホン酸ナトリウム），抗コリン薬，カルシウム拮抗薬，利尿薬，鉄剤，抗うつ薬，鎮咳薬，気管支拡張薬なども便秘の要因となる．また，長期透析患者では動脈硬化の進行による血行障害や二次性アミロイドーシスの合併などもその要因となる．また透析中の排便は一時的な透析離脱となることから，排便を我慢する習慣がついたり，透析前日の下剤の内服を控えるなどの行動も便秘を助長する

原因になり得る.

　透析患者の便秘の場合，腸運動低下に基づく排便回数減少型の頻度が高いのが特徴で，便秘による見かけ上の体重増加量が過除水を招き，その結果透析中の血圧低下の要因にもなる．さらに便秘がより高度になると腸閉塞，虚血性腸炎による腸管出血や穿孔をきたすこともある．また腹膜透析歴のある人は，被嚢性腹膜硬化症の存在も念頭におく必要がある．さらに過去一般的に多用されてきた塩類下剤のマグネシウム製剤は，透析患者においては高マグネシウム血症をきたしやすく安易な投与には

表 1 ■ 慢性便秘（症）の分類（日本消化器病学会関連研究会, 慢性便秘の診断・治療研究会, 編. 慢性便秘症診療ガイドライン 2017. 東京: 南江堂; 2017. p.2.[2)]を改変）

原因分類	症状分類	専門的検査による病態分類	原因となる病態・疾患
器質性	狭窄性		大腸癌，Crohn 病，虚血性腸炎など
	非狭窄性	排便回数減少型	巨大結腸など
		排便困難型	器質性便排出障害	直腸瘤，直腸重責，巨大直腸，小腸瘤，S 状結腸瘤など
機能性		排便回数減少型	大腸通過遅延型	特発性 症候性: 代謝・内分泌疾患，神経・筋疾患，膠原病，便秘型過敏性腸症候群など 薬剤性: 向精神薬，抗コリン薬，オピオイド系薬など
			大腸通過正常型	経口摂取不足（食物繊維摂取不足を含む） 大腸通過時間検査での偽陰性など
		排便困難型		硬便による排便困難・残便感（便秘型過敏性腸症候群など）
			機能性便排出障害	骨盤底筋協調運動障害 腹圧（怒責力）低下 直腸感覚低下 直腸収縮力低下　など

表2 ■ 慢性便秘症の保存的治療

(日本消化器病学会関連研究会・慢性便秘の診断・治療研究会, 編. 慢性便秘症診療ガイドライン2017. 東京: 南江堂; 2017. p.2.[2] を改変)

①生活習慣の改善（食事、運動、飲酒、睡眠など）

②内服薬による治療

種類		一般名	作用・特徴	透析患者への言及
・プロバイオティクス*		ラクトバチルス菌など	腸管運動を亢進させ、排便回数や便の性状、排便困難感などを改善	
・膨張性下剤		カルボキシメチルセルロース	水分を吸収させて便を軟らかくし、腸の内容物を膨張させることにより腸を刺激して排便を促進	大量の水分摂取が必要であることから透析患者には一般に不適
		ポリカルボフィルCa*	非溶解性の高分子化合物で腸内容物を膨潤・ゲル化し、便の水分バランスを調整	投与可能
・浸透圧性下剤	a. 塩類下剤	酸化Mg, クエン酸Mgなど	大腸から吸収されないため、腸内容液が体液と等張になるように腸内へ水分が移行し便を軟化	Mg蓄積をきたしやすく原則禁忌 投与する場合はMg濃度測定が必要
	b. 糖類下剤	ローソルビトール*, ラクツロース(*), ラクチトール*など		投与可能
		ポリエチレングリコール		投与可能 水に溶かす必要があるので水分摂取量が増加する
	c. 浸潤性下剤	ジオクチルソジウムスルホサクシネート	界面活性作用にて水分を引き込み便を軟化	投与可能

(次頁に続く)

表2 ■ つづき

・刺激性下剤	a. アントラキノン系	センノシド、センナ、アロエなど	腸管の蠕動運動を亢進効果の発現は服用後6〜8時間後で、就寝前に服用するのが適当 耐性を生じやすい	投与可能
	b. ジフェニール系	ビコスルファートNa、ビサコジル*など	刺激作用に加え、便軟化作用もあり刺激性の中では耐性を生じにくい	投与可能
・上皮機能変容薬	a. クロライドチャネルアクチベーター	ルビプロストン	小腸からの水分の分泌を促進	重度腎機能障害患者には代謝物の血中濃度が上昇する可能性があることから慎重投与 妊婦は禁忌
	b. グアニル酸シクラーゼC受容体アゴニスト	リナクロチド	腸管からの水分の分泌を促進 小腸輸送能促進作用や大腸痛覚過敏改善作用あり	投与可能
・胆汁酸トランスポーター阻害薬		エロビキシバット	胆汁酸による大腸の排便促進作用あり	投与可能
・消化管運動賦活薬 5-HT$_4$受容体刺激薬		モサプリド*	副交感神経を刺激し、腸管の運動を促進	投与可能
・漢方薬		大黄甘草湯、麻子仁丸、大建中湯*など		投与可能
③外用薬による治療 i) 坐剤		炭酸水素Na坐剤	腸内に炭酸ガスを発生させ、その刺激が直腸反射を促進	使用可能
		ビサコジル坐剤	直腸粘膜を直接刺激し、腸の運動を促進	使用可能
ii) 浣腸		グリセリン浣腸、微温湯浣腸、石鹸浣腸など	直腸粘膜に物理的・化学的に刺激を与え、腸の蠕動運動を促進	使用可能。耐性を生じやすい。直腸・肛門病変のある患者には要注意

* 「便秘症」での保険適用なし

注意が必要で，使用時には適宜血中マグネシウム濃度測定が必要である．

■ 2. 便秘の診断と病態

機能性消化管障害の国際的基準である Rome Ⅳ（2016 年改訂）により機能性便秘の診断基準が規定されているが，わが国では 2017 年に刊行された「慢性便秘症診療ガイドライン 2017」では「本来体外に排出すべき糞便を十分量かつ快適に排出できない状態」と定義された[2]．

本ガイドラインは，わが国で旧来行われてきた分類を改め，原因分類として，「器質性」と「機能性」に大別し，さらに患者の訴える症状により，「排便回数減少型」と「排便困難型」に分類した（表 1）[2]．

■ 3. 便秘の薬物治療の実際

食事療法や運動療法，生活習慣の改善が便秘の予防には重要であるが，透析患者ではさまざまな背景により実行困難なことも多い．現実的には機能性便秘に対しては薬物療法で便秘の治療を行うこととなる．下剤にはさまざまなのもがあり，便秘の病態を考慮し適切な下剤を選択することが大切である（表 2）[2]．「慢性便秘症診療ガイドライン 2017」では質の高いエビデンスのある浸透圧性下剤と上皮機能変容薬の使用が推奨される一方従来主に使用されてきた膨張性下剤や刺激性下剤は弱く推奨されその使用を提案する，という表現にとどまった．

一般的に便秘の治療を考える場合，まず大腸に形態的病的変化がないか画像検査や内視鏡検査により除外するのがその基本である．長期間腸管内に便塊が多量に存在する場合，下剤を大量に投与すると腸管内圧が上昇し腸管穿孔が起こる危険性が高まるため，まず摘便により便塊を除去しておく必要がある．

❶浸透圧下剤

透析患者は，水分制限や透析による除水，さらにはさまざまな薬剤の服用により便が硬くなる傾向にある．このような場合には便を軟らかくする作用のある浸透圧性下剤が有効である．

- **ポリエチレングリコール**：従来欧米において第 1 選択薬として使用されてきたポリエチレングリコールは，わが国においても従来大腸前処置用下剤として用いられてきたが，2018 年に慢性便秘症に対して

も適用が拡大された．モビコール®LD 6 包（モビコール®HD3 包）/ 日まで服薬可能であるが 1 包あたり LD 約 60mL，HD 約 120mL の水に溶解する必要があるため，尿量減少例や体重増の多い透析患者に使用する際には注意が必要である．

- **ラクツロース**：浸透圧性下剤に分類されるフルクトースとガラクトースから合成された人工二糖類で，消化酵素により代謝されないため消化管内を高浸透圧に保ち内服後 24〜48 時間で下剤効果が得られる．ラクツロースでも，ラグノス®NF 経口ゼリーのみが慢性便秘症（器質的疾患による便秘を除く）に対し適応がある．

❷上皮機能変容薬

クロライドチャネルアクチベーターであるルビプロストンとグアニル酸シクラーゼ C 受容体アンタゴニストであるリナクロチドは透析患者にも使用可能である（☞ NOTES）．

❸胆汁酸トランスポーター阻害薬

「慢性便秘症診療ガイドライン 2017」発刊後に使用可能となったエロビキシバットも透析患者に投与可能である（☞ NOTES）．

❹刺激性下剤

腸管の蠕動運動が低下している透析患者（糖尿病や高齢者などに特に多い）では，腸管の蠕動運動を亢進させる刺激性下剤が従来多用されてきた．しかしながら耐性が生じやすく投与量が多くなりがちであるため，漫然と投与することは避け，レスキュー薬として頓用的に使用することが望ましい．そのなかでピコスルファートナトリウムは便の軟化作用もあり，他の刺激性下剤と比べると耐性を生じにくいとされる．これらの薬剤は効果の発現が 6 〜 8 時間後であり就寝前に服用するのが適当であるが，透析日の前日は，透析中の排便をもたらす可能性があるので投与時間に配慮を要する．

❺坐剤・浣腸

便が直腸まで達しているにもかかわらず便意を催さないタイプに有用である．しかし，直腸内に多量の硬便や腫瘍などの病変がある場合は，浣腸によって腸管内圧上昇をきたしたり，注入による機械的な刺激が加

わることにより大腸穿孔を引き起こすことがある。また高齢者などでは，一度に多量の排便後に過度な血圧低下を引き起こすことがありこれらに対しても注意を要する。

■ 文献

1) Yasuda G, Shibata K, Takizawa T. et al. Prevalence of constipation in continuous ambulatory peritoneal dialysis patients and comparison with hemodialysis patients. Am J Kidney Dis. 2002; 39: 1292-99.

2) 日本消化器病学会関連研究会, 慢性便秘の診断・治療研究会, 編. 慢性便秘症診療ガイドライン 2017. 東京: 南江堂; 2017. p.2.

3) 王麗楊, 用稲栄, 寒川昌平, 他. 慢性便秘症治療薬ルビプロストンは透析患者の高リン血症を改善する. 透析会誌. 2018; 51: 617-20.

4) アステラス製薬株式会社. リンゼス®錠. インタビューフォーム第3版, 2017年3月.

5) Nakajima A, Seki M, Taniguchi S. et al. Safety and efficacy of elobixibat for chronic constipation: results from a randomised, double-blind, placebo-controlled, phase 3 trial and an open-label, single-arm, phase 3 trial. Lancet Gastroenterol Hepatol. 2018; 3: 537-47.

⟳ NOTES

便秘改善薬として，近年以下の新規薬剤が承認された．
●ルビプロストン: 世界初の選択的 type 2 chloride channel (ClC-2) activator であり，わが国では 2012 年より使用可能となった．小腸粘膜上皮に存在する ClC-2 を直接活性化することにより腸管内への浸透圧性の水分分泌を促進し，便の水分含有量を増やして排便を促進させる．副作用として，下痢（30%）や悪心（23%）といった胃腸障害や，呼吸困難，虚血性腸炎の発症などの報告もあり，投与時は十分な注意が必要である．悪心は特に若い女性や食前投与でより生じやすいとされる．これらは低用量から開始することで軽減できる．また妊婦や妊娠している可能性のある女性に対しては投与禁忌である．透析患者では血清

リン値の低下や除水量の減少が得られたとの報告がある[3]．重度の腎機能障害のある患者では慎重投与となっているが透析患者に対して投与可能であると考えられる．

●**リナクロチド**：腸管粘膜上皮に存在する Guanylyl Cyclase C receptor に作用し，腸管分泌を促進して便の水分含有量を増やすとともに，小腸の輸送能を促進させる作用もあり便秘を改善させる．さらに，大腸痛覚過敏改善作用も有する．副作用は下痢が最も多いが 13.0% であり，悪心はルビプロストンと比べ 0.5% と少ない[4]．体内への吸収率は非常に低く，腸管内で作用代謝されるため，透析患者を含めた腎機能障害のある患者でも投与可能である．食事摂取に近い時間に服用すると悪心や効果が増強するため食事 30 分以上前に服薬する．

●**エロビキシバット**：胆汁酸はその約 95% が回腸末端にある胆汁酸トランスポーター（ileal bile acid transporter：IBAT）により再吸収され門脈を介し腸肝循環に入り，再び胆汁中に分泌されるが，エロビキシバットは IBAT を阻害することにより結腸への胆汁酸流入を増加させ，その結果胆汁酸による大腸運動の活性化と分泌刺激により糞便排出が促進される．本来高脂血症改善薬の探索中に見出された薬剤であり第 III 相および長期投与試験において約 10%LDL コレステロール濃度を低下させる副次効果を有している[5]．

〈柏葉 裕　宇田 晋〉

IV. 消化管

Question 5

透析患者が大腸憩室炎，虚血性腸炎を発症したときの対処と，薬の使い方を教えてください

Answer

1) 透析患者の急性腹症として大腸憩室炎，虚血性腸炎の頻度は高い．

2) 発症の基盤として透析患者特有の便通異常があり，易感染性や易出血性を伴い重症化しやすい．

3) 緊急手術が必要な壊死型虚血性腸炎などを速やかに鑑別することが重要である．

4) 便通を良好に保つなど発症予防に努めるようにする．

■ 1. 大腸憩室炎

後天性の大腸憩室は，腸管内圧の上昇により大腸壁の脆弱部位で粘膜と粘膜下層が漿膜側に突出した仮性憩室である．脆弱部位は栄養血管が固有筋層を管腔側に貫通する部位に相当する．憩室が多発した場合を憩室症という[1]．透析患者では，水分・果物・野菜の制限やリン吸着薬などの内服薬により便秘が高度となりやすく，憩室症の誘因となっている．憩室症は通常は無症状であることが多いが，合併症としての憩室炎・穿孔や憩室出血が問題となる．多発性嚢胞腎の患者では憩室炎の頻度が高いといわれている[2]．リン吸着薬の炭酸ランタンと憩室炎・憩室穿孔との関連を示した報告もある[3]．

憩室炎の症状として，腹痛は徐々に生じて間歇的であることが多く，一般に発熱を伴う．診断には，局所の圧痛や反跳痛といった理学的所見，血液検査での炎症反応上昇に加え，腹部超音波やCTでの大腸壁肥厚などの病変部の描出を要する．CTでは周囲脂肪組織の炎症によるCT値の上昇が認められるが，炎症を起こしている憩室そのものは描出されな

IV 消化管

いことが多く，憩室が散在していて虫垂炎など他の疾患の所見がみられないことも診断の一助となる．緊急手術が必要となる消化管穿孔の所見である遊離ガス像に留意する．下部内視鏡検査では周囲に浮腫を伴った憩室から膿の流出を認めることもあるが，急性期で穿孔や腹膜炎が疑われる症例での施行は病状を悪化させる可能性がある．

鑑別として，右側結腸では虫垂炎，左側結腸では後述の虚血性腸炎が問題となることが多いが，感染性腸炎や抗生物質起因性腸炎，NSAIDsなどによる薬剤性腸炎，炎症性腸疾患などもあげられる．透析患者では大腸がんが単なる便通異常として検査されず見逃されやすいことも念頭におく．

治療は，絶食による腸管の安静，抗菌薬の投与，補液による体液管理などの保存療法で可能な場合が多いが，免疫力の低下した高齢の透析患者などでは重症化に注意する．一般的には，膿瘍が 3cm 以下の場合は抗菌薬投与と腸管安静，5cm を超える場合はドレナージが提案されている[4]．抗菌薬は腸内のグラム陰性桿菌および嫌気性菌をカバーすることが基本となり，海外のガイドラインが参照されるが[5,6]，本邦ではまずは β-ラクタマーゼ阻害薬配合ペニシリン系薬や第2世代セフェム系薬などから投与されることが多い．膿瘍形成の例では手術を考慮しながらの診療となるが，穿孔あるいは慢性炎症による狭窄をきたした場合は外科的切除が必要である．

憩室症や憩室炎を予防するため，食事や薬物療法で便通を良好に保つことが重要である．

■ 2. 虚血性腸炎

狭義では腸間膜動静脈の血流障害により発症する虚血性大腸炎を指すが，広義では主に上腸間膜動脈の閉塞・虚血による急性広範腸壊死（閉塞型，非閉塞型)，上腸間膜動脈閉塞症候群，腸管アンギナなどを含めている場合があり，これらも透析患者では比較的頻度が高い．危険因子として，透析患者の場合は，動脈側因子では進行した動脈硬化，アミロイドーシス，透析での除水に伴う低血圧や血液濃縮があげられ，腸管側因子では高率に合併する便秘といった特有の問題がある．陽イオン交換

樹脂製剤や昇圧薬を服用している透析患者で発症頻度が高いといわれている[7].

臨床重症度より軽症の一過性型，重症の壊死型，慢性期にみられる狭窄型の3型に分類される．壊死型のうちの非閉塞性腸間膜虚血（non-occlusive mesenteric ischemia：NOMI）は全身の循環不全に伴って生じる動脈攣縮によって発症するもので，長期透析患者における重篤な合併症の1つである．維持透析患者における心臓手術後の院内死亡原因として，NOMIが心イベントに続き高頻度と報告されている[8].

症状は急激に生じる腹痛，血性下痢が主で，便秘が続いていた後の発症が多い．一般に虚血性腸炎は左側結腸に発症することが多いが，透析患者では右側結腸に生じることもまれではなく，透析中や透析後の低血圧の遷延により起こりやすい[9].透析での除水や血圧低下に伴い腹痛が生じる場合は，虚血性腸炎の前兆の可能性を考慮する．一般に下血は多量ではないが，抗凝固薬などの影響で多いこともある．

診断とともに緊急手術が必要な壊死型を鑑別することが重要である．血液検査では炎症反応の上昇に加え，CPKやLDH，アミラーゼの上昇がみられ，重症な場合は乳酸値の上昇やアシドーシスの進行も認められる．造影CTが有用で，虚血を疑わせる所見として，腸管壁の肥厚，周囲の脂肪組織の濃度上昇，腸管壁の造影効果低下を確認し，壊死を疑わせる所見として，腸管壁内air，門脈内ガス気腫像，著明な大腸拡張像[10]に留意する．下部内視鏡検査は壊死型の場合では穿孔の危険が高いが，一過性型では区域性の粘膜の発赤や浮腫，出血，縦走潰瘍などがみられ，色調が暗く白苔が厚い場合には壊死型が疑われる．

治療は一過性型の場合は絶食による腸管の安静と補液が基本であるが，腸管壊死が疑われる場合は緊急手術が必要となる．腸管の壊死範囲は漿膜面から予想されるより往々にして広範囲に及び，腸管吻合は行わず口側断端でストマ造設をすることが多い[11].最近では，NOMIの手術時におけるIndocyanine green蛍光法の有用性に関する報告がある[12].透析患者の場合，壊死型虚血性腸炎の死亡率は17.5～38%，NOMIの場合は59%[13]と予後不良であり，救命には機を逃さず手術に踏み切るこ

Ⅳ　消化管

とが重要といわれている．狭窄症状が高度となった場合も，内視鏡的拡張術とともに手術が検討される．

　予防として，憩室炎の場合と同様に便通管理が重要で，透析中の低血圧への対策がより一層大切となる．

■ 文献

1) 竹田欽一. 維持透析患者の憩室炎. 臨牀透析. 2006; 22: 1149-54.

2) Lederman ED, McCoy G, Conti DJ, et al. Diverticulitis and polycystic kidney disease. Am Surg. 2000; 66: 200-3.

3) Korzets A, Tsitman I, Lev N, et al. Lanthanum, constipation, bafflying X-rays and a perforated colonic diverticulum. Clin Kidney J. 2012; 5: 331-3.

4) 貝瀬　満, 他. 日本消化器学会ガイドライン委員会. 大腸憩室症ガイドライン, 大腸憩室炎の診断と治療. 日本消化器学会雑誌. 2017; 1 Supplement December: 40-52.

5) Solomkin JS, Mazusuki JE, Bradley JS, et al. Diagnosis and management of complicated intra-abdominal infection in adults and children. Clin Infect Dis. 2010; 50: 133-64.

6) Jacobs DO. Diverticulitis. N Engl J Med. 2007; 357: 2057-66.

7) 西原　舞, 平田純生, 和泉　智, 他. 血液透析患者における虚血性腸炎の発症因子に関する検討. 透析会誌. 2005; 38: 1279-83.

8) 鈴木修司, 他. 非閉塞性腸管虚血（non-occlusive mesenteric ischemia: NOMI）の診断と治療. 日本腹部救急医学会雑誌. 2015; 35: 177-85.

9) Bassilios N, Menoyo V, Berger A, et al. Mesenteric ischaemia in haemodialysis patients: a case/control study. Nephrol Dial Transplant. 2003; 18: 911-7.

10) 鳥山清二郎, 中ノ内恒和, 藤井秀岳, 他. 血液透析患者に発症した虚血性腸炎の臨床的検討. 腎と透析. 別冊　腎不全外科. 2009; 66: 27-9.

11) 今　裕史, 柴崎　晋, 吉田　雅, 他. 維持透析患者の腸管虚血. 臨牀透析. 2006; 22: 1137-42.

12) Ishizuka M, Nagata H, Takagi K, et al. Usefulness of intraoperative observation using a fluorescence imaging instrument for patients with nonocclusive mesenteric ischemia. Int Surg. 2015; 100: 593-9.

13) Quiroga B, Verde E, Abad S, et al. Detection of patients at high risk for non-occlusive mesenteric ischemia in hemodialysis. J Surg Res. 2013; 180: 51-5.

〈松島秀樹〉

IV. 消化管

Question 6 抗血栓薬の内服中に内視鏡的処置を行う場合の休薬方法を教えてください

> **Answer**
> 1) 生検および出血低危険度内視鏡の抗血栓薬（抗血小板薬，抗凝固薬）の休薬は不要である．
> 2) 出血高危険度内視鏡では，抗血小板薬はアスピリンまたはシロスタゾールの1剤内服に変更して施行する．
> 3) 出血高危険度内視鏡では，抗凝固薬はワルファリンの場合，PT-INR治療域内を確認して継続内服下で施行するほうが，ヘパリン置換よりも出血リスクが低い．
> 4) 消化管出血における内視鏡的止血術後の抗血栓薬内服再開時期は，内視鏡的に止血が確認できた時点を原則とする．

■ 1. 透析患者における内視鏡処置の特徴

血液透析患者は，一般に脳出血，消化管出血などの出血性合併症が多いことが知られ，この原因としてヘパリンなどの透析での抗凝固薬の影響，血管の脆弱化，血小板機能の低下などが考えられている．また，消化管出血において血液透析患者は，粘膜防御因子の低下や粘膜増殖能の障害からハイリスクグループとされる[1]．内視鏡治療後出血において血液透析は独立したリスク因子と報告されている．観血的処置が必要な場合，血液疾患やアミロイドーシスなどの合併がある場合には特に注意が必要である．また，血液透析患者における抗血栓薬の血栓塞栓症予防効果については十分なエビデンスがなく，いまだ議論がある点も考慮して個々の症例ごとに診療にあたることが重要である[2]．

■ 2. 薬剤投与の適応

2012年に『抗血栓薬服用者に対する消化器内視鏡診療ガイドライ

ン』[3] が作成され，2017 年に同ガイドラインの『直接経口抗凝固薬（DOAC）を含めた抗凝固薬に関する追補 2017』[4] が公表されている．透析患者においてもこれらに準じた，抗血栓薬の使用が推奨される．しかしながら，本ガイドラインでは，消化管出血よりも血栓塞栓症の発症による合併症に配慮した内容となっており，透析患者の上述した出血リスクには触れられていない．最近の報告からは内視鏡治療後出血には，2 剤以上の抗血栓薬服用者やヘパリン置換がリスク因子として報告されており[5]，従来行われた抗凝固薬をヘパリン置換することは推奨されず，抗凝固薬は当日朝の休薬のみで処置することが推奨される．多剤内服などの出血リスクの高い患者では処置の延期を含め，個々の症例において慎重な判断による決定が必要である．

■ 3. 薬剤の選択

　出血低危険度および出血高危険度内視鏡は，表 1 の分類による．血栓塞栓症の高発症群は表 2 に該当する．日常診療では血栓塞栓症の低危険群を選別することは難しく，高危険群として対応することが多くなる．以下に記載する基本的な考え方に基づいて投薬の変更および休薬を行う．

❶抗血小板薬

　生検および出血低危険度内視鏡においては，血栓塞栓症の高危険群と

表 1 ■ 出血低危険度と出血高危険度内視鏡の分類（藤本一眞, 他. 日本消化器内視鏡学会雑誌. 2012; 54: 2075-102）[3]

1. 出血低危険度の消化管内視鏡	2. 出血高危険度の消化管内視鏡
● バルーン内視鏡	● ポリペクトミー
● マーキング（クリップ，高周波，点墨）	● EMR（内視鏡的粘膜切除術）
● 消化管・胆膵ステント留置	● ESD（内視鏡的粘膜下層剥離術）
● 内視鏡的乳頭バルーン拡張術	● EST（内視鏡的乳頭切開術）
	● EUS-FNA（超音波内視鏡下吸引生検）
	● PEG（経皮的内視鏡的胃瘻造設術）
	● 内視鏡的食道・胃静脈瘤治療
	● 内視鏡的消化管拡張術
	● 内視鏡的粘膜焼灼術
	その他

表2■休薬による血栓塞栓症の高発症群 (藤本一眞, 他. 日本消化器内視鏡学会雑誌. 2012; 54: 2075-102)[3]

1. 抗血小板薬関連
- 冠動脈ステント留置後2カ月
- 冠動脈薬剤溶出性ステント留置後12カ月
- 脳血行再建術（頸動脈内膜剥離術, ステント留置）後2カ月
- 主幹動脈に50%以上の狭窄を伴う脳梗塞または一過性脳虚血発作
- 最近発症した虚血性脳卒中または一過性脳虚血発作
- 閉塞性動脈硬化症でFontaine 3度（安静時疼痛）以上
- 頸動脈超音波検査, 頭頸部磁気共鳴血管画像で休薬の危険が高いと判断される場合

2. 抗凝固薬関連*
- 心原性脳塞栓症の既往
- 弁膜症を合併する心房細動
- 弁膜症を合併していないが脳卒中高リスクの心房細動
- 僧帽弁の機械弁置換術後
- 機械弁置換術後の血栓塞栓症の既往
- 人工弁設置
- 抗リン脂質抗体症候群
- 深部静脈血栓症・肺塞栓症

*ワルファリンなど抗凝固薬療法中の休薬に伴う血栓・塞栓症のリスクは様々であるが, 一度発症すると重篤であることが多いことから, 抗凝固薬療法中の症例は全例, 高危険群として対応することが望ましい.

考えられる場合には休薬は必要としない.

出血高危険度内視鏡においては, 血栓塞栓症の高危険群と考えられる場合, アスピリンおよびクロピドグレルを含む単剤・多剤併用は, アスピリンまたはシロスタゾールの単剤投与として検査・処置を施行する.

❷抗凝固薬

生検および出血低危険度内視鏡においては, 休薬は必要としない. ただし, ワルファリンはPT-INRが治療域を超えないことを確認する（PT-INR＜3）.

出血高危険度内視鏡の場合, 当日朝の内服は行わずに治療を施行し, 翌日より内服は再開する. ヘパリン置換は抗凝固薬内服困難時の選択肢であり, ワルファリン内服継続よりも出血リスクは高くなると考えられる. ヘパリン置換を行う場合はシリンジポンプを使用して10,000〜25,000単位/日を持続静注し, 内視鏡治療開始6時間前に休薬して治

療を行う.

■ 4. 実際の投与量，投与回数および投与期間の目安

『抗血栓薬服用者に対する消化器内視鏡診療ガイドライン』による，薬剤の休薬の実際を以下に示した（表3，表4）.

■ 5. 透析の影響

アスピリンは透析性があり，その他の抗血小板薬は透析性のないもの

表3 ■ 血栓塞栓症の高危険群の場合（文献3，4より作成）

| | 一般名 | 商品名 | 生検・出血低危険度検査 | 出血高危険度検査 | |
				単剤	併用
抗凝固薬	ワルファリンカリウム	ワーファリン®	休薬なし（ただしPT-INR<3）	INR<3を確認し当日朝のみ休薬 / 5日休薬でヘパリン置換（中止翌日から）	
	ダビガトランエキシラート	プラザキサ®	休薬なし	当日朝のみ休薬 / 2日休薬でヘパリン置換（最終投与12h後から）	
	アピキサバン	エリキュース®	休薬なし	当日朝のみ休薬 / 2日休薬でヘパリン置換（最終投与12h後から）	
	リバーロキサバン	イグザレルト®	休薬なし	当日朝のみ休薬 / 1日休薬でヘパリン置換（最終投与24h後から）	
	エドキサバン	リクシアナ®	休薬なし	当日朝のみ休薬 / 1日休薬でヘパリン置換（最終投与24h後から）	
抗血小板薬	アスピリン（ASA）	バイアスピリン®アスピリン®バファリン®タケルダ配合錠®	休薬なし	休薬なし	休薬なし or CLZ置換（5～7日間）
	チエノピリジンクロピドグレルチクロピジンプラスグレル	プラビックス®パナルジン®エフィエント®	休薬なし	ASA置換 or CLZ置換（5～7日間）	ASAあり：5～7日休薬ASAなし：ASA置換 or CLZ置換（5～7日間）
	クロピドグレル / アスピリン	コンプラビン配合®	休薬なし	2剤とみなす	ASA置換 or CLZ置換（5～7日間）
	チエノピリジン以外シロスタゾール（CLZ）その他	プレタール®シロスタゾール®	休薬なし	1日休薬	CLZ：CLZ継続他：1日休薬

※略語表記：アスピリン（ASA），シロスタゾール（CLZ）

表4 ■ 血栓塞栓症の低危険群の場合（文献3，4より作成）

	一般名	商品名	生検・出血低危険度検査	出血高危険度検査
抗血小板薬	アスピリン（ASA）	バイアスピリン® アスピリン® バファリン®	3〜5日休薬	3〜5日休薬
	チエノピリジン クロピドグレル チクロピジン プラスグレル	プラビックス® パナルジン® エフィエント®	5〜7日休薬	5〜7日休薬
	クロピドグレル/アスピリン	コンプラビン配合®	5〜7日休薬	5〜7日休薬
	チエノピリジン以外		休薬なし	1日休薬

が多い．処方する場合は腎機能正常者と同じ量を慎重投与する[6]．ヘパリンおよびワルファリンの透析性はない．ワルファリンは，使用せざるを得ない場合には腎機能正常者と同量を慎重投与する．現時点では直接経口抗凝固薬（direct oral anticoagulants：DOAC）はいずれも透析患者では禁忌薬に該当する[6]．各薬剤の透析性や禁忌については，日本腎臓病薬物療法学会の『腎機能低下時に最も注意が必要な薬剤投与量一覧』[6]などを参照いただきたい．

■ 6. 注意すべき副作用や多剤との相互作用

アスピリンの中止により心血管イベント，脳梗塞が約3倍に増加するとされ，脳梗塞の発症はアスピリンの休薬10日以内が70%を占める[7,8]．ワルファリンは休薬100回につき1回の割合で血栓塞栓症が発症するとされ，発症すれば重篤で予後不良である場合が多い[9]．だだし血液透析患者における抗血栓薬の血栓塞栓症の予防効果には十分なエビデンスがなく検討の余地がある．

■ 文献

1) Niikura R, Aoki T, Kojima T, et al. Natural history of upper and lower gastro-intestinal bleeding in hemodialysis patients: A dual-center long-term cohort

study. J Gastroenterol Hepatol. 2021; 36: 112-7

2) 鶴屋和彦. 慢性腎臓病におけるワルファリンと DOAC の使い方. 日本内科学会雑誌 2018; 107: 856-64,

3) 藤本一眞, 藤城光弘, 加藤元嗣, 他. 抗血栓薬服用者に対する消化器内視鏡診療ガイドライン. 日本消化器内視鏡学会雑誌. 2012; 54: 2075-102.

4) 加藤元嗣, 上堂文也, 掃本誠治, 他. 抗血栓薬服用者に対する消化器内視鏡診療ガイドライン直接経口抗凝固薬（DOAC）を含めた抗凝固薬に関する追補 2017. 日本消化器内視鏡学会雑誌. 2017; 59: 1549-58.

5) Furuhata T, Kaise M, Shu Hoteya S, et al. Postoperative bleeding after gastric endoscopic submucosal dissection in patients receiving antithrombotic therapy. Gastric Cancer. 2017; 20: 207-14.

6) 日本腎臓病薬物療法学会. 腎機能低下時に最も注意が必要な薬剤投与量一覧. 2021 年改訂 34.1 版.

7) Sibon I, Orgogozo JM. Antiplatelet drug discontinuation is a risk factor for ischemic stroke. Neurology. 2004; 62: 1187-9.

8) Maulaz AB, Bezerra DC, Michel P, et al. Effect of discontinuing aspirin therapy on the risk of brain ischemic stroke. Arch Neurol. 2005; 62: 1217-20.

9) Wahl MJ. Dental surgery in anticoagulated patients. Arch Intern Med. 1998; 158: 1610-6.

10) 塩谷昭子, 半田有紀子, 藤田　穰. 薬剤起因性障害の病態と治療戦略: 抗血栓薬起因性消化管傷害の現況と対策, 日本内科学会雑誌. 2020; 109: 1784-9.

◯← NOTES

　低用量アスピリンによる上部消化管粘膜傷害はよく知られているが, 小腸内視鏡の進歩により, 服薬者の 20 ～ 60% に小腸粘膜傷害を引き起こし消化管出血の原因となることが近年明らかとなってきた. 上部消化管粘膜傷害には PPI が有効であるが, 小腸粘膜傷害には PPI が増悪因子となる可能性があり注目されている. 治療および予防としてミソプロストールの有効性が確認され, プロバイオティクス, 粘膜保護薬, 抗 TNF-α 抗体製剤などの有効性も報告がある[10].

〈大澤　恵〉

IV. 消化管

Question 7 リン吸着薬の便通への影響を教えてください

Answer

1) リン吸着薬の注意すべき副作用として便秘がある.
2) リン吸着薬の内服継続のため下剤の調節が有用である.
3) 便秘をきたしにくいリン吸着薬への変更の有効性の報告もある.
4) リン吸着薬による便秘に起因する腸管穿孔も報告されており, 注意が必要である.

■ 1. 透析患者における特徴

透析患者における便通異常の原因は複合的要因によるが[1], リン吸着薬の便通異常への影響は重要である. リン吸着薬であるセベラマー塩酸塩, 炭酸ランタン, ビキサロマーでは, 消化器系副作用として主に腹部膨満や便秘を, クエン酸第二鉄水和物, スクロオキシ水酸化物 (☞ NOTES) では主に下痢を認めることがある. これらの消化器系の副作用のため, 内服量が制限されたり, 内服継続が困難となったりするため, 対策が必要である.

■ 2. 薬剤の適応

セベラマー塩酸塩による便秘の発症頻度は他のリン吸着薬より高いことが知られている. セベラマー塩酸塩とビキサロマーを比較した検討では, セベラマー塩酸塩の方が水分の吸収量が多く, 便秘の発症率も高率であった[2].

■ 3. 薬剤の選択

リン吸着薬により発症または増悪する便秘に対しては, 下剤が使用される. マグネシウムを含有する塩類下剤は, 長期使用により高マグネシウム血症をきたす可能性があり注意が必要である. 糖類下剤であるD-

ソルビトールは保険適応外ではあるが，セベラマー塩酸塩と同時に開始し，その後便の硬さに応じ調節する内服方法の有用性が報告されている[3]．

　リン吸着薬に伴う便秘に対しては，一般的にアントラキノン系（センノシド，センナ）やジフェノール（ピコスルファート）などの刺激性下剤が便の硬さ，便秘の程度により用いられることが多い．硬便が貯留している状況で刺激性下剤を用いると，腸管内圧が上昇し，穿孔をきたす危険性があり注意が必要である[4]．クロライドチャネルアクチベータであるルビプロストン（アミティーザ®）は腸管内への Cl^- および水の移動により，便秘を改善させる薬剤であり，リン吸着薬に伴う便秘への有用性の検証が期待される[5]．セベラマー塩酸塩からビキサロマーに変更することにより，便秘を含む消化器症状の改善率が高かったとの報告もある[6]．

■ 4. 実際の投与量，投与回数および投与期間の目安

　透析患者へのルビプロストン投与量は1回 $24\,\mu g$ を1日1回から開始し慎重に投与する．

■ 5. 注意すべき副作用や他剤との相互作用

　セベラマー塩酸塩内服に伴う消化管穿孔[7]や，炭酸ランタンの不十分な咀嚼による便秘，S状結腸潰瘍形成[8]といった重篤な副作用発症の報告があり，注意が必要である．

■ 文献

1）Sumida K, Yamagata K, Kovesdy CP. Constipation in CKD. Kidney Int Rep. 2019; 5: 121-34.

2）谷口圭一，角田裕俊，戸村裕一，他．新規高リン血症治療薬ビキサロマー（キックリン®カプセル）の薬理学的特性および臨床試験成績．日薬理誌．2013; 141: 333-7.

3）平田純生，和泉　智，古久保　拓，他．Sevelamer hydrochloride 投与による便秘発症予防のための下剤併用法の検討．透析会誌．2004; 37: 1967-73.

4）渡邊有三．透析患者における生活習慣改善策［各生活習慣が及ぼす影響と具体的な対策］便通の異常．臨牀透析．2012; 28: 1235-41.

5）吉田拓弥，古久保　拓，田中千春，他．血液透析患者の便秘症に対するルビプ

ロストンの臨床効果. 大阪透析研究会会誌. 2014; 32: 29-32.

6) Hatakeyama S, Murasawa H, Narita T, et al. Switching hemodialysis patients from sevelamer hydrochloride to bixalomer: a single-center, non-randomized analysis of efficacy and effects on gastrointestinal symptoms and metabolic acidosis. BMC Nephrol. 2013; 14: 222.

7) Madan P, Bhayana S, Chandra P, et al. Lower gastrointestinal bleeding: association with Sevelamer use. World J Gastroenterol. 2008; 14: 2615-6.

8) 秋山 健一, 岡 雅俊, 鈴木美貴, 他. 炭酸ランタン内服中に高度便秘症から巨大S状結腸潰瘍をきたした血液透析患者の1例. 臨牀透析. 2011; 27: 1641-4.

9) Dwyer JP, Sika M, Schulman G, et al. Dose-response and efficacy of ferric citrate to treat hyperphosphatemia in hemodialysis patients: a short-term randomized trial. Am J Kidney Dis. 2013; 61: 759-66.

10) Floege J, Covic AC, Ketteler M, et al. A phase III study of the efficacy and safety of a novel iron-based phosphate binder in dialysis patients. Kidney Int. 2014; 86: 638-47.

11) Palmer SC, Gardner S, Tonelli M, et al. Phosphate-binding agents in adults with CKD: A network meta-analysis of randomized trials. Am J Kidney Dis. 2016; 68: 691-702.

12) Koiwa F, Yokoyama K, Fukagawa M, et al. Efficacy and safety of sucroferric oxyhydroxide and calcium carbonate in hemodialysis patients. Kidney Int Rep. 2017; 3: 185-92.

⊂◯⊃ NOTES

クエン酸第二鉄水和物（リオナ®）やスクロオキシ水酸化鉄（ピートル®）はその他のリン吸着薬と比較すると, 便秘の副作用の発生率は少なく, 消化器系副作用としては下痢の割合が多い[9-11]. 35名の維持透析患者において, 炭酸カルシウム内服下に, セベラマー塩酸塩からスクロオキシ水酸化鉄に変更した検討が行われ, スクロオキシ水酸化鉄に変更後, 腸運動にについての満足度がやや改善したとの結果であった[12].

〈戸川 証〉

IV. 消化管

Question 8 カルシウム受容体作動薬（calcimimetics）による胃腸障害はどう対処すればよいですか？

Answer

1) Calcimimetics 経口薬の場合，内服時間を眠前や透析開始時または透析後に変更する．シナカルセトを投与している場合は，エボカルセトに変更する．

2) 胃腸障害の頻度が低い注射薬（エテルカルセチド，ウパシカルセト）を使用する．

3) 薬物療法としては，プロトンポンプインヒビターや H_2 ブロッカーがよく投与されるが，ドンペリドン（ナウゼリン®），モサプリド（ガスモチン®），も有効である．

■ 1. 胃腸障害の頻度・特徴

シナカルセトの特定使用成績調査によると，胃腸障害は 19.4% に認められ，悪心，胃部不快感が多い症状である．内服から症状出現までの時間は 3 時間前後が多く，症状は 5 時間前後持続する[1]．2016 年 12 月より注射薬（エテルカルセチド）が使用可能となっているが，胃腸障害の頻度は数 % 未満に低下している．さらに 2018 年 5 月よりシナカルセトと同じ経口薬ではあるがより高い bioavailability を有し，胃腸障害を減じることができたエボカルセト，2021 年 8 月より 2 つめの注射薬であるウパシカルセトが使用可能となっている．

■ 2. カルシウム受容体作動薬の胃腸障害の機序

胃壁細胞，G 細胞にはカルシウム感知受容体が存在し calcimimetics は胃酸・ガストリン分泌を増強させる．また，Auerbach 神経叢にもカルシウム感知受容体が存在し，蠕動運動低下・胃排出能低下を引き起こすと考えられる[2]．

■ 3. Calcimimetics 投与方法による対応

Calcimimetics 投与により蠕動運動低下・胃排出能低下を認めるため，投与後はしばらく胃に内容物がない状態のとき症状は出現しにくいと考えられ，夕食後からできるだけ時間を空けた眠前投与がよい．また，透析により胃排出能が亢進するため，透析日は透析前または後に投与するのも 1 つの方法である[1]．経口薬エボカルセトでも症状が持続する場合は，calcimimetics 注射薬に変更を考慮する．

■ 4. 経口薬: エボカルセト

エボカルセトはシナカルセトと異なり，チトクローム P450 での代謝を受けにくいため，高い bioavailability を有し，少ない内服量でも十分な血中濃度を維持できる．その結果，腸管管腔内の薬剤曝露を減じることができ，シナカルセトよりも胃腸障害を起こしにくいと考えられる[3]．国内第 3 相臨床試験では胃腸関連有害事象がエボカルセト群 18.6%，シナカルセト群 32.8% と有意にエボカルセトが低かった[4]．

■ 5. 注射薬: エテルカルセチド，ウパシカルセト

エテルカルセチドの承認時の報告では，消化器症状として，嘔吐 2.1%，下痢 1.0% を認めたが，シナカルセトよりかなり低率である．さらに，エテルカルセチドの国内市販後調査において 1,192 名の登録患者のなか胃腸障害は 19 名（1.6%）とわずかであった[5]．経口薬と比し，注射薬は消化管のカルシウム感知受容体への移行が少ないことが推定されるも，正確な機序は不明である．注射薬は透析後投与であり，前述のように胃腸障害を起こしにくい理由の 1 つである可能性はある．2021 年より使用可能となったウパシカルセトも国内第 2 相・第 3 相試験で胃腸障害が 0.9% と低率であった．ただ，注射薬も消化器症状を低頻度ながら認めるため，症状出現には注意が必要である．

■ 6. 薬剤投与による対応

蠕動運動低下・胃排出能低下による症状と考えられる場合は，消化管蠕動を賦活する薬剤を投与する．D_2 ドパミン受容体拮抗薬であるドンペリドン（ナウゼリン®），5HT4 剤であるモサプリド（ガスモチン®）が有効である[2]．また，できれば消化管内視鏡などを施行し，胃酸分泌

亢進による胃粘膜障害を起こしていると考えられる場合は，H_2 ブロッカーやプロトンポンプインヒビターを投与する．

■ 文献

1) 伊達敏行. Cinacalcet の副作用とその対策. In: 秋葉　隆, 他編. 透析療法ネクストIX. 東京: 医学図書出版; 2009. p.123-32.

2) 福本和生, 野口智永, 酉家佐吉子, 他. シナカルセト塩酸塩の上部消化管合併症の機序. 透析会誌. 2010; 43: 309-15.

3) 徳永　紳, 遠藤祐一, 川田剛央. 新規カルシウム受容体作動薬エボカルセト（オルケディア®錠）の薬理特性及び臨床試験成績. 日薬理誌. 2019; 154: 35-43.

4) Fukagawa M, Shimazaki R, Akizawa T, et al. Head-to-head comparison of the new calcimimetic agent evocalcet with cinacalcet in Japanese hemodialysis patients with secondary hyperparathyroidism. Kidney Int. 2018; 94: 818-25.

5) Yokoyama K, Fukagawa M, Shigematsu T, et al. Safety and efficacy of etelcalcetide, an intravenous calcimimetic, for up to 52 weeks in hemodialysis patients with secondary hyperparathyroidism: results of a post-marketing surveillance in Japan. Clin Exp Nephrol. 2021; 25: 66-79.

〈野垣文昭〉

IV. 消化管

Question 9

高カリウム血症治療薬の特徴と
副作用について教えてください

Answer

1) 透析患者は腎からのカリウム排泄能が低下しているため，高カリウム血症をきたしやすい．

2) 高カリウム血症の原因として，カリウム摂取過多が疑わしければまず食事制限を行い，それでも効果が乏しければカリウム吸着薬（イオン交換樹脂）の投与を考慮する（カリウム高値だからからといって原因を考えずに，すぐ薬剤投与しない）．

3) 従来のイオン交換樹脂は便秘を起こしやすい．新規のジルコニウムシクロケイ酸ナトリウム水和物は便秘が少ない．

4) 便秘に対しては浸透圧性下剤，刺激性下剤が用いられてきたが，新規薬剤であるルピプロストン，リナクロチド，エロビキシバットも用いられるようになってきており，既存の下剤に抵抗性の便秘にも一定の効果を示しうる．

■ 1. 透析患者における高カリウム血症

　カリウムは主に腎から排泄され，透析患者では腎の排泄能が低下もしくは廃絶しているために少量のカリウム負荷でも高カリウム血症をきたす．高カリウム血症が重度になれば，致死的な不整脈が生じる．およそ 5.5mEq/L 以上で伝導の遅延が出現し，6.5mEq/L 以上で心室性不整脈から心室細動などの致死性な不整脈が引き起こされる．ゆえに，カリウム値のコントロールは突然死を防ぐため非常に重要である．

　透析患者の高カリウム血症の原因を表 1 にあげる．まず，偽性高カリウム血症を除外し，可能性があれば再検する．その次に便秘や薬剤による排泄の低下，細胞外へのカリウムのシフト（細胞崩壊，インスリン

表 1 ■ 透析患者における高カリウム血症の原因

分類	具体的な原因
1. 偽性高カリウム血症	白血球増多，血小板増多，溶血（採血手技や検体の放置など）
2. カリウム排泄の低下	排泄を減少させる薬剤（ACE 阻害薬，ARB，）NSAIDs，スピロノラクトン，β遮断薬，ヘパリン，ST 合剤，カルシニューリン阻害薬） 便秘，腸管運動障害
3. 細胞内から細胞外へのカリウムのシフト	細胞崩壊：筋融解，血管内溶血，消化管出血ナド，インスリン欠乏，代謝性アシドーシス，β遮断薬，ジギタリス
4. カリウムの負荷	食事による摂取の増加 輸血，輸液，薬剤

欠乏，代謝性アシドーシスなど）を考えるが，多くの場合カリウム摂取量の増加が原因である．

■ 2. 高カリウム血症の治療

透析患者は慢性的に高カリウム血症をきたしていることが多く，通常 5.5〜6.0mEq/L 程度までは症状を生じないことが多いが，有症状時やこれ以上の値を示す場合は治療が必要となる．

高カリウム血症が 6mEq/L 以上と高度な場合には，再検，心電図検査を行い，徐脈やテント上 T 波など緊急の場合には透析の準備をするとともに，以下を行う．

①カルチコール　1A　静脈注射　2〜3 分かけて　※ジギタリス投与患者では慎重投与

②インスリン投与（50% ブドウ糖　50mL＋ヒューマリン R 10 単位の静脈注射）

③カリメート 50g＋微温湯 100mL 注腸 1 時間以上滞留

緊急性が高くない場合には，まず果物や生野菜の摂取量を減らすといったカリウム制限のための食事指導を行うが，コンプライアンスが悪く，透析前カリウム値の高値が続けば，カリウム吸着薬の経口投与を考慮する．

カリウム吸着薬としては，これまでポリマー製剤の陽イオン交換樹脂

が用いられ，ナトリウムイオン交換樹脂である**ポリスチレンスルホン酸ナトリウム（ケイキサレート®）**と，カルシウムイオン交換樹脂である**ポリスチレンスルホン酸カルシウム（カリメート®，アーガメイトゼリー®）**の2種類があった．

カリウムは大腸内で陽イオン交換によって樹脂に吸着して体外へ排泄される．大腸内のカリウム濃度の低下により，さらにカリウム排泄が促進される．以前はソルビトールを併用していたが，腸管穿孔が報告されており[1]，併用は注意する．

2020年より非ポリマー性の無機陽イオン交換化合物である**ジルコニウムシクロケイ酸ナトリウム水和物（ロケルマ®）**が使用可能となった．ジルコニウムシクロケイ酸ナトリウム水和物は，カリウムイオンの直径に近い平均約3Å（オングストローム）の均一な微細孔構造を持ち，消化管全体の管腔内でカリウムイオンを選択的に捕捉し，初回投与開始後1時間から血清カリウム値の低下を示す．水分による膨潤をしないために便秘が少ないという特徴を有し，透析患者の高カリウム血症にも有効な治療成績が得られている[2]．上記のように優れているが，薬価が高く，症例によって選択する必要がある．

経口投与の場合には以下のいずれかを内服する

①カリメート 5〜30g 分1〜3 食後
②アーガメイトゼリー 75〜150g 分1〜3 食後
③ケイキサレート 5〜30g 分1〜3 食後
④ロケルマ 急性の高カリウム血症では5g 3回 2日間，その後5g 1日1回，

　通常は5〜15g 分1 非透析日に

■ 3. イオン交換樹脂による便秘

イオン交換樹脂は体内に吸収されないため，**全身的な副作用は少ないが，腸管内で膨潤して便秘を起こしやすい**．また透析患者は元々食事でのカリウム摂取が制限されているため果物や生野菜の摂取量が少なく，食物繊維が不足して便秘となることが多い．その他にも，透析による除水，水分摂取不足，リン吸着薬の服用など，便秘を生じる素因が多い．

イオン交換樹脂の服用によりさらにその傾向は助長される. 便秘は QOL（Quality of Life）を下げるばかりではなく，腸閉塞や腸管穿孔をきたしうるために対処が必要である.

■ 4. 便秘の治療

薬剤性便秘では硬結便になりやすく，浸透圧性下剤が第一選択となる. 透析患者では酸化マグネシウムは高マグネシウム血症を生じることがあり原則として使用しない. 糖類下剤である D-ソルビトールやラクツロースを用いることが多い. ラクツロースは 2018 年より慢性便秘症に適応となった. D-ソルビトールの経口ならびに注腸投与で腸管壊死[1] があるため注意が必要である.

高齢透析患者では腸管の蠕動運動も低下するため，ピコスルファートナトリウム水和物，センノシドなどの刺激性下剤も有効である. ただし刺激性下剤は長期間服用していると耐性を生じることがある（ピコスルファートナトリウム水和物は耐性を生じにくい）. さらに，虚血性腸炎が存在すると大量の刺激性下剤の投与により腸管穿孔を誘発することがある.

また，新規の下剤として上皮機能変容薬のルビプロストン（アミティーザ®），リナクロチド（リンゼス®）や胆汁酸トランスポーター阻害薬のエロビキシバット（グーフィス®）が用いられるようになった. ルビプロストンは小腸上皮細胞のクロライドチャネルを活性化することで腸管内への水分分泌を促進する. 副作用として悪心がみられることがあるので食後に処方する. リナクロチドは大腸痛覚過敏改善作用があるのが特徴で，食後に服用すると下痢が増加するので食前に投与する. エロビキシバットは胆汁酸トランスポーターを阻害するため胆汁酸の放出される前の食前に投与する.

いずれも薬価は高いが既存の下剤で効果がみられなくとも一定の効果を示すとする報告もあり[3]，上皮機能変容薬は 2017 年の慢性便秘症ガイドライン[4] でも使用を強く推奨されている. 今後さらなるエビデンスの蓄積が期待される.

■ 文献

1) Gerstman BB, Kirkman R, Platt R. Intestinal necrosis associated with postoperative orally administered sodium polystyrene sulfonate in sorbitol. Am J Kidney Dis. 1992; 20: 159-61.

2) Fishbane S, Ford M, Fukagawa M, et al. A phase 3b, randomized, double-blind, placebo-controlled study of sodium zirconium cyclosilicate for reducing the incidence of predialysis hyperkalemia. J Am Soc Nephrol. 2019; 30: 1723-33.

3) 王　麗楊, 谷野彰子, 山田佐知子, 他, 長期療養入院血液透析患者の難治性便秘症に対する上皮機能変容薬の有用性について. 透析会誌. 2021; 54: 61-8.

4) 日本消化器病学会関連研究会　慢性便秘の診断・治療研究会, 編, 慢性便秘症診療ガイドライン. 東京: 南江堂; 2017.

5) Sandle GI, Gaiger E, Tapster S, et al. Evidence for large intestinal control of potassium homoeostasis in uraemic patients undergoing long-term dialysis. Clin Sci (Lond). 1987; 73: 247-52.

6) Palmer BF. Potassium binders for hyperkalemia in chronic kidney disease-diet, renin-angiotensin-aldosterone system inhibitor therapy, and hemodialysis. Mayo Clin Proc. 2020; 95: 339-54.

⮊ NOTES 1

慢性腎不全患者の便中カリウム排泄について: 健常人では, 通常摂取されたカリウムの約90%が腎臓から排泄され, 便中排泄は10%程度である. 慢性腎不全患者において尿中排泄は減少し, 代わりに便中排泄が摂取量の約25%に増加する. この代償機構が存在するために, 急性腎不全と異なり, 慢性腎不全患者において急激な高カリウム血症が少ない. また, 腸管でのカリウム排泄にはアルドステロンの関与が報告されており[5], 無尿の患者でもレニン-アルドステロン系の阻害薬で血清カリウム値は上昇する場合がある.

NOTES 2

　レニン-アンジオテンシン-アルドステロン（RAAS）阻害薬の使用によってカリウムが上昇するため高カリウム血症をきたした場合では内服の減量中止を検討しなければならなかった．しかし，ジルコニウムシクロケイ酸ナトリウム水和物などを併用することによって血清カリウム値を低下させ，RAAS阻害薬を継続できたという報告[6] がみられ，またイオン交換樹脂で認めるような消化器系の有害事象の危険性も低いなどのメリットもあり，今後効果的に投与される可能性が示唆される．

〈大島一憲　光武明彦　池谷直樹〉

IV. 消化管

Question 10

透析患者に CT，MRI や眼底検査が
必要な場合，造影剤の使いかたと
注意点を教えてください

Answer

1) 透析患者に対してヨード造影剤を投与する場合，原則として投与直後に造影剤の除去を目的とした血液透析を追加して行う必要はない.

2) 自尿を保っている透析患者に対してヨード造影剤を投与する場合，残存腎機能に対する影響を少なくするには造影剤の大量投与を避け，投与量を必要最少量に抑える.

3) GFR 30mL/ 分 /1.73m^2 未満（透析症例を含む）の場合には，ガドリウム含有 MRI 造影剤使用後に腎性全身性線維症を発症する危険性が高いため，投与を避けるべきである.

4) 蛍光眼底造影剤（フルオレセイン）は腎機能に影響はないとされており，透析患者においても通常どおり使用することができる.

■ 1. 透析患者における特徴

　CT 検査や血管造影検査で使用されるヨード造影剤は大部分が腎排泄である. 一方で，ヨード造影剤は血液透析および腹膜透析のいずれの透析療法でも大部分が除去される. したがって透析患者に対してヨード造影剤を投与する場合，造影剤の副作用を避けるには造影剤投与量を必要最少量にとどめ，造影剤使用後は早めに透析を行うべきである. しかしながら，検査直後に造影剤の除去を目的とした血液透析を追加して行う必要はなく，原則として定時の血液透析もしくは腹膜透析を行えばよいとされている.

　MRI 検査では造影剤としてガドリニウム含有のものが使用されるが，

重篤な腎障害のある患者へのガドリニウム含有造影剤使用に関連して腎性全身性線維症（nephrogenic systemic fibrosis：NSF）の発症が報告されている．日本腎臓学会の「エビデンスに基づく CKD 診療ガイド 2013」では GFR 30mL/ 分 /1.73m^2 未満（透析症例を含む）の場合には，ガドリニウム含有造影剤の使用を避けるべきであると記されている[1]．

　蛍光眼底造影剤（フルオレセイン）は大部分が尿中に排泄される薬剤であるが，ヨード非含有であるため造影剤腎症を起こす危険性はなく，腎に対する薬理作用も有しないため腎機能を悪化させることはない[2]．透析患者に対する投与に関しても問題はないが，投与直後は皮膚や眼球結膜などへの黄色い蛍光色素の貯留が起こることがある．透析によって速やかに除去される．

　以下では，透析患者におけるヨード造影剤の使いかたや注意点を中心に概説していく．

■ 2. ヨード造影剤の種類，選択

　以前は，造影剤腎症を発症する危険性が高い患者に対して「低浸透圧または等浸透圧非イオン性造影剤を使用すること」が推奨され，ガイドラインにも明記されていたが，本邦では 2001 年に X 線検査で用いられてきた高浸透圧イオン性造影剤に関して血管内投与の保険適用が削除され，一般的に使用されることがなくなったため「腎障害患者におけるヨード造影剤使用に関するガイドライン 2018」[3] では高浸透圧造影剤に関する記載が削除された．なお，低浸透圧造影剤と等浸透圧造影剤との間では造影剤腎症の発症リスクに違いはないとされており，本邦で複数が使用されている低浸透圧造影剤の間においても造影剤腎症の発症リスクに差はないと記載されている．

■ 3. ヨード造影剤の投与量や透析について

　欧州泌尿生殖器放射線学会（European Society of Urogenital Radiology：ESUR）ガイドライン 2018[4] では，血液透析，腹膜透析を問わず，原則としてヨード造影剤の投与直後に造影剤の除去を目的とした血液透析を追加して行う必要はなく，造影剤投与と血液透析の時間的関係を考

慮する必要はないとされている.

　しかしながら，自尿を保っている透析患者に対しては造影剤使用による残存腎機能への影響も考慮すべきであり，造影剤による副作用を避けるためには造影剤の大量投与を避け，投与量を必要最少量に抑えるべきであろう．透析患者に対する造影剤投与量の目安について明確なデータはないが，腎機能低下患者にヨード造影剤を投与する場合に投与量が100mLを超えると造影剤腎症の発症リスクが高くなる[5]ことを参考にすれば，透析患者に対して冠動脈インターベンション治療や造影CT検査を実施して造影剤使用量が100mLを超えた場合や短期間（24～48時間以内）で複数回の造影検査を実施した場合は，薬疹などの副作用を予防する目的で血液透析の実施を考慮してもよいと思われる．なお，緊急で心臓カテーテル検査が実施されるときは体液過剰や電解質異常を伴っていることも多いことから，これらの異常を補正する目的で直後に血液透析を行わなければならない場合もある．ヨード造影剤の浸透圧は，等ヨード含有量において低浸透圧造影剤＞等浸透圧造影剤の順で高く，低浸透圧造影剤の生理食塩水に対する浸透圧比は2～4倍程度であることに注意が必要である．つまり，造影剤の投与によって体液負荷になりやすいことを念頭におくべきである．

■ 4. 注意すべき副作用

　ヨード造影剤やガドリニウム含有造影剤を投与直後から1時間以内に生じる急性副作用を表1にまとめた[6]．従来，造影剤の急性副作用に対してステロイド剤を事前に投与することが推奨されてきたが，2018

表1 ■ 急性副作用の分類（ヨード造影剤，ガドリニウム含有造影剤に共通）

	アレルギー様 ／ 過敏症	化学毒性
軽度	軽度の蕁麻疹，軽度の瘙痒感，紅斑	悪心，軽度の嘔吐，熱感・悪寒，不安感，すぐに回復する血管迷走神経反射
中等度	重度の蕁麻疹，軽度の気管支痙攣，顔面・喉頭浮腫，嘔吐	重度の嘔吐，血管迷走神経発作
重度	低血圧性ショック，呼吸停止，心停止	不整脈，痙攣

Ⅳ　消化管

年に ESUR が発行した最新のガイドライン（ver. 10.0）では有効性に関するエビデンスが乏しいという理由で推奨が削除された．しかしながら，米国放射線医会や日本医学放射線学会は，従来どおりステロイド前投薬を試みる価値があるとの見解を示している．なお，ステロイド前投薬の方法として，ステロイドの抗アレルギー作用を十分に発揮させるために造影剤投与の 6 時間以上前に投与することを勧めており，具体的には造影剤投与の 12 および 2 時間前にプレドニゾロン 30mg の経口投与を提示している．なお，急性副作用の危険因子として，①造影剤に対する中等度もしくは重度の急性副作用の既往，②気管支喘息，③治療を要するアレルギー疾患，などが示されている．ちなみに気管支喘息患者における重篤な副作用の発現リスクは約 10 倍とされており，症状のコントロールができていない喘息患者に対する造影検査は避けるべきである．

　また，ヨード造影剤を重篤な甲状腺機能亢進症の患者に投与する場合，甲状腺クリーゼを引き起こす可能性があるため投与を避けるべきである．

　ガドリニウム含有造影剤の副作用である NSF は，投与数日から数カ月後，ときに数年後に皮膚の腫脹や硬化，疼痛などにて発症する疾患である．進行すると四肢関節の拘縮を生じて活動は著しく制限される．現時点で確立された治療法はなく，死亡例も報告されている．透析患者は NSF を発症する危険性が高く，ガドリニウム含有造影剤の投与を避けるべきであるが，やむを得ずガドリニウム造影剤を使用しなければならない場合には NSF 発症頻度の低いガドリニウム含有造影剤を選択したほうがよいとされる[1]．造影剤の種類別の NSF 発症リスクに関する明確なデータはないが，これまでの報告例ではガドジアミド水和物（オムニスキャン®）によるものが最も多く，次いでガドペンテト酸メグルミン（マグネビスト®）が多い．これらは安定性の低い直鎖型キレート構造を有するガドリニウム含有造影剤であり，一方，安定性の高い環状型キレート構造を有するガドテリドール（プロハンス®）やガドテル酸メグルミン（マグネスコープ®）による NSF の報告はほとんどない[6]．また，肝特異性のガドリニウム造影剤であるガドキセト酸ナトリウム（EOB・プリモビスト®）は直鎖型キレート構造を有するが，安定性は

十分に高く，NSF の報告はない．ただし，いずれの造影剤であっても
その使用にあたっては必要最少量を投与すべきであり，血液透析，腹膜
透析を問わず透析患者にガドリニウム含有造影剤を使用した場合は造影
剤の除去を目的とした血液透析をできるだけ速やかに実施することが推
奨されている[1]．

■ 文献

1) 日本腎臓学会, 編. エビデンスに基づく CKD 診療ガイドライン 2013. 東京:
   東京医学社; 2013.
2) Kameda Y, Babazono T, Haruyama K, et al. Renal function following fluores-
   cein angiography in diabetic patients with chronic kidney disease. Diabetes
   Care. 2009; 32: e31.
3) 日本腎臓学会・日本医学放射線学会・日本循環器学会, 編. 腎障害患者にお
   けるヨード造影剤使用に関するガイドライン 2018. 東京: 東京医学社; 2018.
4) van ser Molen, Reimer P, Dekkers IA, et al. Post-contrast acute kidney injury.
   Part 2: risk stratification, role of hydration and other prophylactic measures,
   patients taking metformin and chronic dialysis patients（recommendations for
   updated ESUR contrast medium safety committee guidelines）. Eur Radiol.
   2018; 28: 2856-69.
5) Weisbord SD, Mor MK, Resnick AL, et al. Incidence and outcomes of con-
   trast-induced AKI following computed tomography. Clin J Am Soc Nephrol.
   2008; 3: 1274-81.
6) Tsushima Y. Safety information of gadolinium-based contrast agents: up to
   date. J Jpn Soc Pediatr Radiol. 2017; 33: 91-6.
7) Dittrich E, Puttinger H, Schillinger M, et al. Effect of radio contrast media on
   residual renal function in peritoneal dialysis patients -a prospective study.
   Nephrol Dial Transplant. 2006; 21: 1334-9.

> **NOTES**
>
> 腹膜透析患者に対する造影剤投与について：腹膜透析患者にとって残腎機能は重要であり，ヨード造影剤投与後に残腎機能が低下すれば腹膜透析の継続が困難となる懸念があるが，腹膜透析患者に対するヨード造影剤の影響に関する報告は少ない．尿量が1000mL/日以上と残腎機能が保たれていれば，ヨード造影剤を100mL程度投与しても残腎機能に変化がなかったという報告もあり[7]，その理由として残腎機能と腹膜透析による体外への造影剤の除去や腹膜透析患者に多いアルカレミアの影響などがあげられているが，十分なエビデンスはない．今後のさらなる検討が必要である．
>
> なお，ESUR は2002年の時点でヨード造影剤投与直後に血液透析を行う必要はないと明記しており，2018年に出された最新のガイドラインにおいても同様の内容が記されている[4]．

〈井上秀樹〉

V. 糖尿病・代謝・栄養

Question 1

透析患者における経口血糖降下薬の適応と使いかたを教えてください

Answer

1) 透析患者での血糖管理は運動療法・食事療法が基本であり, 薬物療法としてはインスリン療法が原則である. インスリン療法が不可能な場合に経口糖尿病薬で血糖管理を行う.

2) 透析患者ではインスリンのクリアランス低下や内服薬の代謝・排泄の遅延により, 遷延性低血糖のリスクがある.

3) 透析患者ではグリコアルブミン (glycated albumin: GA) 値が血糖管理指標として推奨され, 目標値は 20.0% 未満である (心血管イベントの既往歴を有し, 低血糖傾向のある対象者には 24.0% 未満).

4) 血液透析患者では, 透析日と非透析日で投薬調整が必要な場合がある.

■ 1. 糖尿病透析患者における経口糖尿病薬の開始時期

透析患者であっても, 糖尿病の治療は食事療法・運動療法が基本であり, それでも管理不十分な場合に薬物治療を行う[1]. 糖尿病透析患者の食事療法については, 血液透析患者と腹膜透析でそれぞれガイドラインが提示されている[2,3]. 本稿で紹介するのは経口糖尿病薬であるが, 透析患者の血糖コントロール治療薬の原則はインスリンである. 一方で, 患者の高齢化や網膜症による視力障害のためインスリン治療が行えない場合も多い. 食事療法や運動療法では血糖管理が不十分で, なおかつインスリン治療が上記のような医学的また社会的見地から行えないような場合には経口糖尿病薬が選択される. 透析患者ではインスリンのクリアランスが低下しており, 経口薬だけで十分に血糖管理できる症例も意外

と多い.

血液透析患者の糖尿病治療ガイド 2012[4) では,『随時血糖値(透析前血糖値;食後約2時間血糖値)180 〜 200mg/dL 未満,GA 値 20.0% 未満,また,心血管イベントの既往歴を有し,低血糖傾向のある対象者には GA 値 24.0% 未満』を血糖コントロールの暫定的目標値として提案している(☞ NOTES).これらのガイドラインを指標に透析患者の糖尿病管理を行う.

■ 2. 経口糖尿病薬の種類

現在本邦において一般の糖尿病患者に使用される経口血糖降下薬としては,小腸からのブドウ糖吸収を遅延させるα-グルコシダーゼ阻害薬(α-GI),膵臓β細胞からのインスリンの分泌を促進するスルホニル尿素薬(SU 薬)および速効型インスリン分泌薬,筋肉・脂肪・肝臓におけるインスリン抵抗性改善効果があるビグアナイド薬およびチアゾリジン薬,血糖依存性のインスリン分泌促進とグルカゴン分泌を抑制する dipeptidyl peptidase-4(DPP-4)阻害薬があげられる.近年新たな経口糖尿病薬としてナトリウム依存性グルコース共輸送体-2(SGLT-2)阻害薬が登場し,最近では慢性腎臓病へも適応が広がっており注目されているが,透析患者には効果が期待できないため使用できない.一方で,これまで注射薬しかなかった glucagon like peptide-1(GLP-1)受容体作動薬に経口薬が登場した.DPP-4 阻害薬と同様に血糖依存性のインスリン分泌促進作用があり,透析患者にも使用可能である.さらに近年登場したのがイメグリミンである.イメグリミンはミトコンドリアを介した新たな作用機序を持つとされる.血糖降下作用だけでなくβ細胞保護作用も期待されている.

■ 3. 糖尿病透析患者における経口糖尿病薬の使い方(適応と禁忌)

経口糖尿病薬の透析患者における適応と投与量を表 1[4,5)] に示す.通常は単剤で投与開始し,血糖管理状況により増量や作用機序の異なる他剤の併用を行う.透析患者に経口糖尿病薬がすでに使用されている場合,あるいは新たに開始使用とする場合に最も留意すべき点の1つは,薬剤の代謝・排泄経路である.透析患者では慎重投与や禁忌となっている

経口糖尿病薬も多く，投与の適応や投与量には十分な注意が必要である．使用可能な経口薬を開始する際に留意すべきもう1つの点は，透析患者では腎機能の低下に伴いインスリンの分解・排泄の遅延が生じている点である．すなわち透析患者においては薬剤およびインスリンのクリアランスが低下していることによって，重篤かつ遷延する低血糖が生じる可能性に十分配慮しなければならない．

表1■経口血糖降下薬（血液透析患者の糖尿病治療ガイド2012[4]），阿部雅紀，他．若手医師のための透析診療のコツ．東京: 文光堂; 2011. p.40-9[5]）および各社インタビューフォームより引用改変）

経口糖尿病薬の種類		一般名	商品名	主要消失経路	透析患者への投与量
α-グルコシダーゼ阻害薬		ボグリボース	ベイスン®	糞便	吸収されにくく減量不要
		アカルボース	グルコバイ®	糞便	低用量から開始
		ミグリトール	セイブル®	糞便（腎30%）	慎重投与: 血漿濃度上昇の報告
スルホニル尿素薬		グリベンクラミド	オイグルコン®, ダオニール®	肝	禁忌
		グリクラジド	グリミクロン®	肝	禁忌
		グリメピリド	アマリール®	肝	禁忌
速効型インスリン分泌促進薬		ナテグリニド	スターシス®, ファスティック®	肝（腎5～16%）	禁忌
		ミチグリニド	グルファスト®	肝	慎重投与: 7.5～15mg/日で開始
		レパグリニド	シュアポスト®	肝	慎重投与: 低用量から開始
インスリン抵抗改善薬	ビグアナイド系	メトホルミン	メルビン®, メトグルコ®	腎	禁忌
		ブホルミン	ジベトス®	腎	禁忌
	チアゾリジン誘導体	ピオグリタゾン	アクトス®	肝	禁忌

（次頁につづく）

表 1 ■ つづき

経口糖尿病薬の種類	一般名	商品名	主要消失経路	透析患者への投与量
DPP-4 阻害薬	サキサグリプチン	オングリザ®	腎	減量：2.5mg　1日1回
	シタグリプチン	ジャヌビア®,グラクティブ®	腎	減量：12.5mg　1日1回（最大 25mg）
	アログリプチン	ネシーナ®	腎	減量：6.25mg1日1回
	リナグリプチン	トラゼンタ®	肝	用量調節不要：5mg　1日1回
	テネリグリプチン	テネリア®	腎・肝	減量不要：20 ～40mg　1日1回
	ビルダグリプチン	エクア®	腎	減量：50mg　1日1回朝（25mg で開始）
	アナグリプチン	スイニー®	腎	減量：100mg1日1回
	オマリグリプチン	マリゼブ®	腎	減量：12.5mg週1回
	トレラグリプチン	ザファテック®	腎	減量：25mg　週1回
GLP-1 受容体作動薬	セマグルチド	リベルサス®	蛋白分解および β 酸化と推定	減量不要
新規経口血糖降下薬	イメグリミン	ツイミーグ®	腎	有効性および安全性を指標とした臨床試験は実施しておらず，投与は推奨されないが禁忌ではない．

❶ α-GI

　使用頻度が高い経口薬の 1 つは α-GI である．α-GI はほぼ便中に排泄され，透析患者でも通常量使用可能である（一部血漿濃度上昇の報告もある：表 1）．食事直前の服用が必要であること，また放屁，腹部膨満感，下痢などの消化器症状があることに留意する．消化器症状は，継続して服用することで軽減することがある．低血糖が生じた場合には砂

糖でなくブドウ糖を摂取することを処方時には指導しておく必要がある.

❷ SU薬

透析患者で最も注意すべき経口糖尿病薬はSU薬である. SU薬で一度低血糖が生じてしまった場合, 対応困難な低血糖の遷延がみられる場合がある. 実際に透析患者ではSU薬は禁忌であるが, 内服を継続したまま透析導入になる可能性もある. 透析導入時だけでなく, 腎機能低下進行時には服用薬剤を再度確認し, 必要に応じて早急な見直しを行う.

❸ 速効型インスリン分泌促進薬

速効型インスリン分泌促進薬もSU薬と同じように膵臓β細胞に直接作用してインスリン分泌を促進する. SU薬と異なるのは, その持続時間が約3時間程度と短いことである. そのため低血糖の副作用はSU薬に比較して少なく, ミチグリニドとレパグリニドが透析患者で使用可能な薬剤である. ただし重度腎機能障害では慎重投与となっており, 少量からの投与開始とする.

❹ インスリン抵抗改善薬

ビグアナイド薬は, 透析患者では重篤な副作用である乳酸アシドーシスの危険性があるため, 投与禁忌である. ピオグリタゾンについては, 海外では常用量使用可能であるが, 本邦では禁忌となっている.

❺ DPP-4阻害薬

最近使用頻度が増えてきているのはDPP-4阻害薬である. DPP-4阻害薬は血糖値依存的に血糖コントロールを改善するため, 低血糖のリスクが少なく使用しやすい経口血糖降下薬である. 週1回の服用で管理できる薬剤も使用可能であり, アドヒアランスの意味でも期待できる. また, 現在すべてのDPP-4阻害薬が他のすべての経口糖尿病治療薬およびインスリン製剤との併用療法が可能となった (表2). しかしながら, 一部を除いてほとんどのDPP-4阻害薬は主要排泄経路が腎臓であるため, 透析患者では減量が必要な場合が多いことは念頭に入れておかなければならない.

❻ GLP-1受容体作動薬

2020年に初の経口のGLP-1受容体作動薬 (リベルサス®; セマグル

表2 ■ DPP-4阻害薬と併用可能薬剤（各社インタビューフォームをもとに作成）

一般名	サキサグリプチン	シタグリプチン	アログリプチン	リナグリプチン	テネリグリプチン	ビルダグリプチン	アナグリプチン
製品名	オングリザ®	ジャヌビア®グラクティブ®	ネシーナ®	トラゼンタ®	テネリア®	エクア®	スイニー®
SU薬	○	○	○	○	○	○	○
チアゾリジン薬	○	○	○	○	○	○	○
ビグアナイド薬	○	○	○	○	○	○	○
α-グルコシダーゼ阻害薬	○	○	○	○	○	○	○
グリニド薬	○	○	○	○	○	○	○
インスリン製剤	○	○	○	○	○	○	○

チド）が登場した．本剤は透析患者にも使用可能であり，なおかつ用量調節も可能である．DPP-4阻害薬同様に血糖依存性のインスリン分泌促進作用があり，体重減少効果も期待できる．自己注射への抵抗も含め，これまでGLP-1受容体作動薬の投与ができなかった症例へも良い適応となる．

❼ミトコンドリア機能改善薬

新たな作用機序を持つ新規経口血糖降下薬として登場したのがイメグリミンである．イメグリミンはミトコンドリアへの作用を介して血糖依存的にインスリン分泌を促進させるとともに，肝臓・骨格筋での糖代謝を改善（糖新生抑制・糖取り込み能改善）することで血糖降下作用を示す．またミトコンドリア機能を改善させることで，活性酸素を抑制し膵β細胞を保護する効果も期待されている．2021年の時点では透析患者での投与はまだ推奨されていないが禁忌ではない．今後の可能性が期待される．

■ 4. 透析の影響

血液透析患者では透析日と非透析日において血糖値の日内変動が大きく異なる[6]. 通常, 透析液のブドウ糖濃度は 100 ～ 150mg/dL である. 高血糖である場合, 濃度勾配に伴う拡散によって透析後半には血糖は低下してくるが, 血糖降下薬が投与されている場合には逆に低血糖が生じる可能性がある. 新たに薬剤を追加した場合には, 適宜透析中の血糖を測定し, 透析日の減量や中止, あるいは他剤への変更, 必要があれば透析液のブドウ糖濃度の変更などで対応する. 自己血糖測定が可能であればそれを目安に内服薬の調整を行うことが可能だが, 自己測定が測定困難な場合には透析中の血糖変動をモニターすることで遷延する低血糖を回避する.

■ 文献

1) 中山裕史. 高血糖・糖尿病. In: 加藤明彦, 編著. これだけはおさえたい！透析患者の Common Disease. 東京: 中外医学社; 2013. p.120-40.
2) 日本腎臓病学会. CKD ガイド 2012 (http://www.jsn.or.jp/guideline/ckd2012.php)
3) 2009 年版腹膜透析ガイドライン (http://www.jsdt.or.jp/jsdt/1637.html)
4) 血液透析患者の糖尿病治療ガイド 2012 (http://www.jsdt.or.jp/jsdt/1637.html)
5) 阿部雅紀, 加藤明彦, 編. 血糖管理はどう考える？ II 透析治療について, これだけは知っておこう. In: 若手医師のための透析診療のコツ. 東京: 文光堂; 2011. p.40-9.
6) Abe M, Kaizu K, Matsumoto K. Evaluation of the hemodialysis-induced changes in plasma glucose and insulin concentrations in diabetic patients: comparison between the hemodialysis and non-hemodialysis days. Ther Apher Dial. 2007; 11: 288-95.

NOTES

　透析患者の原疾患は糖尿病性腎症であり，透析患者の血糖管理は血圧管理と同様に重要な課題となっている．これまで血糖管理の指標として HbA1c が用いられてきた．しかし透析患者では尿毒素の影響などから赤血球寿命は短縮しており，また透析療法による残血や出血があること，さらに赤血球造血刺激因子製剤投与が行われることなどにより，HbA1c 値が見かけ上低値となる．このため透析医学会では血糖管理の指標として GA を用いることを推奨している．GA を 3 で割ると HbA1c に近似することも知られており，過去の血糖管理との比較を行うことも可能である．

〈中山裕史〉

V. 糖尿病・代謝・栄養

Question 2 透析患者ではインスリン製剤の適応はどうなっていますか？　また，どのように使えばよいですか？

Answer

1) インスリン分泌が廃絶した1型糖尿病患者では，インスリン注射の絶対適応であり，1日3〜4回のインスリン強化療法が必要である．

2) 単一あるいは複数の経口血糖降下薬を使用しても十分なコントロールが得られない2型糖尿病透析患者に対しても，インスリン注射の適応となる．

3) インスリン使用患者に対しては，血糖自己測定の実施を強く推奨する．また，透析前と透析後に随時血糖値を毎回測定することが推奨されている．

4) 血糖値と血中インスリン濃度は血液透析により大きく影響をうけるため，血糖管理を良好にするためには，透析日と非透析日のインスリンの投与量と投与時間を変更することもある．

■ 1. 糖尿病透析患者の特徴

透析患者では，腎機能の廃絶によるインスリンクリアランスの低下，腎における糖新生の低下，投与された薬物のクリアランスの低下などにより，腎機能が正常な糖尿病患者よりも低血糖を生じやすい[1]．腎機能の低下に伴い，インスリン必要量は GFR<50mL/min/1.73m² で腎機能正常時の 25% 減，GFR<10mL/min/1.73m² で 50% 減とも報告されている[2]．

■ 2. インスリン療法の適応

インスリン療法の絶対的適応としては，1型糖尿病，高血糖性の昏睡（糖尿病ケトアシドーシス，高血糖高浸透圧症候群，乳酸アシドーシス），

表1 ■ インスリン製剤の種類と特徴

分類名		商品名（一般名）	作用発現時間	最大作用発現時間	作用持続時間	役割
超速効型	食事開始時・食事開始後	フィアスプ®注（アスパルト）	ノボラピッド注より5分速い	1〜3時間	3〜5時間	追加分泌を代替する
		ルムジェブ®注（リスプロ）	ヒューマログ注より速い	−	−	
	食直前	ノボラピッド®注（アスパルト）	10〜20分	1〜3時間	3〜5時間	
		ヒューマログ®注（リスプロ）	15分未満	0.5〜3時間	3〜5時間	
		アピドラ®注（グルリジン）	15分未満	0.5〜3時間	3〜5時間	
速効型	食事30分前	ノボリン®R注	約30分	1〜3時間	約8時間	
		ヒューマリン®R注	0.5〜1時間	1〜3時間	5〜7時間	
中間型		ノボリン®N注	約1.5時間	4〜12時間	約24時間	
		ヒューマリン®N注	1〜3時間	8〜10時間	18〜24時間	
持効型溶解		レベミル®注（デテミル）	約1時間	3〜14時間	約24時間	基礎分泌を代替する
		ランタス®注（グラルギン）	1〜2時間	ピークなし	約24時間	
		インスリングラルギンBS注	1〜2時間	ピークなし	約24時間	
		ランタスXR®注*1（グラルギン）	1〜2時間	ピークなし	24時間超	
		トレシーバ®注（デグルデク）	該当なし（定常状態）	ピークなし	42時間超	
混合型*2	食直前	ノボラピッド®30ミックス注 ノボラピッド®50ミックス注 ノボラピッド®70ミックス注	10〜20分	1〜4時間	約24時間	追加・基礎の両者を代替する
		ヒューマログ®ミックス25注 ヒューマログ®ミックス50注	15分未満	0.5〜6時間 0.5〜4時間	18〜24時間	
	食事30分前	ノボリン®30R注	約30分	2〜8時間	約24時間	
		イノレット®30R	約30分	2〜8時間	約24時間	
		ヒューマリン®3/7注	0.5〜1時間	2〜12時間	18〜24時間	
配合溶解*3	食直前	ライゾデグ配合注	10〜20分	1〜3時間	42時間超	

*1 ランタスXR®注は，既存のランタスと同成分であるグラルギンの濃度を3倍にすることで，より緩徐な溶解プロセスにより，より平坦かつ持続的な血中濃度を保つ．

*2 ノボノルディスクファーマ社の混合型製剤には，超速効型の混合比率（％）を示したノボラピッド®30ミックス注，ノボラピッド®50ミックス注，ノボラピッド®70ミックス注，速効型の混合比率（％）を示した30R注がある．日本イーライリリー社の混合型製剤には，超速効型と中間型混合比率が25％と75％のヒューマログ®ミックス25注および50％と50％のヒューマログ®ミックス50注，速効型と中間型の混合比率が30％と70％のヒューマリン®3/7注がある．

*3 配合溶解製剤のライゾデグ配合注は，超速効型のノボラピッド®と持効型溶解製剤のトレシーバ®の2種類の異なるインスリンを3：7の割合で1本の注入器に配合した製剤である．

重症感染症が合併した場合，中等度以上の外科手術の周術期などである[3]．またインスリン療法の相対的適応として，2型糖尿病で著明な高血糖（例えば，空腹時血糖値250mg/dL以上，随時血糖値350mg/dL以上）を認める場合や，食事療法の適正化や生活習慣の改善，さらに経口血糖降下薬を用いても良好な血糖コントロールが得られない場合にはインスリン療法の適応となる．1型糖尿病では内因性インスリン分泌能が廃絶するため，インスリン療法の絶対的適応となるが，通常は透析導入時にはすでにインスリン療法を導入されていることがほとんどである．

■ 3. インスリン製剤の選択

❶ インスリン製剤の種類（表1）

インスリン製剤はその作用発現時間および作用持続時間から，超速効型インスリン製剤（アスパルト，リスプロ，グルリジン），速効型インスリン製剤，中間型インスリン製剤，超速効型または速効型インスリンと中間型インスリンをさまざまな割合で組み合わせた混合型インスリン製剤，超速効型インスリンと持効型溶解インスリンを混合した配合溶解インスリン製剤，さらに持効型溶解インスリン製剤（デテミル，グラルギン，デグルデク）に分類される[4]．

❷ インスリン製剤の特徴

アスパルトやリスプロ，グルリジンなどの超速効型インスリンは吸収が速く，生理的なインスリン分泌動態により近い効果が期待できる．速効型インスリンに比較して食後血糖値がより低下する．フィアスプ®とルムジェブ®は食事開始時（食事開始前の2分以内）と食事開始後（食事開始から20分以内）に注射できる利点がある．超速効型インスリン製剤は，夜間の低血糖の頻度は低くQOLの向上にも有効である．

速効型インスリン製剤はレギュラーインスリンともよばれ，皮下注射のほかに筋肉内注射や静脈内注射が可能である．静脈内注射には速効型インスリンを用いる．

持効型溶解インスリンであるデテミル，グラルギン，デグルデクは皮下からの吸収が遅く，長時間安定した血中インスリン濃度を保つことができるため，インスリンの基礎分泌を補充する薬剤として使用される．

表2■配合薬（持効型溶解インスリン・GLP-1受容体作動薬）

一般名	商品名	1筒中の含有量	用法・用量
インスリンデグルデク/リラグルチド	ゾルトファイ®配合注	300単位/10.8mg（1ドーズ=1単位/0.036mg）	10〜50ドーズ（10〜50単位/0.36〜1.8mg）/日
インスリングラルギン/リキシセナチド	ソリクア®配合注	300単位/300μg（1ドーズ=1単位/1μg）	5〜20ドーズ（5〜20単位/5〜20μg）/日

空腹時血糖値の上昇を抑えるが，食後の血糖上昇を抑制する効果は強くない．また，表2に示す持効型溶解インスリン製剤とGLP-1受容体作動薬の配合注射薬もある．

■ 4. インスリン治療の実際

インスリン皮下注は，インスリンの基礎分泌と追加分泌を補うようにして使用する（図1）．1型糖尿病患者では，1日3〜4回の強化インスリン療法が必要である．（超）速効型インスリンを毎食前に皮下注射する場合と，毎食前の注射に加え，中間型または持効型溶解インスリンで基礎インスリンを補充する場合がある．基礎インスリン（Basal）と追加インスリン（Bolus）の組み合わせは，Basal-Bolus療法ともよばれる．1型糖尿病のみならず2型糖尿病でも用いられる．

2型糖尿病ではインスリン分泌能が多少残存している場合が多く，各食（直）前の速効型（あるいは超速効型）もしくは，就寝前中間型ない

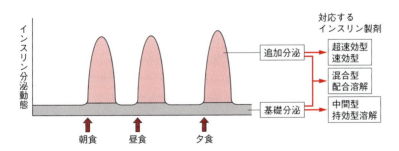

図1■インスリン治療の実際（病気が見えるvol 3. 糖尿病・代謝・内分泌. 3版. 東京: メディックメディア; 2012より改変）

し持効型溶解インスリン注射，朝食（直）前混合型インスリン注射などから朝・夕食（直）前混合型インスリン注射あるいは各食（直）前（超）速効型＋就寝前中間型ないし特効型溶解インスリン注射まで幅広い選択肢がある[1]．また，1日1回の持効型溶解インスリン＋経口薬のBOT（Basal Supported Oral Therapy）で維持できる場合も多い．

一般的にインスリン投与量は実測体重1kg当たり1日0.2〜0.3単位（8〜12単位/日）で開始し，維持量としては0.4〜0.5単位/kg/日（20〜30単位/日）まで増量することが多い[3]．ただし，これは腎機能正常患者における目安であるため，透析患者では低血糖に注意を要する．

■ 5. 血液透析の影響

糖尿病透析患者の血中インスリン濃度はダイアライザによる吸着除去により低下することが報告されている[5]．低下の程度はダイアライザによって異なり，ポリスルフォン（polysulfone：PS）膜で低下しやすい．血液透析によるインスリン除去は，透析前インスリン血中濃度が高いほど大きい[2]．したがって，インスリン治療中の透析患者では，血中インスリン濃度が透析後に低下しやすい．

一方，透析前の血糖値が透析液グルコース濃度より高ければ，血中のグルコースは拡散により透析液に除去されるので，透析中に高血糖が起こることは少ない．しかし，透析後に高血糖が生じる場合があり注意を要する（透析起因性高血糖）（図2）[2]．これは透析によるインスリン除去によりインスリン不足になったことと，透析開始前血糖値が非常に高値で透析による急激な血糖低下が生じた場合，あるいは透析後に低血糖を生じた場合，カテコラミン，グルカゴン，コルチゾールなどの血糖上昇ホルモンの分泌により，透析後に血糖上昇が生じることによる[2,6]．

透析日と非透析日では血糖値の日内変動パターンが異なることがあるため，特にインスリン療法中の糖尿病透析患者では注意が必要になる．そのため，日内変動の把握だけでなく，透析日と非透析日の血糖変動を把握するためにもインスリン使用患者においては血糖自己測定（self-monitoring of blood glucose：SMBG）を可能な限り指導すべきである．また，透析前と透析後に随時血糖値を毎回測定することが推奨さ

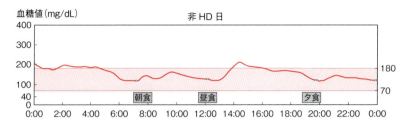

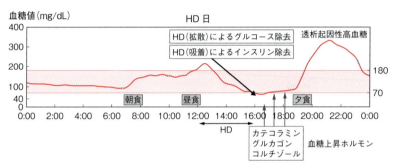

図2 ■ 透析起因性高血糖

れており，その結果を参考にしてインスリン投与量の調節を行う[6]．

■ 6. 注意すべき副作用

インスリン療法の副作用としては，低血糖があげられる．強化インスリン療法により血糖コントロールが良好になるのと比例して，重症低血糖が多くなることが報告されている．これを予防するには，低血糖に対する適切な処置や，血糖自己測定による効果的な予防などの患者教育が必要である．また，強化インスリン療法などで急激な血糖コントロールを行った際，網膜症や神経障害の増悪を認めることがある．

■ 7. 他剤との相互作用

経口血糖降下薬との併用で低血糖のリスクは増加するため注意を要する．シベンゾリンやジソピラミドなどのようなインスリン分泌を促進する作用のある薬物との併用でも低血糖のリスクが増強される[7]．β 遮断薬投与中の場合，低血糖症状である交感神経刺激症状（発汗，振戦や動

悸など）が出にくく，低血糖を遷延させることがあるため注意を要する．

■ 文献

1) Abe M, Okada K, Soma M. Antidiabetic agents in patients with chronic kidney disease and end-stage renal disease on dialysis: Metabolism and clinical practice. Curr Drug Metab. 2011; 12: 57-69.

2) Abe M, Kalantar-Zadeh K. Haemodialysis-induced hypoglycaemia and glycaemic disarrays. Nat Rev Nephrol. 2015; 11: 302-13.

3) 日本糖尿病学会, 編. 糖尿病治療ガイド 2014-2015. 東京: 文光堂; 2014.

4) 阿部雅紀. 糖尿病治療―注射薬. In: 岡田一義, 編. 血液浄化療法ポケットハンドブック. 東京: 東京医学社; 2014. p.305-8.

5) Abe M, Okada K, Ikeda K, et al. Characterization of insulin adsorption behavior of dialyzer membranes used in hemodialysis. Artif Organs. 2011; 35: 398-403.

6) 日本透析学会. 血液透析患者の糖尿病治療ガイド 2012. 透析会誌. 2013; 46; 311-57.

7) 阿部雅紀, 相馬正義. 糖尿病腎症進行過程における低血糖出現の機序とその対策. 臨牀透析. 2012; 28: 189-97.

〈馬場晴志郎　阿部雅紀〉

V. 糖尿病・代謝・栄養

Question 3

透析患者における GLP-1 アナログ製剤の適応と使い方を教えてください

Answer

1) 透析中の糖尿病患者では空腹時血糖は比較的低値であるが，食後高血糖をきたしやすい．

2) 透析患者ではインスリン療法が基本であるが，インスリン分泌残存例では，一部の経口血糖降下薬，GLP-1 アナログ製剤が適応になる．

3) GLP-1 アナログ製剤は 1 型糖尿病患者には禁忌である．

4) GLP-1 アナログ製剤の一部は，腎臓から排泄されるため透析患者では禁忌であるが，投与可能製剤でも慎重投与の必要がある．

5) 透析患者では自律神経障害合併例が多く，GLP-1 アナログ製剤による消化器症状が出現しやすいため注意が必要である．

■ 1. 透析患者における糖尿病の特徴

腎不全による糖新生低下，インスリン分解遅延のため，および異化亢進による筋肉萎縮のため，空腹時血糖低値，食後高血糖になりやすい．また，経口薬，インスリンともに腎排泄のものが多く薬剤の選択，投与量には注意が必要である．

■ 2. 薬剤の特徴

GLP-1 アナログ製剤は，インクレチンである GLP-1 をアナログ化したものである．通常 GLP-1 は分解酵素の DPP-4 により速やかに分解されるため，効果は非常に短時間であるが，アナログ製剤は，DPP-4 抵抗性で分解されにくいため，血中半減期が延長し効果が持続する．GLP-1 は膵 β 細胞に作用して血糖依存性にインスリン分泌を促し，膵 α 細胞にも作用してグルカゴン分泌を抑制し，低血糖を起こすことなく

高血糖を改善する[1]. また, β細胞の増殖作用も期待されているが, 病歴の長い患者でインスリン分泌低下が著しい場合は期待できない. その他, 中枢に対して食欲抑制, 消化管に対しても運動抑制作用を併せもち, 肥満を有する患者では体重減少効果も期待できる. また, 心血管系にも作用して血管内皮の保護作用をもつ.

■ 3. 薬剤の適応

透析患者における糖尿病患者の薬物療法の基本はインスリン療法であるが, 2型糖尿病のうちインスリン分泌残存例では DPP-4 阻害薬, 速効型インスリン分泌促進薬, α-グルコシダーゼ阻害薬, GLP-1 アナログ製剤も適応となる[2,3]. GLP-1 アナログ製剤は注射製剤であるがインスリン療法とは異なり低血糖のリスクが少なく, DPP-4 阻害薬などの内服薬で血糖コントロールが困難な症例では適応となる. ただし1型糖尿病およびインスリン分泌の枯渇した2型糖尿病では GLP-1 アナログ製剤は禁忌である. また, 最近, 経口の GLP-1 アナログ製剤が上市された.

■ 4. 薬剤の選択

GLP-1 アナログ製剤のうち, エキセナチドおよびその徐放製剤は腎排泄のため透析患者では禁忌である. リラグルチドおよびリキシセナチドは DPP-4 その他により分解を受けるため透析患者でも投与可能であ

表1 ■ GLP-1 アナログ製剤一覧

一般名	商品名	常用量	分解・排泄	透析患者での適応
リラグルチド	ビクトーザ®	0.3〜0.9mg 1回	DPP-4	慎重投与
リキシセナチド	リキスミア®	10〜20μg 1回	蛋白分解酵素	慎重投与
エキセナチド	バイエッタ®	5〜10μg 2回	腎	禁忌
持続性 エキセナチド	ビデュリオン®	2mg 週1回	腎	禁忌
デュラグルチド	トルリシティ®	0.75mg 週1回	蛋白分解酵素	適応
セマグルチド	注射剤 　オゼンピック®	0.25, 0.5, 1.0mg 週1回	蛋白分解酵素	適応
	経口剤 　リベルサス®	3, 7, 14mg		

糖尿病・代謝・栄養

るが，経験症例数が少なく慎重投与の必要がある（表1）．デュラグルチド，セマグルチドはその分解・排泄に腎機能は関与せず，透析患者でも投与可能である．

■ 5. 実際の投与量，投与回数および投与期間の目安

リラグルチドは1日1回，朝または夕に皮下投与する．1日0.3mgから投与開始し，消化器症状に注意しながら数日以上をかけて，0.6，0.9mgまで増量する．ただし，透析患者ではインスリン分解の遅延のため0.3mgでも血糖改善の可能性あり，食前血糖の推移を確認して投与量を決定する．GLP-1アナログ製剤単独では低血糖の危険は少ないが，透析患者ではインスリン分解の遅延のため，分泌刺激されたインスリンにより，特に空腹時低血糖を認める可能性もあり注意が必要である．また，糖尿病合併症が進行している透析患者では自律神経障害のため，悪心，嘔吐などの消化器系の副作用を認めやすいため，症状に十分に注意して増量する．リラグルチドは2型糖尿病患者が適応になっており，単独，経口薬，インスリン療法との併用が可能である．

リキシセナチドは1日10μgから朝食前に投与開始する．消化器症状に注意しながら1週間以上経過した後15μgに増量し，さらに1週間以上経過した後に20μgに増量する．透析患者ではリラグルチドと同様な注意が必要である．

デュラグルチドはあらかじめ薬剤が充てんされたアテオスとよばれるデバイスを用いて週1回皮下注する．0.75mgの1剤型のみであり，投与初期に消化器症状が出現しやすいため，注意が必要である．

注射製剤のセマグルチドも同様にあらかじめ1回分の薬剤が充填されている使い切り製剤で，週1回皮下注射する．剤型は開始用量の0.25mg製剤と維持量の0.5mg製剤，増量用の1.0mg製剤がある．一般的には0.25mg製剤を4週間投与後，0.5mg製剤に変更する．さらに4週間以上投与して，効果が不十分な場合は1.0mgに増量が可能である．食欲抑制作用，体重減少作用が強く，BMIが低い患者，サルコペニアを伴う患者には不向きである．なお，近日中に用量調節可能なデバイスが上市される予定である．

表 2 ■持効型インスリンアナログ /GLP-1 アナログ・配合剤

一般名	商品名	常用量
インスリンデグルデク /リラグルチド配合剤	ゾルトファイ®	10〜50 ドーズ 必要により低用量から
インスリングラルギン /リキシセナチド配合剤	ソリクア®	5〜20 ドーズ 必要により低用量から

　経口剤のセマグルチドは毎日 1 回服用する薬剤であるが，内服方法に注意が必要である．胃内容物により吸収が低下するため，朝食前（1日の最初の食事前）にコップ約半分の水とともに内服する．内服後，30 分は飲食，他の薬剤の内服は禁止する必要がある．維持量は 7mg であるが，3mg 錠を 4 週以上内服後，7mg 錠に変更する．効果が不十分の場合はさらに 4 週以上あけて，14mg 錠に変更する．このとき，7mg 錠を 2 錠ではなく，必ず 14mg 錠に変更する．

　最近，持効型インスリンと GLP-1 アナログの配合製剤が上市されている（表 2）．空腹時血糖とともに食後血糖改善作用を有する薬剤であるが，透析患者で空腹時血糖がすでに低値な患者では不向きである．インスリンデグルデク / リラグルチド配合剤 1 ドーズにはデクルデク 1 単位とリラグルチド 0.036mg が配合され，最高用量は 50 ドーズである（この配合比率は世界共通）．インスリングラルギン / リキシセナチド配合剤 1 ドーズにはグラルギン 1 単位とリキシセナチド 1μg が配合され，最高用量は 20 ドーズである（この配合比率は日本のみ）．1 ドーズずつの増量が可能で，GLP-1 アナログ製剤による消化器系の副作用が起こりにくとされている．

■ 6. 透析の影響

　リラグルチド，リキシセナチドともに透析除去率のデータがなく不明であるが，リラグルチドについては透析日，非透析日で血中濃度に変化はなく，回収した透析液に本剤は認めなかったとする報告がある[4,5]．デュラグルチド，セマグルチドは分子量が大きく，透析による除去はないと報告されている．

■ 7. 注意すべき副作用，他剤との相互作用

1) 低血糖：GLP-1 アナログ製剤単独では，腎障害を認めない患者では低血糖は少ないが，透析患者では糖新生の低下，インスリン分解の遅延により，低血糖をきたす可能性があり十分な注意が必要である．また，各種糖尿病薬，特にスルホニル尿素薬，速効型インスリン分泌促進薬，インスリン製剤との併用で低血糖をきたすことがあるので，血糖自己測定器を用いるなど十分に注意する必要がある．シックデイ時でも単独投与では投与しても低血糖はきたしにくいが，他剤と併用中の場合は，他剤の減量，中止を検討する．

2) 悪心，嘔吐：透析患者では自律神経障害を伴うことが多く，消化器系の副作用を生じやすい．悪心，嘔吐を認める時は，減量および中止を検討する．

3) 腸閉塞：消化管の運動抑制，便秘などにより腸閉塞を起こすことがあるので注意が必要である．

4) 膵炎：GLP-1 アナログ製剤の一部で急性膵炎の報告があるので，腹痛，嘔吐を伴う時は膵炎の発生に注意が必要であり，臨床的に膵炎が疑われるときは投与中止する．

■ 文献

1) Drucker DJ. Deciphering metabolic messages from the gut drives therapeutic innovation: The 2014 Banting Lecture. 2015; 64: 317-26.
2) 日本糖尿病学会, 編著. 糖尿病治療ガイド 2016-2017. 東京: 文光堂; 2016. p.69-70.
3) 日本糖尿病学会. 科学的根拠に基づく糖尿病診療ガイドライン 2016. 2016. p.92-3.
4) Terawaki Y, Nomiyama T, Akehi Y, et al. The efficacy of incretin therapy in patients with type 2 diabetes undergoing hemodialysis. Diabetology & Metabolic Syndrome. 2013; 5: 10.
5) Osonoi T, Saito M, Tamasawa A, et al. Effect of hemodialysis on plasma glucose profile and plasma level of liraglutide in patients with type 2 diabetes mellitus and end-stage renal disease: a pilot study. PLoS One. 2014; 9: e113468.

〈森田　浩〉

V. 糖尿病・代謝・栄養

Question 4

血糖値に対する透析液ブドウ糖濃度の影響を教えてください

Answer

1) ブドウ糖は分子量 180 の小分子であり，ダイアライザの膜を介して拡散の原理で血漿と透析液中を移動するが，実際にはダイアライザ通過直後の血糖値は透析液ブドウ糖濃度より低値となることが多く，注意を要する.

2) 透析患者は低血糖を起こしやすい状態にあるため，特に糖尿病合併透析患者では透析液中のブドウ糖濃度は 125 〜 150mg/dL が推奨される.

3) 糖尿病合併透析患者の場合，透析中の血糖値は下がるが，透析後の血糖値はむしろ上がる. 特に血糖値が高い場合は透析後に「透析起因性高血糖」を呈することを理解し，血糖コントロールに当たる必要がある.

■ 1. 末期腎不全患者の血糖の特徴

　末期腎不全患者では，血糖を上昇させるために動員されるブドウ糖の供給源である肝臓や筋肉におけるグリコーゲンが少ない. また，血糖を上昇させるために肝臓とともに糖新生を行う腎実質も萎縮しており，血糖低下時にグルカゴン，カテコラミンなどのホルモンが分泌されても血糖の上昇効果が十分に得られにくい.

　また，血糖を下げるホルモンであるインスリンは分子量約 6000 で，糸球体濾過されないばかりか，腎以外のインスリンクリアランスに寄与する肝や筋肉でのインスリン分解能も低下し，インスリンが体内に残留しやすい状況にある. その結果，末期腎不全患者では低血糖が起こりやすい環境にある.

一方，末期腎不全患者では尿毒性物質の蓄積や慢性炎症など多様な因子に由来するインスリン抵抗性があり，血中インスリン濃度は高めとなっている[1].

■ 2. 透析中のブドウ糖の移動

ブドウ糖の分子量は 180 であり，透析膜を自由に通過できるため，透析液中および血漿中のブドウ糖はその濃度勾配に従って拡散により移動する．したがって，in vitro では，ブドウ糖濃度 100mg/dL の透析液を使用し，70，100，200mg/dL のブドウ糖を含んだ生理食塩水を除水なしで透析をすると，拡散によりブドウ糖が移動するため，ダイアライザ出口で糖濃度はそれぞれ 90，100，170mg/dL となる．しかし，実際には，透析患者で，血糖値が 70，100，200mg/dL の患者血を透析すると，血糖値はダイアライザ出口で低下する[2]．この透析中の血糖値の低下はブドウ糖の透析液中への拡散だけでは説明がつかず，ダイアライザを通過中の血漿から GLUT-1 を介して赤血球中へブドウ糖が取り込まれること[2]，透析中に赤血球細胞質の pH が変化することで嫌気的代謝が促進し，その結果赤血球内でブドウ糖が消費されること等の機序が示唆されている[3,4].

■ 3. 透析中の血糖調節生理

透析治療は体外循環や除水を行うため，身体的に大きな断続的なストレスとなる．このため，交感神経系が活性化される．交感神経の興奮により，カテコラミンなどのインスリン拮抗ホルモンの分泌が促進され，通常，血糖値は高く保つ方向に反応する．

透析中の血糖値低下はさらなるインスリン拮抗ホルモン分泌の刺激になる．

血中インスリン濃度に関しては透析液のブドウ糖の濃度によって様々な報告が存在するが，通常使用する 100〜150mg/dL のものでは低下する，もしくは変動しないといった結果が多い[4]．血液透析によるインスリン除去は，インスリン投与患者でも非投与患者でも同様に起こるが，透析前インスリン血中濃度が高い例ほど大きい[5]．したがって，インスリン療法を受けている透析患者では，血中インスリン濃度が透析後に低

下しやすい．インスリン低下の程度は，ダイアライザによって異なり，ポリスルフォン（polysulfone：PS）膜で低下しやすく，polyester-polymeralloy（PEPA）膜で低下しにくい．インスリンが透析で減少する機序はダイアライザへの吸着であると考えられている[6, 7]．

■ 4. 市販の透析液中のブドウ糖の濃度

現在市販されているおもな血液透析用の透析液組成を表 1 に示す．特殊な製剤を除いてブドウ糖の濃度は 100・125・150mg/dL となっている．

一時期，透析液中の細菌繁殖によるエンドトキシン産生の問題から糖を含まない透析液が考案され，現在も市販されている．当初の報告では血糖値に与える影響は少ないとされていた．しかし，1 回の透析で失われるブドウ糖は 30g とされ[8]，また，低血糖を惹起する可能性が高くなり，また透析中の異化亢進につながるため[9, 10]，特殊な場合を除いて使用は推奨されない．

■ 5. 透析液中のブドウ糖濃度の血糖に及ぼす影響

古谷らによれば，ダイアライザ通過前での血糖値が高いほどダイアライザ通過後の血糖値は下がり，ブドウ糖濃度 100mg/dL の透析液を使用すると，血糖値が 200mg/dL 以下では，ダイアライザ通過後血糖値は透析液ブドウ糖濃度 100mg/dL を下回り，透析液中のブドウ糖濃度 100mg/dL は低血糖の予防には不十分である[2]．

合併症のない透析患者では 100mg/dL が推奨されるが，中尾らの報告によれば，各種ブドウ糖濃度の透析液中を用いた

患者の透析において経時的に血糖を測定したところ，150mg/dL がもっとも推奨されている[9]．非糖尿病患者でも食事摂取不良など，低血糖気味になりやすい透析患者にとって，透析中の血糖を担保するためには 125 〜 150mg/dL の透析液が推奨される．

■ 6. 糖尿病透析患者の血糖コントロール上の注意

一方，糖尿病患者において，血糖値は食後の場合透析液ブドウ糖濃度より高値であるため，負のバランスとなる．透析前血糖値が高いほど透析中の血糖降下は大きい[2, 10]．糖尿病患者では透析日は透析の時間帯の血糖値が非透析日の同じ時間帯に比べ若干低めとなる．特に血糖コント

表1 ■ 市販のおもな透析液組成

商品名	Na⁺ (mEq/L)	K⁺ (mEq/L)	Ca²⁺ (mEq/L)	Mg²⁺ (mEq/L)	Cl⁻ (mEq/L)	CH₃COO⁻ (mEq/L)	HCO₃⁻ (mEq/L)	ブドウ糖 (mg/dL)
AK-ソリタ透析液・DL	140	2.0	3.0	1.0	113	10	25.0	100
AK-ソリタ透析液・DP	140	2.0	3.0	1.0	113	10	25.0	100
AK-ソリタ透析液・FL	143	2.0	2.5	1.0	114	9	27.5	100
AK-ソリタ透析液・FP	143	2.0	2.5	1.0	114	9	27.5	100
カーボスター透析液・L	140	2.0	3.0	1.0	111	0	35.0	150
カーボスター透析液・M	140	2.0	3.0	1.0	111	0	35.0	150
カーボスター透析液・P	140	2.0	3.0	1.0	111	0	35.0	150
キンダリー透析液 AF1/1P 号	136	2.5	3.5	1.5	106.5	8	30.0	0
キンダリー透析液 AF2/2P 号	140	2.0	3.0	1.0	110	8	30.0	100
キンダリー透析液 2E	140	2.0	3.0	1.0	110	8	30.0	100
キンダリー透析液 AF3/3P 号	140	2.0	2.5	1.0	114.5	8	25.0	150
キンダリー透析液 3E/3D	140	2.0	2.5	1.0	114.5	8	25.0	150
キンダリー透析液 AF4/4P 号	140	2.0	2.75	1.0	112.25	8	27.5	125
キンダリー透析液 4E/4D	140	2.0	2.75	1.0	112.25	8	27.5	125
キンダリー透析液 AF5/5P 号	140	2.3	2.6	1.2	113.9	4.2	30.0	150
キンダリー透析液 5E	140	2.3	2.6	1.2	113.9	4.2	30.0	150
リンパック透析剤 TA1	138	2.0	2.5	1.0	110	8	28.0	100
リンパック透析剤 TA3	140	2.0	3.0	1.0	113	10.2	25.0	100
D ドライ透析液 2.5S	140	2.0	2.5	1.0	112.5	10	25.0	100
D ドライ透析液 2.7S	140	2.0	2.75	1.0	112.75	10	25.0	100
D ドライ透析液 3.0S	140	2.0	3.0	1.0	113	10	25.0	100

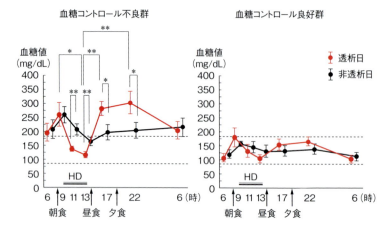

図 1 ■ 糖尿病透析患者における透析日と非透析日の血糖値の日内変動
(Abe M, et al. Ther Aphe Dial. 2007; 11: 288-95)[5]
mean ± SD, *P<0.05, **P<0.01

ロールの不良糖尿病患者においてこの傾向は著明であり（図1）[5]，透析中の血糖降下に伴う血糖上昇系の反応が起こり，透析後の高血糖"透析起因性高血糖"を起こすので，血糖値が高い場合はブドウ糖濃度の高めの透析液の使用が望ましい[7,6]．

■ 文献

1) Xu H, Carrero JJ. Insulin resistance in chronic kidney disease. Nephrology (Carlton). 2017; 22 Suppl 4: 31-4.
2) 古谷裕章, 桜井俊宏, 田部井薫, 他. 透析液ブドウ糖濃度の臨床的研究. 透析会誌. 1996; 29: 1201-5.
3) 高橋 朗, 柴原伸久, 井上 徹, 他. 透析中の低血糖の機序. 透析会誌. 2002; 17: 267-72.
4) 小松まち子, 日下まき, 久米惠司, 他. 血液透析中の血糖低下と血清インスリン濃度の関係. 透析会誌. 2007; 40: 907-12.
5) Abe M, Kaizu K, Matsumoto K. Evaluation of the hemodialysis-induced changes in plasma glucose and insulin concentrations in diabetic patients: comparison between the hemodialysis and non-hemodialysis days. Ther Aphe Dial.

2007; 11: 288-95.

6） Abe M, Okada K, Ikeda K, et al. Characterization of insulin adsorption behavior of dialyzer membranes used in hemodialysis. Artif Organs. 2011; 35: 398-403.

7） 日本透析医学会. 血液透析患者の糖尿病治療ガイド 2012. 透析会誌. 2013; 46: 311-57.

8） 平沢由平, 大森　伯, 鈴木正司. 透析液キンダリー GF（治験用）の使用経験. 新薬と臨床. 1977; 26: 319-29.

9） 中尾俊之, 筑後和也, 田島直人, 他. 糖尿病性腎不全に用いる血液透析液の適正なブドウ糖濃度について. 腎と透析. 1985; 18: 493-7.

10） 海津嘉蔵, 瓜生康平, 松本紘一, 他. 糖代謝障害と栄養障害. 透析会誌. 2005; 38: 1256-7.

〈長井幸二郎〉

V. 糖尿病・代謝・栄養

Question 5 透析患者の脂質異常症に対する薬剤の使いかたを教えてください

Answer

1) 透析患者においても，生活習慣改善で効果のない高コレステロール血症に対しては，スタチン，エゼチミブを用いた脂質低下療法を考慮する.

2) 腎排泄性のフィブラートは透析患者では禁忌である.

3) 透析患者の場合，ロスバスタチン，ニセリトロールは用量調節を要する.

4) 低脂血症を呈する場合は，栄養状態の評価と対策を考慮することが望ましい.

5) 薬物による脂質管理によって，透析患者の心血管リスクを低下できたというランダム化比較試験によるエビデンスは現時点ではない.

■ 1. 透析患者の脂質異常症の特徴

透析患者では，肝臓での VLDL（very low-density lipoprotein）産生は正常で，末梢での異化障害が生じてくる．リポ蛋白リパーゼ活性の低下では VLDL が増加する IV 型，肝性トリグリセリドリパーゼ活性の低下では中間比重リポ蛋白（intermediate-density lipoprotein: IDL）が増加するⅢ型の脂質異常症を呈することが多い.

脂質異常症の評価には，通常空腹時検査が基本だが，透析患者では空腹時採血が困難なことが多く，非絶食時にも使用できる指標が使いやすい．また，透析患者では，低比重リポ蛋白（low-density lipoprotein: LDL）高値より，VLDL や IDL 高値を伴う高 TG（triglyceride）血症を呈することが多く，LDL 評価のみでは脂質による動脈硬化促進リス

クの評価が不十分である．このような背景から，透析患者では non-HDL-C（非高比重リポ蛋白，non-high-density lipoprotein cholesterol）を用いることが推奨されている[1]．

■ 2. 薬剤投与の適応

治療可能な続発性脂質異常症を除外し，生活習慣改善を指導しても改善しない場合に薬剤投与が考慮される．動脈硬化性疾患のリスク低下を目指す場合，LDL-C あるいは non-HDL-C が高い場合には，スタチンを用いた脂質低下療法を考慮する．この場合，スタチン単独またはスタチンとエゼチミブ併用かを選択できる．

高 TG 血症治療による脳心血管疾患リスク低下のエビデンスが乏しいため，non-HDL-C を計算し，これが管理目標に入っているかどうかを参考にする．TG が 500 ～ 1000mg/dL を超える著しい高 TG 血症では急性膵炎のリスクが問題になるため，薬物療法を考慮する．

脂質低下薬を投与していないのに低脂血症を呈する場合，その背後にある低栄養・消耗状態（protein-energy wasting：PEW）や慢性炎症などの評価を行って，要因があれば対策を講じる．なお，2000 年に提唱された「MIA 症候群」という用語は，他の類似用語との統一のために，2008 年以降「PEW」が使用されている．

■ 3. 薬剤の選択

2 での投薬治療の適応と判断した場合，脂質低下療法を開始する．動脈硬化性疾患予防を念頭におく場合，上述のようにスタチンを用いた薬物療法を考慮する[2]．透析患者における中等度の高 TG 血症を治療すべきかどうかに関して十分なコンセンサスはない．腎障害のない患者ではフィブラート使用が可能だが，添付文書上，腎排泄性のフィブラートは透析患者においては禁忌薬剤である．ω3 系多価不飽和脂肪酸製剤（EPA，EPA＋DHA）は，高 TG 血症に適応があり，透析患者でも安全に使用できる．EPA 製剤に加え，EPA＋DHA 製剤も使用可能となっている．最近登場した選択的 PPARα モジュレータ（SPPARMα）であるペマフィブラートは，胆汁排泄性であることから透析患者を含む腎機能低下症例に安全に使用できると期待されているが，添付文書には血清

Cr 2.5mg/dL 以上で禁忌となっているため，適正使用に注意する．

また，スタチンとの併用が原則であるが，脳心血管病のハイリスク例に対しての PCSK9 阻害薬（エボロクマブ）も 2016 年から使用可能となっている．

■ 4. 投与量，投与間隔および投与期間

脂質異常症治療薬の一覧を表 1 に示す[3]．

スタチンでは，ロスバスタチンのみ 2.5mg より開始し最大投与量も 5mg までの用量調節が必要である（ロスバスタチンは腎機能正常例では最大 20mg まで使用可能だが，透析例では最大 5mg）．他のスタチン

表 1 ■ 腎機能低下時の脂質異常症治療薬薬剤投与量（日本腎臓学会，編．CKD 診療ガイド 2012．日本腎臓病薬物治療学会監修　付表より一部抜粋 / 改変）

| 【経口薬】 | 薬剤名 | | 発売製薬会社 | Ccr [mL/min] | 透析患者 | 透析性 |
	一般名	商品名		>50		
HMG-CoA 還元酵素阻害薬（スタチン）	アトルバスタチンカルシウム水和物	リピトール®	アステラス / ファイザー	10〜20mg分 1 FH では最大 40mg / 日	腎機能正常者と同じ	×
	シンバスタチン	リポバス®	MSD	5 〜 20mg 分 1		×
	ピタバスタチンカルシウム	リバロ®	興和創薬 / 第一三共	1 〜 2mg 分 1 最大投与量 4mg/ 日		×
	プラバスタチンナトリウム	メバロチン®	第一三共	10 〜 20mg 分 1 〜 2		×
	フルバスタチンナトリウム	ローコール®	ノバルティス	20 〜 30mg 分 1 夕 最大 60mg/ 日		×
	ロスバスタチンカルシウム	クレストール®	アストラゼネカ / 塩野義	2.5 〜 5mg から開始 最大 20mg/ 日 分 1	2.5mg より開始 最大 5mg	×
スタチン / Ca 拮抗薬合剤	アムロジピンベシル酸塩 / アトルバスタチンカルシウム水和物	カデュエット配合錠®	ファイザー / アステラス	1 日 1 錠分 1	腎機能正常者と同じ（慎重投与）	×

（次頁へ続く）

301

表1■つづき

	一般名	商品名	発売製薬会社		透析患者	透析性
フィブラート系薬	クリノフィブラート	リポクリン®	大日本住友	600mg 分3	腎機能正常者と同じ（慎重投与）	×
	フェノフィブラート	トライコア®/リピディル®	帝人ファーマ/あすか/科研	67〜201mg（カプセル）106.6〜160mg（錠剤）分1	禁忌	×
	ベザフィブラート	ベザトール SR®	キッセイ	200〜400mg 分2	禁忌	×
陰イオン交換樹脂（レジン）	コレスチミド	コレバイン®	田辺三菱	3〜4g 分2	腎機能正常者と同じ	×
	コレスチラミン	クエストラン®	サノフィ・アベンティス	1回9g/水100mL 2〜3回 1回18g/水200mL 3回	腎機能正常者と同じ	×
その他の脂質異常症治療薬	イコサペント酸エチル	エパデール®	持田	1.8〜2.7g 分3	腎機能正常者と同じ	×
	ω3脂肪酸エチル	ロトリガ®	武田	2〜4g 分1〜2	腎機能正常者と同じ	
	エゼチミブ	ゼチーア®	MSD	10mg 分1	腎機能正常者と同じ	×
	ニセリトロール	ペリシット®	三和化学	750mg 分3	125mg 分1	○
	プロブコール	シンレスタール®/ロレルコ®	第一三共エスファ/大塚	500〜1000mg 分2	腎機能正常者と同じ	×

【注射薬】	薬剤名		発売製薬会社	Ccr［mL/min］	透析患者	透析性
	一般名	商品名		＞50		
PCSK9阻害薬	エボロクマブ	レパーサ®	アステラス	140mg/2週または420mg/4週	腎機能正常者と同じ	なし

は用量調節不要で腎機能正常者と同様に使用可能である.

エゼチミブ，胆汁酸結合レジン，ω3系多価不飽和脂肪酸製剤，プロブコールに関しても，透析患者に対して腎機能正常者と同様に用量調節

不要で使用可能だが，ニセリトロールは透析例では，125mg 分 1 投与となる.

　原則的に投与間隔は連日で，投与期間は脂質異常症が薬剤による脂質低下療法が不要となるまでとなる. もともと高コレステロール血症，高TG 血症であった透析患者が，病状の変化により，経過中に低脂血症に転じていることもあり，脂質低下療法が不要となれば投薬中止を判断する.

　PCSK9 阻害薬は皮下注射薬で，LDL 受容体分解促進蛋白であるPCSK9 と LDL 受容体の結合を阻害することで LDL 受容体の分解を抑止し，血中 LDL コレステロールの肝細胞内への取り組みを促進してLDL コレステロールを低下させる. 家族性高コレステロール血症でなくても，慢性腎臓病患者では患者の状態と既往などから脳心血管病の危険が高いと判断される場合に，スタチンとの併用を原則として PCSK9阻害薬の投与が認められている. PCSK9 阻害薬は 2 週に 1 回の皮下注射薬で，腎障害の程度や透析有無による用量調節は要らないが，腎障害例における長期使用成績は十分ではなく今後の報告が待たれ，使用に際しては十分な適応検討の確認が望ましい.

■ 5. 透析の影響

　ニセリトロールは透析性を有するが，他の脂質異常症治療薬（スタチン，エゼチミブ，EPA，レジン，プロブコール）に関しては透析性を有さない

■ 6. 注意すべき副作用

1. スタチンは頻度は低いものの，横紋筋融解症，肝障害に注意を要する.
2. 腎排泄性のフィブラートは透析患者では禁忌薬剤である（横紋筋融解症）.
3. ω3 系多価不飽和脂肪酸製剤は出血傾向に注意が必要.
4. プロブコールは QT 延長，心室性不整脈の誘発，横紋筋融解症に注意を要する.
5. ニセリトロールは透析患者において血小板減少症を高率に生ずるこ

とが報告されているほかに，顔面紅潮や瘙痒感などのフラッシング症状に注意が必要.

■ 7. 他剤との相互作用

1. いくつかのスタチン（アトルバスタチン，シンバスタチン）ではCYP3A4 を阻害する薬剤（シクロスポリン，エリスロマイシン，クラリスロマイシン，アゾール系抗真菌薬など）は血中濃度を増大させるため併用注意.

2. 腎不全において，フィブラートはスタチンとの併用禁忌であり，ワルファリンの作用を増強，リファンピシンとの併用で血中濃度が上昇するなどの相互作用に注意が必要.

3. ω3 系多価不飽和脂肪酸製剤は血小板機能抑制作用を有するため，抗血小板薬や抗凝固薬との併用に注意が必要.

4. 胆汁酸結合レジン（陰イオン交換樹脂）はワルファリン，サイアザイド，ジギタリスなど酸性薬剤を吸着してしまうだけでなく，同時内服した薬剤の血中濃度に影響を与える可能性がある．陰イオン交換樹脂の内服は，他の薬剤の内服時間と 30 分以上間隔をあけて服用するようになっている.

■ 8. 脂質管理による心血管リスク抑制効果

　血液透析患者を対象にスタチンとプラセボを比較したランダム化比較試験[5,6] の結果からは，4 ～ 8% の心血管リスクの低下傾向を認めているものの，いずれも統計学的に有意なものではなかった．したがって，血液透析患者に対し一律にこれらの脂質低下薬物療法を推奨する根拠はない．一方，これらの薬物療法を実施して透析導入になった患者に対して脂質低下療法の中止を求めるものでもない．さらには，すでに冠動脈疾患などの動脈硬化性心血管疾患を有する患者における二次予防におけるスタチンの有用性を否定するものでもない.

　これらの試験の後付け解析から，血液透析患者のうち小腸からのコレステロール吸収亢進のないサブグループ[7]，および血清リン値の高くないサブグループ[8] では，プラセボ群に比較してスタチン投与群で心血管イベントリスクが有意に低いことが示された．すなわち，血液透析患者

におけるスタチン治療による心血管リスク抑制効果を減じる因子が判明しつつある．今後は，スタチンの心血管リスク低下に対する効果修飾因子を考慮した脂質低下療法について，さらに理解が進むことが望まれる．

■ 文献

1) 日本動脈硬化学会, 編. 動脈硬化性疾患予防ガイドライン 2012 年版. 日本動脈硬化学会; 2012.
2) 日本腎臓学会. CKD 診療ガイド 2012. 東京: 東京医学社; 2012.
3) 日本腎臓学会. エビデンスに基づく CKD 診療ガイドライン 2013. 東京: 東京医学社; 2013.
4) 日本透析医学会. 血液透析患者における心血管合併症の評価と治療に関するガイドライン. 透析会誌. 2011; 44: 337-425.
5) Wanner C, Krane V, Marz W, et al. Atorvastatin in patients with type 2 diabetes mellitus undergoing hemodialysis. N Engl J Med. 2005; 353: 238-48.
6) Fellström BC, Jardine AG, Schmieder RE, et al. Rosuvastatin and cardiovascular events in patients undergoing hemodialysis. N Engl J Med. 2009; 360: 1395-407.
7) Silbernagel G, Fauler G, Genser B, et al. Intestinal cholesterol absorption, treatment with atorvastatin, and cardiovascular risk in hemodialysis patients. J Am Coll Cardiol. 2015; 65: 2291-8.
8) Massy Z, Merkling T, Wagner S, et al. Association of serum phosphate with efficacy of statin therapy in hemodialysis patients. Clin J Am Soc Nephrol. 2022; 17: 546-54.

NOTES

　透析患者では脳心血管疾患イベントが非常に多い．その一方で，BMI 低値やコレステロール低値の透析患者では，総死亡リスクや脳心血管死亡リスクが高いことが疫学的に報告されており，これをコレステロール・パラドックス，あるいはリバース・エピデミオロジーとよぶ．栄養状態が悪いと脳心血管疾患イベントを発症しやすいということではなく，栄養状態が悪いとイベント発症後に死に至るリスクが高いという事実が，謎を解くカギである．

〈庄司哲雄〉

糖尿病・代謝・栄養

V. 糖尿病・代謝・栄養

Question 6

透析患者でしばしば高尿酸血症を認めますが，どうすればよいですか？

Answer

1) 透析前の血清尿酸値が高くても透析後には著明に低下するために，血液透析患者の至適尿酸値については不明である．

2) 薬剤投与については，高尿酸血症による動脈硬化促進の抑制効果と，薬剤の副作用出現を天秤にかける必要がある．

3) 薬剤投与が必要な場合には，アロプリノールは 50mg/日を透析後に投与することが望ましい．フェブキソスタットは透析患者を含めて腎機能低下患者にも安全に投与できる薬剤である．

■ 1. 透析患者における特徴

尿酸はプリン体の終末産物で，体細胞崩壊，体内での合成，食物に由来し，大部分は糸球体濾過，再吸収，分泌，再度の吸収などの複雑な経路をたどり，糸球体濾過量の約 10% 程度が尿中へ排泄される．

高尿酸血症は痛風関節炎の発症リスクであり，慢性腎臓病の発症・進展と関係すると報告されている．高尿酸血症が心血管病変の独立した危険因子となるかについては，一般住民での観察研究でも一定の見解はない．血清尿酸値を低下させることで腎予後，心血管疾患予後が改善することを示した報告は少なく，尿酸降下の治療介入は現時点で積極的に推奨されるとは断定できない[1]．透析患者におけるエビデンスは限られているが，日本の血液透析患者約 22 万人を対象とした観察研究では，生命予後は尿酸高値群よりも低値群で不良であったことが報告されている．この一因として，尿酸低値が栄養状態不良を反映しており死亡率に影響した可能性が考察されている．一方，尿酸降下薬投与群は非投与群より生命予後が良く，尿酸降下薬の投与が透析患者の予後を改善させる可能

性が示唆された[2]．血液透析患者に尿酸降下薬を使用する基準や，目標値については今後，エビデンスレベルの高い介入研究により検討される必要がある．

血液透析患者の半数以上で，透析前の血清尿酸値は基準値（2.0～7.0mg/dL）を超えるが，分子量が168と小さく，蛋白結合も少なく容易に透析されるために，透析後には2.0～3.0mg/dLと著明に低下する．透析後に低下した尿酸値が時間とともにどのように上昇するかを明らかにした研究はない．

以上のことから，血液透析患者において，高尿酸血症に対する治療介入の基準や目標値については現時点で明らかになっていない．痛風関節炎を発症した患者に対しては，低下させる必要があると思われる．高尿酸血症を呈する血液透析患者での痛風関節炎の頻度は比較的少ないが，この理由については不明である．

■ 2. 薬剤の適応，投与量

高尿酸血症の治療薬としては，キサンチン・オキシダーゼを阻害して尿酸産生抑制作用を有する薬剤と尿酸排泄促進作用を有する薬剤があり，透析患者では前者のみが用いられる．産生抑制作用を有する薬剤は，アロプリノール，フェブキソスタット，トピロキソスタットがある．プリン骨格を有するアロプリノールは，キサンチン・オキシダーゼ以外の核酸代謝に関わる酵素にも作用し，プリン骨格を有さないフェブキソスタット，トピロキソスタットはキサンチン・オキシダーゼを選択的に阻害する．

アロプリノールはプリン骨格を有しているためにキサンチン・オキシダーゼによる尿酸産生を直接抑制するが，その代謝産物であるオキシプリノールが主に尿酸産生抑制に関与している．オキシプリノールの排泄経路は60%が尿であり，体内半減期は24時間である．したがって，腎不全患者ではオキシプリノールが蓄積する可能性があるが，分子量が152と小さく，蛋白結合率は10%以下なので透析によって容易に除去される．

フェブキソスタットは，主に肝臓で代謝され，約50%が代謝物とし

て尿から排泄される．薬剤の半減期は5～8時間とアロプリノールと比較して短い．分子量は361で蛋白結合率はほぼ100%で，非水溶性なので透析性は低い．

トピロキソスタットは，肝臓で代謝され，尿中排泄は約50%，分子量が248で蛋白結合率がほぼ100%で，非水溶性なので透析性は低い．透析患者を含む腎機能低下（eGFR＜30mL/min/1.73m^2）でもフェブキソスタットの薬物動態や尿酸低下には変化がなく，副作用もみられなかったとする報告がある[3]．

■ 3. 注意すべき副作用

アロプリノールの代謝産物であるオキシプリノールの排泄経路は主に腎であるために，常用量の使用では体内に蓄積する可能性がある．薬剤あるいは代謝物の蓄積による副作用としては肝障害などがあげられる．しかし，投与量を減量してもアレルギー機序によるStevens-Johnson症候群や中毒性表皮壊死症（toxic epidermal necrolysis：TEN）などの重篤な皮膚合併症を伴うことがあるので注意を要する．さらに，アレルギー機序による白血球減少，溶血性貧血，血小板減少などの血球減少の副作用の報告も多いので，透析患者への投与は慎重を要する．

フェブキソスタット，トピロキソスタットは他の薬剤の代謝を阻害することがある．特に，メルカプトプリンやアザチオプリンの作用を増強して骨髄抑制などの重篤な副作用発現頻度が増加するために併用禁忌で

表1 ■ 高尿酸血症治療薬と他の薬剤との併用注意

	アロプリノール	フェブキソスタット	トピロキソスタット
メルカプトプリン	慎重投与	併用禁忌	併用禁忌
アザチオプリン	慎重投与	併用禁忌	併用禁忌
ビダラビン	慎重投与	慎重投与	慎重投与
ワルファリン	慎重投与		慎重投与
ジダノシン	慎重投与	慎重投与	慎重投与
テオフィリン	慎重投与		慎重投与
クロルプロパミド	慎重投与		
シクロスポリン	慎重投与		
シクロホスファミド	慎重投与		

ある（表1）．アロプリノールと相互作用を有する薬剤を表1に示すが，いずれの薬剤も作用が増強する．

■ 文献

1) 日本痛風・核酸代謝学会ガイドライン改訂委員会, 編. 高尿酸血症・痛風の治療ガイドライン. 第3版. 東京: 診断と治療社; 2018.

2) Sugano N. Maruyama Y, Kidoguchi S, et al. Effect of hyperuricemia and treatment for hyperuricemia in Japanese hemodialysis patients: A cohort study. PLoS One. 2019; 14: e0217859.

3) Hira D, Chisaki Y, Noda S, et al. Population pharmacokinetics and therapeutic efficacy of febuxostat in patients with severe renal impairment. Pharmacology. 2015; 96: 90-8.

〈榊間昌哲　川勝祐太郎　米村克彦〉

V. 糖尿病・代謝・栄養

Question 7

透析患者における骨粗鬆症の実態と治療法について教えてください

Answer

1) 透析患者の骨を考える場合尿毒症，腎性骨異栄養症（renal osteo dystrophy: ROD）と一般の骨粗鬆症の混在と考える必要がある．

2) 骨粗鬆症の薬物療法評価はBMDの増減と骨折率で判断せざるを得ない．

3) 透析患者においても骨の評価と骨折の予測に骨密度測定が有用であることがガイドラインに盛り込まれた．

4) VDRAの過剰投与は高カルシウム血症　高リン血症とつながり血管の石灰化を引き起こす可能性がある．

5) ビスホスホネートやデノスマブを使用する場合には低カルシウム血症と使用期間に注意を払わなければならない．

6) ロモスマブは心血管障害と骨粗鬆症の程度を天秤にかけて使用しなければならない

7) 透析患者にPTH製剤を使用する場合はPTHが正常以下で無形成骨が疑われる場合に考慮すべきである

　骨粗鬆症（osteoporosis: OP）は，低骨量と骨組織の微細構造の異常を特徴とし，骨の脆弱性が増大し骨折の危険性が増大する疾患である[1,2]．骨の脆弱性を考えるとき骨量とともに重要な因子は骨の質である．骨質は，AGE架橋など様々な因子が関わるが質の高さを測る簡便な示標は示されていない．

　骨粗鬆症の予防と治療ガイドライン2015年度版[2]では，骨粗鬆症の治療方法として，食事指導，運動指導，理学療法，手術療法，および薬

物治療が推奨されている.

透析患者の骨疾患は腎機能障害,透析療法の影響に加え加齢・遺伝的素因・原疾患・罹病期間など,多くの因子が重なってそれぞれ異なった発症機構を有すると同時に一人の患者の骨に同時に複数の骨病変も存在することも念頭に置いて患者をみなければならない.日常生活の指導を行う以外積極的に骨の健康を守るためには薬物治療に頼らなければならない.骨粗鬆症の薬物治療の目標は骨折を予防することである.本邦では活性型ビタミン D3 製剤,選択的エストロゲン受容体モジュレーター(selective estrogen receptor modulator: SERM)製剤,ビスホスホネート製剤,抗 receptor activator of NFκB ligand(RANKL)抗体製剤,抗スクレロスチン抗体製剤および甲状腺ホルモン(parathyroid hormone: PTH)製剤など,多種類の系統の薬剤が上市されている.

これらの薬剤はどうやって骨粗鬆症の治療薬として上市されたか? 骨密度(BMD)を増加させることを機序として骨折頻度を改善させたからである.残念ながら骨の質は考慮されていない(PTH が低く無形成骨が疑われる場合の PTH 製剤などは骨質を改善させる可能性もあるが証明はされていない).残念ながら薬物療法の評価は BMD の増減と骨折率で判断しなければならない.個々の患者の骨折既往を念頭に置いて唯一骨密度を頼りに薬剤投与を行うことになる.

■ 1. 透析患者の骨病変

透析患者の場合は一般の骨粗鬆の理解だけでは説明がつかない.尿毒症による二次性の骨ダメージは想定されるがその示標も定かではない.

腎臓は副甲状腺ホルモン(PTH)や FGF23 などの液性因子による調節を受けて Ca,P そして活性型ビタミン D [1,25(OH)$_2$D]の調節に関わり骨代謝の維持に関与している.このため,慢性腎臓病(chronic kidney disease: CKD)患者では,1,25(OH)$_2$D 低下やリン蓄積とともに,さまざまな骨病変,ミネラル代謝異常が出現する.この病態は主に骨病変に着目され ROD として認識されてきた.ROD は腎不全に伴って起きる骨病変の総称である.

①線維性骨炎(osteitis fibrosa: OF):過剰な副甲状腺ホルモン(para-

表 1 ■ CKD-MBD 分類法の提案（TMV 分類）（Moe S, et al. Kidney Int. 2006; 69: 1945-53）[23]

骨回転 turnover	石灰化 mineralization	骨量 volume
高		高
正常	正常	正常
低	異常	低

thyroid hormone：PTH）の作用により骨形成と骨吸収の両方が亢進し、高回転骨となる。

②骨軟化症（osteomalacia：OM、最近ではほとんど出会わない）：アルミニウム（Al）などが骨に沈着することにより生じる。

③無形成骨（adynamic bone disease：ABD）：おそらくは PTH の作用不足が要因の1つとしてあげられている

④微小変化型

⑤混合型

以上5分類があげられる。CKD 患者はこれらの病態が骨脆弱性の原因となる。また、透析患者は高齢者や閉経後の女性を多く含み原発性骨粗鬆症の要因も多く抱えている。一方全身病として CKD-MBD という概念が提唱されたが KDIGO は ROD という用語を骨病変そのものに限定し、①骨代謝回転（turnover）、②骨石灰化（mineralization）、③海綿骨単位骨量（volume）のパラメータの程度で具体的に骨組織を表す TMV 分類を提唱した（表1）[3]。

■ 2. 骨の評価

ROD の分類は骨生検と二重テトラサイクリン染色に基づいた分類であるが骨生検はその侵襲性から頻回の検査が行えないため、実際の臨床においては、dual-energy-X-ray absorptiometry（DXA）や超音波により骨密度を知り ALP や PTH などの骨代謝マーカーを surrogate marker（代替指標）として用いることが一般的となっている。

❶ 骨密度（BMI）

　CKD 患者における BMI 測定は骨強度を反映しないとして KDIGO ガイドラインの必須項目になっておらず，骨強度の規定には骨量だけでなく骨質が寄与することも示されていた[3,4]．しかし，骨の状態を知るうえでは BMI は必須の検査であり 2017 年 KDIGO のガイドラインが補完された[5]．4 つのコホート研究をエビデンスとして[6-9]，骨の評価と骨折の予測に BMI 測定が有用であるとされている．CKD 患者における BMI は CKD ステージの進行に伴って低下し，骨折リスクが上昇する．

　二次性副甲状腺機能亢進症（SHPT）によってもたらされる線維性骨症は，皮質骨量低下に関与することも述べられている[6]．

❷ 透析患者の骨マーカー

　副甲状腺ホルモン（PTH）は，透析患者の骨を評価するうえで重要なマーカーである．上昇は高回転骨をもたらし骨形成が骨吸収に追いつかず骨量減少と骨折リスクの増大をもたらす．PTH 低値は低回転骨が予測され骨構成細胞の機能低下を介して骨質が低下し骨折リスクが増大する．さらに PTH は脂肪細胞と PTH/PTH 関連蛋白受容体に作用し筋萎縮をもたらす可能性があり筋萎縮は転倒リスクと密接に関連している．

　骨形成マーカーである骨アルカリホスファターゼ（BAP），吸収マーカーである骨型酒石酸抵抗性酸性ホスファターゼ TRACP-5b も，PTH と高い相関を示す．

　骨細胞は古典的 Wnt シグナルの伝達を受容体レベルで抑制する因子であるスクレロスチン（SOST）や Dkk-1（Dick-kopf-related protein 1）などを分泌し，細胞分化を調節している．測定が可能であれば良い示標と思われる．閉経後の女性透析患者ではエストロゲン，アンドロゲンなどの性ホルモンの把握もしくは予想をしておくことも必要である．

■ 3. 骨粗鬆治療薬

❶ 活性型ビタミン D 製剤（VDRA）

　VDRA は透析患者において低カルシウム血症，二次性副甲状腺機能亢進症（SHPT），骨粗鬆症の治療薬として用いられてきた．VDRA は腸管におけるカルシウム，リン再吸収を促し腎尿細管におけるカルシウ

ム再吸収を促進する．RXRと結びついて副甲状腺のVD受容体に作用してPTHの合成，分泌を阻害する．これにより高回転骨を防止する．

近年整形外科で多用されるエルデカルシトールは大規模臨床試験で初めて骨折予防効果，転倒予防効果が示されαカルシドールとの比較で椎体骨折，非椎体骨折の抑制効果で有意に優れていると報告されている．閉経後女性透析患者で効果，安全性の報告も認められる．透析患者においてはカルシウム補正が十分でない場合や，進行性のSHPT症例を中心に，VDRAがしばしば使用される．しかし，VDRAの過剰投与は高カルシウム血症　高リン血症とつながり血管の石灰化を引き起こす可能性がある[3]．

以前外来において高カルシウム血症の患者鑑別で第1に疑ったのは原発性副甲状腺機能亢進症患者であったが，現在はまず，整形外科医においてVDRAが骨粗鬆症薬として投与されていないか確認している．

❷選択的エストロゲン受容体モジュレーター（SERM）

高齢女性透析患者ではエストロゲンの低下に伴う骨強度の低下が有意に認められ，body mass index（BMI）の低い患者では特にエストロゲンが低いと報告されている[10]．

SERMはエストロゲン受容体（ER）にリガンドとして結合し標的遺伝子を発現する．SERMはERに作用するが組織選択的にアゴニスト（エストロゲン様作用）とアンタゴニスト（抗エストロゲン作用）として作用する．骨に対しては，アゴニスト作用を示し乳腺や子宮内膜に対してアンタゴニスト作用を示す．この結果ホルモン補充療法と同様の骨への効果を示す．骨芽細胞におけるRANKLの合成低下を介して破骨細胞の分化を抑制し骨量低下および骨折を予防する．閉経後骨粗鬆症に対して椎体，大腿骨の骨量を増加し椎体骨折を抑制する効果が認められている[11]．日本においては閉経後の女性透析患者で有意に腰椎の骨密度を増加させ橈骨の骨密度低下を抑制したと報告されている[12]．

❸ビスホスホネート製剤

ビスホスホネート製剤はメバロン酸代謝経路の中間産物の合成を阻害することで破骨細胞による骨吸収を強力に抑制する腎排泄性の薬剤であ

る．現在使用できるものは側鎖に窒素を含まない第 1 世代のエチドロン酸，側鎖に窒素を含む第 2 世代のイバンドロン酸，アレンドロン酸，側鎖に窒素を含み環状構造を有する第 3 世代のリセドロン酸，ミノドロン酸，ゾレンドロン酸の 6 つである．第 2 第 3 世代の窒素を含む薬剤のほうが第 1 世代より骨吸収抑制作用が強い．静注製剤はゾレンドロン酸（1 年に 1 回の点滴静注）アレンドロン酸，イバンドロン酸（4 週に 1 回）となる．ゾレンドロン酸は悪性腫瘍に因を発する高カルシウム血症の適応を取っているがその場合でも透析患者への使用はためらわれる．

　クレアチニンクリアランス（Ccr）＜30mL/min の腎機能障害を呈する患者においてはエチドロン酸，リセドロン酸は禁忌でありアレンドロン酸，ミノドロン酸，イバンドロン酸，ゾレンドロ酸は慎重投与となっている．骨折予防効果に関してはリセドロン酸，アレンドロン酸などで CKD ステージ 3 程度の患者の骨量増加，骨折予防に有効であり，安全に使用できることが示された[5]．ただしステージ 4 以上の患者に関しては腎排泄性であることも考慮し蓄積も考え投与期間にも気を配らなければならない．

　ビスホスホネートが大腿骨骨折後の患者の生命予後を改善することやアレンドロネート投与により心血管死亡や心筋梗塞発症を低下させることなどが報告されている．総死亡の低下と関連していたとの報告もある．新規の骨折発症の抑制や抗炎症作用の関与が考えられている[13]．しかし，CKD 患者においてはビスホスホネート使用群と非使用群で有意差は認められていない．

　CKD ステージ 4 以上とくに 5D の患者では安全性も補償されていない．また，PTH 低値の患者や投与期間が長い患者への投与は無形成骨（adynamic bone disease）を生じる可能性が高く注意を要する．ビスホスホネート 1～60 カ月間投与された CKD ステージ 1～4 の患者 13 名の骨生検で全例が無形成骨であったと報告されている[14]．

　副作用としての非定型大腿骨骨折やビスホスホネート関連顎骨壊死（BRONJ）はビスホスホネートの投与量や投与期間の長さと関係するこ

とが報告されている．糖尿病，肥満，ステロイド使用，口腔内衛生不良，喫煙，飲酒などが BRONJ のリスク因子と考えられている．非定型大腿骨骨折が 3 年以上 BRONJ は 4 年以上の投与で増加すると報告されている．3 年以上投与が続いている場合これらの副作用に十分注意をするとともに休薬も考えなければならない．特に CKD 患者ではビスホスホネートの蓄積の可能性が強くより注意が必要である．私見であるが，私は 3 年間投与が続いた透析患者の場合 6 カ月以上休薬して骨密度を示標に再開もしくは他薬剤で補完している．非定型代替骨折はビスホスホネートを中止するとそのリスクは年に 70% も低下すると報告されている[15]．

❹デノスマブ

デノスマブはヒト抗 RANKL モノクローナル抗体製剤である．RANK を発現する未成熟な破骨細胞前駆細胞まで作用することで強力な作用を発揮し骨密度を増加し骨折を予防する．デノスマブは骨粗鬆症患者の椎体骨，大腿骨を含む非椎体骨の上昇および骨折抑制効果を示している．1 カ月に 1 回（ランマーク®）もしくは 6 カ月に 1 回（プラリア®）皮下投与される製剤がある．「骨粗鬆症の予防と治療のガイドライン 2015 年版」においては骨密度増加，椎体，非椎体，大腿骨近位部骨折予防効果のすべてにおいて Grade A と評価されている．

FREEDOM（Fracture Reduction Evaluation of Denosumab in Osteoporosis every 6Months）試験では新規椎体骨折を新規発生率，36 カ月後の発生，大腿骨近位部骨折発生率を減少させこの骨折予防効果は骨密度増加とともに長期に持続したとされる．また，対象患者の内クレアチニンクリアランスが 30〜50mL/min の患者ではデノスマブの治療効果は腎機能に影響を受けないと報告された[16]．

しかし，CKD 患者においては低カルシウム血症に注意を払わなければならない．特に透析患者では致死的な例も報告されており VDRA と同時に使いカルシウムのモニタリングを定期的に，特にデノスマブ導入直後は数日後の血中カルシウム濃度測定など慎重を期する必要がある．観察研究のメタアナライシスでは末期腎不全の患者においてデノスマブ

の低カルシウム発現頻度は 42% と高率であったことが報告されている[17]．2017 年の KDIGO の update[3] でも低カルシウムに十分注意を払うことが強調されている．

　BRONJ はビスホスホネートの副作用として注意が喚起されているが，骨吸収阻害薬に顎骨壊死が起きる可能性があり骨吸収抑制薬関連顎骨壊死（ARONJ）として，デノスマブ投与時にも同様に注意が必要である．

❺ロモスマブ

　骨代謝マーカーとして示した SOST は主として骨細胞から分泌される液性因子で骨芽細胞における β カテニン依存性の基質蛋白合成を阻害し骨形成を抑制する一方骨芽細胞では同時に骨吸収を進める sRANKL の分泌を促進し，骨吸収を抑制するオステオプロテゲリン（OPG）の分泌を阻害する．つまり骨形成を阻害し骨吸収を促進する作用を持つ．SOST は加齢，閉経糖尿病などによって増加し骨の脆弱性に関与していることが知られている．ロモスマブはこの SOST に対する抗体製剤であり骨形成を促進しながら骨吸収を抑制する両面効果を持つ薬剤である．これによりロモスマブは強力な骨量増加作用と，骨折低下作用をもたらす．BMD を増加させる作用において骨吸収抑制のみに作用するビスホスホネートやデノスマブに対して優れていることが椎体骨，非椎体骨において示されている[18]．本邦においては 2019 年に重度の骨粗鬆症患者に対して臨床使用が承認されている．ただし，ロモスマブはアレンドロネート治療患者の約 2 倍の CVD リスクがあることが同時に報告されている[19]．ただし本邦の透析患者 96 人に対しては 1 年間における単一施設，非無作為化，観察研究が行われている．結果は腰椎，大腿骨の BMD を有意に増加させ CVD イベントの増加を認めないという結果であった[20]．本論文のみでは CVD リスクの高い透析患者に積極的にロモスマブを使用する根拠は薄い．透析患者において骨量の減少が生命予後低下につながるとは考えられるが心血管合併症はそれ以上のリスクがあると考えられる．現在のところ CVD リスクの懸念が少なく BMD の改善が急がれる患者限定と思われる．

❻ PTH 製剤

　副甲状腺ホルモンは 84 個のアミノ酸からなるポリペプチドホルモンである．テリパラチドは活性部分を含む N 端 34 個のアミノ酸鎖（1-34PTH）からなるポリペプチドホルモンである．「骨粗鬆症の予防と治療のガイドライン 2015 年版」においては骨密度増加，椎体，非椎体，大腿骨近位部骨折予防効果のすべてにおいて慎重投与（Grade B）と評価されている．

　PTH 製剤であるテリパラチドは間欠的に半減期の短い PTH を使用することで骨形成マーカーが増加し骨密度を改善させる薬剤である．日本においても iPTH＜60pg/mL，T score＜－2.5 の透析患者において腰椎骨密度を 3.3% 増加されたと報告されているが脱落例も多く評価は定まっていない[21]．表 2 に PTH 製剤をまとめた．

　アバロプラチドは，副甲状腺ホルモン受容体 1 型（PTHR1）と選択的に結合する薬剤である．骨粗鬆症性骨折リスクが高い閉経女性を対象に，アバロプラチドとプラセボと比較した二重盲検ランダム化対照試験と，テリパラチドと比較したランダム化オープンラベル試験を行い，アバロプラチドはプラセボに比べ骨折予防効果が高く，テリパラチドに比べ高カルシウム血症を起こしにくいと報告されている[22]．本邦では 2022 年 1 月時点でプレスリリースの状態である．

おわりに

　透析患者に対する骨粗鬆症治療薬のエビデンスは少なく，骨評価の指標

表 2 ■ PTH 製剤一覧

投与経路	皮下注	皮下注	オートインジェクター	皮下注
一般名	テリパラチド	テリパラチド酢酸塩	テリパラチド酢酸塩	アバロパラチド酢酸塩
用法	1 日 1 回	週 1 回	週 2 回	1 日 1 回
最大投与期間	24 カ月	24 カ月	24 カ月	18 カ月
自己注射	○	×	○	？

はBMDが中心となる．各々の患者の実体を把握して薬剤の特性を理解することが必要と思われる．

■ 文献

1) NIH Consensus development Panel: JAMA. 2001; 285: 785-95.
2) 骨粗鬆症の予防と治療ガイドライン作成委員会. 骨粗鬆症の予防と治療ガイドライン 2015 年版. 東京: ライフサイエンス出版; 2015.
3) KDIGO Clinical Practice Guideline for the Diagnosisi, Evaluation. Prevention, and Treatment of Cronic Kidney Disease-Mineral and Bone Disorder（CKD-MBD）. Kidney Int. 2009; 76（Supple 113）: S1-130.
4) 日本透析医学会. 慢性腎臓病に伴う骨ミネラル代謝異常の診療ガイドライン. 透析会誌. 2011; 45: 301-56.
5) KDIGO 2017 Clinical Practice Guideline for the Diagnosisi, Evaluation. Prevention, and Treatment of Cronic Kidney Disease-Mineral and Bone Disorder（CKD-MBD）. Kidney Int Supple. 2017.
6) Iimori S, Mori Y, Akita W, et al. Diagnostic usefulness of bone mineral density and biochemical markers of bone turnover in predicting fracture in CKD stage 5D patients-a single center cohort study. Nephrol Dial Transplant. 2012; 27: 341-51.
7) Naylor KL, Garg AX, Zou G, et al. Comparizn of fracture risk prediction among individuals with reduced and normal kidney function. Clin J Am Son Nephrol. 2015; 30: 646-53.
8) West SL, Lok CE, Langsetmo I, et al. Bone mineral density predicts fracture in chronic kidney disease. J Bone Miner Res. 2015; 30: 913-9.
9) Yenchek RH, Ix JH, Shlipak MG, et al. Bone mineral density and fracture risk in older individuals with with CKD. Clin J Am Soc Nephrol. 2017; 7: 1130-6.
10) Kramer HM, Curhan G, Singh A, for the HELP Study group. Hemodialysis and estrogen levels in postmenopausal（HELP）patients: The multicenter HELP study. Am J Kidney Dis. 2003; 41: 1240-6.
11) Ishani A, Blackwell T, Jamel SA, et al. The effect of raloxifen treatment in postmenopausal women with CKD. J Am Soc Nephrol. 2008; 19: 1430-8.
12) Tanaka M, Otoh K, Matsushita K, et al. The effect of raloxifen on bone mineral metabolism in postmenopausal Japanese women on hemodialysis. Ther Apher Dial. 2011; 15（Supple1）: 62-6.
13) Sing CW, Wong AY, Kiel DP, et al: Association of alendronates and risk of caldiovascular events in patients with hip fracture. J Bone Miner Res. 2018; 33: 1422-34.

糖尿病・代謝・栄養

14) Amerling R, Harbord NB, Pullman J, et al. Bisphosuphonate use in chronic kidney disease: association with adynamic bone disease in a bone histology series. Blood Purif. 2010; 29: 293-99.

15) Schilcher J, Koeppen V, Aspenberg P, et al. Risk of atypical femoral fracture during and after bisphosphonate use. Act Orthop. 2015; 86: 100-7.

16) Jamal SA, Liunggren O, Stehman-Breen C, et al. Effect of denosmab on fracture and bone mineral density by level of kidney function. J Bone Miner Res. 2011; 26: 1829-35.

17) Thongparayoon C, Acharya P, Acharya C, et al. Hypocalcemia and bone mineral density changes following denosmab treatment in end-stage renal disease patients: a meta-analysis of observational studies. Osteoporos Int. 2018; 29: 1737-45.

18) Kobayakawa T, Miyazaki A, Saito T, et al. Denosumab versus remosozmab for postmenopausal asteopolosis treatment. Scientific Reports 2021; 11: 11801.

19) Saag GK, Petersen J, Randy LM. Romosozumab or alendronate for fracture prevention in woman with osteoporosis. N Engl J Med. 2017; 377: 1417-27.

20) Sato M, Inaba M, Shinsuke Y. Efficacy of romosozumab in patients with osteoporosis on maintenance hemodialysis in Japan; an observational study· J Bone Miner Metab. 2021; 39:1082-90.

21) Sumida K, Ubara Y, Hoshino J, et al. Once weekly teriparatide in hemodialysis patients with hypoparathyroidism and low bone mass : a prospective study. Osteoporose Int. 2016; 27: 1441-50.

22) [Paul D, Gary H, Bente JR et al. Effect of abaloparatide vs placebo on new vertebral fractures in postmenopausal woman with osteoporosis a randomized clinical trial. JAMA. 2016; 316: 722-33.

23) Moe S, Drüeke T, Cunningham J, et al. Kidney Disease: Improving Global Outcomes (KDIGO). Definition, evaluation, and classification of renal osteodystrophy: a position statement from Kidney Disease: Improving Global Outcomes (KDIGO). Kidney Int. 2006; 69: 1945-53.

〈角田隆俊〉

V. 糖尿病・代謝・栄養

Question 8

透析患者ではビタミン類の補充はどういうときに必要ですか？　またどうやって補うのがよいですか？

Answer

1) 食事摂取量低下が続いている.

2) リン，カリウムの摂取量管理が厳密に行われている.

3) 高水準の透析（週3回4時間以上，ハイパフォーマンス膜ダイアライザー使用など）が継続して行われている.

4) 不足しやすい水溶性ビタミン類少量を継続して補充する.

■ 1. ビタミンとは

体の中で新たにつくることができない有機化合物で生命に必須な微量化合物がビタミンとよばれる化合物であると日本ビタミン学会は解説している.

ビタミンは，3大栄養素のようにエネルギー源や体の構成成分にはならないが，体の機能を正常に維持するために不可欠な物質である. そのため，必要量は微量であるが不足すると欠乏症を起こす. 多くのビタミンでは，糖質・脂質・蛋白質の代謝を円滑に行わせる潤滑油のような働きをしている. 血管，粘膜，皮膚，骨などの健康を保ち，新陳代謝を促す働きにも関与している[1].

ビタミンは溶解性の違いで2つに分類され，水に溶けにくく，アルコールや油脂に溶ける性質をもつのが脂溶性ビタミン（ビタミンA・D・E・K）である. 水に溶けやすく，油脂に溶けにくい性質をもつのが水溶性ビタミンであり，ビタミンB群（ビタミンB_1・B_2・B_6・B_{12}，ナイアシン，パントテン酸，葉酸，ビオチン）とビタミンCが含まれる[1].

■ 2. 透析患者に対するビタミン類の補充に関するガイドライン

日本国内のガイドラインは存在しない.

欧州のガイドラインである European Best Practice Guideline（EBPG）の EBPG guideline on nutrition には，透析患者へのビタミン類の補充に関して記述されている[2].　一方，透析患者におけるビタミン補充のエビデンスは十分でないため，2007 年版 EBPG から European Renal Best Practice（ERBP）へ改名された[3].　また，2019 年改訂の Kidney Disease Outcomes Quality Initiative（KDOQI）ガイドライン[4] においても，推奨あるいは提案の内容に留まる.　ERBP では，水溶性ビタミンに関して食事以外での補充が専門家の意見として推奨されている.　アメリカ，ヨーロッパの一部の国では，透析患者での食事以外の水溶性ビタミンを含むマルチビタミンの摂取率は比較的高い（アメリカ 71.9%，イタリア 37.9%）が，日本国内において摂取率は少なく（5.1%）一般的でない[2].

EBPG guideline on nutrition（表 3 参照）を参考にビタミン類の補充を検討する場合，脂溶性ビタミン（ビタミン A・D・E・K）のなかで，ビタミン A・K は食事からの摂取のみで十分であり補充は不要とされている[2].　ただし，ビタミン K は長期に抗菌薬を投与されている場合には，抗菌薬により腸内細菌によるビタミン K 産生が抑制されるため一時的な補充を考慮する[2].　ビタミン D は二次性副甲状腺機能亢進症の治療目的で活性型ビタミン D の投与を考慮する[2].　また，ビタミン E に関しては，心血管イベントの二次予防と再発性の筋痙攣の予防を目的とした α-トコフェロールの補充が推奨されている[2].

水溶性ビタミンに関しては，腎臓の調節機能破綻に加え，食事制限や透析による喪失などから，不足および過剰の異常を呈しやすく，比較的少量を継続して補充する.

特にビタミン B_1 の不足は脚気や Wernicke-Korsakoff 症候群などの重篤な症状を呈することがあり，EBPG では 1.1〜1.2mg/ 日の補充摂取が推奨されている.　またビタミン C（アスコルビン酸）の過剰摂取は代謝

産物であるシュウ酸が蓄積して組織へ沈着する危険があるため，高用量（500 ～ 1000mg/ 日を超す用量など）の投与は避ける[2]．

EBPG guideline on nutrition でのビタミン類に関する記述は，食事からの摂取が前提であり，ビタミン類の補充について検討する内容であることに留意する．

■ 3. 透析患者におけるビタミン類不足の特徴とそのアウトカム

❶脂溶性ビタミン

ビタミン A・E・K は原則的に通常の食事摂取ができている状態であれば不足しない[2,5]．ただし，先に述べたようにビタミン K は長期の抗菌薬投与で不足する[2]．ビタミン D は，腎機能低下に伴うビタミン D 活性化障害により活性化ビタミン D が不足する可能性がある．

❷水溶性ビタミン

透析患者では不足しやすい．

1) 透析で除去されやすい

特にビタミン B_6，葉酸，ビタミン C が透析液へ喪失されやすい[2,6-8]．

ビタミン C は，1 回の血液透析で血中ビタミン C 濃度は 40 ～ 45% 減少する．水溶性ビタミンの中でも透析で喪失されやすいビタミンである[2,7]．

2) 摂取量の不足〔食事制限（リン，カリウム），合併症による経口摂取不良〕

特にカリウム摂取制限に伴う生野菜，果実の制限および調理（水にさらす，ゆでこぼす）による損失のため水溶性ビタミンの摂取量は低下する[9]．

3) 薬物による吸収障害

プロトンポンプ阻害薬（PPI: proton pump inhibitor）：ビタミン B_{12} の吸収を抑制する[7,10]．

セベラマー塩酸塩（sevelamer hydrochloride）：ビタミン A・D・E・K および葉酸の吸収を抑制する[7,10]．

慢性維持血液透析患者（自験例：82 例）では，水溶性ビタミンの血

中濃度低値例を高頻度で認め，特にビタミンC血中濃度低値群の頻度は高かった（図1）．一方，血中濃度高値例の多くは市販のサプリメントを摂取していた．透析患者では，水溶性ビタミンの欠乏状態だけでなく，水溶性ビタミンが腎排泄性であることから，その摂取量が適量でない場合に過剰状態にも留意する必要がある．このため少量適量（例：EBPG guideline ではビタミン C 75 〜 90mg/ 日の補充を推奨，KDOQI ガイドラインではビタミン C を少なくとも 男性 90mg/ 日，女性 75mg/ 日の摂取推奨量を満たす補充を推奨）のビタミンを補充するのがよいと考えられる．

透析患者で不足しやすい水溶性ビタミンの欠乏では，下記の欠乏症を起こす可能性がある．

例）

ビタミン B_1：脚気，Wernicke脳症，乳酸の蓄積による代謝性アシドーシス

ビタミン B_6：皮膚炎，神経障害

ビタミン B_{12}：悪性貧血，神経障害

葉酸：悪性貧血

ビタミン C：壊血病（コラーゲンの合成低下により血管がもろくなり

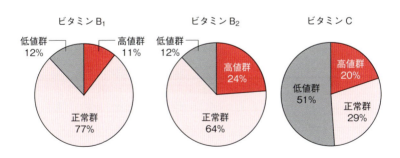

図1 ■ 慢性維持血液透析患者（自験例82例）での透析開始時の水溶性ビタミン（ビタミン B_1，ビタミン B_2，ビタミンC）血中濃度群別の分布
高値群：基準値より高値を示した群，正常群：基準値内であった群，低値群：基準値より低値を示した群

出血する），貧血（鉄利用障害）

■ 4. 透析治療による影響

　水溶性ビタミンは，透析で除去されやすく，特にハイパフォーマンス膜を使用した場合，ローフラックス膜を使用した場合より除去されやすい[6, 8]．

　日本国内では，透析時間は4時間以上，HPM透析器（High Performance Membrane dialyzer）の使用が推奨され，多くの地域・施設において高水準の透析が行われている．また，低分子量蛋白の除去量増加，炎症性サイトカインの産生減弱，生命予後の向上が期待される血液透析濾過療法（hemodiafiltration: HDF）は，近年，オンラインHDFに対する保険点数が認められたこともあり拡大しつつある．このような尿毒素物質の十分な除去を目指した治療が広く行われている現在では，水溶性ビタミンの欠乏にいっそう注意していく必要がある．透析患者の水溶性ビタミンの血中濃度の変化を表1に示す．

■ 5. 補充すべきタイミング

　ビタミン類の欠乏（または過剰）を考えるうえで，食事・サプリメン

表1 ■ 透析における水溶性ビタミンの血中濃度の変化
（文献7および文献11より引用改訳）

ビタミン	HD	PD	透析性
ビタミン B1	←→ / ↑	←→	Low flax膜 4% 減少
			High flax膜 9% 減少
ビタミン B2	←→ / ↓	←→ / ↓	Low flax膜 7% 減少
			High flax膜 6% 減少
ナイアシン	←→	↑ / ←→	変化なし
ビタミン B6	↓	↓	29% 減少
ビタミン B12	←→	←→	変化なし
葉酸	←→ / ↓	←→ / ↑	26.7% 減少
ビタミン C	↓	↓	44% 減少

注）比較対象は健常者である．

トなどに由来するビタミン摂取と透析治療による水溶性ビタミンの喪失の出納を考えるのが原則である.

経口摂取低下・不可の状態が続く場合には，ビタミン類の摂取低下と

表2■健常人の推奨量〔日本人の食事摂取基準（2020年版）〕と各ビタミンを多く含む食品（文献12, 13より引用一部改変）

		健常人 日本人の食事摂取基準（2020年版）（50〜74歳の推奨量/日）		多く含む食品の例
		男性	女性	
脂溶性	ビタミンA	850μgRAE	700μgRAE	鶏レバー，豚レバー，あなご，モロヘイヤ，にんじん
	ビタミンD	5.5μg（目安量）	5.5μg（目安量）	あんこうのきも，しらす，いわし，すじこ，きくらげ，紅鮭
	ビタミンE	6.5mg*1（目安量）	6.0mg*1（目安量）	アーモンド，サフラワー油，とうもろこし油，モロヘイヤ，西洋カボチャ
	ビタミンK	150μg（目安量）	150μg（目安量）	納豆，モロヘイヤ，アシタバ，芽キャベツ，小松菜，豆類・野菜類など
水溶性	ビタミンB1	1.3mg	1.0mg	豚肉，うなぎ，大豆
	ビタミンB2	1.5mg	1.2mg	豚レバー，牛レバー，納豆，まいたけ，卵，モロヘイヤ
	ナイアシン	14mgNE	11mgNE	カツオ，キハダマグロ，ピーナッツ，豚レバー，牛レバー
	ビタミンB6	1.4mg	1.1mg	ミナミマグロ，カツオ，牛レバー，鶏ささみ，にんにく，ピスタチオ
	ビタミンB12	2.4μg	2.4μg	かたくちいわし，あさり，しじみ，焼きのり
	葉酸	240μg	240μg	焼きのり，鶏レバー，菜の花，モロヘイヤ，ほうれん草
	パントテン酸	6mg（目安量）	5mg（目安量）	鶏レバー，豚レバー，卵黄，生たらこ，納豆
	ビオチン	50mg（目安量）	50mg（目安量）	レバー，らっかせい，鶏卵
	ビタミンC	100mg	100mg	赤ピーマン，黄ピーマン，ゆず果皮，菜の花，パセリ，ブロッコリー，レモン

μgRAE: レチノール活性当量，mgNE: ナイアシン当量
*1: α-トコフェロールの量

維持透析での喪失による各種のビタミン欠乏（特に水溶性ビタミン）状態に注意して積極的に補充を考慮する．特に経静脈栄養に依存する状況では，意図的に総合ビタミン剤を投与する．

ただし，製剤により含有するビタミンの種類・量の違いがあることに留意し，長期投与がなされる場合は，特定のビタミンの不足または過剰状態に注意する．

高効率の透析（HPM 透析器の使用やオンライン HDF など）による維持透析を行っている状況で，食事摂取量が減少するような場合は，積極的にビタミンを補充（経口）するのがよい．また，BUN，血清カリウム・リンなどが同様に低下傾向で全体的に栄養素の摂取が減少している場合は，一時的に透析効率を下げて栄養素の喪失を避けることも考慮する．

透析患者へのビタミン類の適正摂取量・補充量は，健常人〔日本人の

表3 ■ 透析患者での補充量（EBPG guideline on nutrition）（文献 2，8 より引用　一部改変）

		補充量 / 日
脂溶性	ビタミン A（レチノール） ビタミン D ビタミン E（α-トコフェロール） ビタミン K	補充不要（食事で 700〜900 μg/ 日摂取） 二次性副甲状腺機能亢進症の治療として投与 400〜800IU 補充不要（食事で 90〜120 μg/ 日摂取） 長期に抗菌薬を使用する場合は，一時的に 10mg/ 日を補充
水溶性	ビタミン B₁（塩酸チアミン） ビタミン B₂（リボフラビン） ナイアシン（ニコチン酸アミド，ニコチン酸） ビタミン B₆（塩酸ピリドキシン） ビタミン B₁₂（コバラミン） 葉酸 パントテン酸 ビオチン ビタミン C（アスコルビン酸）	1.1〜1.2mg 1.1〜1.3mg 14〜16mg 10mg コバラミン 2.4 μg 1mg 5mg — 75〜90mg[*1]

*1：高用量（例：500〜1000mg/ 日を超す用量）の補充は高シュウ酸血症のリスクがあるため避ける．

食事摂取基準（2020年版）］の推奨量（目安量，表2）と透析患者のビタミン推奨摂取量（1日あたりの食事以外の補充量）（EBPG guideline on nutrition，表3）を参考にする[2, 12, 13]．各透析施設で一般的に行われている透析患者の食事療法（食塩，カリウム，リン）を優先するのが原則と考える．このような食事療法下で適切なビタミンを食事だけで摂取することは困難をきわめることから，表3を参考に少量適量の水溶性ビタミン類を中心に補充を検討する[9]．

海外のガイドラインであるEBPG guideline on nutritionは，国内にはない透析患者に対するビタミン類摂取に関して明瞭に述べられているが，エビデンスレベルは高くなく専門家の推奨する内容である．ビタミン類の補充は，国・地域の違いにより食事摂取パターンの違いがあることと個々の患者の背景も考慮に入れ，一律同様に行うより個別に対応するのが望ましい[14]．

■ 6. 懸念される副作用

過剰症のリスク

脂溶性ビタミン（ビタミンA・E）は，透析患者では欠乏する危険性は低く，サプリメント摂取などによる過剰摂取に注意が必要であり，ビタミンAの過剰症（嘔気，頭痛，めまい，皮膚の落屑，など）やビタミンDの過剰症（食欲不振，高Ca血症など）に注意する[2, 10]．

水溶性ビタミンでは，ビタミンCに注意する．透析患者では，大量の摂取による過剰症（高シュウ酸血症，シュウ酸カルシウム沈着による血管および組織への傷害の可能性）の危険性も有する[7]．

■ 文献

1) 中村丁次. 栄養の基本がわかる図解事典. 東京: 成美堂出版; 2009.
2) Fouque D, Vennegoor M, ter Wee P, et al. EBPG guideline on nutrition. Nephrol Dial Transplant. 2007; 22 Suppl 2: ii45-87.
3) Zoccali C, Abramowicz D, Cannata-Andia JB, et al. European best practice quo vadis? From European best practice guidelines（EBPG）to European renal best practice（ERBP）. Nephrol Dial Transplant. 2008; 23: 2162-6.
4) KDOQI Clinical Practice Guidelines for Nutrition in CKD: 2019 Update,

p.132-41.〔https://www.kidney.org/professionals/guidelines/guidelines_commentaries/nutrition-ckd〕

5) Holden RM, Ki V, Morton AR, et al. Fat-soluble vitamins in advanced CKD/ESKD: a review. Semin Dial. 2012; 25: 334-43.

6) Heinz J, Domrose U, Westphal S, et al. Washout of water-soluble vitamins and of homocysteine during haemodialysis: effect of high-flux and low-flux dialyser membranes. Nephrology. 2008; 13: 384-9.

7) Clase CM, Ki V, Holden RM. Water-soluble vitamins in people with low glomerular filtration rate or on dialysis: a review. Semin Dial. 2013; 26: 546-67.

8) 加藤明彦. 腎不全におけるサプリメントの適応と注意点. 臨牀透析. 2008; 24: 1729-36.

9) 森山幸枝. サプリメント摂取の必要性と有害性. 臨床栄養. 2009; 115: 474-8.

10) 平田純生. 腎不全と健康食品・サプリメント・OTC薬―敵か味方か正しい情報と使い方. 東京: 南江堂; 2006.

11) Jankowska M , Rutkowski B, Debska-Slizien A, et al. Vitamins and microelement bioavaility in different stages of chronic kidney disease. Nutrients. 2017; 9 (282): 〔www.mdpi.com/journal/nutrients〕

12) 厚生労働省「日本人の食事摂取基準 (2015年版)」策定検討会. 日本人の食事摂取基準 (2015年版). 東京: 第一出版; 2014. p.1-44, 164-246.

13) 川島由紀子. 栄養学の基本がわかる事典. 東京: 西東社; 2013.

14) Tucker BM, Safadi S, Friedman AN. Is routine multivitamin supplementation necessary in US chronic adult hemodialysis patients? A systematic review. J Ren Nutr. 2015; 25: 257-64.

⊂⊃⊖ NOTES

　透析導入年齢および透析患者の高齢化や糖尿病性腎症による透析患者の増加を背景に適切な量の栄養素を確保するのが難しいケースも多く経験する. また, 透析量の高効率化の流れは, 水溶性ビタミンがより透析液に喪失される状況と考えられる. 透析患者へのビタミン類の補充および適正摂取量についてのエビデンスは十分でなく, ガイドラインも推奨あるいは提案の内容に留まり, 引き続き栄養介入によるアウトカムについてのエビデンスの構築が今後の検討課題である.

〈長井美穂　和田憲和　菅野義彦〉

V. 糖尿病・代謝・栄養

Question 9
どういうときにカルニチン欠乏症を疑いますか？　どうやって補充すればよいですか？

Answer

1) 透析患者特有の筋肉症状：こむら返り，筋力低下，極度の倦怠感
2) 心症状：心肥大，心筋症，心機能低下，不整脈，透析中の低血圧
3) エリスロポエチン抵抗性貧血：上記症状があり，明らかな原因やほかの治療を試みても効果がない場合や食欲不振などが長期に認められる場合には疑う．
4) 血液透析患者では終了時の静注が勧められる．

■ 1. 透析患者における特徴[1-4]

　Lカルニチン（L carnitine：LC）は長鎖脂肪酸をミトコンドリア内膜内に取り込みβ酸化するのに不可欠な物質である．体内のLCは65〜75％は食物摂取（特に赤肉・乳製品などの動物性蛋白質に多く含まれる）から，残り25〜35％はメチオニンとリジンから腎臓，肝臓，脳で合成されて保持されている．体内LCの95％は筋肉や心筋細胞にあり，血中のプールはわずか0.6％である．LCは血液中に遊離カルニチン（free carnitine：FC）が80〜85％，アシルカルニチン（acyl carnitine：AC）が15〜20％の構成で存在する．

　透析患者では，①腎不全に伴う食欲不振や蛋白摂取不足などによる食事からLC摂取不足，②血液透析（HD）による—特に透析開始後1年で開始前の40％の値に低下する，③腎機能低下によるLCの産生不足などにより欠乏状態になりやすい．

■ 2. 薬剤の適応

LC は脂肪酸の代謝に関与し，筋肉や心筋細胞のエネルギー源の 80% は脂肪酸によるので，LC 欠乏症になると筋力低下，心筋障害の形で症状が現れやすい．

2011 年，LC の効能・効果の改訂で先天代謝異常症のみの適応から「カルニチン欠乏症」への適応が拡大され，2018 年 2 月に一部の LC 欠乏症において酸素サンプリング法を用いた血中カルニチン 2 分画法の検査が保険診療として認められた．慢性維持透析を行っている患者では 6 カ月に 1 回を限度に測定が可能となった．その際血液透析おける診断時には透析前に測定し，血液透析時における採血は脱血測から行うことが望ましいとされる．そして 2018 年日本小児科学会から子どもに限定

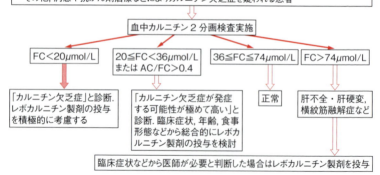

図1 ■ 血中カルニチン 2 分画検査とカルニチン欠乏症の診断・治療（カルニチン欠乏症の診断・治療指針 2018）
FC：遊離カルニチン濃度，AC：アシルカルニチン濃度，
CRRT：continuous renal replacement therapy（持続的腎代替療法），
TPN：total parenteral nutrition（経静脈栄養）

表1 ■ カルニチン投与の適応

1) 透析患者特有の筋肉症状
　　こむら返り，筋力低下，極度の倦怠感
2) 心症状
　　心肥大，心筋症，心機能低下，不整脈，透析中の低血圧
3) エリスロポエチン抵抗性貧血

することなく高齢者を含めた幅広い年齢層のカルニチン欠乏症の診療に寄与することを目標とした「カルニチン欠乏症の診断・治療指針2018」（以下治療指針）[5]が公開された．治療指針では臨床症状・兆候および検査所見のいずれかを持つ場合，「LC欠乏症を」を疑い「血中カルニチン検査」を行う．結果は図1に従い，遊離カルニチン（FC）濃度が20 μmol/L未満の場合は「カルニチン欠乏症が発症している」と診断し，遊離カルニチン濃度が20 μmol/L以上から36 μmol/L未満，あるいはアシルカルニチン/遊離カルニチン比が0.4以上の場合は「カルニチン欠乏症が発症する可能性が極めて高い」と診断する[5]．

血中FCは透析開始1年以上経ったHD患者の95%はLC欠乏症に該当するといわれている[1,3]．

治療指針では透析によるLC欠乏〔dialysis-related carnitine deficiency あるいは dialysis-related carnitine disorder（DCD）〕の症状として，透析患者特有の筋肉症状（こむら返り，筋力低下，極度の倦怠感），心症状（心肥大，心筋症，心機能低下，不整脈，透析中の低血圧，突然死など），エリスロポエチン抵抗性貧血などをあげている（表1）．

2003年米国腎臓財団からエリスロポエチン抵抗性貧血と透析中低血圧に対しての透析患者のLC補充療法の推奨が出ている[6]．しかし，2012年KDIGOの腎性貧血ガイドラインでは貧血改善補助効果を目的としたLC投与を勧めていないし[7]，KDOQIもそれに同意している[8]．欧州（EBPG）では透析中低血圧に対する他の治療で効果がない場合，LC投与も考慮するとしている[9]が，メタ解析では有効性を認めていない[10]．

心機能に対する効果としてはHiguchiら[11]はLCを12カ月間20mg/

kg/日投与群と無投与群と比較し，LC 投与群において左室駆出率の有意な上昇と左室肥大を有する患者において左室心筋重量係数の改善を認めている．

　以上のように LC 投与に関して多くの報告は少数例の検討であり，強い根拠とはまだなっていない．また，ほとんどの透析患者で血中 LC 濃度が低下しているにもかかわらず，患者の症状に軽重があり，LC 治療によって改善する症例，無効例などが存在する．LC 補充が効果ある患者を LC 投与前に診断する方法もまだない．患者のどのような状態の時期に，どの程度の期間投与するとよいのかなどの基準もなく，今後さらなる検討が必要である．

■ 3. 静脈注射（静注）投与か経口投与か[1, 12]

　静注 LC の bioavailability は 100％であるが，経口投与では 15％である．近年，LC が腸内細菌によって代謝され生成されたトリメチルアミン（trimethylamine：TMA）は高濃度となると認知障害を引き起こすとされる．また，TMA は肝臓でトリメチル N オキサイド（tirmethyl-amine-N-oxide：TMAO）に代謝される．TMAO は動脈硬化を促進させ，脳卒中，心筋梗塞，死亡を増加させたとの報告がある[12]．TMAO の産生を考慮し，すでに多くの薬剤を服用している透析患者の場合，服用薬剤数の増加はコンプライアンスを低下させる．治療指針では静注としている．

■ 4. 実際の投与量，投与回数および投与期間の目安

　HD に伴う LC 欠乏症に対して体重（kg）当たり 10～20mg を透析終了時に透析回路静脈側からゆっくり静注する．腹膜透析患者の LC 欠乏症には体重（kg）当たり 10～20mg を経口投与を開始し，症状・データをみながら投与量を調節する[5]．そして，まず 3 カ月間は投与してみる．米国では 6～9 カ月で症状が改善しない場合は中止すべきとしている[6]．

　「治療指針」では LC 投与中止は，カルニチン欠乏症再発のリスクなどを総合的に判断し慎重に行うことが望ましいとしている．

■ 5. 透析の影響[1-3]

　LC は分子量 161.2 と小さく蛋白結合をしないので，1 回の HD で 70
〜75% 除去される．それゆえ，頻回，長時間透析では LC 欠乏を生じ
やすく[13]，持続的腎代替療法を行った小児患者で LC 欠乏症が報告され
ている[14]．静注および透析日のカルニチン服用は透析後に行う．健常人
では腎臓は FC をほぼ 100% 再吸収するが，AC の再吸収率は低く，
AC/FC 比は 0.1〜0.2 前後で維持されている．しかし，HD では AC も
FC も非選択的に除去され，側鎖が長くなり分子量も大きい脂溶性の
AC は HD での除去効率が悪くなるため，より体内に蓄積し，HD 患者
では AC/FC 比は増加する．

■ 6. 副作用

　本邦では調査症例において食欲不振，下痢，軟便，腹部膨満感が 1%
未満に認められたが，カルニチンのメタ解析にても重症な副作用は認め
られていない[2]．

■ 文献

1) Guarnieri G. Carnitine in maintenance hemodialysis patients. J Ren Nutr. 2015; 25: 169-75.
2) Chen Y, Abbate M, Tang L, et al. L-Carnitine supplementation for adults with end-stage kidney disease requiring maintenance hemodialysis: a systematic review and meta-analysis. Am J Clin Nutr. 2014; 99: 408-22.
3) Calò LA, Vertolli U, Davis PA, et al. L carnitine in hemodialysis patients. Hemodialysis Int. 2012; 16: 428-34.
4) Eknoyan G, Lindberg JS. Practice recommendations for the use of L-carnitine in dialysis-related carnitine disorder. Am J Kidney Dis. 2002; 41(suppl 4): S1-48.
5) カルニチン欠乏症・診断指針 2018. (https://jpeds.or.jp/uploads/files/20181207_shishin.pdf)
6) Eknoyan G, Latos DL, Lindberg J. Practice recommendations for the use of L-carnitine in dialysis-related carnitine disorder. National Kidney Foundation Carnitine Consensus Conference. Am J Kidney Dis. 2003; 41: 868-76.
7) Drüeke TB, Parfrey PS. Summary of the KDIGO guideline on anemia and comment: reading between the (guide) line (s). Kidney Int. 2012; 82: 952-60.

8) Kliger AS, Foley RN, Goldfarb DS, et al. KDOQI US Commentary on the 2012 KDIGO Clinical Practice Guideline for Anemia in CKD. Am J Kidney Dis. 2013; 62:849–59.

9) Kooman J. Basci A, Pizzarelli F, et al. EBPG guideline on haemodynamic instability. Nephrol Dial Transplant. 2007; 22: ii22–ii44.

10) Lynch KE, Feldman HI, Berlin HE, et al. Effects of L-carnitine on dialysis-related hypotension and muscle cramps: A meta-analysis. Am J Kidney Dis. 2008; 52: 962–71.

11) Higuchi T, Abe M, Yamazaki T, et al. Levocarnitine improves cardiac function in hemodialysise patients with left ventricular hypertrophy: A randomized controlled trial. Am J Kidney Dis. 2015; 67,: 260–70.

12) Khalatbari-Soltani, S, Tabibi H. Inflammation and L-carnitine therapy in hemodialysis patients: a review. Clin Exp Nephrol. 2014. Dec 2. ［Epub ahead of print］
DOI 10. 1007/s10157-014-1061-3

13) Kraus MA, Kansal S, Copland M, et al. Intensive hemodialysis and potential risks with increasing treatment. Am J Kidney Dis. 2016; 68（suppl 1）: S51-8.

14) Sgambat K, Moudgil A. Carnitine deficiency in children receiving continuous renal replacement therapy. Hemodial Int. 2016: 20: 63-7.

⟶ NOTES

前述のように HD 患者における LC 投与については大規模な無作為抽出比較試験（RCT）などがなく，ほとんどが少数例の報告であり強いエビデンスとなりえていない．しかし，LC の投与で症状が改善する患者がいることは経験されている．投与前に効果があるか否か判定することも現在できていない．投与してみて効果を判断し，漫然と投与を続けないというのが現状である．

〈伊丹儀友〉

V. 糖尿病・代謝・栄養

Question 10
透析患者に対する透析中の高カロリー輸液および経口栄養剤の適応とメニューを教えてください

Answer

1) 透析患者には，蛋白質エネルギー栄養障害を有するものが多く，予後が悪い．
2) 透析中は，透析液への栄養素の喪失が起こり，異化が亢進しやすい．
3) 透析中には，カテーテル留置なしに高カロリー輸液が可能である．
4) 透析中には，水分，ナトリウム，カリウム，リンの投与量にあまり気を使わなくてよい．
5) 投与中の高血糖や中止後の反応性の
に注意する必要がある．

■ 1. 透析患者における特徴

透析患者の 30～40% に，蛋白質エネルギー栄養障害（protein-energy wasting：PEW）[1] を合併するといわれており，特に高齢者で発症率が高い．透析患者の PEW は，腎不全および透析療法に関わるさまざまな要因によって生じる．食欲が低下することに加え，塩分・水分・カリウム・リンなどの摂取が制限されることにより，エネルギーや蛋白質の摂取量も減ってしまうことが多い．腎不全や透析療法と関連して生ずる炎症の関与も重要である．高度な炎症はもちろんであるが，CRP 0.5mg/dL 未満の低レベルの炎症でも栄養状態に悪影響を及ぼす．炎症は血中のサイトカインを増加させ，エネルギー代謝を亢進させるとともに食欲を減退させる．また，透析患者は，運動量が少なく，それが PEW の一因となる．さらに，透析そのものも PEW の促進因子である．透析によ

る蛋白質やアミノ酸の喪失は，体蛋白質の異化を亢進させる．

■ 2. 薬剤・栄養剤の適応

十分に経口摂取ができない透析患者では，透析中に高カロリー輸液を行う（intradialytic parenteral nutrition：IDPN）[2] ことで蛋白質やエネルギーを補うことが可能である．透析中に投与することで，カテーテルを留置することなく高カロリー輸液が可能となり，同時に透析で除水やナトリウム，カリウム，リンの除去が行えるので，安全性も高い．透析中にIDPNを行うことにより，窒素バランスが負から正に傾き，栄養状態が改善し，予後もよくなることが報告されている．

最近，経口摂取が可能ならば，透析中に経口的に栄養剤を摂取させることが勧められている．経口的な栄養剤の摂取でも，IDPNと同様に，窒素バランスが正となり，栄養状態が改善すると報告されている[3,4]．IDPNに比し，コストがかからず，透析終了後も効果が持続し，高血糖や反応性の低血糖が起きにくいという利点がある．

■ 3. 薬剤・栄養剤の選択

❶ IDPN

通常，投与されたアミノ酸が体蛋白質に合成・利用されるには，窒素1gに対し150～250kcalのエネルギーが必要である．そこで，アミノ酸製剤と高張ブドウ糖製剤，また必要に応じて脂肪乳剤を組み合わせて投与する．1回の透析で，400～580kcal，アミノ酸12～24gの投与が可能である．しかし，週3回，1回4時間の透析スケジュールでは，IDPNのみで十分な栄養を摂取することはできないので，あくまでも経口摂取の補助療法の位置づけと考えるべきである．

❷ 経口栄養剤

これまでに報告された，透析中に経口栄養剤を投与する方法では，1回の透析中にエネルギー200～400kcal，蛋白質15～20gを含む液状経口・経腸栄養剤または，固形の栄養補助食品の摂取で，栄養状態が改善したとされている[5]．

■ 4. 実際の投与量，投与回数および投与期間

表1に，IDPNに用いられる代表的な処方例を示す．透析患者では，

表1 ■ IDPN の処方例

50% ブドウ糖	200mL	エネルギー	400kcal
6〜12% アミノ酸	200mL	アミノ酸	12〜24g
必要に応じて以下を加える			
20% 脂肪乳剤	100mL	エネルギー	180kcal

脂質代謝異常も多くみられるので，血清中性脂肪値が高い場合には脂肪乳剤の投与は避けるほうがよい．透析では，投与する水分量に見合った除水を行うことが必要となる．

IDPN では，週3回，透析開始時から透析終了まで持続的に投与するのが一般的である．これは，透析液中に喪失する血中の蛋白質やアミノ酸の量は，透析開始直後に最大となるので，最初から輸液を行ってアミノ酸の血中濃度が下がらないようにすること，投与速度はなるべく遅いほうが安全であること，による．

表2に，経口栄養剤の種類と，含まれる栄養素のうち代表的なもの

表2 ■ 経口栄養剤の種類

	商品名	用量	エネルギー (kcal)	蛋白質 (g)	カリウム (mg)	リン (mg)
医薬品	エンシュアリキッド	250mL	250	8.8	370	130
	エネーボ	250mL	300	13.5	300	250
	ラコール	200mL	200	8.8	276	88
栄養補助食品 (飲料)	メイバランス 1.0	200mL	200	8.0	200	120
	メディミル	125mL	210	10.0	159	54
	エンジョイクリミール	125mL	200	7.5	179	113
栄養補助食品 (固形)	カロリーメイトブロック (プレーン味)	2本 (40g)	200	4.0	55	40
	ウイダー in バープロテイン	1本 (34g)	165	10.0	—	—
	SOYJOY (ピーナッツ味)	1本 (30g)	144	6.5	232	99

を示す．ここに示しているのは，例であり，これにこだわる必要はない．エネルギーと蛋白質がバランスよく含まれていて，患者の嗜好に合うものを選べばよい．経口栄養剤に含まれるカリウムやリンの量はさまざまであるが，透析中に摂取する限りあまり問題にはならない．ただし，透析中以外の摂取では，これらのミネラルの過剰摂取に注意を払う必要がある．

投与期間は，栄養状態が改善するまでとする．血清アルブミン値が，3.8g/dL 以上が 1 つの目安である．

■ 5. 透析の影響

投与したアミノ酸や糖質も透析によってある程度除去される．しかし，IDPN によって投与したアミノ酸の 2/3 以上は体内に保持されるという報告[6]もあるので，栄養補給法として有効であると考えられる．IDPN は，透析終了と同時に投与が終了するので，透析後には窒素バランスが負になるが，経口栄養剤では，消化吸収のプロセスがあるので，透析後も窒素バランスが正に保たれるという利点がある．

■ 6. 注意すべき副作用

✿ 1. 高張糖液を用いるので，高血糖に注意する．糖の濃度や投与速度を徐々に増加させることが必要である．また，急に糖の投与を打ち切ると，反応性に低血糖を起こすことがある．

✿ 2. 脂肪乳剤の投与により高中性脂肪血症を起こすことがある．

✿ 3. 栄養状態の悪い患者では，糖の投与により，低カリウム血症や低リン血症を引き起こすことがある（refeeding 症候群）[7]．

■ 文献

1) 熊谷裕通. 透析患者における Protein-energy wasting の評価と対策. 透析会誌. 2014; 29: 424-9.

2) Dukkipati R, Kalantar-Zadeh K, Kopple JD. Is there a role for intradialytic parenteral nutrition? A review of the evidence. Am J Kidney Dis. 2010; 55: 352-64.

3) Koppe L, Fouque D. Nutrition: Intradialytic oral nutrition--the ultimate conviction. Nat Rev Nephrol. 2014; 10: 11-2.

4) Weiner DE, Tighiouart H, Ladik V, et al. Oral intradialytic nutritional supplement use and mortality in hemodialysis patients. Am J Kidney Dis. 2014; 63: 276-85.

5) Lacson E Jr, Wang W, Zebrowski B, et al. Outcomes associated with intradialytic oral nutritional supplements in patients undergoing maintenance hemodialysis: a quality improvement report. Am J Kidney Dis. 2012; 60: 591-600.

6) Wolfson M, Jones MR, Kopple JD. Amino acid losses during hemodialysis with infusion of amino acids and glucose. Kidney Int. 1982; 21: 500-6.

7) Miyamoto Y, Hamasaki Y, Matsumoto A, et al. A case of refeeding syndrome during intradialytic parenteral nutrition. Ren Replace Ther. 2018; 4: 35.

〈熊谷裕通　吉田卓矢〉

Ⅴ. 糖尿病・代謝・栄養

Question 11 透析患者における抗リウマチ薬の適応と使い方について教えてください

Answer

1) 関節リウマチの活動性のコントロールには非透析患者と同様にcsDMARS（従来型抗リウマチ薬）とbDMARDS（生物学的抗リウマチ薬）が用いられるが，最近はJAKi（ヤヌスキナーゼ阻害薬も選択肢に入った．

2) 透析患者では抗リウマチ薬の使用にあたって，投薬禁忌なもの，用量調節が必要なものが多いことに留意すべきである．

■ 1. 透析患者における RA 患者の治療の特徴

　日本リウマチ学会による関節リウマチ診療ガイドライン 2020[1] では関節リウマチの治療目標は疾患活動性の低下および関節破壊の進行抑制を介して，長期予後の改善，特に QOL の最大化と生命予後の改善を目指すとされている．

　関節リウマチ診療ガイドライン 2020 の薬物治療アルゴリズムでは関節リウマチ分類基準（表 1）に基づき関節リウマチと診断後に速やかにMTX（メトトレキセート）の使用を検討し，treat to target の治療概念に基づき臨床的緩解もしくは低疾患性活動性を目標とし，6 カ月以内に達成できないときは次の治療フェーズへ移行することを奨めている（全部で 3 つのフェーズが設けられている）．

　疾患活動性には評価法には，SDAI，CDAI，DAS28 などがある．

　治療目標としては，SDAI 3.3 以下，CDAI 2.8 以下，DAS 2.8 未満などである．

　定期的にリウマチ専門医受診を行うことが望ましいが，実際透析担当医が疾患活動性の評価を行うのは難しく，日常診療では臨床症状，CRP

値，ESR 値などを参考に薬物を調節せざるを得ないと思われる．

透析患者では MTX 使用禁忌であり，当初から MTX を用いない治療選択となる．

2020 診療ガイドラインでは MTX 使用不可例で中等度以上の腎機能障害を有する患者では，安全性を慎重に検討し，適切な用量の DMARDS を用いることを推奨するとされた．しかし透析患者では DMARS の安全性は future question とされている．透析患者に関する RA 治療のエビデンスはなく，他の MTX 使用不可症例とは異なる対応が必要である．

表 1 ■ 2010 ACR-EURA の関節リウマチ分類基準（Aletha D, et al. Ann Rheum Dis.2010; 69: 1580-8）[2]

少なくとも 1 つ以上の明らかな腫脹関節（滑膜炎）があり，他の疾患では説明できない患者がこの分類基準の使用対象となる
明らかな関節リウマチと診断するには下表の合計点で 6 点以上が必要.

A. 腫脹または圧痛のある関節数	
大関節が 1 カ所	0
大関節が 2 から 10 カ所	1
小関節が 1 から 3 カ所	2
小関節が 4 から 10 カ所	3
1 つの小関節を含む 11 カ所以上	5
B. 自己抗体	
RF，抗 CCP 抗体がともに陽性	0
RF，抗 CCP 抗体のいずれかが弱陽性	2
RF，抗 CCP 抗体のいずれかが強陽性	3
C. 炎症反応	
CRP，血沈がともに正常	0
CRP，血沈のいずれかが異常に高い値	1
D. 罹病期間	
6 週未満	0
6 週以上	1

今回のガイドラインでは，非薬物療法（リハビリテーション，関節内注射）外科療法のアルゴリズムも追加された．

■ 2. 薬剤の選択

MTX 使用不可症例の流れを示す．

フェーズ 1 では csDMARS（従来型リウマチ薬）を使用

フェーズ 2 では bDMARS（生物学的リウマチ薬）（nonTNFi：非TNF 阻害薬＞TNFi：TNF 阻害薬）or JAKi（ヤヌスキナーゼ阻害薬）± csDMARS とする．

フェーズ 3 では bDMARS or JAKi の変更とされている．

bDMARS もしくは JAKi にて寛解，低疾患性活動性を維持した場合は減量可能である（投与間隔延長，休薬も可能）．

補助療法として NSAID，副腎皮質ステロイド，RANKL 抗体がある．

以上は RA 初回診断からの流れであり，透析患者では長期の RA 罹患歴がある方が多く，従来より様々な投薬を受けている場合が多く，透析患者ではあくまで治療の参考とすべきものと考える．

■ 3. 使用薬剤について

❶ NSAIDs

RA 患者の疾患活動性の改善効果はないが，疼痛などの症状緩和に効果があるとされる．

第 1 選択は COX-Ⅱ 選択制薬剤がすすめられる．

処方実態調査では約 60％ の患者に使用されており，消化管潰瘍予防にはミソプロストール，H2 受容体阻害薬，プロトンポンプ阻害薬が用いられる．外用剤使用も可能である．

❷ ステロイド

早期 RA 患者において効果的な csDMARS 療法併用下で，疾患活動性，身体機能を改善するとされている．可能な限り短期間（数カ月以内）で漸減中止することが望ましい，至適投与量や投与経路に関する確立されたエビデンスはなく，患者背景を考慮して使用する必要があるとされた．従来より低用量（多くは 5mg/ 日以下）のステロイド投与は行われており，処方実態調査でも約 40％ の患者にステロイドが投与され

V 糖尿病・代謝・栄養

ているのが現状である[3].

長期的には重症感染症，重症有害事象，死亡のリスクになることを留意すべきである.

❸抗 RANKL 抗体

骨びらんを有しかつ csDMARS で治療中の RA 患者に対して，疾患活動性の改善効果はないが，骨びらん進行を抑制する効果がある．透析患者でも使用可能である.

❹ csDMARS（MTX 以外のもの）

今回のガイドラインでは MTX 以外の csDMARS 同士の併用については述べられていないが，実臨床は併用療法は行われていると思われる.

サラゾスルファピリジン：1000mg/ 日投与

ブシラミン：100mg を透析後（減量が必要）に投与

タクロリムス：1.5 ～ 3mg を夕食後に投与

イグラモチド：25mg/ 日から開始し 50mg/ 日に増量する．肝障害の発症（約 20%）がある

レフルノミド：維持量 10 ～ 20mg/ 日を投与．重篤な副作用（間質性肺炎，感染症）があり，慎重な投与が必要である.

金チオリンゴ酸ナトリウム（シオゾール）は透析患者には禁忌とされている.

❺ bDMARS

MTX が使えない csDMARS 投与で効果が不十分な中等度以上の疾患活動性を有する RA 患者には非 TNF 阻害薬の併用，もしくは非 TNF 阻害薬の単剤投与が十分な効果が期待できるとされた．同様に TNF 阻害薬は併用投与，単剤投与が効果があるとされている．nonTNFi としては IL-6 阻害薬のトシリズマブ，サルリマブ，T 細胞選択制共刺激調節薬であるアバタセプトがある．特に MTX 使用不可例では bDMARS 投与時は TNFi よりも nonTNFi のうち IL-6 阻害薬の使用が効果があるとされている．また TNF 阻害薬使用にて効果不十分なときは，他の TNF 阻害薬への変更より，非 TNF 阻害薬への変更を勧められている.

各製剤とも最近は自己注射可能な皮下注射製剤が上市されている.

非 TNF 阻害薬

トシリズマブ：2 週に 1 回 162mg を皮下注射または 8mg/kg を 4 週ごとに点滴静注する．アミロイドーシス合併症例に有効[4]．

サリリマブ：2 週に 1 回 200mg 皮下注する．

アバタセプト：体重に応じた量を 4 週に 1 回点滴投与もしくは 125mg 皮下注射を週 1 回

TNF 阻害薬として

インフリキシマブ：関節リウマチでは MTX との併用が原則のため透析患者には用いない（単独投与では中和抗体が出現する）．

エタネルセプト：10 から 25mg を週 2 回，もしくは 25 から 50mg を週 1 回皮下注．

アダリマブ：40mg を 2 週に 1 回皮下注射，単独投与では 80mg まで増量可能．

ゴリムマブ：50mg を 4 週に 1 回皮下注，MTX 非使用時は 100mg を 4 週に 1 回まで増量．

セルトリズマブ：400mg を 4 週まで 2 週ごと皮下注し（0，2，4 週），以後は 2 週に 1 回 200mg，安定後は 4 週に 1 回 400mg 投与．

❻ JAKi

前回の JCR ガイドライン 2014 では MTX 8mg/ 週を 3 カ月以上使用後，疾患活動性コントロール不良時に使用が進められていたが，今回のガイドラインでは MTX 非使用例でも少なくとも 1 種の抗リウマチ薬使用にてコントロール不良時（フェーズ 2）にて使用の選択枝となっている．

現在 5 種類の製剤が発売されているが，バリニチシブ，フィルニチニブ透析患者では投与禁忌である．

トファシチニブ 5mg を 1 日 1 回

ベフィシチニブ 150mg を 1 日 1 回

ウバダシチニブ 15mg を 1 日 1 回となるが，今後の使用例の蓄積，報告が待たれる．

bDMARS と同様に重症感染症の合併に留意すべきで，帯状疱疹合併

増加が報告されている.

　また生物学的リウマチ薬，免疫抑制薬剤（タクロリムス，アザチオプリンなど）とは併用しない.

■ 4. 注意すべき副作用

　透析患者自体が易感染性であり，免疫抑制剤，生物学的抗リウマチ薬，JAK阻害薬使用時は事前に結核，真菌症，B型・C型肝炎のスクリーニングを行い，必要時専門家の受診が望ましい. 使用中も定期的な観察が必要である. またニューモシスチス肺炎予防基準を満たす場合はST合剤の予防投与が本来望ましいが，透析患者では禁忌であるため，注意深く観察の必要がある. JAK阻害薬だけでなく，生物学的リウマチ薬，免疫抑制剤などの使用により帯状疱疹のリスクが高い患者には帯状疱疹サブユニットワクチン接種が勧められている[5].

■ 文献

1）日本リウマチ学会, 編. 関節リウマチ診療ガイドライン 2020. 東京: 診断と治療社; 2021.

2）Aletha D, Neogi T, Silman AJ, et al. 2010 Rheumatoid arthrithis clafficication criteria: an American College of Rheumatology/European League Against Rheumatism collaborative initiative. Ann Rheum Dis. 2010; 69 1580-8.

3）Nakajima A, Sakai R, Inoue E, et al. Prevalance of pastients with rheumatic arthritis and age-stratified trends clinical characteristics and treatment, Based on the National Database of Hearth Insurance Claims and Specific Health Checkups of Japan. Int J Rheum Dis. 2020; 23: 1676-84.

4）秋山雄次. 維持透析中の関節リウマチ患者における抗リウマチ薬の使用法. Jpn J Clin Immunol. 2011; 34: 485-92.

5）Victoria F, Christien R, Marioes W, et al. 2019 Update recommendations for vaccination in adult patient with autoimmune inflammatory rheumatic diseases. Ann Rheum Dis. 2020; 79: 39-52.

〈大浦正晴〉

VI. 神経

Question 1

透析患者における睡眠障害・不眠は多いですか？　また，どういった薬をどのように使えばよいですか？

Answer

1) 透析患者には睡眠障害・不眠が多い．

2) かゆみ，下肢のむずむず感，また日中の臥床が多いことなどが原因で不眠を生じることもあり，もとの合併症の治療を行い，また生活のパターンを見直すことが重要である．

3) 睡眠薬の使用開始時に，副作用や依存のリスクを説明し，また，症状の軽快後は慎重に服用を中止する必要があることを説明しておく．

4) 高用量の使用や多剤併用の問題点，抗菌薬などとの併用時の注意点に配慮する．

5) 一般的に睡眠薬として使われているベンゾジアゼピン系薬剤やその他の薬は腎機能による減量は不要である．

■ 1. 透析患者における特徴

　透析患者には睡眠障害・不眠が多く，20％から83％の範囲，平均して患者の44％にみられるという報告もある[1]．透析患者の広義の睡眠障害には，不眠，睡眠時無呼吸症候群，むずむず脚症候群，四肢の周期性不随意運動などが含まれる．また透析患者の不眠が，かゆみ，呼吸困難，貧血，骨の痛み，高カルシウム血症などによって引き起こされたり，また日中の臥床が多いことなども影響を受けて生じる．腎移植患者では，移植待機の透析患者よりも不眠症の合併が8％少ないとの報告がある[2]．いきなり睡眠薬を投与せずに透析患者の合併症の治療を行い，また生活のパターンを見直すことが重要である．睡眠の質が良好でないと全身的な炎症を惹起し，さらには心臓血管系の予後を悪化させる可能性が指摘

されている[3]．さらに背景に不安や「うつ」を伴うことがある．

■ 2. 薬剤の適応

夜間の不眠症状に加えて，日中の眠気，倦怠，不安，抑うつなどがみられるかどうかを検討し，厚生労働科学研究班・日本睡眠学会ワーキンググループ作成のガイドラインを参考にして判断する[4]．

■ 3. 薬剤の選択

従来はベンゾジアゼピン系および非ベンゾジアゼピン系睡眠薬の選択基準として，入眠困難型には消失半減期の短い睡眠薬，睡眠維持障害型には消失半減期がより長い睡眠薬が用いられてきた．近年になって短時間作用型から始めることが基本となりつつある．またベンゾジアゼピン系（トリアゾラムなど）よりも非ベンゾジアゼピン系（ゾルピデムなど）や，以下に紹介するメラトニン受容体作動薬やオレキシン受容体拮抗薬の方が薬物依存のリスクが少ないとされる．

自然な眠気が訪れる時間帯がずれているリズム異常の不眠症に対してはメラトニン受容体作動薬が第1選択肢となる[4]．オレキシン受容体拮抗薬は，覚醒中枢にあるオレキシン受容体にオレキシンが結合しないように拮抗作用することで，覚醒を抑制する新しいタイプの睡眠薬である．これまでのスボレキサントに加えてレンボレキサントが上市された．バルビタール系は今日では睡眠薬としては用いられない．漢方薬の抑肝散は副作用が少なく，睡眠の質を改善することが報告されている[5]．

■ 4. 実際の投与量，投与のタイミングおよび投与期間

CKD診療ガイド[6]では，ほとんどの睡眠薬の投与量は腎機能正常者と同じとされているが，添付文書では腎障害のある患者では排泄が遅延し，作用が強く表れるおそれがあるとのことで，慎重投与とされているものが多い．なお，麻酔や人工呼吸中の鎮静に用いられるミダゾラムは，腎機能正常者の50％に減量する．ほとんどの不眠症治療薬は眠前指示であるが，ゾルピデムは就寝の直前に服用させることとなっている．

症状が改善したら漫然と継続することなく，慎重に中止する．急に服用を中止すると，不眠，焦燥感，不安，気分不快，震え，感覚の過敏などの離脱症状が出現することがあるので，様子をみながら徐々に用量を

減らしていくことが必要である．減量時の補助療法に，抑肝散による治療が有用な場合がある．

■ 5. 透析の影響

透析性はほとんどない．

■ 6. 注意すべき副作用

薬物依存，幻覚・錯乱，呼吸抑制，一過性健忘，肝機能障害，筋弛緩などの副作用が知られる．さらに，睡眠薬の効果が翌日まで残り，眠気，ふらつき，脱力感，頭重感，構語障害（ろれつが回らない）などがみられることがある．自動車の運転など危険を伴う機械の操作に従事させないように指導する必要がある．このような症状を持ち越し効果とよぶが，高齢者に出現しやすい．対策として作用時間の短い薬に変更，あるいは薬の減量を行う．高齢の透析患者では，転倒・骨折のリスクも高まるので筋弛緩作用の少ない睡眠薬を選択し，用量を減量する（ゾルピデム5mg錠 0.5錠，ゾピクロン0.75mg錠 0.5錠，ブロチゾラム0.25mg錠 0.5錠など）．オレキシン受容体拮抗薬のスボレキサントでは悪夢や睡眠時麻痺も指摘されている．睡眠薬の速効例ではシャント肢への配慮も必要であろう．

呼吸機能が高度に低下し酸素吸入療法中の患者に，求めに応じて睡眠薬を投薬すると，CO_2ナルコーシスを発現するリスクが高まるので注意を要する．

■ 7. 他剤との相互作用

ベンゾジアゼピン系薬物の単剤の投与で期待した効果が得られないときに，2種類以上の睡眠薬を併用しても，効果は頭打ちで，副作用が前面に出ることもある．そこでベンゾジアゼピン系薬物同士の併用を避けるべきである．

イトラコナゾールなどのアゾール系抗真菌薬やクラリスロマイシンなどの抗菌薬が，トリアゾラムなどのベンゾジアゼピン系薬物やオレキシン受容体拮抗薬スボレキサント・レンボレキサントの血中濃度を上昇させ，作用が増強して中枢神経抑制症状が強く現れることがある．これは抗真菌薬や抗菌薬が肝代謝酵素のCYP3A4を阻害することにより，睡

眠薬の血中濃度を上昇させることによる．他施設の精神科や心療内科からスボレキサントやレンボレキサントが処方されている際に，急性上気道炎の新たな発症で自施設からクラリスロマイシンが処方されるなどして，突然，傾眠傾向や呼吸抑制をきたす場合があり，他施設の処方薬を把握しておく必要がある．

■ 文献

1) Murtagh FE, Addington-Hall J, Higginson IJ. The prevalence of symptoms in end-stage renal disease: a systematic review. Adv Chronic Kidney Dis. 2007; 14: 82-99.
2) Novak M, Molnar MZ, Ambrus C, et al. Chronic insomnia in kidney transplant recipients. Am J Kidney Dis. 2006; 47: 655-65.
3) Chiu YL, Chuang YF, Fang KC. et al. Higher systemic inflammation is associated with poorer sleep quality in stable haemodialysis patients. Nephrol Dial Transplant. 2009; 24: 247-51.
4) 日本睡眠学会ホームページ. 睡眠薬の適正な使用と休薬のための診療療ガイドライン. (http://www.jssr.jp/data/pdf/suiminyaku-guideline.pdf)
5) Ozone M, Yagi T, Chiba S, et al. Effect of yokukansan on psychophysiological insomnia evaluated using cyclic alternating pattern as an objective marker of sleep instability. Sleep Biol Rhythms. 2012; 10: 157-60.
6) 日本腎臓学会ホームページ. エビデンスに基づく CKD 診療ガイドライン 2013. (http://www.jsn.or.jp/guideline/pdf/CKD_evidence2013/all.pdf)

〈小野孝彦〉

VI. 神経

Question 2

むずむず脚症候群（restless legs syndrome: RLS）とはどういう病気ですか？また，どういった薬剤が有効ですか？

Answer

1) RLS は下肢に起こる不快感とともに脚を動かしたくなる衝動をきたす疾患である（表1）[1]．

2) RLS による不快感は安静で悪化し，歩行や運動などで改善するが入眠時に症状が悪化するため不眠となりやすい特徴がある[1]．

3) RLS は，面接による聞き取り調査では日本人透析患者の 20% 前後に起こる[2] と言われていたが，近年減少傾向にあり 10% 前後と推測される〔2015 年の当法人調査で，551 人中 52 人（9.4%）〕．

4) 腎不全患者の RLS は透析導入後に起こりやすい．

5) 透析患者の RLS は夜間よりも透析中に症状がひどくなる場合がある．

6) 透析患者の RLS は透析不足，鉄欠乏，使用薬剤，合併疾患，カルニチン欠乏などでも起こる[3]．

7) 透析患者の RLS においてもドパミンアゴニストが奏効する．

■ 1. 透析患者における特徴

透析患者の RLS は二次性 RLS に分類され，慢性腎不全（尿毒症）に伴うものを主体とするが，特発性 RLS や使用薬剤による影響[4] の場合もある．二次性 RLS が起こる疾患は，腎不全以外にも，鉄欠乏，呼吸器疾患，うっ血性心不全，精神疾患，消化器疾患，膠原病，脳血管障害，神経疾患，内分泌疾患などでも起こる．二次性 RLS が起こりやすい薬剤[4] には，カフェイン，バルビタール系薬剤，神経遮断薬，三環系抗うつ薬，SSRI，SNRI，ドパミン遮断薬，中枢作動性抗ヒスタミン薬，カ

表 1 ■ 睡眠障害国際分類による RLS の診断基準（ICSD-3）（日本睡眠学会診断
分類委員会, 訳. 睡眠障害国際分類第 3 版. 2018. p.213-9)[1]

診断基準（基準 A-C を満たす）

A. 下肢を動かさずにはいられない強い衝動がある. 通常は, 下肢に起こる不快で嫌な
感覚を伴う. あるいは不快な感覚のために衝動が生じると考えられる. この症状は,
以下を満たさなければならない.
　　1. 横たわったり座ったりといった休息時や静止時に始まる, あるいは悪化する.
　　2. 少なくとも歩いたり体を伸ばしたりといった運動中には, 部分的あるいは完全
　　　に症状が楽になる. そして,
　　3. 夕方や夜間にだけ生じる, あるいは日中よりも主に夕方や夜間に生じる.
B. 上記の特徴的症状は, 他の身体疾患や行動症状（下肢こむらがえり, 体位不快感,
筋肉痛, 静脈うっ滞, 下肢浮腫, 関節炎, 習慣性貧乏ゆすりなど）だけでは説明で
きない.
C. むずむず脚症候群（RLS）症状が, 気がかりや苦悩, 睡眠障害を引き起こし, 精神
的, 身体的, 社会的, 職業生活上, 教育上, 行動上, その他の重要な領域での機能
障害をもたらす.

ルシウム拮抗薬, 脂質低下薬, 非ステロイド系抗炎症薬などがあり服用
する薬剤にも注意が必要である.

■ 2. RLS に対する薬剤の適応

薬剤治療の前に（図 1）[3] 鉄欠乏がないこと, 投与薬剤の影響がない
ことを確認する必要がある. 透析患者の RLS では透析量の見直し, 透
析方法の変更も考慮する.

上記を確認後に RLS 重症度スコアにて 15 点以上を薬剤治療対象と
する[3].

■ 3. RLS に対する薬剤の選択

安全性の観点から肝代謝のロチゴチン（ニュープロパッチ®）を第 1
選択とする[5,6]. 次に腎排泄で透析患者には慎重投与が必要なプラミペ
キソール（ビ・シフロール®）を第 2 選択とする. これらのドパミンア
ゴニストが無効な場合や, 残存症状が強い場合にはクロナゼパム（リボ
トリール®）あるいは精神安定薬を併用する.

■ 4. RLS に対する実際の投与量, 投与回数および投与期間の目安

❶ロチゴチン（ニュープロパッチ®）

2013 年 2 月に肝代謝のロチゴチンが発売されている. 2.25mg の貼付

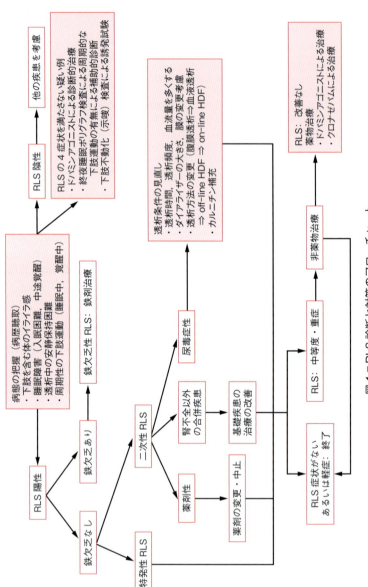

図1 ■ RLS 診断と対策のフローチャート

剤 1～3 枚で治療可能である．RLS の診断基準の 4 症状を満たさない，あるいは診断に確信がもてない患者では，ドパミン製剤に対する反応をみる必要がある．その場合の診断補助薬としてロチゴチンは大いに役立つ[3,5]．

❷プラミペキソール（ビ・シフロール®）

腎不全透析患者におけるプラミペキソールの血中動態に関する報告は，メーカー添付文書にあるのみで，腎不全患者 3 例の検討で透析により血中の 9% しか除去されないことが報告されている．そのため海外では透析患者に対するプラミペキソール投与は禁忌になっている．日本においては慢性腎不全患者や透析患者においても減量での慎重投与になっている．

当院では，2004 年から透析患者の RLS に対してプラミペキソールでの治療を試みている[5,7]．自施設での 12 人の透析患者における血中動態の研究（透析前から透析後 48 時間の血中動態の研究）で維持量の服用を続けた場合，健常者の 10 倍の血中濃度になることがわかっている（報告）．つまり 0.125mg を 1 錠のみの投与であっても 10 錠を飲んでいることになる．当院を紹介受診された RLS 治療困難者の透析患者の多くは 2～6 錠の適正範囲の投与と思われているが，実際には 20～60 錠を服用していることになる．当然副作用も多く，短期間で薬剤が効かなくなる耐性を起こしたり，中毒量による augmentation（増悪効果：ドパミン製剤の使用により RLS の症状が悪化すること）を起こして受診している．原則ビ・シフロール 0.125mg を毎晩 0.5 錠投与するが，透析中に症状が強い場合には寝る前の服用を透析日の透析前に変更する（週 3.5 錠服用）．それでも効果がなければ透析日は透析前と寝る前に各 0.5 錠を追加する方法（週 5.0 錠服用）を推奨する[2,5]．治療効果が弱いと考えられる場合であっても，プラミペキソールの 1.5 錠/日以上への増量は augmentation の問題があり，禁忌と考えるべきである．

❸クロナゼパム（リボトリール®）

夜の症状が強い場合に昔から使われていたが昼間の症状が主体の人には使いにくい．前述の❶～❷の薬剤で効果がない，あるいは効果が弱い

時にクロナゼパム 0.5mg 1 錠を追加すると効果的である[8].

❹ドミン

尿中排泄されるが，腎不全および透析患者にも通常投与できる．副作用としては悪心，傾眠がある．効果の問題と傾眠の副作用で発売中止になりかけたが日本における RLS 患者会の強い要望（現在患者会はなくなっている）で，発売中止が延期されていた．そのため当院でも他の薬剤が無効な患者のみに使用していたが 2021 年正式に発売中止になり在庫のみ流通していたが，現在は手に入らない．パーキンソン病治療薬で RLS に対する保険適応はない．

❺ペルゴリド，レグナイト

ペルゴリドの前駆物質であるレグナイトは高度腎機能障害に対しては禁忌である．透析患者は 3～4 時間の透析で 45% ほど抜けることが添付文章に記載されている．維持量の使用の場合には蓄積により血中濃度は明らかに増加するため推奨できない．一方ペルゴリドは腎機能障害であっても慎重投与になっているだけで禁忌にはなっていない．ただし同様に血中濃度の増加は起こるので減量が必要である．いずれも使用する場合は医師の責任でかなり減量して使用する必要がある．

■ 5. 透析の影響

ロチゴチンは，今までの腎排泄の薬剤に比較し，透析患者であっても安心して使用できる．プラミペキソールは，我々が行った腎不全の透析患者の 12 名の血中動態測定において，プラミペキソール 0.125mg を 1～3 錠/日を反復投与した場合，腎機能正常者の 8～12 倍の血中濃度に達することが明らかになっている[7]．透析患者の場合には毎日 0.5 錠の服用でも 1 週間以上継続すると約 10 倍の 5 錠を服用している濃度になっている．

■ 6. 注意すべき副作用や他剤との相互作用

ロチゴチン，プラミペキソールの副作用には吐き気，めまい，突発性睡眠，衝動制御障害（強迫性購買，病的賭博など）などがあるが，Parkinson 病治療に用いられる用量に比較し RLS では用量が少ないため臨床上問題となることは少ない[5]．2012 年に発売されたガバペンチン

エナカビル（レグナイト®）は高度腎機能障害には禁忌である（添付文書）.

クロナゼパムは高齢者では転倒に注意が必要である.

■ 文献

1) 日本睡眠学会診断分類委員会, 訳. 米国睡眠医学会. むずむず脚症候群 Restless Legs Syndrome: 睡眠障害国際分類第 3 版. 2018. p.213-9.

2) 小池茂文. 透析患者のむずむず脚症候群と睡眠時無呼吸症候群の治療. 透析会誌. 2013; 28: 464-9.

3) 小池茂文. むずむず脚症候群. In: 臨床透析編集委員会, 大平整爾, 伊丹儀友, 編. 血液透析施行時のトラブル・マニュアル. 東京: 日本メディカルセンター; 2014. P.169-76.

4) 小池茂文. 二次性 Restless legs 症候群, 標準的神経治療: Restless legs 症候群. 日本神経治療学会治療指針作成委員会, 編, 神経治療. 2012; 29: 90-4.

5) 小池茂文. レストレスレッグス症候群治療薬. 月刊薬事. 2014; 56: 57-62.

6) Gracia-Borreguero D, Allen RP, Kohnen R, et al. International restless legs syndrome study group: Diagnostic standards for dopaminergic augmentation of restless legs syndrome: report from a World Association of Sleep Medicine-International Restless Legs Syndrome Study Group consensus conference at the Max Planck Institute. Sleep Med. 2007: 8: 520-30.

7) Koike S, Kawai M, Tanaka H, et al. Pharmacokinetics of dopamine agonists in RLS patients with end-stage renal disease in Japanese population. Sleep. 2010; 33 (supplement); A262.

8) 睡眠障害の診断・治療ガイドライン研究会. むずむず脚症候群. In: 内山　真, 編. 睡眠障害の対応と治療ガイドライン. 東京: じほう; 2001. p.205-9.

〈小池茂文〉

VI. 神経

Question 3

認知機能の評価方法および現状と薬の使い方について教えてください

Answer

1) 認知機能障害を有する透析患者は多い（一般人口の1.4倍）.

2) スクリーニング検査としてはMini Mental State Examination（MMSE），Motreal Cognitive Assessment（MoCA）などがある.

3) 進行を抑制する薬剤としてコリンエステラーゼ阻害薬，NMDA受容体拮抗薬がある.

4) ドネペジル，リバスチグミンは通常量の投与で問題ないが，ガランタミン，メマンチンは減量して投与する．透析性はないため投与時間に影響は受けない.

■ 1. 認知機能障害の病態，診断

透析患者における認知機能障害の割合は一般集団より3倍以上多く（30～40％），重要な課題である.

病態としては血管障害が考えられており，透析だけでなく保存期CKDのときから始まっていることがいわれ，微小血管障害による臓器障害の1つと考える意見もある[1-3]．しかし腎移植前後で記憶力の改善がみられることから，血管障害だけでなく，代謝障害も病態として考えられる[4]が，はっきりした病態は不明である.

認知機能は腎代替療法の種類によっても影響を受ける．血液透析に比べて，腹膜透析患者のほうが認知機能がよく，認知症発症のリスクも低い[5]．

認知症は「獲得した複数の認知・精神機能が，意識障害によらないで日常生活や社会生活に支障をきたすほどに持続的に障害された状態」と

まとめられる[6].

　認知症の診断は2つのステップを要する．まず，認知症であるか否かを国際疾病分類第10版（ICD-10），精神疾患の診断・統計マニュアル

表1 ■ ICD-10 による認知症診断基準の要約
　　　　（日本神経学会ガイドラインより抜粋）

1. 以下の各項目を示す証拠が存在する．
   1) 記憶力の低下
   　　新しい事象に関する著しい記憶力の減退．重症の例では過去に学習した情報の想起も障害され，記憶力の低下は客観的に確認されるべきである．
   2) 認知能力の低下
   　　判断と思考に関する能力の低下や情報処理全般の悪化であり，従来の遂行能力水準からの低下を確認する．
   1)，2) により，日常生活動作や遂行能力に支障をきたす．
2. 周囲に対する認識（すなわち，意識混濁がないこと）が，基準G1の症状をはっきりと証明するのに十分な期間，保たれていること．せん妄のエピソードが重なっている場合には認知症の診断は保留．
3. 次の1項目以上を認める．
   1) 情緒易変性
   2) 易刺激性
   3) 無感情
   4) 社会的行動の粗雑化
4. 基準G1の症状が明らかに6カ月以上存在していて確定診断される．

表2 ■ DSM-5 による認知症診断基準の要約
　　　　（日本神経学会ガイドラインより抜粋）

A. 1つ以上の認知領域（複雑性注意，実行機能，学習性および記憶，言語，知覚-運動，社会的認知）において，以前の行為水準から有意な認知の低下があるという証拠が以下に基づいている．
   1) 本人，本人をよく知る情報提供者，または臨床家による，有意な認知機能の低下があったという概念，および
   2) 標準化された神経心理学的検査によって，それがなければ他の定量化された臨床的評価によって記録された，実質的な認知行為の障害
B. 毎日の活動において，認知欠損が自立を阻害する（最低限，請求額を支払う，内服薬を管理するなどの，複雑な手段的日常生活動作に援助を必要とする）
C. その認知欠損は，せん妄の状況でのみおこるものではない
D. その認知欠損は，ほかの精神疾患によってうまく説明されない（うつ病，統合失調症など）

ル第 5 版（DSM-5）に基づいて診断する（表 1, 2）．次のステップは，認知症の基礎疾患を見きわめる過程である．そのためには身体所見，神経学的診察，画像検査，血液・脳脊髄液検査など各種検査を行う．認知症疾患診療ガイドライン 2017 に認知症診断のフローチャートが示されている（図 1）[6]．保存期慢性腎臓病・透析患者に特徴的なのは見当識や

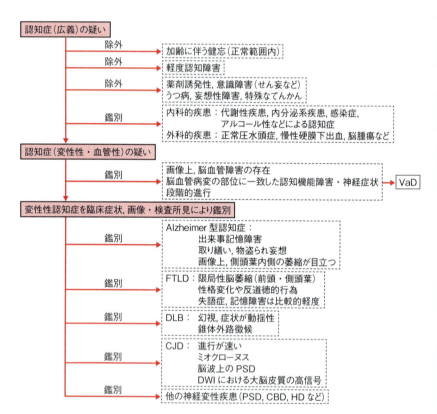

図 1 ■ 認知症診断のフローチャート（日本神経学会. 認知症ガイドライン 2017. p.37）[6]
VaD: vascular dementia, FTLD: frontotemporal lobar degeneration, DLB: dementia with Lewy bodies, CJD: Creutfeldt-Jakob disease, PSD: periodic synchronous discharge, DWI: diffusion weighted image, PSP: progressive supranuclear palsy, CBD: corticobasal degeneration, HD: Huntington's disease

注意力も併せて低下していることであり，治療選択や治療への協力も含めて日常生活に影響が出るのは留意すべきである[7]．スクリーニングとしては MMSE が広く使用されており，24 点をカットオフ値としているが，透析患者においては認知機能の進行を捉えることは可能であるが，軽度認知機能障害（MCI）を検出するには感度・特異度は低く，Montreal Cognitive Assessment（MoCA）の有用性が報告されている[8]．カットオフ値は 25 点であり，ウェブ上（http://www.mocatest.org/）で参照できる．また注意力や見当識を問うテストとしては Trail-Making Test などがある．

■ 2. 薬剤の使用方法，効果判定，透析の影響

一般集団においてランダム化試験で認知機能障害の進行の抑制効果を示した薬剤としてはコリンエステラーゼ阻害薬であるドネペジル，リバスチグミン，ガランタミンと N-メチル-D-アスパラギン酸（NMDA）受容体拮抗薬であるメマンチンがある[9]．両者とも血管性認知症の進行を予防することが報告されており，透析患者の認知機能障害の病態を考

表 3 ■ 薬剤の種類・用量

	薬剤	用量
コリンエステラーゼ阻害薬	ドネペジル	腎機能正常患者と同等の量が可能． 1 日 1 回 3mg から開始し，1 ～ 2 週間後に 5mg に増量． 高度の Alzheimer 型認知症患者には，5mg で 4 週間以上経過後，10mg に増量する．
	リバスチグミン	腎機能正常患者と同等の量が可能で唯一の貼付剤． 1 日 1 回 4.5mg から開始し，原則として 4 週毎に 4.5mg ずつ増量． 維持量として 1 日 1 回 18mg を貼付し，24 時間毎に貼り替える．
	ガランタミン	通常であれば 1 回 4mg を 1 日 2 回から開始，4 週間後に 1 日 16mg まで増量するが，透析患者では AUC が 1.67 倍になるため用量を 3/4 に減量する必要があるため投与には慎重を要する．
NMDA 受容体拮抗薬	メマンチン	1 日 1 回 5mg から開始し，1 週間に 5mg ずつ増量． 維持量として 1 日 1 回 10mg 投与とする．

えると効果を期待できる可能性はある．しかしいずれの研究でも
Alzheimer 病評定尺度（ADAS-Cog）を指標にしており，実際の日常生
活における改善がみられたかどうかについては不明である．

また軽度認知機能障害（MCI）患者に対する効果に関してはランダム
化試験で有効性を示した報告はなく，MCI 患者に対するこれらの薬剤
の投与は議論の分かれるところである[10]．

使用量については表3のとおりである．

ドネペジルやリバスチグミンは腎機能正常患者と同等の量が使用可能
であるが，ガランタミンやメマンチンは腎排泄型の薬剤であるため通常
量より減量して投与する必要がある．ガランタミンは治療上やむを得な
いと判断される場合を除き使用を避けること，メマンチンは投与量を半
減することが求められる[11]．またいずれの薬剤も透析性はないため投与
時間に影響は受けない．

■ 3. 注意すべき副作用と他剤との相互作用

コリンエステラーゼ阻害薬を開始・増量する際には徐脈や房室ブロッ
クなどの不整脈に注意する．そのため2種類以上のコリンエステラー
ゼ阻害薬は投与すべきではない．

また気管支喘息，Parkinson 病などの錐体外路症状を悪化させる可能
性もあるためこれらの疾患を有する患者は症状を見ながら増量を検討す
る．

コリンエステラーゼ阻害薬の中でもドネペジルがほかの2剤に比べ
て消化器症状が少ないとされている．

メマンチンの副作用として頻度は少ないが，痙攣があるためてんかん
の既往のある患者は投与に注意する．またインフルエンザ薬として使用
されているアマンタジンや鎮咳薬であるデキストロメトルファンは
NMDA 受容体拮抗作用があり，併用すると作用が増強する可能性があ
る．

■ 文献

1) Murray AM. Cognitive impairment in the aging dialysis and chronic kidney disease populations: an occult burden. Adv Chronic Kidney Dis. 2008; 15: 123-32.

2) Kobayashi S, Mochida Y, Ishioka K, et al. The effects of blood pressure and the renin-angiotensin-aldosterone system on regional cerebral blood flow and cognitive impairment in dialysis patients. Hypertens Res. 2014; 37: 636-41.

3) Isshiki R, Kobayashi S, Iwagami M, et al. Cerebral blood flow in patients with peritoneal dialysis by an easy Z-score imaging system for brain perfusion single-photon emission tomography. Ther Apher Dial. 2014; 18: 291-6.

4) Griva K, Thompson D, Jayasena D, et al. Cognitive functioning pre-to post-kidney transplantation--a prospective study. Nephrol Dial Transplant. 2006; 21: 3275-82.

5) Neumann D, Mau W, Wienke A, et al. Peritoneal dialysis is associated with better cognitive function than hemodialysis over a one-year course. Kidney Int 2018: 93: 430-8.

6) 日本神経学会. 認知症診療ガイドライン2017 第2章 CQ2-7 認知症の診断と鑑別はどのように行うか. https://www.neurology-jp.org/guidelinem/degl/degl_2017_02.pdf

7) O'Lone E, Connors M, Masson P, et al. Cognition in people with end-stage kidney disease treated with hemodialysis: A systematic review and meta-analysis. Am J Kidney Dis. 2016; 67: 925-35.

8) Tiffin-Richards FE, Costa AS, Holschbach B, et al. The Montreal Cognitive Assessment (MoCA) -A sensitive screening instrument for detecting cognitive impairment in chronic hemodialysis patients. PLoS One. 2014; 9: e106700.

9) Levine DA, Langa KM. Vascular cognitive impairment: disease mechanisms and therapeutic implications. Neurotherapeutics. 2011; 8:361-73.

10) Langa KM, Levine DA. The diagnosis and management of mild cognitive impairment: a clinical review. JAMA. 2014; 312: 2551-61.

11) 西村勝治. 長期透析と認知症. 日本透析医会雑誌. 2021; 36: 412-6.

NOTES

認知症のスクリーニングとして Montreal Cognitive Assessment（MoCA）が注目を浴びている．この検査は時間や場所などの見当識の質問を減らし高次機能や抽象的概念を試す質問を作っているため，MMSE に比べて軽度認知機能障害を検出しやすくしている．一方で MMSE は記憶を確かめる質問が多いこと，MoCA よりも短時間で終えることなどから簡便な検査であることは変わりなく，状況に応じて両者をうまく使い分ける必要がある．

〈日髙寿美　小林修三〉

VI. 神経

Question 4

透析患者の Parkinson 病の特徴と
薬物療法の適応，薬剤の特徴と
その使い分けについて教えてください

Answer

1) Parkinson 病患者と人工透析患者の合併が多いという報告はない．

2) Parkinson 病薬では起立性低血圧などの血圧変動を増強させたり，精神症状の誘発リスクの可能性があり，透析合併症例では注意が必要である．

3) プラミペキソール（徐放性剤），塩酸アマンタジンは併用に際して禁忌に準じて厳重に注意する必要がある．

■ 1. Parkinson 病とは

　Parkinson 病は黒質ドパミン神経細胞の変性を主体とする進行性の変性疾患であり，本邦では 10 万人に対して 100 ～ 300 人程度の割合で認められる．加齢に伴い患者数が増加することが知られており，本邦での罹患率・有病率は増加傾向にあり，少なくとも 20 万人程度は存在すると考えられている．

　症状は静止時振戦，筋強剛，無動，姿勢反射障害などの運動症状以外に，非運動症状として睡眠障害や自律神経障害（起立性低血圧や便秘，排尿障害），嗅覚低下などの症状を合併することがある．進行性の疾患ではあるが，治療を適切に行うことができれば 10 年程度，日常生活は健常人と同じように行うことが可能である．その後は病状の進行に伴い薬剤の多剤併用化や日常生活介助が必要になる場合もある．特に Parkinson 病と人工透析の合併に関する報告はないものの，腎障害における禁忌薬剤があること，起立性低血圧を合併すること，薬剤による血圧変動があることなどが透析において注意を払うべき点と思われる．

■ 2．抗 Parkinson 病薬と血圧変動

　Parkinson 病に合併する起立性低血圧の頻度としては 10 ～ 50% 程度の割合で認められ，高齢の Parkinson 病患者ではそれがより高頻度にみられる[1]．また，Parkinson 病の治療薬である L-dopa やドパミンアゴニストでは起立性低血圧が悪化することも指摘されている[2]．COMT 阻害薬や MAO-B 阻害薬などの抗 Parkinson 病薬内服患者では，しばしばカテコラミンへの反応性が低下していることがいわれており，慢性的な高カテコラミン血症によるドパミンレセプターのダウンレギュレーションがその一因と考えられている．腎不全患者では薬剤血中濃度の上昇から MAO-B の選択性が喪失し MAO-A への作用も出現することからドパミンによる異常高血圧を認めるといった報告もあり注意が必要である[3]．

■ 3．抗 Parkinson 病薬について

　Parkinson 病に対して病状の進行を抑える根本治療はなく，対症療法が中心となる．加齢性疾患であることから病状は進行性であり，病状の進行に伴い薬剤の増量・多剤化が必要となることが多く，治療の目的としては日常生活の ADL を維持することが主目的となっている．抗 Parkinson 病薬の治療は L-dopa とドパミンアゴニストが治療薬の主体であり，症状に応じて他の薬剤を併用する．透析患者の治療に際して禁忌に準じて注意すべき薬剤として腎排泄が主体となるドパミンアゴニストのプラミペキソール（ミラペックス®）と塩酸アマンタジンが重要だが，抗 Parkinson 病薬でドパミンへの影響があることから血圧変動はいずれの薬剤でも引き起こされるリスクがあり注意を要する．薬剤の一般的な特徴を下記にまとめる[4]．また，具体的な薬剤に関しては表 1 を参照のこと．

❶ L-dopa（レボドパ）

　ドパミンの前駆物質であり，ドパミンに代謝されることで Parkinson 病の治療効果を示す．L-dopa 投与から 5 ～ 7 年程度経過すると徐々に L-dopa の効果時間が短縮され，薬剤の切れ目が出現する．この現象を wearing off（ウェアリングオフ）といい，他の薬剤の併用や L-dopa の頻回投与を行うことなどの対応が必要となってくる．また，L-dopa の

表 1 ■ 坑 Parkinson 病薬

区分	一般名	商品名	透析への安全性ならびに注意点
①L-dopa	L-dopa/carbidopa（レボドパ・カルビドパ）	メネシット配合錠 ネオドパストン配合錠など	血圧変動に注意
	L-dopa/benesrazide（レボドパ・ベンセラジド）	イーシードパール配合錠，ネオドパゾール配合錠など	血圧変動に注意
②ドパミンアゴニスト	ロピニロール塩酸塩	レキップ錠	血圧変動に注意
	ロピニロール塩酸塩（貼付剤）	ハルロピテープ	透析による用量調節の必要性はない
	プラミペキソール塩酸塩水和物 速放錠	ビ・シフロール錠	禁忌ではないが腎排泄のために減量などの考慮が必要
	プラミペキソール塩酸塩水和物 徐放錠	ミラペックス LA 錠	ビ・シフロールの徐放剤であり，同薬と比較して副作用などが遷延する可能性があるため原則禁忌
	ロチゴチン	ニュープロパッチ	腎機能正常者と同じに使用できる
	ブロモクリプチンメシル酸塩	パーロデル錠	血圧変動に注意
	ペルゴリドメシル酸塩	ペルマックス錠	血圧変動に注意
③抗コリン薬	トリフェキシフェニジル	アーテン錠，アキネトン錠など	腎機能正常者と同じに使用できるが，高齢者は精神症状や認知機能に注意する
④ゾニサミド	ゾニサミド	トレリーフ錠	腎機能正常者と同じに使用できる
⑤アデノシン受容体拮抗薬	イストラデフィリン	ノウリアスト錠	腎機能正常者と同じに使用できる
⑥モノアミン酸化酵素B（MAO-B）阻害薬	セレギリン塩酸塩	エフピー錠	血圧変動に注意 異常血圧上昇の報告もある
	ラサギリンメシル酸塩	アジレクト錠	血圧変動に注意
	サフィナミドメシる酸塩	エクフィナ錠	血圧変動に注意
⑦末梢COMT阻害薬	エンタカポン	コムタン錠	腎機能正常者と同じに使用できる
	オピカポン	オンジェンティス錠	腎機能正常者と同じに使用できる
⑧ドロキシドパ	ドロキシドパ	ドプス錠	L-dopa 製剤との併用で昇圧効果が期待できる
⑨アマンタジン	アマンタジン塩酸塩	シンメトレル錠	意識障害や精神症状のリスクがあるために禁忌

（薬物使用時には添付文書も参照のこと）

長期投与・高用量投与でジスキネジアという不随意運動が出現する．後述の他剤に比較して生理的な機序が期待できるために，幻覚などの副作用は少なく高齢 Parkinson 病患者の治療の主体となってくる．腎機能障害患者に対しても通常量で使用可能である．ただし，L-dopa により起立性低血圧を増悪させる可能性があるので注意が必要である．なお，L-dopa 単剤では消化管や血中に存在するドパ脱炭酸酵素などの分解作用により治療効果が十分に得られないため，本邦ではドパ脱炭酸酵素阻害剤との合剤となっている．阻害剤の比率の違いから L-dopa/carbidopa（レボドパ・カルビドパ）と L-dopa/ benesrazide（レボドパ・ベンセラジド）の 2 種類に分類されるが，臨床上の大幅な違いはない．

❷ドパミンアゴニスト

　L-dopa と比較してウェアリングオフやジスキネジアなどの合併症は少なく，作用時間が長いものが多い．一方で L-dopa と比較して幻覚などの精神症状を合併しやすくく，高齢者には注意が必要である．麦角系と非麦角系に大別されるが，麦角系薬剤は心臓弁膜症のリスクが認知されていることから現在新規の導入は限られており，非麦角系薬剤の治療が主体となっている．また最近は貼付製剤や注射製剤などもあり種類は多様である．L-dopa 同様に起立性低血圧を増悪させる報告があるので注意が必要である．さらに，ドパミンアゴニストの中でプラミペキソール（ミラペックス®）は未変化体のまま尿中に排泄されるため，腎機能障害の患者に使用した場合は，副作用の増大が懸念され，透析患者での使用は原則禁忌とされている．

❸抗コリン薬

　Parkinson 病は相対的にアセチルコリンが増加することがいわれており，アセチルコリンを減らすことにより振戦などの Parkinson 症状の改善を図ることができる．ドパミンの作用機序と異なるため難治性の振戦に対して効果を期待することがある．ただし，認知機能低下や精神症状などの合併症も認められ，高齢者には避けることが望ましいと思われる．

❹ゾニサミド

　元来抗てんかん薬として使用されていたが，Parkinson 病に対しても

偶発的に症状の改善を認めることが発見された．作用機序は L-dopa 投
与時に線条体外液中のドパミン濃度の上昇作用や MAO-B 阻害作用，
ドパミン代謝回転の抑制作用，チロシン水酸化酵素活性亢進作用など複
数の機序があると考えられている．抗てんかん薬の用量と異なり 25mg
から使用し 50mg まで増量可能で運動症状の改善を図ることができる．
また特に振戦を止める作用やウェアリングオフに対して有効な薬剤であ
る．保険適応上は 50mg までであるが，振戦の改善が乏しい場合はさら
なる増量を試みることもある．透析患者にも比較的安全に使用ができる．

❺アデノシン受容体拮抗薬

日本で開発された薬剤で L-dopa との併用で効果が期待できる．少量
でウェアリングオフに対して効果があり，倍量で運動症状の改善効果が
期待できる．作用機序は線条体と淡蒼球におけるアデノシン A2A 受容
体へのアデノシンの結合を阻害し，ドパミン神経の変性・脱落による
GABA 神経の過剰興奮を抑制する．腎機能障害患者に対しても減量の
必要性はなく，透析患者にも使用できる．

❻モノアミン酸化酵素 B（MAO-B）阻害薬

MAO-B 阻害薬は MAO の活性を低下させてドパミンの分解を抑制す
ることで脳内のドパミン濃度を上昇させ，運動症状の改善を図ることが
できる．他にもノルエピネフリンやセロトニンなどのほかの神経伝達物
質の分解も抑制するため意欲や気分の変容作用などもある．薬剤効果は
ドパミンアゴニストに非劣性といわれているが，精神症状リスクもあり
使用には注意を要する．塩酸セレギリンは構造上アンフェタミン骨格を
持っているために不眠症や心疾患への影響が危惧され，覚せい剤原料と
しての取り扱い上の注意が必要な薬剤である．その懸念を払拭できる
MAO-B 阻害薬としてラサギリン，サフィナミドが本邦で順次使用可能
になった．ラサギリンはアンフェタミン骨格構造を排除しているために
覚せい剤原料規制がなく，心疾患などの副作用リスクが少なく使用がで
きる．サフィナミドは前述 2 剤が不可逆性の MAO-B 阻害作用を有し
ているのに対して，可逆性の MAO-B 阻害作用を有し，また非ドパミ
ン作動性作用（電位依存性ナトリウムチャネル阻害作用を介するグルタ

ミン酸放出抑制作用）という特徴がある．いずれにおいても透析に関しては特に使用制限はないが，本薬剤はドパミンによる血圧変動などの副作用もあり，透析中は注意が必要と思われる．

❼末梢カテコール–O–メチル転移酵素（COMT）阻害薬

末梢 COMT 阻害薬は 2022 年 1 月現在 2 種類の薬剤が本邦で使用可能である．短時間作用のエンタカポンは単剤では効果がなく，L-dopa と同時に併用することで効果が期待できる．L-dopa 製剤は空腸から吸収されたのちに血液脳関門から脳に入る．末梢血中にはドパ脱炭酸酵素や COMT といった酵素があり L-dopa が分解される．エンタカポンはこの COMT の分解を阻害することで L-dopa の効果時間の延長を図り，ウェアリングオフ症状の改善を図ることができる．実臨床上は L-dopa の効果時間を約 1.5 倍程度に延ばすことを期待できる．L-dopa 同様に腎機能障害患者への減量は必要がない．一方でオピカポンも同様に末梢 COMT 阻害作用があるが，長時間作用で 1 日 1 回の服用で効果が期待できる．L-dopa 製剤と併用することで血中濃度が低減することから，原則として 1 時間は内服をずらす必要がある．ただし，いずれにおいてもアドレナリンやノルアドレナリンなどの併用時には COMT で代謝される薬物のため，作用が増強する可能性があり，心拍数上昇や不整脈・血圧上昇など副作用もある．L-dopa の末梢でのドパミンへの分解を防ぐ作用があることから L-dopa と併用することで血圧を保つことができるとの報告もある．

❽ドロキシドパ

すくみ足に対して効果があるといわれ，神経伝達物質のノルエピネフリンの関与が示唆されている．ノルエピネフリンは β 水酸化酵素によってドパミンから合成されるためにドパミンが減少し不足する．前駆体であるドロキシドパはそれを補うために使われる．透析患者には昇圧目的に使用することが多く，特に減量の必要性は指摘されていない．さらに，Parkinson 病においても起立性低血圧がある場合の治療目的にも使われることがある（保険適応外）．ドロキシドパはドパミン脱炭酸酵素の作用によりノルエピネフリンになるため L-dopa 製剤（ドパミン脱炭酸

酵素阻害薬を含有している）と併用する場合は 600 ～ 900mg と大量投与が必要である.

❾塩酸アマンタジン

　A 型の抗インフルエンザ薬として使用されているが, 後に Parkinson 病に効果が認められた. 神経細胞からドパミン放出を促し, ドパミン量を増やすことで, Parkinson 病の改善効果がある. 一定量を超えるとジスキネジアの抑制効果が知られている. アマンタジンは腎排泄なので, 腎障害患者には注意して低用量から開始する. また, 透析を含めて重篤な腎障害がある場合は意識障害や精神症状が出現するリスクが高くなるために禁忌である.

■ 文献

1) Senard JM, Rai S, Lapeyre-Mestre M, et al. Prevalance of orthostatic hypotension in Parkinson's disease. J Neurol Neurosurge Psychiatry. 1997; 63: 584-9.
2) Perez-Lloret S, Rey MV, Fabre N, et al. Factors related to orthostatic hypotension in Parkinson's disease. Parkinsonism Relat Disord. 2012; 18: 501-5.
3) 松井晃紀, 木村　太, 坪　敏仁, 他. ドパミン微量持続投与で血圧上昇をきたした抗パーキンソン薬服用患者の 1 例. 臨麻. 1998; 22: 657-60.
4) 難病情報センターホームページ.

〈濃沼崇博　服部信孝〉

VI. 神経

Question 5 透析患者の抗うつ薬の使い方を教えてください

Answer

1) 透析患者では高い割合で抑うつを有する.

2) うつ病患者の治療においては自殺リスクを評価しながら治療方針を立案することが重要である.

3) 中等症以上のうつ病では精神科での専門対応が必須である. また軽症であっても基本的には専門医への紹介を行う.

4) 軽症うつ病, もしくはうつ病と診断される基準以下の抑うつ状態（診断閾値下抑うつ状態）には, 選択的セロトニン再取り込み阻害薬（SSRI）あるいはセロトニン遮断再取り込み阻害（SARI）の使用が推奨される.

5) うつ病の治療では, 心理療法と支持的精神療法, 抗うつ薬, 環境調整, 睡眠の調整を組み合わせた治療を行うことが, 治療ガイドラインで推奨されている.

■ 1. 透析患者における特徴

CKD 患者には抑うつの有病率が高い. 特に末期腎不全（end-stage renal disease: ESRD）〜維持透析の患者は高い割合で抑うつを持っており, それは QOL と生存率の低下に関連する[1].

近年, 日本ではうつ病患者が増加しているとされるが, その多くは DSM-5 における軽症うつ病, もしくはうつ病と診断される基準以下の抑うつ状態（診断閾値下抑うつ状態）の患者であると推測されている[2]. 診断閾値下抑うつ状態は, 薬物療法や体系的な精神療法の必要性が少ない状態である.

うつ病の診断基準として, 一般に使用されているのは DSM-5 の「抑

うつエピソードの診断基準」である．同診断基準での9つの診断基準項目のうち，5項目以上があてはまり，対人関係や職業その他の重要な領域での障害をきたしていることによって診断される．

軽症: 診断基準9項目のうち，5項目をおおむね超えない程度に満たす場合で，症状の強度として，苦痛は感じられるが，対人関係上・職業上の機能障害はわずかな状態にとどまる．

中等症: 軽症と重症の中間に相当するもの．

重症: 診断基準9項目のうち，5項目をはるかに超えて満たし，症状はきわめて苦痛で，機能が著明に損なわれている．

　また，うつ病の外来患者では一般人口に比較した自殺危険率が5倍に上昇する．したがって，うつ病患者の治療においては，常に自殺リスクを評価しながら治療方針を立案することが重要である．自殺リスクの評価に際して最も注意すべき点は，自殺企図が切迫しているか否かの判断である．希死念慮が強い場合は，入院治療を考慮する必要がある．

■ 2. 薬剤の適応および選択

　中等症以上のうつ病については，薬物療法は抗うつ薬を十分量かつ十分な期間，服用することが基本となるため精神科の専門医に依頼する．軽症うつ病においては，二重盲検試験でのプラセボに対する抗うつ薬の優越性は結論が出ていない．

　抗うつ薬の薬剤間における治療効果の差は小さいためどの薬剤から開始してもよいが，慢性腎臓病CKDや透析患者では副作用リスクや忍容性の面から選択的セロトニン再取り込み阻害薬（SSRI）あるいはセロトニン遮断再取り込み阻害（SARI）のトラゾドンの使用が推奨される．トラゾドンはセロトニンが働きかける部位である5-HT2受容体を遮断する作用と，セロトニン再取り込み阻害作用によりセロトニン神経系を活性化させる作用を合わせもっている．一般的にSSRIは至適用量への漸増に時間がかかる薬剤が多い．しかしエスシタロプラムは，①初期用量（10mg/日）でも効果を有する例が多く，②ESRDおよび維持透析

患者でも 10mg/ 日までは使用可能であり比較的使用しやすい．セロトニン・ノルアドレナリン再取り込み阻害薬（SNRI）やノルアドレナリン作動性・特異的セロトニン作動性抗うつ薬（NaSSA）の代表的なデュロキセチンやミルタザピンは高度腎障害および維持透析患者で禁忌（あるいは繊細な薬剤調整を要する）であり，使用を避けるべきである．

　また，非薬物療法も薬物療法と並行して非常に重要である．心理教育と支持的精神療法はうつ病全例において初期から行うべきであり，基本的に専門医に紹介する．日常診療では共感的な対応をとることが，患者との関係性を構築するうえで重要であり，患者の訴えを承認しつつ，患者がうつ病を客観化してとらえることを促すことが望ましい．

■ 3. 実際の投与量，投与回数および投与期間の目安

　エスシタロプラムは通常量〔10mg/ 日 分 1（夕食後）〕を内服する．20mg/ 日への増量は安易には行わず，10mg/ 日での投与で改善を認めない場合は，精神科医へのコンサルテーションが望ましい．トラゾドンは添付文書には初期用量 75 ～ 100mg/ 日と記載されているが，実際は25mg/ 日〔分 1（眠前）〕の投与で安眠が得られるとともに，うつ症状の改善を徐々に認める症例がある．このため副作用リスク軽減の観点から，少量からの投与を推奨する．

■ 4. 透析の影響

　抗うつ薬および抗精神病薬は，スルピリドなどごく一部の薬剤を除いて透析性を欠く．このために，うつ症状の悪化に伴い overdose に至ることを念頭に置く必要がある．実際に救急外来の場面で遭遇する抗うつ薬の overdose は，アミトリプチリンなど三環系抗うつ薬が多い．その場合は炭酸水素ナトリウムの投与を繰り返し，pH を 7.45 ～ 7.55 に保つことにより致死的な心室性不整脈を回避する．

■ 5. 注意すべき副作用や他剤との相互作用

　抗うつ薬のほとんどは，QTc 延長を副作用として有する[3]．QTc 延長による心室頻拍や Torsades de pointes は致死的な副作用であり，十分に注意する必要がある．血液透析患者は，虚血性心疾患など循環器科疾患を併存する症例が多いことから，投薬開始前に心電図検査で QTc の評

価を行うことが必須である．QTc≧0.46s の症例では QTc 延長作用を有する薬剤は使用しないことが望ましい.

また，抗うつ薬の使用に随伴することがあるアクチベーション（焦燥感や不安感の増大，不眠，易刺激性や衝動性の亢進など）や自殺関連行動には十分配慮するべきである.

■ 文献

1) Iyasere O, Brown EA. Determinants of quality of life in advanced kidney disease: time to screen? Postgrad Med J. 2014; 90: 340-7.
2) 日本うつ病学会, 監. うつ病学会治療ガイドライン. 第 2 版. 東京: 医学書院; 2017.
3) Castro VM, Clements CC, Murphy SN, et al. QT interval and antidepressant use: a cross sectional study of electronic health records. BMJ. 2013; 346: f288.

〈宮嶋裕明〉

VI. 神経

Question 6
透析患者に対する抗てんかん薬の使い方について教えてください

Answer

1) 抗てんかん薬には肝代謝，肝腎代謝，腎代謝のものがあり，特に新規抗てんかん薬には腎代謝のものが少なくないため注意が必要である．

2) 抗てんかん薬の種類によっては，透析患者の合併症を増悪させる可能性があり，相互作用や酵素誘導の有無などにも注意を払わなければならない．

3) 透析による栄養障害が抗てんかん薬の薬効に影響する可能性があり，血中濃度だけではなく，患者の状態も確認しなければならない．

　透析患者は透析に至るまでの過程や，導入後の経過において様々な合併症を有している場合が多く，脳血管障害や電解質異常をはじめとした代謝異常などにより，不随意運動や痙攣を認める機会が少なくない．当然原因に応じた対応が必要であり，いきなり"てんかん"と診断して抗てんかん薬を漫然と投与することは，副作用の観点からも慎むべきである．"てんかん"とは"てんかん発作を引き起こす持続性素因を特徴とする脳の障害"であり[1]，痙攣や意識障害を起こす疾患のなかの1つに過ぎない．ただし，初回の発作でもてんかんとして治療を行う場合もあるため，発作の原因が確定できないようであれば，まずは専門家への相談をご検討頂きたい．

　本稿では"てんかん"と診断が確定している透析患者に対する抗てんかん薬の考え方，使い方について述べる．

■ 1. 透析患者における特徴

透析患者においてまず注意すべきは投与薬剤の代謝経路，透析性の有無である．抗てんかん薬に限ったことではないが，腎からの排泄が落ちれば副作用が増し，高い透析性のため透析施行後に効果が減弱する薬剤もある．従来の抗てんかん薬は肝代謝が中心のものが多かったが，近年次々と採用となった新規抗てんかん薬では腎代謝のものが少なくない．最近では相互作用，副作用の少なさから新規抗てんかん薬が選ばれる機会が増えており，透析導入の際に調整が必要となることもある．

後述するが，透析合併症として問題となる骨粗鬆症に関しても，一部の抗てんかん薬により進行する可能性があることを留意すべきである[2]．

また，透析合併症としての栄養障害も問題となり得る．抗てんかん薬の血中濃度は一般に蛋白結合型と遊離型の総和である．薬効は遊離型が有するが，低アルブミン血症を招く状態ではこの遊離型が増加するため，見た目の血中濃度に大きな変化がなくとも薬理作用が増強される可能性があり[1,3,4]，フェニトインやバルプロ酸ナトリウムなど蛋白結合率の高い薬剤では注意が必要である．

■ 2. 薬剤の選択

てんかん治療ガイドライン2018では，腎機能障害および肝機能障害

表1■ 代表的な抗てんかん薬の代謝経路と透析時の対応（文献1, 2, 3, 7, 8より改変）

	肝代謝	腎排泄	血液透析
バルプロ酸ナトリウム	+++		調整不要．
フェニトイン	+++		調整不要．
カルバマゼピン	+++		調整不要．
ベンゾジアゼピン	+++		調整不要．
ラモトリギン	+++	+	調整不要〜減量考慮
ペランパネル	++	+	調整不要〜減量考慮
フェノバルビタール	++	+	減量，おそらく補充が必要．
ゾニサミド	++	+	透析後に通常量を投与．透析後の痙攣があれば50%を補充．
ラコサミド	++	+	減量．1日量の50%を透析後に補充．
トピラマート	+	++	減量．1日量の50%を透析後に補充．
レベチラセタム		++	減量．1日量の50%を透析後に補充
ガバペンチン		+++	減量．1日量の100〜200%を透析後に補充

JCOPY 498-22478

神経 Ⅵ

を合併した患者では，抗てんかん薬の肝代謝，肝腎代謝，腎代謝を考慮して，抗てんかん薬を選択するとある[1]．代表的な抗てんかん薬の代謝経路については表1を参照いただきたい．上記ガイドラインに従えば，腎機能が低下した患者には肝代謝の薬剤を用いることになるが，腎代謝の薬剤でも減量や透析後の調整を行えば用いることができる．先述したように，相互作用や副作用の少なさから近年新規抗てんかん薬の処方が増えてきている．

■ 3. 実際の投与量，投与回数および投与期間の目安

実際の投与量や回数に関しては表1や添付文書を参照いただきたい．抗てんかん薬の継続，中止の判断，およびその方法については専門的な知識が必要となるため，非専門医による安易な中止は慎むべきである．突然の中止によって発作が生じた場合，症状のみならず患者の社会生活全体に影響が及ぶ可能性もある．

■ 4. 注意すべき副作用や他剤との相互作用

抗てんかん薬には様々な副作用があるが，なかでも透析患者にとって骨粗鬆症が特に問題となり得る．抗てんかん薬ではビタミンDへの影響から骨密度の低下が促進されることがある[2]．とりわけ酵素誘導系抗てんかん薬（カルバマゼピン，フェノバルビタール，フェニトインなど）による影響が知られているが[5]，これら肝代謝の薬剤は透析患者に対して選択される可能性があり注意が必要である．

相互作用においても，やはり酵素誘導系抗てんかん薬が問題となる．透析患者では生活習慣病や血管障害，その他様々な理由で多剤内服していることが多いが，酵素誘導系抗てんかん薬は様々な薬剤に作用し治療に影響を与える可能性があるため[6]，長期的にみた場合，新たに投与するのであれば多少煩雑でも酵素非誘導系の薬剤（レベチラセタム，ラコサミド，ラモトリギンなど）を考慮してもよいと思われる．

■ 文献

1)「てんかん診療ガイドライン」作成委員会, 編. てんかん治療ガイドライン2018. 東京: 医学書院; 2018.

2）Bansal AD, Hill CE, Berns JS. Use of antiepileptic drugs in patients with chronic kidney disease and end stage renal disease. Semin Dial. 2015; 28: 404-12.

3）Asconape JJ. Use of antiepileptic drug in hepatic and renal disease. Handb Clin Neurol. 2014; 119: 417-32.

4）西川典子. 薬物代謝酵素と血漿結合蛋白. In: 兼本浩祐, 他編. 臨床てんかん学. 東京: 医学書院; 2015. p.468-70.

5）Miziak B, Blaszczyk B, Chroscinska-Krawczyk M, et al. The problem of osteoporosis in epileptic patients taking antiepileptic drugs. Expert Opin Drug Saf. 2014; 13: 935-46.

6）藤本礼尚. 日常診療で気をつけるべき抗てんかん薬の相互作用. Epilepsy. 2015; 9: 59-64.

7）日本てんかん学会, 編. 抗てんかん薬の吸収・代謝・排泄・TDM. てんかん専門医ガイドブック. 改訂第2版. 東京: 診断と治療社; 2020.

8）Yamamoto Y, Usui N, Nishida T, et al. Influence of renal function on pharmacokinetics of antiepileptic drugs metabolized by CYP3A4 in a patient with renal impairment. Ther Drug Monit. 2018; 40: 144-7.

NOTES

そのてんかん, 本当に"てんかん"ですか？: てんかんは有病率が約1%と患者数が多い疾患であるが, 誤診や不十分な治療となっていることが少なくない. 不要な抗てんかん薬が長年投与されていたり, 診断が曖昧なまま投与され見せかけの難治となった患者をしばしば経験する. ある抗てんかん薬の副作用による精神症状で長年苦しんでいた患者は, 他剤に置換したところ"霧が晴れたようだ"と喜んだ. てんかん診療では, ちょっとした調整で患者の人生を大きく変えることがある（良い意味でも, 悪い意味でも）. 迷われたらぜひ専門家への相談を.

〈佐藤慶史郎〉

VI. 神経

Question 7

透析患者における Wernicke 脳症の特徴と治療法について教えてください

Answer

1) 透析患者はチアミン（ビタミン B₁）欠乏のリスクがある.
2) 透析患者の神経症状の鑑別に Wernicke 脳症をあげる.
3) Wernicke 脳症が疑われる場合，速やかにチアミンを投与する.
4) チアミンは透析性がある.

■ 1. 透析患者における特徴

　Wernicke 脳症はチアミン欠乏による脳症で，アルコール多飲者に多いことで知られるが，透析患者では非アルコール性の Wernicke 脳症も報告されている[1,2]．本邦の透析患者を対象とした研究では，約 12% の患者が血中のチアミン値が基準値未満であったとされる[3]．チアミンは豚肉や玄米，麦などの穀物に含まれ，体内では筋肉に最も多くプールされる．透析患者は摂取量の不足，透析液への喪失，筋肉量が少ないことなどにより，チアミン欠乏のリスクがあると考えられる.

■ 2. 診断法

　Wernicke 脳症の 3 徴候として，昏迷，失調歩行，外眼筋障害が知られるが，末梢神経障害，進行性の認知機能障害，ミオクローヌスなど，非特異的な症状も多い．典型的な MRI 所見では，T2 強調画像，FLAIR で中脳水道，視床，視床下部，乳頭体，第四脳室が対称性に高信号となる．典型的な臨床症状，画像所見を呈さない症例もあり，臨床診断が重要である．血液検査では，血漿あるいは全血でのチアミン値，あるいは赤血球におけるトランスケトラーゼ活性により証明する[4].

■ 3. 薬剤投与の適応

　神経後遺症や生命のリスクがあり，Wernicke 脳症が疑われる場合は，

ただちにチアミンを投与する．治療への反応性が診断の一助となる．

■ 4. 薬剤の選択，実際の投与量，投与間隔，投与期間の目安

チアミン投与方法に関する明確なエビデンスはないが，チアミンは安全で安価であり，過小投与を避けるため，大量に投与する．以下に治療例を示す[4, 5]．

投与1〜2日目，チアミン500mg 1日3回（30分かけて点滴静注）

投与3〜7日目，チアミン250mg 1日1回（点滴静注または筋注）

投与8日目以降，チアミン100mg 1日1回．内服可能であれば，チアミン10mg（商品名　アリナミン® 10mg）の摂取に切り替える．

投与期間は症状が改善し，チアミン欠乏に至った要因が改善されるまでが目安となる．

■ 5. 透析の影響

チアミンは水溶性で分子量が小さく（266.4Da），透析性があるため，透析日は透析後に投与する．血液濾過透析（HDF）では，血液透析より多く喪失しやすく，1回のオンラインHDFで血中のチアミン値は約50%低下し，1日の摂取推奨量の84%が失われるとの報告がある[6]．また，生物学的活性を有するチアミンジリン酸は1回の血液透析で約44%低下するとされる[7]．

■ 6. 特記すべき副作用や他剤との相互作用

特になし．

■ 文献

1) 榎本　雪, 守谷　新, 菊地サエ子, 他. 糖尿病性腎症に対する血液透析療法中に非アルコール性ウェルニッケ脳症を呈した1例. 臨床神経. 2010; 50: 409-11.

2) Seto N, Ishida M, Hamano T, et al. A case of Wernicke encephalopathy arising in the early stage after the start of hemodialysis. CEN Case Rep. 2022. doi: 10.1007/s13730-021-00669-9.

3) Saka Y, Naruse T, Kato A, et al. Thiamine status in end-stage chronic kidney disease patients: a single-center study. Int Urol Nephrol. 2018; 50 :1913-8.

4) 水野裕基, 髙市憲明. ビタミンの賢い摂り方. 腎と透析. 2018; 11: 647-51.

5) Cook CC, Hallwood PM, Thomson AD, et al. B Vitamin deficiency and neu-

ropsychiatric syndromes in alcohol misuse. Alcohol Alcohol. 1998; 33: 317–36.

6) Schwotzer N, Kanemitsu M, Kissling S, et al. Water-soluble vitamin levels and supplementation in chronic online hemodiafiltration patients. Kidney Int Rep. 2020; 5: 2160–7.

7) Jankowska M, Rudnicki-Velasquez P, Storoniak H, et al. Thiamine diphosphate status and dialysis-related losses in end-stage kidney disease patients treated with hemodialysis. Blood Purif. 2017; 44: 294–300.

〈石垣さやか〉

VII. 透析合併症・その他

Question 1 透析患者に対するリン吸着薬の使いかたを教えてください

Answer

1) 透析患者の高リン血症治療薬として広く使用されているのがリン吸着薬である.

2) わが国で使用可能なリン吸着薬は6種類あり,それぞれの特徴を活かした処方を心がける.

3) 透析患者の血清リン濃度の目標値は3.5〜6.0mg/dLであるが,より厳格な管理の大切さが明らかになりつつある.

4) 過度な蛋白制限をせずに栄養状態をたもち,血清リン濃度の上昇はリン吸着薬によって改善をはかる.

5) 活性型ビタミンD製剤,カルシウム受容体作動薬など血清リン濃度に影響する薬剤の効果も考慮して処方する.

■ 1. 透析患者における高リン血症の臨床的意義

リン(P)は生命維持に必須の元素である.生体内のP総量は500〜700gであり,その85%が骨に,14%が軟部組織に含まれ,細胞外液中に含まれるのは全体のおよそ1%に過ぎない.血清P濃度は健常成人で2.5〜4.5mg/dLだが,小児では4.0〜7.0mg/dLとやや高値を示す.

ほとんどすべての食品にはPが含有されており,摂取されたPは小腸で吸収され,1日に約1,200mgが細胞外液プールに入る.細胞外液プールと骨や軟部組織プールは平衡を保つが,一部が腎から排泄され,健常人では腸管吸収と尿排泄の出納バランスが等しくなるよう調節されている.

透析によるP除去量は1回の血液透析あたり800〜1,000mg,腹膜透析では1日あたり200〜300mg程度であり,Pは体内に蓄積し高P

血症をきたすことになる．高P血症は血管石灰化などを介して心血管疾患のリスクを増大させることが明らかになっており，血清P濃度の管理は血清カルシウム（Ca）濃度や副甲状腺ホルモン（PTH）濃度の管理よりも強く生命予後に関連することが報告されている[1]．

透析患者では以上の理由により高P血症の是正が必要になるが，食事中のP制限は蛋白制限につながるため，透析患者が栄養状態を保ちながらP出納バランスを維持するためにはP吸着薬の服用が必須になる．

■ 2. 治療のタイミング

透析患者へのP吸着薬投与は，日本透析医学会「慢性腎臓病に伴う骨・ミネラル代謝異常の診療ガイドライン」（以下ガイドライン）[2] に準拠して行われる．ガイドラインはCa，P代謝異常を骨病変だけではなく，血管石灰化や生命予後に関連した病態ととらえている．血清P濃度が高い場合には，十分な透析量を確保し，P制限の栄養指導を考慮する．ただし，食品中のP含有量は蛋白質量と高い相関を示すことから，P制限が過度な蛋白制限にならないよう，Pを多く含む乳製品，小魚，保存料などP含有添加物の多い食品の摂取を控えることを主体とする．それでも高P血症が改善しない場合にP吸着薬の開始ないしは増量を考慮する．その際，活性型ビタミンD製剤の減量あるいは中止，血清PTH濃度が高い場合はCa受容体作動薬などの投与による血清P濃度の低減も考慮する．

■ 3. P吸着薬の使い分け

血清P濃度を低下させる目的で使用する薬剤を高P血症治療薬といい，作用機序から，①P吸着薬，②P吸収阻害薬，③そのほかに分けられる．このうち広く使用されるのがP吸着薬である．

現在，わが国で使用可能なP吸着薬は6種類あり，特徴を把握して使い分ける（表1）．P吸着の効力比はセベラマー塩酸塩，ビキサロマーを1とした場合，炭酸ランタン，スクロオキシ水酸化鉄は3，炭酸カルシウム，クエン酸第二鉄水和物は1.5とおおよそ想定されている[3]．

なお，現在腸管におけるNa/H交換輸送体3を阻害することによるP

表 1 ■ わが国で使用可能なリン吸着薬の特徴

	一般名	商品名	製剤	1日用量	特徴・長所	注意点・短所
Ca含有	炭酸カルシウム	沈降炭酸カルシウム®, カルタン®, 炭カル®	細粒 錠剤 (250mg, 500mg), OD錠 (250mg, 500mg)	3g	安価. 消化器症状が少なく, 内服しやすい.	高Ca血症, 低回転骨, 異所性石灰化 (血管石灰化) が起きる. 胃酸分泌抑制薬との併用で効果が減弱する.
Ca含有	セベラマー塩酸塩	フォスブロック®, レナジェル®	錠剤 (250mg)	3〜9g	Ca製剤と比べ血管石灰化を起こしにくい. LDL低下作用がある.	便秘, 腹部膨満などの消化器症状が出現しやすい. 腸閉塞は禁忌. 服薬量が多い. 代謝性アシドーシスを助長する.
Ca非含有	炭酸ランタン	ホスレノール®, 炭酸ランタン (各社)®	チュアブル錠 (250mg, 500mg), 顆粒 (250mg, 500mg), OD錠 (250mg, 500mg)	0.75〜2.25g	P吸着能が高い. Ca製剤と比較して血管石灰化を起こしにくい.	悪心, 嘔吐などの胃腸症状がある. チュアブル錠は噛み砕かないと効果を発現しない. 長期投与時の胃粘膜への沈着の可能性がある.
Ca非含有	ビキサロマー	キックリン®	カプセル (250mg)	1.5〜7.5mg	セベラマー塩酸塩と比べ消化器症状が少なく, アシドーシスをきたしにくい. 保存期にも使用可能になった.	服薬量が多い. 腸閉塞は禁忌. 国内でのみで使用されており, エビデンスが少ない.
Ca非含有	クエン酸第二鉄	リオナ®	錠剤 (250mg)	1.5〜6.0g	鉄吸収により貧血改善効果が期待できる.	鉄蓄積の懸念. 下痢がやや多い.
Ca非含有	スクロオキシ水酸化鉄	ピートル®	錠剤 (250mg, 500mg)	0.75〜3g	P吸着能が高い. 鉄吸収されにくい.	鉄は吸収されにくいが, 内服により血清フェリチン値上昇の報告がある. 下痢が多い.

吸収阻害薬の治験が進行しており, 今後透析患者のP管理がさらに向上することが期待されている[4].

①炭酸カルシウム

　消化管内でリン酸イオンと結合し, 不溶性のリン酸化合物を形成して糞便中に排泄される. セベラマー塩酸塩が使用されるまで長らく唯一の

P吸着薬として使用されてきた．安価で消化器系の副作用も少なく使いやすいが，Caの過剰負荷を避けるためガイドラインでは3g/日を上限とするのが妥当とされている．本剤の処方は控える方向にあるが，症候性あるいは重度の低Ca血症などでは投与が必要とされる場合がある．胃内pHが上昇すると効果が減弱する．

②セベラマー塩酸塩

陰イオン交換樹脂（ポリマー）で，腸管内で陰性荷電のリン酸を吸着して糞便中に排泄される．現在使用可能な6剤のうち最初に認可されたCa非含有P吸着薬であり，Ca負荷がないため血管石灰化が抑制される[5]ほか，血清LDLコレステロール低下など多面的作用を有する．P吸着力が弱く，内服量が多くなりがちなため，服薬アドヒアランスに配慮が必要である．

③炭酸ランタン

ランタンは希土類元素で，腸管内でリン酸と強固な難溶性化合物を形成して糞便中に排泄される．Ca負荷がないため血管石灰化は抑制される[6]ほか，P吸着力が強いため服薬量が少なくて済む．また，胃内pHの影響を受けにくい．吸着効果を得るためにチュアブル錠は十分に噛み砕く必要があったが，顆粒製剤や口腔内崩壊錠（OD錠）が市販され内服しやすくなった．

④ビキサロマー

セベラマー塩酸塩と類似の非吸収性アミン機能性ポリマーで，水分と接触した際の膨潤が軽度なためセベラマー塩酸塩と比較して消化器系有害事象が少ない特徴がある．2016年以降，透析患者だけではなく保存期CKD患者にも使用可能になった．

⑤クエン酸第二鉄

鉄がリン酸と結合して難溶性化合物を形成して糞便中に排泄される．特殊な製法を用いたため表面積が大きく，溶解速度が速い．一部が吸収されて，フェリチンやトランスフェリン飽和度（TSAT）の有意な上昇が認められ[7]，貧血改善効果が期待できる．2021年鉄欠乏性貧血治療薬として保険収載された

⑥スクロオキシ水酸化鉄

わが国では2剤目の鉄含有リン吸着薬である．多核性水酸化鉄という構造を有し，消化管内では鉄を遊離せずにPを吸着するため鉄吸収は少ない．胃内pHに影響を受けにくく，P吸着効果にも優れる．

■ 4. 目標値

わが国のガイドラインにおいては血清P濃度の目標値は3.5～6.0mg/dLとされており，血清P濃度，血清補正Ca濃度（8.4～10.0mg/dL），血清PTH濃度（60～240pg/mL）の順に優先して，管理目標値内に維持することを推奨している[2]．最近，維持透析患者を対象にした介入試験において非Ca含有P吸着薬により目標P濃度を3.5mg/dL以上4.5mg/dL未満に設定した強化治療群では5.0mg/dL以上6.0mg/dL未満に設定した標準治療群に比して冠動脈石灰化の変化率が有意に低下したことが明らかにされた[8]．血清P濃度の管理を考えるうえで大切な検討結果といえる．

■ 5. 注意すべき副作用

添付文書に記載された副作用の一覧を示す（表2）．炭酸カルシウムではCa負荷が高Ca血症やPTHの過剰な抑制による低回転骨や血管石灰化の原因になる[9]．また，メタアナリシスでは慢性腎臓病患者においてCa非含有P吸着薬投与患者のほうがCa含有P吸着薬投与患者に比べて生命予後が良好であることが明らかにされて[10]おり，Ca負荷に配慮しながら処方する．セベラマー塩酸塩，ビキサロマーでは便秘，下痢，腹部膨満など消化器系の副作用を緩和するため少量からの投与が推奨され，腸閉塞では禁忌である．また，セベラマー塩酸塩は高クロール性アシドーシスの原因になり得る．炭酸ランタンでは，胃壁への沈着が報告されており，今後の慎重な知見の集積が望まれる[11]．鉄含有リン吸着薬使用にあたっては鉄の蓄積に留意する（Ⅳ．消化管Q7を参照）．

■ 6. 内服時期の違い

炭酸カルシウム，炭酸ランタン，クエン酸第二鉄水和物は1日3回食直後に内服するが，セベラマー塩酸塩とビキサロマーは同時内服で併用薬の吸収を遅延ないしは減少させるため，1日3回食直前の内服とさ

表 2 ■ リン吸着薬の主な副作用

炭酸カルシウム	アルカローシスなどの電解質失調（5% 以上，頻度不明），高 Ca 血症（0.1 〜 5%），便秘，下痢（5% 以上，頻度不明），腎結石，尿路結石（5% 以上，頻度不明）など
セベラマー塩酸塩	便秘（38.2%），腹痛（16.9%），腹部膨満（14.6%），嘔気（7.6%）など，重大な副作用として腸管穿孔（0.1%），腸閉塞（0.2%），憩室炎・虚血性腸炎（頻度不明），消化管出血（0.4%），消化管潰瘍（0.2%），肝機能障害（頻度不明），便秘・便秘増悪（25.0%），腹痛（3.4%），腹部膨満（9.6%）
炭酸ランタン	嘔吐（12.5%），悪心（10.2%），胃部不快（3.0%），便秘（2.3%）など，重大な副作用として腸管穿孔・イレウス（頻度不明），消化管出血・消化管潰瘍（頻度不明）
ビキサロマー	便秘・便秘増悪（15%），硬便（2.6%），腹部不快感（1.8%），腹部膨満（1.0%）など，重大な副作用として腸管穿孔・腸閉塞（いずれも頻度不明），虚血性腸炎（1% 未満），消化管出血・消化管潰瘍（各 1% 未満），便秘・便秘増悪（15% 以上）
クエン酸第二鉄	下痢（10.1%），便秘（3.2%），腹部不快感（2.5%），血清フェリチン値増加（2.7%）など
スクロオキシ水酸化鉄	下痢（22.7%），便秘（2% 以上），胃腸障害（嘔吐，悪心，腹痛，腹部不快感，腹部膨満，胃腸炎，排便回数増加）（2% 未満），その他（発疹，瘙痒症）（2% 未満），臨床検査〔血清フェリチン増加，AST（GOT）上昇，ALT（GPT）上昇，CK（CPK）上昇，血中鉄増加，ヘモグロビン増加〕（2% 未満）

れている．スクロオキシ水酸化鉄は食直前に内服することになっている．

■ 文献

1) Taniguchi M, Fukagawa M, Fujii N, et al. Serum phosphate and calcium should be primarily and consistently controlled in prevalent hemodialysis patients. Ther Apher Dial. 2013; 17: 221-8.

2) 秋澤忠男，平方秀樹，友 雅司，他．日本透析医学会．慢性腎臓病に伴う骨・ミネラル代謝異常の診療ガイドライン．透析会誌．2012; 45: 301-56.

3) 横山啓太郎．高リン血症治療薬 Best Choice エキスパートから学ぶ．東京: 医薬ジャーナル社; 2016.

4) 溝渕正英，齋藤友広．5. CKD-MBD 治療薬．高 P 血症治療薬 Tenapanor（テナパノール）．腎と透析．2021; 91 増刊号: 246-50.

5) Block CA, Spiegel DM, Ehrlich J, et al. Effects of sevelamer and calcium on

coronary artery calcification in patients new to hemodialysis. Kidney Int. 2005; 68: 1815-24.

6） Toussaint ND, Lau KK, Polkinghorne KR, et al. Attenuation of aortic calcification with lanthanum carbonate versus calcium-based phosphate binders in haemodialysis: A pilot randomized controlled trial. Nephrology（Cartlon）. 2011; 16: 290-8.

7） Yokoyama K, Akiba T, Fukagawa M, et al. A randomized trial of JTT-751 versus sevelamer hydrochloride in patients on hemodialysis. Nephrol Dial Transplant. 2014; 29: 1053-60.

8） Isaka Y, Hamano T, Fujii H, et al. Optimal phosphate control related to coronary artery calcification in dialysis patients. J Am Soc Nephrol. 2021; 32: 723-35.

9） Nolan CR, Qunibi WY. Calcium salts in the treatment of hyperphosphatemia in hemodialysis patients. Curr Opin Nephrol Hypertens. 2003; 12: 373-9.

10） Jamal SA, Vandermeer B, Raggi R, et al. Effect of calcium-based versus non-calcium-based phosphate binders on mortality in patients with chronic kidney disease: an mortality an updated systematic review and meta-analysis. Lancet. 2013; 382: 1268-77.

11） 浪江　智, 浜辺定徳, 川冨正治, 他. 炭酸ランタン服用者の胃粘膜へのランタン沈着の検討. 透析会誌. 2015; 48: 169-77.

〈笠井健司〉

VII. 透析合併症・その他

Question 2

CKD-MBD に対するビタミン D 製剤と Ca 受容体作動薬の適応と使い方を教えてください

Answer

1) 透析患者における骨ミネラル代謝異常は生命予後に関わる疾患である.
2) 活性型ビタミン D は，高カルシウム血症に注意して使用しなければならない.
3) Ca 受容体作動薬は強い副甲状腺抑制効果があり，血中濃度が遷延する可能性があるため低カルシウム血症に注意して使用しなければならない.
4) Ca 受容体作動薬は，結節性過形成に陥った副甲状腺の退縮をもくろめる.
5) ビタミン D 製剤と Ca 受容体作動薬は血中 Ca 濃度に対して逆の反応をするため 2 薬剤のバランスを考え有効に使うことが可能である.

■ 1. 透析患者における CKD-MBD の特徴

腎臓は副甲状腺ホルモン（PTH）などの調節を受けてカルシウム（Ca）やリン（P）を尿中に排泄する一方，活性型ビタミン D ［1,25 $(OH)_2D$］の産生臓器として，腸管でのカルシウム吸収や骨代謝の維持にも関与している．このため，慢性腎臓病（chronic kidney disease: CKD）患者では，$1,25(OH)_2D$ 低下やリン蓄積とともに，さまざまな骨病変，ミネラル代謝異常が出現する．この病態は主に骨病変に着目され，腎性骨異栄養症（renal osteo dystrophy: ROD）として認識されてきた.

近年，複数の観察研究により，この病態が血管石灰化を介して死亡リ

スクの増大に関与していることが示された[1,2]．データの蓄積を背景に，国際腎臓病診療ガイドライン機構（Kidney Disease: Improving Global Outcome: KDIGO）は「慢性腎臓病に伴う骨ミネラル代謝異常（CKD-mineral and bone disorder: CKD-MBD）」という全身性疾患としての概念を創出し，その管理も生命予後をアウトカムとして行われるようになった[3,4]．CKD-MBDとは，①Ca，P，PTHなどの検査値異常，②骨の異常，③血管石灰化の3つの異常の組み合わせによって構成される．現在ではこれに加え，サルコペニア，フレイル，腎性老化の一面も加えて新しい概念が模索されている．

CKDで生じるミネラル代謝異常というと，低Ca血症，高P血症，副甲状腺ホルモン（PTH）過分泌が代表であるが，透析患者においては，Ca含有P吸着薬や活性型ビタミンD製剤が広く使用された結果，むしろ高Ca血症になるケースも多く存在した．各薬剤の特徴を理解し，Ca・P・PTHのバランスをとっていくことが課題となる．透析液のCa濃度もCaバランスを考えて多種用いられるようになった．

■ 2. 活性型ビタミンD受容体作働薬（VDRA）の使い方

2012年4月に日本透析医学会（JSDT）より発表された「慢性腎臓病に伴う骨・ミネラル代謝異常（CKD-MBD）の診療ガイドライン」[5]（2022年現在新しい薬剤の出現などを踏まえガイドラインは改訂中である）では，生命予後の観点から，血清P⇒血清補正Ca⇒血清副甲状腺ホルモン（PTH）の順に優先して，管理目標値内に維持することを推奨している．現在ではP，Ca調節にPTHのコントロールが欠かせないことなどからこの優先順位は場合によるが，本ガイドラインには血清P，Ca濃度を管理目標域に保つための薬剤の調整法について，リン吸着薬（PB），活性型ビタミンD製剤（VDRA），Ca受容体作動薬の使い方を「9分割図」で提示している（図1）．

JSDTのCKD-MBDガイドラインでは，2006年の二次性副甲状腺機能亢進症（SHPT）ガイドライン後3年間の調査から生命予後をアウトカムとしてPTHの管理目標はintactPTH 60pg/mL以上240pg/mL以下（あるいはwhole PTH 35pg/mL以上150pg/mL以下）に保つこと

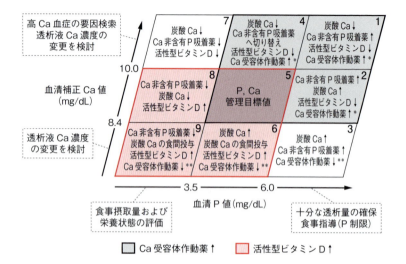

図1 ■ P, Caの治療管理法「9分割図」（日本透析医学会. 透析会誌. 2012; 45: 301-56[5]）より）
「↑」は開始もしくは増量，「↓」は減量もしくは中止を示す.
*血清PTH濃度が高値，**もしくは低値の場合に検討する.

を推奨している.

　VDRA製剤はSHPTにおいて，PTHの直接抑制と血清Ca濃度の上昇による間接的な抑制効果がある. 腸管においてCaとPの吸収が促進し，高Ca，高P血症に傾くため，JSDTのCKD-MBDガイドラインの9分割表（図1）において，血清補正Caが10.0mg/dL，P値が6.0を超えない5, 6, 8, 9の症例に開始もしくは増量が推奨されている.

　わが国でSHPTに使用可能な活性型ビタミンD製剤には，経口と静注製剤がある（表1）. 静注VD製剤は，経口剤に比べ投与の確実性がありアドヒアランスに左右されないという利点に加え，高い血中濃度が得られるため，副甲状腺のビタミンD受容体（VDR）が減少した患者にもPTH分泌の抑制が期待される. また血中半減期が内服薬に比べ短いことから，腸管における作用時間も短縮し，血中Ca，P上昇が少な

表1 ■ 現在わが国で二次性副甲状腺機能亢進症治療薬として使用可能なビタミンD製剤

一般名	商品名	用量	特徴
<経口>			
カルシトリオール	ロカルトロール®	1日1回0.5～0.75μg	生理的なVD受容体作動薬
アルファカルシドール	アルファロール®/ワンアルファ®	1日1回0.5～1μg	カルシトリオールのプロドラッグで，Ca上昇の力価はカルシトリオールの約1/2
ファレカルシトリオール	ホーネル®/フルスタン®	1日1回0.3μg	ビタミンD誘導体で半減期が長い，Ca上昇伴わずPTH抑制効果を示す
<静注>			
カルシトリオール	ロカルトロール®	1回0.5～1.5μg，週1～3回	
マキサカルシトール	オキサロール®	1回2.5～10μg，週3回	血中半減期が短い

いという利点もある．

　ただし，高Caには，十分注意して用いる必要がある．これまで生命予後の増悪因子としてはP，Ca，PTHそれぞれが増悪因子であるもののPに比較してCaの生命予後への関わりの認知度は低い．しかし，Noordzijらの報告では，大動脈石灰化の進行は，すべての原因による死亡および心血管疾患を原因とする死亡リスク増大と有意な相関を示し，高Ca血症および副甲状腺機能亢進症は，石灰化進行のリスク増大と相関を示していた．逆にPとの因果関係は本研究では有意な結果ではなかった[6]．Pだけではなくも生命予後に影響を及ぼす重要な因子であることを再認識した結果であった．本研究でもハッキリと高Caのランクが上昇するにつれて総死亡，過剰死亡が増加し，Caと生命予後の関係を示している．低Caに関しては低くなっても死亡割合に上昇を認めていない．このことは，JSDTのデータ解析や，わが国で施行

されたコホート研究である MBD5D 研究とも一致する[7]. 血管石灰化が注目される以前の MBD 治療はリン吸着薬（PB）として炭酸 Ca, PTH 抑制薬としては，内服・静注 VDRA と Ca 値を上昇させるほうへ SHPT 治療は流れてきた. しかし 2000 年以降は，徐々に Ca 非含有の PB, Ca 受容体作動薬と Ca を上昇させない方向に動いている. ただし，後述する Ca 受容体作動薬の影響により低 Ca に対しての危険性がクローズアップされてきたことから Ca バランスを保つことの重要性が増している.

■ 3. Ca 受容体作動薬

Ca 受容体作動薬は calcimimetics（カルシミメティックス）といわれ，副甲状腺表面の Ca 受容体（CaR）に作用し，高 Ca に疑似したシグナルの増強により PTH 産生・分泌を抑制し，Ca・P 低下作用を有する[8]. カルシミメティックスとは "Ca^{2+} の作用を模倣する物質" の意味の造語である. 従来，ビタミン D 製剤では高 Ca 血症のためコントロールが困難であった症例や，副甲状腺の VDR や CaR が減少し結節性過形成を有する高度の SHPT にも効果があり，内科的副甲状腺摘出術（PTx）とも称される.

2HPT が進行すると副甲状腺の腫大に伴い CaSR や VDR の発現が減少する. CaSR の発現が低下していても，一定以上の高 Ca 血症の状態では PTH の分泌が抑制される. カルシミメティックスは Ca 受容体にアロステリック（受容体そのものではなく）に作用することで CaSR に超高 Ca 血症になったと誤認させて，PTH の分泌を抑制する薬剤であり，PTH の分泌は速やかに低下し続いて産生も抑制される[8].

Ca と PTH の血中濃度は逆 S 字カーブで関係が示される（図 2）. 少しの Ca 濃度の変化で PTH の多寡が大きく変化する部分をセットポイントとする. この逆 S 字カーブが透析患者では右斜め上方に変異しセットポイントもより Ca 高値に移動する. このため透析患者では通常の血中 Ca 濃度では PTH を抑制できなくなる. 最近では P 高値により Ca 受容体の働きが妨げられていることも報告されている[9]. カルシミメティックスはこの S 字カーブを正常に戻しさらには左斜め下にセット

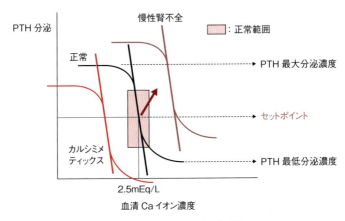

図2 ■ 副甲状腺のCa²⁺感受性

ポイントを下げCaが低い状態でもPTHを抑制できると考えれば理解しやすい（図1）．

Ca受容体作動薬は血中のCa，P，PTH濃度を同時に低下させることから，JSDTのCKD-MBDガイドラインの9分割表（図1）において，PTHが高値で1，2，4，5の症例に開始もしくは増量が推奨されており，過度な低Ca血症を避けるため，血清補正Ca濃度は9.0mg/dL以上の症例への投与が望ましい．

■ 4. シナカルセトの臨床効果

❶ SHPTに対する効果

2008年臨床応用が可能となったシナカルセトのSHPTに対する有効性は数多く示されており血中のCa，P，PTHを適切にコントロールしている．これによりKDOQIや日本透析医学会のガイドライン達成率も向上したことが報告されている[7]．

副甲状腺腫が結節性過形成へと変化すると副甲状腺内のVDRの減少によりVDRA抵抗性が生じるがシナカルセトを治療手段に加えることで，腫大し結節性過形成と考えられる症例にも有効であり，PTHを抑制するのみならず副甲状腺のサイズを縮小させることも報告されてい

る[10].

　従来内科的治療では対処できなかった結節性過形成と思われる腫大副甲状腺の存在する患者への有効性により，わが国ではシナカルセトの市販後副甲状腺摘出術（PTx）件数が大きく減少したことが報告された[11].

❷心血管合併症，生命予後，骨代謝，骨折リスクへの効果

　The ADVANCE study では大動脈弁の石灰化が VDRA 単独よりもシナカルセトを併用することの優位性が示されている[12]. 冠動脈石灰化は Agatston score では VDRA 単独群に優位性を認めなかったが Ca volume score で差を認めている. 血管石灰化抑制の機序は血管平滑筋の CaSR への直接作用も想定されているが Ca や P などのミネラル代謝の改善に負うところが大きいと考えられる.

　シナカルセト以前の治療群を対照群として，シナカルセト塩酸塩投与群での全死亡，心血管病の発症をアウトカムとした介入試験，EVOLVE study は SHPT を有する血液透析患者 3,883 名を対象に欧米で実施された[13]. 未調整の ITT 解析ではプラセボ群に比して 7% のリスク低下を認めたが統計学的に有意ではなかった. しかし実際の曝露期間を考慮に入れた解析では総死亡，心血管イベントと関係があり，特に 65 歳以上では全死亡，心筋梗塞，末梢動脈疾患発症の有意な減少を認めた. 動脈硬化性病変の有無で群分けしたサブ解析では，シナカルセトは非動脈硬化性病変（非 ST 上昇患者）の心不全，脳卒中，突然死などのイベント減少と関連した.

　日本の MBD-5D 研究でもシナカルセト治療前の PTH 高値や P 高値による死亡率の増加が打ち消されることが示された[7].

　SHPT は過剰な PTH の作用により高回転骨となり線維性骨炎をもたらす. EVOLVE 試験の主解析では骨折リスクに差は認められなかったが生命予後と同様実際の曝露期間を考慮に入れた解析ではシナカルセトによる骨折リスクの低下が示された. 65 歳以上の集団では，主解析においてもシナカルセトによる有意な骨折率低下が示された.

■ 5. シナカルセトの問題点とシナカルセト後のカルシミメティックス

　シナカルセトは多くの SHPT 患者の生命予後を改善したと考えられ

る．しかし，臨床薬剤として以下の問題点が散見された．

　A．低 Ca 血症

　B．強い消化器症状とこれらによるアドヒアランス低下

　C．薬剤代謝酵素に対する影響

　D．シナカルセト抵抗性症例の存在などがあげられる．

　後発のカルシミメティックスはシナカルセトの問題点を補うために開発された．2022 年現在 SHPT に対して使用できるカルシミメティックスは錠剤であるシナカルセト，エボカルセト，静注製剤であるエテルカルセチド，ウパシカルセトの計 4 剤である

❶エボカルセト塩酸塩

　エボカルセトは消化器症状の克服を目指したシナカルセトの改良型といえる内服薬剤である．作用部位はシナカルセト同様に膜貫通ドメインであり，エボカルセトとシナカルセトの第Ⅲ相比較試験では，エボカルセトのシナカルセトに対する非劣性が証明されている．安全性では悪心，嘔吐，腹部不快感，食欲減退などの上部消化管障害発現割合もそれぞれ 18.6％，32.8％ とエボカルセトがシナカルセトに比べて低値であった．エボカルセトの胃排出能はラットを用いた検討により，シナカルセトで見られた濃度依存性の抑制作用を明らかに改善した[14]．

　国内臨床試験でも先述のように上部消化管症状の発現率は明らかに減少しており，シナカルセトの消化器症状により増量困難，あるいは投与困難な患者に対する切り替え投与で副作用の軽減が期待される．消化器症状の少ない理由のすべてが解明されていないが主因はバイオアベイラビリティーの高さにある．エボカルセト 1mg がシナカルセトの 12.5mg に相当する．大きな臨床的特徴としては 1mg から 12mg シナカルセトに換算して 12.5mg から 150mg まで細かく調整しながらテーラーメイドに投薬できるメリットがあり，薬剤代謝酵素に影響を与えないことも優位性を持つ．

❷エテルカルセチド塩酸塩

　エテルカルセチドは Ca 受容体作働薬としてシナカルセトに続いて 2 番目に臨床使用可能となった薬剤である．2017 年 2 月に世界に先駆け

て日本で臨床応用が可能となった静注製剤である．静注製剤であるため
バイオアベイラビリティーは100%であり消化管への直接作用や中枢神
経への移行が少ないことからシナカルセトに比して消化管症状が少ない
と考えられる．

その他の薬剤的な特徴としてはCYP（シトクロムP450）の影響を受
けないため薬物相互作用が少ない．D-アミノ酸ペプチド骨格を有する
ため生体内でほとんど代謝を受けず，腎代謝であるため次回の透析時ま
で血中濃度が保たれるためPTH抑制効果が続くなどがあげられる．

PTH抑制効果ではシナカルセトを対象とした海外のランダム化無作
為試験でPTHの30%以上低下した割合でシナカルセトに対して非劣性
でありPTH低下作用ではシナカルセトよりも強力であることが示され
た．

最近の前向きランダム化比較試験においてマキサカルシトールに対す
る血管石灰化傾向の優位性も報告されている[15]．ただし同程度のPTH
低下時点での低Caのリスクはシナカルセトよりあると考えられた[16]．
アロステリックな効果のみではなく受容体そのものへの働きかけも報告
されており主たる消失経路が透析によるものであるにかかわらず，除去
率が低いため低Ca血症を含めた効果の遷延には十分注意して使用しな
ければならない．

❸ウパシカルセトナトリウム

ウパシカルセトのNews Releaseが2020年8月に出された．エテル
カルセチドに次ぐ日本で創薬（味の素株式会社）されたアミノ酸由来の
静注薬のカルシミメティックスである．2020年10月のアメリカ腎臓学
会で報告された第Ⅲ相試験の二重盲検比較ではプラセボ群に比較して日
本透析医学会の推奨iPTH60～240pg/mL範囲内に67%対8.0%と有意
にコントロール可能で消化器症状は同等であり，低Caのリスクも低い
と報告されている[17, 18]．

2021年8月に本邦で使用可能となった．国内第Ⅲ相試験の長期投与
試験では52週で試験参加患者の94.2%が日本のガイドライン目標値
60<iPTH<120pg/mLを達成していた．治験登録時の患者iPTH値がシ

ナカルセトの治験時より低いことは考慮しなければならないが，現在の日本のSHPT患者であればSHPTを治すことができるといえるかもしれない．また，1回の透析で78.4～100％除去できるため低Ca血症を含めた効果の遷延も少ないと考えられる．25，50，100，150，200，250，300μgの7規格あり選択濃度は選びやすい．

おわりに

日本では良質の腎代替療法が行われてきたため長期透析患者が多く，SHPTは，重要な合併症であった．VDRAに加えてシナカルセトがその治療に大きな役割を果たした．現在はその，問題点を克服した新規のカルシミメティックスが3剤発売され，シナカルセトの使用は減少している．VDRAの問題点も明らかにされてきている現在，VDRA，経口，静注カルシミメティックスなどそれぞれの適応と組み合わせが可能である．SHPT克服は近いのであろうか？　しかし，薬剤を駆使しても抑制しきれないSHPT症例は存在するし，年齢，透析導入年数，強い臨床症状，アドヒアランスから薬剤治療を続けることより副甲状腺摘出術（PTx）を選択したほうが患者にとって有益な場合があることも念頭に置かなければならない．EMG tubeの普及によってPTxの安全性も増していることを最後に付け加える．

■ 文献

1) Blacher J, Guerin AP, London GM. Arterial calcifications, arterial stiffness, and cardiovascular risk in end-stage renal disease. Hypertension. 2001; 38: 938-42.

2) Block GA, Klassen PS, Lazarus JM, et al. Mineral metabolism, mortality, and morbidity in maintenance hemodialysis. J Am Soc Nephrol. 2004: 15: 2208-18.

3) Moe S, Drueke T, Cunningham J, et al. Definition, evaluation, and classification of renal osteodystrophy: a position statement from Kidney Disease: Improving Global Outcomes（KDIGO）. Kidney Int. 2006; 69: 1945-53.

4) KDIGO Clinical Practice Guideline for the Diagnosis, Evaluation, Prevention, and Treatment of Chronic Kidney Disease-Mineral and Bone Disorder（CKD-

MBD). Kidney Int. 2009; 76（Suppl. 113）: S1-S130.

5) 日本透析医学会. 慢性腎臓病に伴う骨・ミネラル代謝異常の診療ガイドライン. 透析会誌. 2012; 45: 301-56.

6) Noordzij M, Cranenburg EM, Engelsman LF, et al. Progression of aortic calcification is associated with disorders of mineral metabolism and mortality in chronic dialysis patients. Nephrol Dial Transplant. 2011; 26: 1662-9.

7) Fukagawa M, Komaba H, Onishi Y, et al. MBD-5D Study Group: Mineral metabolism management in hemodialysis patients with secondary hyperparathyroidism in Japan: baseline data from the MBD-5D. Am J Nephrol. 2011; 33: 427-37.

8) Nemeth EF, Van Wagenen BC, Balandrin MF. Discovery and development of calcimimetic and calcilytic compounds. Prog Med Chem. 2018; 57: 1-86.

9) Centeno PP, Herberger A, Mun HC, et al. Phosphate acts directly on the calcium-sensing receptor to stimulate parathyroid hormone secretion. Nat Commun. 2019; 10: 4693.

10) Komaba H, Nakanishi S, Fujimori A, et al. Cinacalcet effectively reduces parathyroid hormone secretion and gland volume regardless of pretreatment gland size in patients with secondary hyperparathyroidism. Clin J Am Soc Nephrol. 2010; 5: 2305-14.

11) Tominaga Y, Kakuta T, Yasunaga C, et al. Evaluation of parathyroidectomy for secondary and tertiary hyperparathyroidism by the Parathyroid Surgeons' Society of Japan. Ther Apher Dial. 2016; 20: 6-11.

12) Ragi P, Chertow GM, Torres PU, et al. The ADVANCE study: A randomized study to evaluate the effects of cinacalcet plus low-dose vitamin D on vascular calcification in patients on hemodialysis. Nephrol Dial Transplant. 2011; 26: 1327-39.

13) The EVOLVE Trial Investigators. Effect of cinacalcet on cardiovascular disease in patients undergoing dialysis. N Engl J Med. 2012; 367: 2482-94.

14) Kawata T, Tokunaga S, Murai M, et al. A novel calcimimetic agent, evocalcet（MT-4580/KHK7580）, suppresses the parathyroid cell function with little effect on the gastrointestinal tract or CYP isozymes in vivo and in vitro. PLoS One. 2018; 13: e0195316,

15) Shoji T, Nakatani S, Kazeta D, et al. Comparative effects of etelcalcetide and maxacalcitol on serum calcification propensity in secondary hyperparathyroidism a randomized clinical trial. Clin J Am Soc Nephrol. 2021; 16: 599-612.

16) Block GA, Bushinsky DA, Chang S, et al. Effect of etelcalcetide vs cinacalcet on serum parathyroid hormone in patients receiving hemodialysis with secondary hyperparathyroidism: A randomized clinical trial. JAMA. 2017; 317: 156-

64.

17) Nishimura G, Yamaguchi Y, Goto M, et al. Upacicalcet, a novel non-peptide calcimimetic for the treatment of secondary hyperparathyroidism. Has a low risk of hypocalcemia. ASN kidney week annual meeting. Abstract: PO318, 2020.

18) Akizawa T, Honda D, Taniguchi M, et al. Efficacy and safety of upcicalcet in hemodialysis patients with secondary hyperparathyroidism: a phase 3 study. ASN kidney week annual meeting. Abstract: TH-OR20, 2020.

⬭⟷ NOTES

ビタミン D 製剤とカルシミメティックスの併用により，VD 単独投与より管理目標値達成率を向上させることが可能となる．また併用療法により，副甲状腺のビタミン D 受容体および Ca 受容体の発現低下を是正する可能性があり，併用により VD 製剤投与量を減らすことが可能となる報告もある．

VDRA により Ca 値を高くして PTH を制御する時代から血管石灰化を危惧して Ca 値を抑える時代を経て，カルシミメティックスによって Ca 値が低くなっても PTH をコントロールできるようになり，逆に低 Ca に注意しなければならない時代を迎えている．

〈菅野靖司　角田隆俊〉

VII. 透析合併症・その他

Question 3 透析患者における透析液の使い分けについて教えてください

Answer

1) 透析導入期は低カルシウム（Ca）血症，維持期が長くなると高Ca血症の頻度が上がるため，透析患者の状態に応じた管理が必要である．

2) 市販されている透析液は，希釈および調整後の透析液電解質濃度に関して，ナトリウムならびに塩素については製剤間でほとんど差はないが，Caおよび重炭酸に関しては差がある．また最近，カリウムならびにマグネシウム濃度の異なる透析液が登場した．

3) セントラル透析液供給システムの施設においては，透析導入症例が多い場合は，透析液Ca濃度2.75〜3.0mEq/L，長期を含む維持透析症例が多い場合は，2.5〜2.75mEq/Lを選択する．

■ 1. 慢性腎臓病に伴う骨ミネラル代謝異常（CKD-MBD）

透析患者をはじめとする慢性腎臓病と骨代謝異常との関連は，1940年代に腎性骨異栄養症という概念で捉えられていた．しかしながら，骨代謝障害を合併した慢性腎臓病症例は，生命予後も不良であり，そこには血管石灰化が病態に大きく関わっていることが報告され，2003年にCKD-MBDという考え方へのパラダイムシフトが起こった[1]．

透析導入患者では，腎機能の著明な低下あるいは廃絶により体内リン（P）貯留に伴う高P血症，活性型ビタミンD濃度の低下による低Ca血症をきたすことで二次性副甲状腺機能亢進症が進行する．治療に関しては，食事療法によるP摂取制限，各種P吸着薬ならびにビタミンD受容体刺激剤（VDRA）を使用する．しかしながら，これらのミネラ

ル代謝異常を完全に是正することは困難であり，常に副甲状腺は刺激された状態であり，二次性副甲状腺機能亢進症は進行していく．そこで，さらに VDRA あるいは Ca 含有 P 吸着薬の増量を行う場合があり，むしろ血清補正 Ca 濃度は上昇傾向となる．進行した二次性副甲状腺機能亢進症に対しては，2008 年から本邦においてシナカルセト，さらに2017 年からは静脈内投与可能なカルシメティクスであるエテルカルセチドが使用可能となり，良好な臨床的効果を発揮している．しかしながら，副作用あるいはそれらの薬剤に抵抗する一部の症例については，副甲状腺摘除（一部を自家移植あるいは全摘）を施行せざるを得ない．以上のように透析患者の状態に応じた管理が必要であり，透析液の選択も同様である．

■ 2. 透析患者における酸塩基平衡

透析患者における代謝性アシドーシスは，腎臓における水素イオンの排泄障害ならびにリン酸，硫酸や有機酸の蓄積により発生する．アシドーシスの存在は骨吸収を促進し，活性型ビタミン D 産生を阻害することが報告され，さらに透析によるアシドーシスの補正は，リン酸カルシウムの析出をもたらし血管石灰化を助長する可能性が示唆される．

■ 3. 日常臨床で使用される透析液

現在本邦で使用されている透析液の一覧を表 1 に示す．希釈および

表 1 ■ 製品別の希釈・調整後の電解質・糖濃度（理論値）

製品	電解質濃度 （mEq/L）							ブドウ糖 （mg/dL）
	Na^+	K^+	Ca^{2+}	Mg^{2+}	Cl^-	CH_3COO^-	HCO_3^-	$C_6H_{12}O_6$
キンダリー 2 号	140	2.0	3.0	1.0	110	8	30.0	100
キンダリー 3 号	140	2.0	2.5	1.0	114.5	8	25.0	150
キンダリー 4 号	140	2.0	2.75	1.0	112.25	8	27.5	125
キンダリー 5 号	140	2.3	2.6	1.2	113.9	4.2	30.0	150
D ドライ 2.5S	140	2.0	2.5	1.0	112.5	10	25.0	100
D ドライ 3.0S	140	2.0	3.0	1.0	113	10	25.0	100
リンパック 1 号	138	2.0	2.5	1.0	110	8	28.0	100
リンパック 3 号	140	2.0	3.0	1.0	113	10.2	25.0	100
カーボスター	140	2.0	3.0	1.0	111	0	35.0	150

調整後の透析液電解質濃度に関して，ナトリウムならびに塩素については製剤間でほとんど差はないが，Caおよび重炭酸に関しては差がある．また最近，カリウムならびにマグネシウム濃度の異なる透析液が登場した．理想的には症例毎に使い分けるのがよいが，ほとんどの施設で，セントラル透析液供給システムであるため，最大公約数的に選択するのが望ましい．

■ 4. 透析液 Ca 濃度

現在，本邦で市販されている血液透析に使用される透析液 Ca 濃度には，2.5，2.75 ならびに 3.0mEq/L の 3 種類がある．Ca 出納から考えると 2.75mEq/L 付近で 0 となる報告があるが[2]，除水による影響があるので一概にはいえない．透析液 Ca 濃度の違いによる血管石灰化あるいは予後に関する報告はこれまでにほとんどないが，透析患者のミネラル代謝を管理するうえで，透析液 Ca 濃度の選択は無視できない．炭酸カルシウムしか使用できなかった時代から，塩酸セベラマー，炭酸ランタン，ビキサロマーに続き，最近ではクエン酸第二鉄などの Ca 非含有 P 吸着薬，さらにはシナカルセトならびにエテルカルセチドなどのカルシメティクスの登場で，以前ほど高 Ca 血症で難渋する症例が減ったから 2.75mEq/L の使用頻度が多くなっている．

透析液の選択については，血清補正 Ca 濃度，PTH，P 吸着薬，VDRA あるいはカルシメティクスの使用状況などから判断するが，基本的な考え方としては，週初めの透析前血清補正 Ca 濃度を管理目標である 8.4～10.0 になるように調整することである．一般的には，透析導入時期においては，血清補正 Ca 濃度は低めの傾向にあるので，3.0mEq/L を使用し血清濃度の是正に努める．透析継続期間が長くなるにつれて，残腎機能が低下してくることや VDRA あるいは Ca 含有 P 吸着薬の使用により，血清補正 Ca 濃度は上昇傾向を示すので，P 吸着薬は Ca 非含有の製剤を中心に使用しながら，またビタミン D の生命予後改善や心血管病予防などの多面的効果を目的に VDRA は可能なら使用していく方がよいこともあり，透析液 Ca 濃度は 2.5～2.75mEq/L が適応となる症例が多い．以上のことを鑑みると，セントラル透析液供給システム

の施設においては，透析導入症例が多い場合は，透析液 Ca 濃度 2.75
～3.0mEq/L，長期を含む維持透析症例が多い場合は，2.5～2.75mEq/
L を選択するのがいいかもしれない．

■ 5. 透析液重炭酸濃度

現在，本邦で市販されている血液透析に使用される透析液重炭酸濃度
は 25～35mEq/L と幅があるが，35mEq/L の透析液を除き，酢酸が 8～
10.2mEq/L 含まれており pH の調節がされている．週初め透析前の重炭
酸濃度と生命予後に関して，日本透析医学会統計調査委員会による「わ
が国の慢性透析療法の現況」[3] によると重炭酸濃度 16mEq/L 未満
22mEq/L 以上で予後不良であったとされる．現在，市販されている透
析液で透析量を十分確保すれば，上記範囲内におさめることは，決して
困難ではないが，アセテートフリー透析液に関しては，過度にアルカ
ローシスにならないように，十分モニタリングする必要がある．また，
重炭酸濃度の上昇はイオン化 Ca を低下させるため，例えば 3.0mEq/L
から 2.75mEq/L へ切り替えた場合，血清補正 Ca は低下を示すことは
多いが，2.75mEq/L の透析液では，より重炭酸濃度が低いので，イオ
ン化 Ca が変化しないことが報告されている[4]．長時間透析例では，過
度のアルカローシスを招く可能性があり，また Ca の過負荷になる可能
性があるので，重炭酸濃度 25mEq/L で Ca 濃度が 2.5mEq/L の透析液
が望ましいが，まだデータが不十分である．

■ 6. 新たな透析液

カリウム濃度 2.3mEq/L ならびにマグネシウム濃度 1.2mEq/L の透析
液が登場した．従来使用されてきた透析液よりもいずれの濃度も少し高
めに設定してある．著明な高カリウム血症は突然死の原因となるが，透
析前の血清カリウム濃度が 4.0mEq/L 未満あるいは透析中の血清カリウ
ム濃度の著しい変動も死亡リスクが高い．至適な血清マグネシウム濃度
はまだ十分わかっていないが，マグネシウムは血管石灰化を抑制し，一
方で低マグネシウム血症は生命予後が不良とされる．したがって，高齢
者などで経口摂取量が少なく，血清カリウムあるいはマグネシウムが低
い場合，本透析液の使用を検討する必要がある．

■ 文献

1) National Kidney Foundation: K/DOQI clinical practice guidelines for bone metabolism and disease in chronic kidney failure. Am J Kidney Dis. 2003; 42 (Suppl 3): S1-201.

2) Basile C, Libutti P, Lucia A, et al. Effect of dialysate calcium concentration on parathyroid hormone and calcium balance during a single dialysis session using bicarbonate hemodialysis: A crossover clinical trial. Am J Kidney Dis. 2012; 59: 92-101.

3) 日本透析医学会統計調査委員会. 図説　わが国の慢性透析療法の現況. 2010. p.88-9.

4) 松浦有希子, 稲熊大城, 板脇大輔, 他. 透析液カルシウム濃度 3.0mEq/L から 2.75mEq/L への変更は血清 PTH 濃度に影響しない. 透析会誌. 2012; 45: 873-80.

NOTES

　ビタミン D の多面的作用とは，心肥大抑制，インスリン抵抗性改善，レニン分泌抑制あるいは免疫機能改善などの作用を指し，本来の骨カルシウム代謝に関する以外の作用であり，最近注目されている. 血清 Ca や P 濃度を管理目標以上にしない過剰にならない程度のビタミン D は補充した方がよいため，透析液で Ca バランスを保つことが重要である.

〈稲熊大城〉

VII. 透析合併症・その他

Question 4 腎性貧血治療薬とその使い分けについて教えてください

Answer

1) 腎性貧血は，慢性腎臓病（CKD）の代表的合併症であり，その主因は腎機能の低下に伴う造血ホルモンであるエリスロポエチン（EPO）の産生低下である．

2) 腎性貧血の治療の基本は「EPO の補充」と「鉄の補充」の2つである．これまで「EPO の補充」は外因性 EPO である ESA（erythropoiesis stimulating agents）の投与が主体であったが，近年，内因性 EPO の産生を促す HIF-PH 阻害薬が登場しその効果が期待されている．

3) ガイドラインでは，HD・PD・保存期 CKD 患者について各々の治療開始基準，目標ヘモグロビン（Hb）値が示されている．

4) 適切な貧血の是正により生命予後の改善が期待できる．その一方，Hb 値の過度な上昇や ESA の大量投与により，心血管合併症などの有害事象が増えるともいわれており，治療目標については個々の症例ごとに慎重に判断する．

5) EPO の補充に対する治療反応性を良好に維持するためには，過不足のない鉄状態の維持が必要であり，病態に適した鉄補充療法が重要である．

■ 1. 透析患者における特徴

　腎性貧血は慢性腎臓病（CKD）の代表的合併症であり，腎機能の低下に伴って造血ホルモンであるエリスロポエチン（erythropoietin: EPO）の産生が低下し，その結果として赤血球の分化・増殖能が低下して貧血が生じる．貧血の診断にはヘモグロビン（Hb）値を用いる．

表 1 ■ 貧血の診断基準

	60 歳未満	60 歳以上 70 歳未満	70 歳以上
男性	Hb 値＜13.5g/dL	Hb 値＜12.0g/dL	Hb 値＜11.0g/dL
女性	Hb 値＜11.5g/dL	Hb 値＜10.5g/dL	Hb 値＜10.5g/dL

日本人における貧血の診断は年齢，性差を考慮して表1の基準が示されており，腎性貧血の診断基準もこれに従う.

透析患者における貧血の原因として，EPO の産生低下以外にも絶対的な鉄欠乏・機能的な鉄欠乏（鉄利用障害）・尿毒症に伴う EPO 反応性の低下・赤血球寿命の短縮・透析回路内の残血など，さまざまな病態がある. 透析患者は，慢性的な栄養障害・炎症状態・動脈硬化を 3 徴とする MIA（malnutrition inflammation, atherosclerosis）症候群を呈することもまれではなく，慢性炎症に伴う鉄利用障害が背景にある. 栄養障害においては，鉄や亜鉛欠乏のみならず，カルニチン欠乏が原因とされる貧血も認められ，これらの病態を鑑別し，適切に治療する必要がある.

高度の貧血では，労作時の息切れやふらつき，立ちくらみ症状などが認められるが，腎性貧血の場合には緩徐に貧血が進行するため自覚症状が乏しいことが多い. しかし，貧血が長期にわたり持続すると，心負荷の増大による心血管イベントの増加だけでなく，心機能低下に伴う循環不全がさらなる腎虚血を招き，腎障害の進行の原因となることが報告されている. このように，心臓・腎臓・貧血は互いに密接な関係にあり，心腎貧血症候群（cardio-renal-anemia syndrome）という概念が提唱されている. 腎性貧血の治療により QOL の向上が図れるだけでなく，心保護や生命予後の向上にもつながることが期待されている.

■ 2. ガイドラインに基づく薬剤の適応・選択

腎性貧血に対する治療法については，現在までに実施された多数の臨床試験より得られた知見をもとに，数々のガイドラインが策定されてきた.

わが国においては，2004 年に日本透析医学会から「慢性血液透析患

者における腎性貧血治療のガイドライン」[1] が発表されたのが最初である．その後，2008 年の改訂を経て，2015 年に腎移植患者の貧血をも含めたすべての CKD 患者を対象とする「2015 年版 慢性腎臓病患者における腎性貧血治療のガイドライン」（2015 年版 JSDT ガイドライン）[2] が作成された．このガイドラインでは，目標 Hb 値を下回った場合に「ESA を投与する」ではなく，「腎性貧血治療を行う」とし，その治療法として「ESA 投与」と「鉄補充療法」の 2 つの選択肢を示している．これは，CKD 患者において体内鉄の評価が容易でないために，著しい鉄欠乏状態になるまで鉄補充が行われず，その結果として ESA 反応性の低下を招いていたとの考えで改訂されたものである．なお，内因性 EPO の産生を促進する低酸素誘導因子-プロリン水酸化酵素（hypoxia-inducible factor-prolyl hydroxylase：HIF-PH）阻害薬が 2019 年からわが国で投与可能となったため，再度の改訂が進められている．

　ここでは 2015 年版 JSDT ガイドラインにおける腎性貧血治療の開始基準および目標 Hb 値，ESA 製剤の適正使用方法と注意点につき具体的に述べる．

❶腎性貧血の治療開始基準と目標値

　このガイドラインで示された治療開始および目標値は，腎性貧血治療の開始基準を複数回の検査で Hb<10.0g/dL となった時点，目標 Hb 値を Hb 10〜12g/dL としている．これは 2008 年版と比較して目標範囲が拡大されている（表 2）．この修正の根拠だが，2008 年以降に示されたわが国のエビデンスでは，血液透析患者において，Hb 値 11〜12g/dL と比較して 10〜11g/dL 群および 12<g/dL 群は死亡リスクに有意差がないこと[3]，新規に ESA を投与された血液透析導入患者を対象とした 3 年間の前向き観察研究で，Hb 値<9g/dL の群で生存率が有意に低く，10〜11g/dL，11〜12g/dL，12<g/dL の群では有意差がないこと[4]，などがあげられている．さらには，保存期 CKD 患者（血清 Cr 値 2.0〜6.0mg/dL）を対象とした RCT（A21 研究）でも，目標 Hb 値高値群（11.0〜13.0g/dL）において，低値群（9.0〜11.0g/dL）と比較して有意な腎保護作用を示すとの報告[5]，がなされている．

表 2 ■ ガイドラインにおける目標 Hb 値の比較

	2008 年版 JSDT ガイドライン	2015 年版 JSDT ガイドライン
開始基準	ESA の投与開始基準は，腎性貧血と診断され，複数回の検査で HD：Hb 値 10g/dL 未満 PD：Hb 値 11g/dL 未満 となった時点とする（意見）．	複数回の検査で HD：Hb 値 10g/dL 未満 PD：Hb 値 11g/dL 未満 となった時点で腎性貧血治療を開始することを推奨する（1C）．
維持目標	HD：週初め（前透析中 2 日後）のHD 前の仰臥位採血による値で Hb 値 10 〜 11g/dL PD：Hb 値 11g/dL 以上（推奨）	HD：週初めの採血で Hb 10g/dL 以上 12g/dL 未満 PD：Hb 11g/dL 以上 13g/dL 未満（1C）
減量休薬	HD：Hb 値 12g/dL PD：Hb 値 13g/dL（重篤な心・血管系疾患の既往や合併では 12g/dL）を超える場合を減量・休薬基準とする（意見）	実際の診療においては個々の症例の病態に応じ，上記数値を参考として目標 Hb 値を定め治療することを推奨する（1C）．

推奨度：『推奨の強さ』と『エビデンスの強さ』の組み合わせ
推奨の強さ　1：推奨する，2：提案する
エビデンスの強さ　A：強，B：中，C：弱，D：とても弱い

　一方，海外では 2012 年に発表された KDIGO ガイドラインで，透析患者では Hb 9.0 〜 10.0g/dL の間で開始することが望ましく，維持すべき Hb 値は，Hb≧11.5g/dL は望ましくないとしている（ただし，個別に QOL 改善がさらに望める場合はその限りではない，と補足されている）．これは，目標 Hb 値を正常近く（13g/dL）まで維持させることとした場合，有益性は確認できず，むしろ心血管系合併症などの有害事象が増加する，という過去に報告された大規模臨床研究がもととなっている[6-9]．これらの研究はすべて欧米からの報告であり，人種・患者背景・ESA 投与量・鉄剤の使用量・採血のタイミングや，心血管イベントの発生率が高いことなど多くの点で必ずしもわが国の現状とは合致していない．

　このように，これまで欧米においては，高 Hb 値の目標設定は，心血管イベント発生を上昇させるなど否定的な報告が多かったが，わが国では高 Hb 値目標群において良好な結果も認められている．このことから，

わが国のガイドラインでは目標 Hb 値は欧米に比してやや高めの設定となった.

❷ ESA 製剤の投与量, 投与回数および投与期間の目安

ESA 製剤は EPO を補充することを目的として開発され, 遺伝子組換えヒトエリスロポエチン (rHuEPO) 製剤であるエポエチンアルファ (エスポー®) やエポエチンベータ (エポジン®) などの週 3 回の投与が必要な短時間作用型の ESA 製剤と, ダルベポエチンアルファやエポエチンベータペゴルといった週 1 回～月 1 回の投与で十分な長時間作用型の ESA 製剤が存在する.

ダルベポエチンアルファ (ネスプ®), エポエチンベータペゴル (ミルセラ®) の実際の投与量・投与期間について, 表 3, 表 4 に示した.

ESA 製剤の使用方法は, 血液透析患者では, 透析の終了時に回路から静脈内投与する方法が一般的で, 腹膜透析患者や保存期腎不全の患者

表 3 ■ 血液透析患者における ESA 製剤の使用方法

薬剤	投与経路	用法・用量	
ダルベポエチンアルファ (ネスプ®)	静注	初期投与	20 μg / 週
		rHuEPO 製剤からの切替え初回用量	15 ～ 60 μg / 週
		維持投与	15 ～ 60 μg / 週
			30 ～ 120 μg / 2 週
			なお, いずれの場合も貧血症状の程度, 年齢などにより適宜増減するが, 最高投与量は 1 回 180 μg とする.
エポエチンベータペゴル (ミルセラ®)	静注	初期投与	50 μg / 2 週
		rHuEPO 製剤からの切替え初回用量	100 μg または 150 μg / 4 週
		維持用量	25 ～ 250 μg / 4 週
			なお, いずれの場合も貧血症状の程度, 年齢などにより適宜増減するが, 最高投与量は 1 回 250 μg とする.

※詳細は各添付文書を参照されたい

表4 ■ 腹膜透析患者および保存期慢性腎臓病患者における ESA 製剤の使用方法

薬剤	投与経路	用法・用量	
ダルベポエチンアルファ（ネスプ®）	皮下または静注	初期投与	30μg/2週
		rHuEPO製剤からの切替え初回用量	30〜120μg/2週
		維持投与	30〜120μg/2週
			60〜180μg/4週
			なお，いずれの場合も貧血症状の程度，年齢などにより適宜増減するが，最高投与量は1回180μgとする．
エポエチンベータペゴル（ミルセラ®）	皮下または静注	初期投与	25μg/2週
		rHuEPO製剤からの切替え初回用量	100μgまたは150μg/4週
		維持用量	25〜250μg/4週
			なお，いずれの場合も貧血症状の程度，年齢などにより適宜増減するが，最高投与量は1回250μgとする．

では，皮下注射により投与する．

鉄補充療法については，次項を参照されたい．

❸ ESA 製剤使用時の注意すべき副作用と課題

ESA による注意すべき点としては，①血栓・塞栓症，②血圧上昇，③赤芽球癆，④担癌患者への使用，があげられる．①，②の機序としては，血管の内皮細胞・平滑筋細胞の増殖や血液粘度の上昇を介して，ESA の過剰投与により脳梗塞の発症率が増加したという報告がある[9]．③については，詳細な機序は不明であるが，内因性 EPO に対する自己中和抗体が産生され，骨髄造血が高度に抑制されることが原因とされる．④については担癌患者の死亡率が高くなることが報告されており，担癌患者への使用は慎重にすべきとされている[9]．

また ESA の課題として「ESA 低反応性」があげられる．2012 年のKDIGO ガイドラインでは，"ESA 投与開始後 1 カ月の段階でベースラインからの Hb の改善が見られない状態"を ESA 低反応性と定義して

おり，ESA 抵反応性患者は予後が不良であるとしている．その対策として，低反応性を引き起こしている病態を検証し是正することが重要である．原因としては，出血・失血（消化管出血，ダイアライザ残血），造血障害（感染症，炎症，自己免疫疾患，アルミニウム中毒，鉛中毒，高度の副甲状腺機能亢進症，透析不足，RAS 系阻害薬，悪性腫瘍），造血に必要な要素の不足（鉄・銅欠乏，葉酸・ビタミン B_{12} 欠乏），造血器腫瘍や血液疾患（多発性骨髄腫など），そのほか溶血，亜鉛・カルニチン欠乏，ビタミン E 欠乏などが知られている．

■ 3. HIF-PH 阻害薬の登場

近年，HIF-PH 阻害薬というまったく新しい機序で腎性貧血を改善させる経口の治療薬が開発された．2019 年にロキサデュスタット® が保険適応となったのをはじめとし，2022 年現在では 5 種類の HIF-PH 阻害薬が透析患者，保存期 CKD 患者に投与可能となっている．

生体は低酸素の環境でも細胞機能を正常に保つための防御機構を備えており，低酸素誘導因子（HIF）はその役割を担っている．HIF は低酸素状態になると EPO などの標的遺伝子の転写を促進し，貧血を改善させる．HIF-PH は HIF の分解に関与する酵素であるが，これを阻害することで HIF を安定化させ内因性の EPO 産生を増加させる（図 1）．HIF-PH 阻害薬の貧血改善機序は EPO 産生のみならず，ヘプシジンを減少させることで，鉄の利用障害・鉄吸収阻害を改善する効果もある．ESA 製剤とは異なり CRP の高い患者においても，貧血改善効果をもたらす可能性が示唆されている．また，動物実験レベルでは，貧血の改善とは別の機序で腎保護効果が報告されている．例えば，腎移植後の Cr の上昇抑制[10] や糖尿病腎症におけるアルブミン尿減少・糸球体上皮細胞障害抑制効果[11] などであり，CKD の進展抑制が期待される．HIF-PH 阻害による直接的な影響と推測されているが，その詳細な機序や生体への影響は今後検証されていくと思われる．

実際の使用法について，HIF-PH 阻害薬の特徴を表 5 に示した．腎性貧血の改善効果に関して 5 剤を直接比較した試験はなく，個々の患者背景と薬剤の特性を考慮し薬剤選択をする必要がある．用法としては，

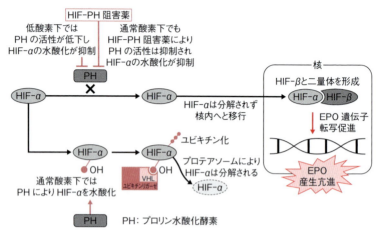

図1 ■ HIF-PH阻害薬の機序

ロキサデュスタットのみ週3回の内服となっているが，それ以外は1日1回の服用である．用量に関しては，添付文書の増減表を参考に調整を行う．その他，CKD患者で使用されやすいリン吸着薬や鉄剤，酸化マグネシウムなどとの相互作用を考慮が必要な薬剤もあり注意が必要である．

HIF-PH阻害薬は単なるEPO補充療法ではなく，全身に持続的なHIFの活性化をもたらすことによって内因性EPOの産生を促進すると共に，鉄動態の改善やCKD進展抑制などの効果が期待される．その一方，多様な標的遺伝子を活性化させることが指摘されており，例えばVEGF (vascular endothelial growth factor) が活性化すると悪性腫瘍の助長や糖尿病性網膜症の悪化が危惧される．2020年9月に日本腎臓学会から「HIF-PH阻害薬適正使用に関するrecommendation」が示されており，予想される有害事象のうち重要なものを表6にまとめた．使用前にはその副作用のリスクについて十分理解しておくことが必要である．

HIF-PH阻害薬の登場により，ESA製剤で指摘された課題を克服で

表5 ■ HIF-PH 阻害薬の特徴

一般名	ロキサデュスタット	ダプロデュスタット	バダデュスタット	モリデュスタット	エナロデュスタット
商品名	エベレンゾ®	ダーブロック®	バフセオ®	マスーレッド®	エナロイ®
用法	週3回	1日1回	1日1回	1日1回	1日1回
用量	【開始用量】保存期/HD 50mg 70/100mg（ESAから切替え）※添付文書の表を参照	【開始用量】保存期 4mg（Hb9.0g/dL未満）（ESAから切替え）2mg（Hb9.0g/dL以上）HD 4mg	【開始用量】保存期/HD 300mg	【開始用量】保存期 25mg 25/50mg（ESAから切替え）HD 75mg	【開始用量】保存期 2mg HD 4mg
	【維持用量】添付文書の投与量増減表参照 最大3.0mg/kg	【維持用量】添付文書を参照 最大24mg	【維持用量】増量幅は150mg（4週毎）最大600mg	【維持用量】添付文書を参照 最大200mg	【維持用量】添付文書を参照
規格	20/50/100mg	1/2/4/6mg	150/300mg	5/12.5/25/75mg	2/4mg
禁忌	妊婦			妊婦	妊婦
透析除去	なし	なし	なし		なし
P吸着薬と相互作用	あり※				あり※
多価陽イオン製剤	キレート形成あり		キレート形成あり	キレート形成あり	キレート形成あり
注意点	Hb濃度が4週以内に2.0g/dL上昇する場合は減量・休薬				

※リン結合性ポリマーを使用する際には前後1時間以上開ける

きる可能性がある一方，上記のような HIF-PH 阻害薬に特有の新たな課題も指摘されている．腎不全患者の予後改善につながる，安全で適切な腎性貧血治療の確立が望まれる．

表6■HIF-PH阻害薬使用時の注意点

予想される有害事象	機序	対応
1. 悪性腫瘍	・多くの固形癌において HIF-1αの発現亢進とがんの進行・転移と正の相関関係が示されている. ・腎癌においては,VHL癌抑制遺伝子の変異・不活化により,転写因子のHIFの活性化などを経てがん細胞の増殖,浸潤や転移を引き起こしている. ・これまでの臨床試験や動物実験ではHIF-PH阻害薬が悪性腫瘍の発症頻度を増加させるというエビデンスはない.	・投与開始前の悪性腫瘍の精査 ・悪性腫瘍の治療中や治療後で再発リスクが考えられる患者においては,慎重な投与決定が必要. ・腎癌の場合は,年1回程度,MRI,造影CT,超音波などの画像検査が推奨される.
2. 糖尿病網膜症/加齢黄斑変性	・VEGF発現亢進による血管新生の促進が懸念される. ・治験では,網膜出血の頻度はESAと同程度であったが,多くの臨床試験では網膜出血のリスクが高い患者は除外されていた.	・定期的な網膜状態の評価
3. 高カリウム血症	・詳細な機序は不明. ・一部の臨床試験においてHIF-PH阻害薬により高カリウム血症の発現率が高かった.	・定期的な血清カリウム濃度測定
4. 肺塞栓症	・急激に粘稠になることで惹起される.	・血栓塞栓症(深部静脈血栓症,肺塞栓,心筋梗塞,脳梗塞,バスキュラーアクセス血栓など)の既往のある患者ではHIF-PH阻害薬の投与の是非を慎重に考慮する.
5. 血管石灰化	・血管平滑筋細胞の石灰化病態の増悪	血管石灰化のモニタリング(CAVI/ABIなど)
6. 肺高血圧症/心不全	・酸素環境に対する肺血管反応の特性より懸念. ・動物実験ではHIFシグナルの恒常的な活性化が肺高血圧症を増悪させる可能性が指摘されている.	運動耐容能の低下の確認,右心負荷所見の診察. すでに肺高血圧症を発症している症例への慎重な適応判断.
7. 嚢胞の増大	・動物モデルを用いた実験で,進行した多発性嚢胞腎(PKD)のモデルにおける腎嚢胞の増大にはHIF-1αが関与しているとの報告がある.	PKD患者では少なくとも年1回の画像検査

透析合併症・その他

■ 文献

1）日本透析医学会. 2004 年版「慢性血液透析患者における腎性貧血治療のガイドライン」. 透析会誌. 2004; 37: 1737-63.

2）日本透析医学会. 2015 年版「慢性腎臓病患者における腎性貧血治療のガイドライン」. 透析会誌. 2016; 49: 89-158.

3）Akizawa T, Pisoni RL, Akiba T, et al. Japanese haemodialysis anaemia management practices and outcomes (1999-2006): results from the DOPPS. Nephrol Dial Transplant. 2008; 23: 3643-53.

4）Akizawa T, Saito A, Gejyo F, et al. JET Study Group: Low hemoglobin levels and hypo-responsiveness to erythropoiesis stimulating agent associated with poor survival in incident Japanese hemodialysis patients. Ther Apher Dial. 2014; 18: 404-13.

5）Tsubakihara Y, Gejyo F, Nishi S, et al. High target hemoglobin with erythropoiesis-stimulating agents has advantages in the renal function of non-dialysis chronic kidney disease patients. Ther Apher Dial. 2012; 16: 529-40.

6）Besarab A, Bolton WK, Browne JK, et al. The effects of normal as compared with low hematocrit values in patients with cardiac disease who are receiving hemodialysis and epoetin. N Engl J Med. 1998; 339: 584-90.

7）Singh AK, Szczech L, Tang KL, et al. Correction of anemia with epoetin alfa in chronic kidney disease. N Engl J Med. 2006; 355: 2085-98.

8）Drueke TB, Locatelli F, Clyne N, et al. Normalization of hemoglobin level in patients with chronic kidney disease and anemia. N Engl J Med. 2006; 355: 2071-84.

9）Pfeffer MA, Burdmann EA, Chen CY, et al. A trial of darbepoetin alfa in type 2 diabetes and chronic kidney disease. N Engl J Med. 2009; 361: 2019-32.

10）Bernhardt WM, Gottmann U, Doyon F, et al. Donor treatment with a PHD-inhibitor activationg HIFs prevents graft injury and prolongs survival in an allogenic kidney transplant model. Proc Natl Acad Sci U S A. 2009; 106: 21276-81.

11）Sugahara M, Tanaka S, Tanaka T, et al. Prolyl hydroxylase domain inhibitor protects against metabolic disorders and associated kidney disease in obese type 2 diabetic mice. J Am Soc Neohol. 2020; 31: 560-77.

NOTES

TSAT（Transferrin Saturation）は以下の式で求められる.

$$TSAT = \frac{血清鉄（\mu g/dL）}{総鉄結合能（TIBC）（\mu g/dL）} \times 100 \ （\%）$$

〈下山皓太郎　小林賛光　山本裕康〉

VII. 透析合併症・その他

Question 5 鉄補充の適応はどうなっていますか？またどのように治療するのがよいですか？

Answer

1) 鉄の評価には血清フェリチン値，TSAT を用いる[1]．赤血球造血刺激因子（ESA: erythropoiesis stimulating agent）および鉄剤投与中は月 1 回，非投与時には 3 カ月に 1 回程度の鉄評価を行う必要がある[1]．

2) 鉄の補充は経口および経静脈的に行うことができる．血液透析患者における経静脈的投与では，40mg を週 1 回から 1 カ月に 1 回の頻度で透析終了時に透析回路よりゆっくり投与し，投与間隔は貯蔵鉄量を確認しながら適宜変更する[1]．経口鉄剤としては鉄含有リン吸着薬を血清リン濃度に合わせて貯蔵鉄量を確認しながら用いることもできる．

3) ESA 製剤の投与の有無にかかわらず目標 Hb が維持できない患者において，血清フェリチン値 50ng/mL 未満の場合，鉄補充療法を行う．鉄剤投与によっても目標 Hb が維持できず血清フェリチン値が上昇する場合には，鉄剤を中止するとともに骨髄障害・慢性炎症などを考慮する．血清フェリチン値が300ng/mL 以上となる鉄補充療法は推奨しない[1]．

4) HIF-PH 阻害薬を用いた治療においては，血清フェリチン値80ng/mL を維持することが望ましい．

■ 1. 透析患者における特徴

　生体には鉄を能動的に排泄する機構が存在せず，造血に利用されるほとんどの鉄は老化した赤血球から再利用される鉄で賄われ，半閉鎖的回路を形成している（図 1）．透析患者では透析回路や透析膜への残血と

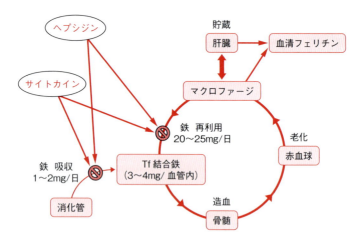

図1 ■ 生体内での鉄代謝（全身の鉄総量 3,000〜4,000mg）

採血検査などの失血を含めると年間約1g程度の鉄を喪失すると以前は考えられていたが，近年透析膜の生体適合性や抗血栓性は向上し年間500mg程度に抑えられていると報告されている[2]．多くの血液透析患者はESA製剤による治療を受けており，ESA投与下では造血に伴う鉄の消費が予想される．一方，漫然と投与すると鉄は過剰になり強力な細胞毒性を呈するため，留意する必要がある．血液透析患者においては鉄剤投与の有無にかかわらず定期的に（ESAおよび鉄剤投与下にある症例は毎月，投与を受けていない症例は3カ月に1度）鉄の評価を行い，鉄補充は造血に必要最低限量であることが重要である．

■ 2. 透析患者での鉄貯蔵の評価指標

血清フェリチン値とトランスフェリン飽和度（TSAT）が鉄補充基準として広く用いられている．明らかな感染症や悪性腫瘍など血清フェリチン値を異常に上昇させる要因がない場合はフェリチン値を用いて鉄の貯蔵量を判断する．血清フェリチンは炎症により上昇するため，必ずしも体内鉄貯蔵のマーカーとならないとされてきたが，多くの基礎的検討から，炎症による鉄の細胞内への貯蔵がフェリチン上昇につながってい

ると考えられ，血清フェリチン値は炎症のない場合と比較して高くなりやすいことを考慮して体内の貯蔵鉄の指標として用いることができる．

　一方，TSATは血清鉄を総鉄結合能（主として血清トランスフェリン）で除して求められるため，多くの要因がこの結果に影響を与える．血清鉄は感染・炎症などにおいて低下するが，炎症性サイトカインや鉄調節ホルモンであるヘプシジンによって，古くなった赤血球を処理した網内系からの"鉄の再利用"が低下することが最大の要因である．鉄剤を投与した場合だけでなく，ESA投与などによる造血亢進によるヘプシジン低下でもTSATは上昇する．血液透析患者に対し鉄剤補充を考慮する際には，まず鉄の貯蔵量について血清フェリチン値を用いて推定し，フェリチン値の上昇はヘプシジン上昇を伴い鉄の再利用が低下することが推測されるので　TSATが低下しているからといって鉄剤を投与することは慎重に行う必要がある．そのため，TSATはむしろ鉄の利用状況やESA反応性を確認する指標として用いることが望ましい．

■ 3. 透析患者における鉄剤の補充療法

❶鉄剤の投与基準

　血清フェリチン値が50ng/mL未満で貧血を伴う症例は鉄欠乏である可能性が高く[3]，ESA投与の有無にかかわらず目標Hb値が維持できない患者において鉄剤投与の効果が期待できる．我々は観察研究において血清フェリチン値が100ng/mL以下を維持している患者の予後が良いことを報告しており，目標Hb値を維持している患者においてはこのレンジの鉄貯蔵量が安全ではないかと考えられ，さらに鉄剤を追加して血清フェリチン値を上昇させる利点はないと考える[4]．また，ESA抵抗性を有する患者において鉄投与は必ずしも予後を改善しないことを示す報告もある[5,6]．鉄過剰を避けながら鉄剤を有効にかつ安全に投与するために，患者の長期予後を考慮したフェリチンの管理目標値・鉄剤投与法を検討する前向きの大規模臨床研究が必要である．

　腎性貧血に対して新たに使用できるようになった低酸素誘導因子−プロリン水酸化酵素（HIF-PH）阻害薬を用いた治療においては，いまだガイドラインでの推奨の血清フェリチン値は定まっていないが，おおよ

そ 80ng/mL を維持すべきはないかとの報告がある[7].

❷鉄剤の種類と投与方法

鉄剤には，経口鉄剤と静注鉄剤がある．血液透析患者に投与された鉄は排泄経路がなく，鉄過剰に陥る可能性が懸念される．近年の報告から血液透析患者においても経口補充による鉄欠乏および貧血改善を示す結果も示されているので，静注鉄剤を第 1 選択にする必要はなく，経口鉄剤投与も可能であり個々の患者の状態に応じ選択する．経口鉄剤としてはポリファーマシーの予防からも鉄含有リン吸着薬を血清リン濃度に合わせて用いることができる．経口・静注いずれにおいても血清フェリチン値の測定により鉄過剰に注意を払う必要がある．

おわりに

患者の鉄の貯蔵状態を正確に把握せずに不用意に鉄剤の投与を行うと，鉄代謝異常や酸化ストレスを増悪させ，かえって患者の生命予後を損なう可能性が高いと考えられる．

透析患者では"鉄の囲い込み"により，鉄が体内には過剰に存在していても造血には有効に利用されにくい状態となっているため，必要最小限の投与にとどめるべきである[7]．そして，慢性炎症に由来する鉄代謝異常を是正するには，生体適合性の高い透析膜の使用や透析液の清浄化，十分な量の透析量の確保など，まず透析に起因する慢性炎症を軽減し，投与された鉄剤を効率的に造血に導く必要がある．最近 CKD-MBD におけるビタミン D 欠乏症や高リン血症も ESA 抵抗性となる可能性が報告されており適正な管理も求められる[8]．

■ 文献

1）日本透析医学会. 2015 年版慢性腎臓病患者における腎性貧血治療のガイドライン. 透析会誌. 2016; 49: 89-158.

2）Tsukamoto T, Yanagita M. Annual iron loss associated with hemodialysis. Am J Nephrol. 2016; 43: 32-8.

3）Goddard AF , James MW, Mclntyre AS , et al. British Society of Gastroenterology. Guidelines for the management of iron deficiency anaemia. Gut. 2016;

60: 1309-16.

4) Kuragano T, Matsumura O, Matsuda A, et al. Association between hemoglobin variability, serum ferritin levels, and adverse events/mortality in maintenance hemodialysis patients. Kidney Int. 2014; 86: 845-54.

5) Lenga I, Lok C, Marticorena R, et al. Role of oral iron in the management of long-term hemodialysis patients. Clin J Am Soc Nephrol. 2007; 2: 688-93.

6) Kuragano T, Kitamura K, Matsumura O, et al. ESA hyporesponsiveness is associated with adverse events in maintenance hemodialysis (MHD) patients, but not with iron storage. PLoS One. 2016; 11: e0147328.

7) Ogawa C, Tsuchiya K, Tomosugi N, et al. Hypoxia-inducible factor prolyl hydroxylase domain inhibitor may maintain hemoglobin synthesis at lower serum ferritin and transferrin saturation levels than darbepoetin alfa. PLoS One. 2021; 16: e0252439

8) Nakanishi T, Kuragano T, Kaibe S, et al. Should we reconsider iron administration based on prevailing ferritin and hepcidin concentrations? Clin Exp Nephrol. 2012; 16: 819-26.

NOTES

ヘプシジンは鉄を介した細胞障害の主犯：ヘプシジンは，肝で合成される鉄調節ホルモンで，細胞膜に存在する「鉄汲みだし蛋白」フェロポーチン（FPN）の作用を抑制し細胞内からの鉄の放出を抑制する．ヘプシジンが高いと，古くなった赤血球を処理した網内系からの'鉄の再利用'が抑制され血清鉄が低下し，いわゆる機能性鉄欠乏の原因となる．また，ほとんどすべての細胞に FPN が存在するため，ヘプシジンが高いと細胞内に鉄を蓄積させることになるので酸化ストレス障害を起こすことになる．最近動物実験ではあるが，ヘプシジン発現を抑制すると腎性貧血になりにくいことが報告されている．

〈中西 健　北川 聡　山本清子〉

VII. 透析合併症・その他

Question 6 透析患者の痒みの現状と薬の使い方について教えてください

Answer

1) 皮膚に明らかな発疹を認めないにもかかわらず広い範囲の痒みを訴える.
2) 痒みの訴え方はさまざまで, 持続性または発作性である.
3) 皮膚乾燥を伴っていることが多く, 保湿薬を常に使用して角層水分の保持に努める.
4) 内服薬としては抗ヒスタミン薬を主に用いるが, 鎮静性の少ないものを優先し, 種類によって投与量, 方法を調節する.
5) 効果が不十分であれば, ナルフラフィン塩酸塩（レミッチ®）を併用する.

■ 1. 透析患者の痒みの特徴

痒みとは "掻きたいという欲求をもたらす不快な感覚" と定義される. 透析患者にみられる痒みは, 皮膚に明らかな発疹を認めないにもかかわらず痒みを訴えるもので汎発性皮膚そう痒症と診断される. 全身いたるところに持続性または発作性の痒みを生じる. 湿疹患者の痒みよりも訴えに多様性があり, "体の中から湧くような" と表現する患者もいる. 透析患者の多くは皮膚の乾燥, すなわち角層水分量の低下を伴っている. 乾燥した皮膚では末梢のかゆみ神経線維（C線維）が表皮上層にまで伸長している. そのため皮膚が過敏になり, 痒み閾値が下がっている[1]. 乾燥による痒みは末梢性痒みであるが, 透析患者ではオピオイド受容体を介した中枢性の痒みも伴っている. オピオイド μ 受容体刺激は痒みを誘発し, κ 受容体刺激は痒みを抑制する. 前者のアゴニストとして β エンドルフィンが, 後者のアゴニストとしてダイノルフィン A が知られ

るが，透析患者では前者が優位になっていることがわかっている[2]．

■ 2. 薬剤投与の適応

痒みが慢性的に持続することは非常に苦痛であり，大きな精神的負担となる．したがって痒みを訴える患者は基本的に治療の対象となると考えてよい．

■ 3. 薬剤の選択

日本皮膚科学会から発行されている皮膚瘙痒症ガイドライン2020[3]を参考にするとよいが，主な治療は保湿薬や鎮痒性外用薬の塗布と抗ヒスタミン薬やナルフラフィン塩酸塩の内服である．保湿薬にはワセリン，親水軟膏，尿素含有製剤，ヘパリン類似物質製剤などがある．前2者は油脂成分によって水分の蒸散を防ぎ角層に水分を貯留させる作用がある．オリーブ油や椿油などにも同様の作用がある．後2者は水分を積

表1 ■ 透析時の抗ヒスタミン薬の投与方法（佐藤貴浩, 他. 日皮会誌. 2020; 130: 1589-606[3], 渡辺裕輔, 他. 皮膚臨床. 2013; 55: 1650-61[4] より改変）

投与方法	薬剤名
腎機能正常者と同じ	★マレイン酸クロルフェニラミン（ポララミン®） ★ケトチフェンフマル酸塩（ザジテン®） ☆アゼラスチン塩酸塩（アゼプチン®） ☆メキタジン（ニポラジン®・ゼスラン®） エバスチン（エバステル®） エピナスチン塩酸塩（アレジオン®） フェキソフェナジン塩酸塩（アレグラ®）
慎重投与	★オキサトミド（セルテクト®） ロラタジン（クラリチン®）
減量	ベポタスチンベシル酸塩（タリオン®）(20～50% に減量して透析前に投与) オロパタジン塩酸塩（アレロック®）(2.5mg　分1～2)
禁忌	セチリジン塩酸塩（ジルテック®） レボセチリジン（ザイザル®） ＊デスロラタジン（デザレックックス®） ＊ビラスチン（ビラノア®）

★：鎮静性，☆：軽度鎮静性
＊：禁忌ではないがすすめられていない

極的に保持する作用のある湿潤剤を油性・水性成分とともに乳化させた製剤である．鎮痒性外用薬にはクロタミトン含有製剤（オイラックス®クリーム）やジフェンヒドラミン含有製剤（レスタミンコーワ®クリーム，ベナパスタ®軟膏）がある．内服抗ヒスタミン薬には多くの種類があるが，非鎮静性ないし軽度鎮静性のものを優先して使用することが推奨されている（表1)[3]．しかしながら透析による痒みは保湿や抗ヒスタミン薬では対応できないほど頑固なものも多く，中枢性の痒みの関与を考慮してナルフラフィン塩酸塩（レミッチ®）が用いられる．

■ 4. 投与量，投与間隔および投与期間

保湿薬は痒いときだけでなく，広い範囲に日に2，3回外用する．特に入浴後は20分程度以内には外用した方がよい．しかし保湿薬外用はあくまでスキンケアの一環であり，それだけで完全に痒みを抑制できることは少ない．多くは内服薬を併用する．抗ヒスタミン薬には，腎透析時の投与量調節が不要なもの，必要なもの，投与をさけるべきものなどがある（表1)[4]．ナルフラフィン塩酸塩（レミッチ®）は$2.5\mu g$・日から開始し，$5\mu g$・日まで増量可能．

■ 5. 透析の影響

ベポタスチンベシル酸塩（タリオン®）には約40%の透析性がある．他の多くの抗ヒスタミン薬は透析性がないか，またはデータがない．

■ 6. 注意すべき副作用

抗ヒスタミン薬では，中枢神経への移行による眠気や無自覚の集中力・判断力低下（インペアードパフォーマンス）が知られる．非鎮静性のもののなかにも車の運転が禁止されているものがある．ただしフェキソフェナジン塩酸塩（アレグラ®），ロラタジン（クラリチン®），ビラスチン（ビラノア®），デスロラタジン（デザレックス®）は非鎮静性にすぐれ，そのような制限がない．

VII 透析合併症・その他

■ 文献

1) Johansson O, Hilliges M, Stahle-Baeckdal M. Intraepidermal neuron-specific enolase（NSE）-immunoreactive nerve fibers: evidence for sprouting in uemic patients on maintenance hemodialysis. Neurosci Let. 1989; 99: 281-6.
2) 高森建二. 難治性痒みの発現メカニズム: 乾燥, 透析, アトピー性皮膚炎に伴う痒みについて. 日皮会誌. 2008; 118: 1931-9.
3) 佐藤貴浩, 横関博雄, 室田浩之, 他. 皮膚瘙痒症ガイドライン 2020. 日皮会誌. 2020; 130: 1589-606.
4) 渡辺裕輔, 岡田浩一. 腎不全（人工透析）患者に対して注意すべき投薬. 皮膚臨床. 2013; 55: 1650-61.

〈佐藤貴浩〉

VII. 透析合併症・その他

Question 7

透析患者における関節痛の現状と薬の使い方を教えてください

Answer

1) 加齢に伴う関節痛以外に，骨ミネラル代謝異常や透析アミロイドーシスなどによる関節痛がみられる．

2) 関節痛の原因に応じた治療法を選択すべきであるが，非オピオイド鎮痛薬による対処療法が試みられることが多い．

3) 非ステロイド性消炎鎮痛薬による消化管出血を予防するため，プロトンポンプ阻害薬の投与や，便潜血反応の定期的なチェック，内視鏡検査などを行う必要がある．

■ 1. 透析患者における関節痛の特徴

関節痛は多くの透析患者にみられ，生活の質に大きな影響をもたらす．高齢者の透析導入や透析期間の延長によって，関節痛を有する透析患者の数は増加している．

表 1 ■ 透析患者で関節痛をきたすことが多い疾患

骨ミネラル代謝異常
二次性副甲状腺機能亢進症
骨軟化症
透析アミロイドーシス
透析アミロイド関節症
手根管症候群
透析脊椎症
変形性関節症
化膿性関節炎
結晶誘発性関節炎
痛風
偽痛風

透析患者では，変形性関節症のような加齢に伴ってみられる関節痛以外に，慢性腎臓病に伴う骨ミネラル代謝異常（chronic kidney disease-mineral and bone disorder：CKD-MBD）による異所性石灰化や線維性骨炎，骨軟化症が関節痛の原因となる．また，透析アミロイドーシスによるアミロイド関節症や手根管症候群が関節痛や関節周囲炎による疼痛の原因になる．それ以外にも化膿性脊椎炎のような感染症や痛風のような結晶の析出による関節炎なども透析患者ではみられる（表1）．

■ 2. 薬剤の適応

関節痛がみられた場合，その原因によって対応が異なるため原因に応じた治療法を選択すべきである．

透析患者の痛みに対する薬物療法は，一般的に用いる疼痛治療法を基本とすべきで[1]，2017年には世界保健機関（WHO）より慢性腎臓病患者に対する段階的疼痛管理法が発表されている[2]．疼痛治療法では痛み

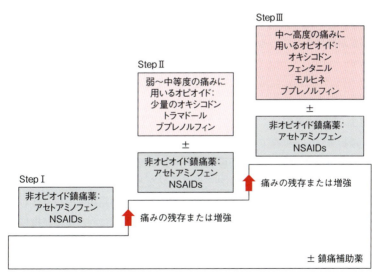

図1 ■ 透析患者での3段階除痛ラダー（田中章郎, 他. 透析会誌. 2008; 41: 177-9[3] より一部改変）

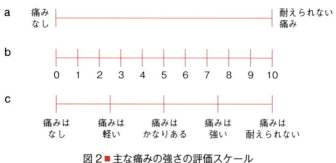

図2 ■ 主な痛みの強さの評価スケール
a: Visual Analogue Scale (VAS)
b: Numerical Rating Scale (NRS)
c: Verbal Rating Scale (VRS)

の強さによる鎮痛薬の選択ならびに鎮痛薬の段階的な使用方法が「3段階除痛ラダー」(図1) として示されている[2]．痛みの強さに応じて，(1) 第1段階：非オピオイド鎮痛薬，(2) 第2段階：弱オピオイド鎮痛薬，(3) 第3段階：強オピオイド鎮痛薬，と各段階で使用される鎮痛薬が決められている．痛みの強さの目安としては，客観的に評価できる Visual Analogue Scale (VAS) や Numeric Rating Scale (NRS)，Verbal Rating Scale (VRS) (図2) などをもとに痛みの程度を数値化すると理解しやすい．

■ 3. 薬剤の選択

透析患者の関節痛でも関節の腫脹や疼痛を軽減するために，薬物療法として非ステロイド性消炎鎮痛薬 (non-steroidal anti-inflammatory drugs：NSAIDs) やアセトアミノフェンなどの非オピオイド鎮痛薬による対処療法が初期から試みられる．非オピオイド鎮痛薬の投与は対処療法にすぎず，鎮痛効果が得られない場合，長期間にわたる継続投与は避けるべきで，関節痛の原因についてあらためて評価しなおすとともに，鎮痛補助薬の併用やオピオイド薬の投与などを検討すべきである．

NSAIDs の効果は一時的で，長期的効果は期待できないことが多い．NSAIDs のさまざまな副作用を回避するために cyclooxygenase 2

（COX-2）阻害薬やアセトアミノフェンなどが個々の症例に応じて使い分けられる.

❶ CKD-MBD

CKD-MBD による関節や関節周囲への異所性石灰化による関節痛や線維性骨炎，骨軟化症では骨痛に対しては，その原因となる高リン血症や二次性副甲状腺機能亢進症などに対する治療が優先される（VII. 透析合併症・その他 Q2 参照）.

❷ 透析アミロイドーシス

β_2マイクログロブリン（β_2MG）を前駆蛋白とするアミロイド蛋白の沈着によって発症する. アミロイドの沈着する部位によって，アミロイド関節症，手根管症候群，あるいは透析脊椎症など多彩な骨関節障害が生じる.

原因となる β_2MG の濃度を可能な限り低値に維持することで透析アミロイドーシスの進展予防が可能であると考えられており，血液浄化療法の工夫（高性能膜や β_2MG 吸着カラムの使用，血液濾過透析，透析液清浄化，など）によって関節痛を軽減することができると報告されている[4,5].

アミロイド関節症に対して各種の NSAIDs，コルヒチン，柴苓湯，副腎皮質ステロイドなどが使用されている[6,7]. しかし，その治療法は必ずしも確立されていない. 多くの症例で，関節痛に対する効果は低いが NSAIDs が使用されている. 強い疼痛の訴えに対して，副腎皮質ステロイド薬を毎日あるいは隔日で少量投与することがある.

❸ 化膿性脊椎炎

化膿性脊椎炎は血行性感染，あるいは隣接臓器からの感染の波及により発症する脊椎の感染症である. 透析患者では，CKD-MBD に伴う椎体変形や compromised host であること，そして，透析毎にシャント血管に穿刺を繰り返すため菌血症の機会が多く，シャント感染などに続いて血行性に化膿性脊椎炎が発症することが多い[8].

化膿性脊椎炎では起炎菌として黄色ブドウ球菌が多く，近年はMRSA が増えている. compromised host である透析患者では，弱毒菌

の血行性感染も可能性があるため，局所のドレナージと培養検査，血液培養検査などの結果をみて抗菌薬の投与を行うべきである．

■ 4. 投与量，投与間隔，投与期間，透析の影響，注意すべき副作用

❶ アセトアミノフェン

末梢のシクロオキシゲナーゼ（COX）には影響せず，中枢性に作用して解熱鎮痛作用を有する．抗炎症作用は弱い．NSAIDs で問題となる副作用を発症しにくく，透析患者に対しても安全に使用することができる．長期投与でなければ減量の必要はないとの報告もあるが，透析患者ではグルクロン酸抱合体，硫酸抱合体が蓄積し，それが親化合物に再変換されるため，アセトアミノフェンの連用によってトラフ濃度が高くなる可能性がある[8]．1 回 500mg を 1 日 3 ～ 4 回，頓服では 1 回 500 ～ 1000mg の投与で十分な鎮痛効果が発揮されると考えられている．長期投与をする場合には定期的な肝機能検査が必要である．

アセトアミノフェン 325mg と弱オピオイド鎮痛薬であるトラマドール塩酸塩 37.5mg との合剤であるトラムセット配合錠®は，治療困難な非がん性慢性疼痛に対して適応があり，透析患者への投与は可能である．腎機能障害者へのトラマドール塩酸塩の投与にあたっては，最大量を腎機能正常者の 50％ に減量する必要がある．

内服ができない場合には，アセトアミノフェンの静注製剤（アセリオ®静注液）や坐剤（アンヒバ®坐剤小児用）を用いることもできる．

❷ NSAIDs

重篤な腎障害には禁忌であるが，無尿の透析患者では投与量，投与間隔は健常人と同様で構わない．透析性のないものが多く，透析後の補充は必要ない．

NSAIDs は高率に消化管出血を引き起こすため長期間にわたる投与は推奨されない．NSAIDs 使用の際には，プロトンポンプ阻害薬の投与など副作用に対する対策を行うとともに，便潜血反応の定期的なチェックや内視鏡検査などを行う必要がある．

❸ COX-2 阻害薬

重篤な腎障害には禁忌であるが，無尿の透析患者では投与量，投与間

隔は健常人と同様で構わない．COX-2 阻害薬は，従来の NSAIDs に比べて消化管出血の発生は低いが，NSAIDs を上回る消炎鎮痛効果がないことが多い．透析性はなく透析後の補充は必要ない．

❹ステロイド

ステロイドの投与量については，透析患者でも減量の必要はない．透析アミロイドーシスに対するステロイド治療の調査報告では，多くの患者でプレドニゾロンが使用され，開始量 2.5 〜 20mg/ 日，維持量 2.5 〜 10mg で，使用期間については多くの場合 1 年未満であったとの報告がある[7]．副腎皮質ステロイド薬の長期連用は骨破壊を促進する可能性がある．他にも易感染性，耐糖能異常，NSAIDs との併用による消化性潰瘍の発症，などの副作用の出現には十分留意する必要がある．そのため，その適応については慎重に判断する必要がある．

❺オピオイド鎮痛薬

モルヒネは，腎不全患者ではその代謝産物が蓄積し，鎮静などの副作用への対処が困難になる．また，血液透析による一時的な血中濃度低下により，透析中あるいは透析後にオピオイドの追加投与が必要になる可能性がある．したがって，透析患者にはモルヒネは使用しないほうが望ましい．

透析患者にオピオイドを投与する場合，第 1 選択薬として，活性代謝物がほとんどないオキシコドンかフェンタニルが望ましい．オキシコドンは血液透析時のデータはないが，使用する場合は減量あるいは投与間隔を延長する必要がある．また，モルヒネ同様に蛋白結合率が低いため血液中から一部除去され，一時的な血中濃度低下により，透析中あるいは透析後にオピオイドの追加投与が必要になる可能性がある．フェンタニルは，投与量の調節なしに比較的安全に透析患者に使用できる．

ブプレノルフィン（ノルスパンテープ®）は，治療困難な変形性関節症，腰痛症に伴う慢性疼痛における鎮痛に対して適応がある経皮吸収型オピオイド鎮痛薬で，7 日毎に貼り替えて使用する．肝臓で代謝されるブプレノルフィンは腎機能障害者でも腎機能正常者と同様に使用できるが，嘔気などの副作用の出現があり注意が必要である．なお，使用にあ

たっては適正使用講習（e-learning URL：https://norspan.jp/system/staticPage/properuse/）の実施などが義務付けられている．

❻ プレガバリン（リリカ®）ミロガバリン（タリージェ®）

神経障害性疼痛に対して適応がある．透析患者でも，糖尿病性神経障害による疼痛や帯状疱疹後神経痛だけでなく，脊柱管狭窄症などによる腰痛や下肢痛になどで使用される．尿中排泄率約 90％ の薬剤であり腎機能に応じた用量調節が必要で，透析患者でのプレガバリン投与は初期量 25mg/ 日，維持量 25 〜 75mg/ 日とし，透析日は透析後の服用が推奨されている．ミロガバリンの場合には，初期量 2.5mg/ 日，維持量 5 〜 7.5mg/ 日の服用が推奨されている．推奨投与量以下の用量でもめまいや傾眠などの有害事象の発生が多いことが報告されており[9]，体格などを考慮した投与計画が必要である．

❼ その他

抗うつ薬のデュロキセチン（サインバルタ®）は慢性腰痛症や変形性関節症などの疼痛に対して保険適応がある．中等度までの腎機能障害では減量の必要はないが，透析患者など末期腎不全患者へのデュロキセチンの投与は禁忌である．

ペインクリニックでは，慢性疼痛に対して神経ブロック（トリガーポイント注射，硬膜外ブロック，星状神経節ブロック，坐骨神経ブロックなど）を行うことがある．透析患者でも適応を選んで，易出血性，易感染性のリスクがあることを念頭に，非透析日に神経ブロックが行われている．

■ 文献

1) Barakzoy AS, Moss AH. Efficacy of the World Health Organization analgesic ladder to treat pain in end-stage renal disease. J Am Soc Nephrol. 2006; 17: 3198-203.

2) Pham PC, Khaing K, Sievers TM, et al. 2017 update on pain management in patients with chronic kidney disease. Clin Kidney J. 2017; 10: 688-97.

3) 田中章郎, 長谷川功, 百合草憲勇. 透析患者への麻薬の使い方. 透析会誌. 2008; 41: 177-9.

4) Nakai S, Iseki K, Tabei K, et al. Outcomes of hemodiafiltration based on Japanese dialysis patient registry. Am J Kidney Dis. 2001; 38（4 Suppl 1）: S212-6.

5) Baz M, Durand C, Ragon A, et al. Using ultrapure water in hemodialysis delays carpal tunnel syndrome. Int J Artif Organs. 1991; 14: 681-5.

6) 岡　良成, 宮崎雅史, 高津成子. 透析関節症の早期治療の必要性について—柴苓湯応用の検討—. 透析会誌. 2000; 33: 1371-6.

7) 下条文武, 木村秀樹, 川口良人. 透析アミロイド関節症に対する少量ステロイド治療の現況—アンケート集計結果より—. 透析会誌. 1998; 31: 73-8.

8) Martin U, Temple RM, Winney RJ, et al. The disposition of paracetamol and the accumulation of its glucuronide and sulphate conjugates during multiple dosing in patients with chronic renal failure. Eur J Clin Pharmacol. 1991; 41: 43-6.

9) 成末まさみ, 杉本悠花, 柴田龍二郎, 他. プレガバリンは腎機能を考慮した推奨用量でも腎機能低下患者の有害事象発生率が高い. 透析会誌. 2015; 38: 155-61.

〈宮地武彦〉

VII. 透析合併症・その他

Question 8
男性透析患者における性機能障害と
治療について教えてください

> **Answer**
> 1) 男性透析患者では勃起障害とリビドー（性欲）低下を高率に認める.
> 2) 勃起障害は血管内皮や自律神経障害が，リビドー低下はテストステロン欠乏が関与する.
> 3) 治療開始前には，腎性貧血，栄養障害，亜鉛欠乏症などの治療を行う.
> 4) 勃起障害には，ホスホジエステラーゼ 5 阻害薬は有用である.
> 5) 性機能低下を伴うリビドー低下には，テストステロンやゴナドトロピン補充を行う.

　性機能障害は勃起障害とリビドー（性欲）低下の大きく 2 つに分類され，さらにリビドー低下は内分泌障害である性腺機能低下症と全身倦怠感などの性ホルモンを介さない全身症状の 1 つとして表現されるものとがある.

■ 1. 勃起不全

❶勃起不全の病態生理

　透析患者における勃起不全は Ka ら[1] によると全患者の 84.9% にみられたと報告している．この報告では糖尿病の合併は 21% にすぎなかったとしており，わが国では糖尿病がより高頻度にみられることから，さらに多くの勃起不全がみられると考えられる.

　Navaneethan ら[2] による透析患者のおける勃起不全のメタアナリシスではその有病率は平均 70% とし，Mesquita ら[3] は CKD 患者のステージ別勃起不全有病率はステージ 2，3，4 でそれぞれ 72.3%，81.5%，

85.7% であったと報告している.

勃起不全の原因として最も多いのは，陰茎海綿体平滑筋の弛緩不全による corporal veno-occlusive dysfunction とされる[4]が，透析患者ではさらに下垂体-性腺系の異常，血管内皮障害，自律神経障害，貧血，薬剤など多くの要因が加わり複雑なものにしている.

わが国の血液透析患者の特徴は糖尿病を原疾患としているものが多いことであるが，糖尿病では血管内皮障害，自律神経異常が多くみられる．腎不全患者における自律神経異常は夜間勃起（NPT）の低下を引き起こすことが知られている[5].

また，慢性腎不全における赤血球造血刺激因子製剤（ESA）投与が勃起不全の改善をもたらすとの報告はいくつかある[6-8]．その機序についてはいまだ不明の点が多いが，貧血の改善だけでなくESAの直接作用としてプロラクチン[9]，テストステロン[10]，海綿体神経[11]，血管内皮[12]などに対する作用が提唱されている.

❷勃起不全に対する治療

勃起不全に対する治療であるが，まず貧血，栄養状態の改善，続発性副甲状腺機能亢進症の治療，亜鉛欠乏症など[13]がないことを確認する．亜鉛欠乏症は透析患者で特に高頻度にみられる．永野ら[14]は日本栄養学会の提唱する正常値（$80\mu g/dL$ 以上）の透析患者は4.6%であり，潜在的亜鉛欠乏症（$60\sim80\mu g/dL$）は44.4%，亜鉛欠乏症（$60\mu g/dL$未満）は51.0%にみられたと報告している．亜鉛の補充はポラプレジンク75mgを1日2回投与する.

ホスホジエステラーゼ5（PDE5）阻害薬は勃起不全治療薬として広く用いられている[15, 16]が，透析患者においてもその有用性は報告されている.

なかでも，シルデナフィルは動悸，目のちらつきなど副作用の少ないことから透析患者に使いやすい薬剤である．本剤の剤型は5mg，10mg，20mgとあるが効果に個人差の大きいことから，透析患者では低用量から開始し漸増することが望ましい．ただし，糖尿病患者でのPDE5阻害薬の有効率は低いことが報告されているため，糖尿病性腎症の患者で

は 10mg から開始してもよい．PDE5 阻害薬無効例では**プロスタグランジン E$_1$ の陰茎海綿体注射の有効性が高い**が，技術指導および陰茎持続勃起症などへの対応が必要であるため，専門医へのコンサルテーションが必要である．

■ 2. リビドー低下

❶リビドー低下の病態生理

リビドー低下は，勃起不全よりもさらに広範に認められる．リビドー低下はうつ状態，全身倦怠感，集中力低下など全身症状とともにみられる場合もあるが，多くは単独で現れる．精神症状としてのリビドー低下が単独で現れた場合，わが国では日常生活に支障が出ることが少ないため，見逃されがちである．また治療の対象となることも少ない．うつ状態，意欲の低下とともにリビドー低下がみられたときには，テストステロン減少症を疑う．血液透析患者では下垂体-性腺系の低下によるテストステロン減少症がみられ[17,18]，さらに透析患者ではテストステロンをその活性型である dihydrotestosterone（DHT）に変換する 5 alpha-reductase 活性が低下している[19] ことから，よりその欠乏症状が顕著となる．

❷リビドー低下に対する治療

治療としては**テストステロン補充療法，ゴナドトロピン（HCG-HMG）補充療法を行う**が，治療に先立って ESA 製剤による貧血の改善，亜鉛欠乏症の治療などのホルモン環境を改善しておく．テストステロン補充療法は「加齢男性性腺機能低下症（LOH）症候群診療の手引き」（日本泌尿器科学会）に沿って行う．

テストステロンデポ製剤 125〜250mg は，3 週間に 1 回投与する．その際，PSA による前立腺癌の除外が必須である．ゴナドトロピン療法は LH，FSH の上昇を伴わないテストステロン減少症に有用である．テストステロン補充療法に比べ即効性は劣るものの，より生理的な治療法といえる．われわれの施設ではゴナトロピン®注 5000 単位筋注，ゴナールエフ®150 単位皮下注を週 2 回行っている．テストステロン補充療法，ゴナドトロピン補充療法とも，自覚症状の改善がみられた場合には投与

間隔を延長し，症状の再発のないことを確認したのちに中止する．

性腺機能低下症を伴わないリビドー低下は，診断，治療に困難を伴うことが多い．リビドー低下の要因には先に述べた下垂体-性腺系の異常以外に，副腎皮質，副腎髄質，自律神経の異常など，多くの要因が考えられる．先に述べた貧血，栄養状態，透析不足の解消を行った後に，サプリメントあるいは漢方薬などの投与を行う．これらの治療は十分なエビデンスを伴うものではない．

おわりに

わが国において，性機能障害の有病率は欧米各国と比べ大きく異なるものではないが，治療患者数は少ないといわれている．これは国民性の違い，医療保険制度の違いなどの要因が考えられるが，透析患者においても性機能障害を訴える患者は決して多くはない．しかし，性機能障害はすでに述べたごとく，血管障害，内分泌障害などの結果としてあらわれるものであるため，本症に注目することで，水面下の様々な障害を未然に発見できる可能性がある．日常診療では，性機能障害の有無を診療の一環として確認する必要があるといえる．

■ 文献

1) Ka EF, Seck SM, Cisse MM, et al. Erectile dysfunction in chronic hemodialysis patients in dakar: a cross-sectional study in 2012. Nephrourol Mon. 2014; 6: e21138.

2) Navaneethan SD, Vecchio M, Johnson DW, et al. Prevalence and correlates of self-reported sexual dysfunction in CKD: a meta-analysis of observational studies. Am J Kidney Dis. 2010; 56: 670-85.

3) Mesquita JF, Ramos TF, Mesquita FP, et al. Prevalence of erectile dysfunction in chronic renal disease patients on conservative treatment. Clinics（Sao Paulo）. 2012; 67: 181-3.

4) Gonzalez-Cadavid NF, Rajfer J. Molecular pathophysiology and gene therapy of aging-related erectile dysfunction. Exp Gerontol. 2004; 39: 1705-12.

5) Campese VM, Procci WR, Levitan D, et al. Autonomic nervous system dysfunction and impotence in uremia. Am J Nephrol. 1982; 2: 140-3.

6) Schaefer RM, Kokot F, Wernze H, et al. Improved sexual function in hemodi-

alysis patients on recombinant erythropoietin: a possible role for prolactin. Clin Nephrol. 1989; 31: 1-5.

7) Bommer J, Kugel M, Schwöbel B, et al. Improved sexual function during recombinant human erythropoietin therapy. Nephrol Dial Transplant. 1990; 5: 204-7.

8) Evans RW, Rader B, Manninen DL. The quality of life of hemodialysis recipients treated with recombinant human erythropoietin. Cooperative Multicenter EPO Clinical Trial Group. JAMA. 1990; 263: 825-30.

9) Schaefer RM, Kokot F, Wernze H, et al. Improved sexual function in hemodialysis patients on recombinant erythropoietin: a possible role for prolactin. Clin Nephrol. 1989; 31: 1-5.

10) Watschinger B, Watzinger U, Templ H, et al. Effect of recombinant human erythropoietin on anterior pituitary function in patients on chronic hemodialysis. Horm Res. 1991; 36: 22-6.

11) Allaf ME, Hoke A, Burnett AL. Erythropoietin promotes the recovery of erectile function following cavernous nerve injury. J Urol. 2005; 174: 2060-4.

12) Esposito K, Ciotola M, Maiorino MI, et al. Circulating CD34$^+$ KDR$^+$ endothelial progenitor cells correlate with erectile function and endothelial function in overweight men. J Sex Med. 2009; 6: 107-14.

13) Vecchio M, Navaneethan SD, Johnson DW, et al. Treatment options for sexual dysfunction in patients with chronic kidney disease: a systematic review of randomized controlled trials. Clin J Am Soc Nephrol. 2010; 5: 985-95.

14) 永野伸郎, 伊藤恭子, 大石裕子, 他. 透析患者の血清亜鉛濃度分布の実態—低亜鉛血症と関連する因子—. 日本透析医学会雑誌. 2018; 51: 369-77.

15) Sharma RK, Prasad N, Gupta A, et al. Treatment of erectile dysfunction with sildenafil citrate in renal allograft recipients: a randomized, double-blind, placebo-controlled, crossover trial. Am J Kidney Dis. 2006; 48: 128-33.

16) Vecchio M, Navaneethan SD, Johnson DW, et al. Treatment options for sexual dysfunction in patients with chronic kidney disease: a systematic review of randomized controlled trials. Clin J Am Soc Nephrol. 2010; 5: 985-95.

17) Lim VS, Fang VS. Restoration of plasma testosterone levels in uremic men with clomiphene citrate. J Clin Endocrinol Metab. 1976; 43: 1370-7.

18) Levitan D, Moser SA, Goldstein DA, et al. Disturbances in the hypothalamic-pituitary-gonadal axis in male patients with acute renal failure. Am J Nephrol. 1984; 4: 99-106.

19) de Vries CP, Gooren LJ, Oe PL. Haemodialysis and testicular function. Int J Androl. 1984; 7: 97-103.

〈太田信隆〉

VII. 透析合併症・その他

Question 9 透析患者における DIC の治療薬について教えてください

Answer

1) 透析患者でも DIC の治療は基礎疾患への介入が最も大切である.
2) DIC の治療において国内外のガイドラインでコンセンサスの得られた薬剤は存在しない.

■ 1. 透析患者における特徴

DIC（播種性血管内凝固症候群）は様々な基礎疾患に続発する急性または慢性の凝固能亢進を特徴とする後天的疾患で, 微小血栓による血管障害により臓器不全をきたす. また, 同時に血小板や凝固因子の消費を生じ, 様々な程度の出血傾向を生じる症候群である. DIC を生じる基礎疾患は, 敗血症, 外傷, 産科合併症（羊水塞栓症, 胎盤早期剥離）, 固型癌, 骨髄増殖性疾患, 血管疾患（大動脈瘤, 血管腫）, 免疫反応（アレルギー, 輸血性溶血反応）, 毒物に対する反応（蛇毒, アンフェタミン）など多岐にわたる[1]. 本稿では, 頻度が高く透析患者で問題となりやすい敗血症に伴う DIC を中心にまとめる.

DIC 診療ガイドラインには日本血栓止血学会（JSTH）[2], JSTH を含む 3 編のガイドラインをまとめた国際血栓止血学会（ISTH）[3] が作成したガイドラインなどが存在している. また, 本邦では「日本版敗血症診療ガイドライン 2020（J-SSCG2020）」[4] 中の「敗血症における DIC 診療と治療」の項も参考にされている. しかし, 各ガイドラインで診断基準や治療に対する推奨が異なっており, コンセンサスの得られた薬剤介入は存在しない. また, いずれのガイドラインでも透析患者で異なる推奨は設けていない.

■ 2. 薬剤投与の適応

現在までに DIC の治療としてコンセンサスが得られているのは基礎疾患の治療，出血に対する新鮮凍結血漿（FFP）や濃厚血小板（PC）の輸血のみである（低分子ヘパリンは静脈血栓症の予防には推奨されているが，DIC の治療に対しては推奨されていない）．特に敗血症（必ずしも DIC ではない）患者に対して行われた血漿由来アンチトロンビンの第 3 相試験において治療による有益性は認められず，出血のリスクが増大したため，敗血症診療国際ガイドライン 2016（SSCG2016）[5] では同薬剤を使用しないように強く推奨している．一方，JSTH, J-SSCG2020 では敗血症による DIC 患者に限定して検討を行い，出血性合併症が増加する恐れはあるが，死亡率および DIC 離脱に対する利益が上回る可能性が高く，アンチトロンビン III 製剤の使用を弱く推奨している．

遺伝子組換え型ヒトトロンボモジュリンに関しては，J-SSCG2021，ISTC ともに使用を弱く推奨している．

SSCG2016 は 2021 年に改訂が行われているが（SSCG2021）[6]，アンチトロンビン III 製剤，遺伝子組換え型ヒトトロンボモジュリンに関する推奨は行われなかった．

■ 3. 薬剤の選択，投与量，投与間隔，投与期間

アンチトロンビン III 製剤（アンスロンビン P®，ノイアート®，ノンスロン®）：1,000 ～ 3,000IU/ 日または 20 ～ 60IU/kg/ 日を 3 日間投与する．保険適応上アンチトロンビンの血中濃度が 70% 以下で使用が認められる．腎機能による用量調節は必要ない．

遺伝子組換え型ヒトトロンボモジュリン（リコモジュリン®）：通常 380U/kg/ 日のところ，腎代替療法を要する患者では 130U/kg/ 日へ減量を要する．臨床試験において 7 日間以上の投与は安全性，効果が不明なため 6 日間以内の投与が望ましい．

■ 4. 注意すべき副作用，他剤との相互作用

頭蓋内出血の既往のある患者や手術や外傷から日が浅い患者，血小板 5 万 /μL 以下の患者などでは出血の合併症が多い．

■ 文献

1) Levi M, Ten Cate H. Disseminated intravascular coagulation. N Eng J Med. 1999; 341: 586-92.

2) Wada H, Asakura H, Okamoto K, et al. Expert consensus for the treatment of disseminated intravascular coagulation in Japan. Thromb Res. 2010; 125: 6-11.

3) Wada H, Thachil J, di Nisio M, et al. Guidance for diagnosis and treatment of disseminated intravascular coagulation from harmonization of the recommendations from three guidelines. J Thromb Haemost. 2013; 11: 761-7.

4) Egi M, Ogura H, Yatabe T, et al. The Japanese Clinical Practice Guidelines for Management of Sepsis and Septic Shock 2020 (J-SSCG 2020). 2021; 26: e659.

5) Rhodes A, Evans LE, Alhazzani W, et al. Surviving sepsis campaign: International guidelines for management of sepsis and septic shock: 2016. Intensive Care Med. 2017; 43: 304-77.

6) Laura E, Andrew R, Waleed A, et al. Surviving sepsis campaign: International guidelines for management of sepsis and septic shock 2021. Crit Care Med. 2021; 49: e1063-143.

〈磯部伸介〉

VII. 透析合併症・その他

Question 10

透析患者における禁煙補助薬,
アルコール依存症禁酒補助薬の
使い方について教えてください

Answer

1) 透析患者は, 心血管合併症予防を考慮し, 禁煙が推奨される.
2) 禁煙補助薬投与の際は, 投与量調整が必要となることがある.
3) 透析患者における禁酒補助薬は禁忌である.

■ 1. 透析患者における特徴

①喫煙

日本透析医学会による「我が国の慢性透析療法の現況」によると2012 年時点での透析患者の喫煙率は男性 12.9%, 女性 4.0% であり, 一般男性 27.1%, 女性 7.6%(厚生労働省国民健康調査より)と比べると低い傾向にある.

透析患者の喫煙は死亡率や心血管合併死亡率, 感染関連死亡率を増加させ[1], また喫煙量が増加すると死亡率はさらに増加する[2]. 日本透析医学会[3] や KDOQI[4] の心血管合併症ガイドラインにおいて禁煙は推奨されている. しかしながら, これまでの研究は観察研究であるため, 喫煙している透析患者が禁煙することにより利益があるかどうかは不明である.

②飲酒

透析患者における飲酒の有害性を示す報告はなく, 現時点では不明である. 21 世紀における国民健康づくり運動では, 1 日 20g 程度が提案されているが, 慢性腎臓病患者に関しては推奨量以下のアルコール摂取においても脳血管障害の発症が増加する可能性がある[5].

透析患者の特徴としては, 飲酒そのもの(ビールや水割り, お湯割りなど)により体重増加が起こること, つまみ(特に高塩分含有物)が口

渇を刺激して飲水量が増えること，アルコールの種類によってカリウム・リン含有量が多い（ビールやワインはカリウム・リン含有量が多い）ことがあげられる．そのため，透析間体重増加や採血検査も考慮しながら指導する必要がある．

■ 2. 薬剤の適応

①喫煙

医療用禁煙補助薬の適応は，以下の4項目すべてに当てはまる人が適応となる．保険適応内の禁煙治療は，施設基準を満たした施設のみで行うことができる．

　A. 禁煙の意志が明確であること

表1■ニコチン依存度チェック（TDS）

	はい（1点）	いいえ
1. 自分が吸うつもりの数よりもずっと多くのタバコを吸ってしまうことがありましたか？		
2. 禁煙や本数を減らそうと試みて，できなかったことがありましたか？		
3. 禁煙や本数を減らそうとした時，タバコが欲しくてたまらなくなることがありましたか？		
4. 禁煙や本数を減らした時，次の症状や状態がありましたか？（イライラ・神経質・落ち着かない・集中しにくい・憂うつ・頭痛・眠気・胃のむかつき・脈が遅い・手の振るえ・食欲や体重増加）		
5. 上記(4)で起きた症状（状態）をなくすために，またタバコを吸ってしまうことがありましたか？		
6. 病気になった時，タバコが良くないとわかっていても，吸うことがありましたか？		
7. 喫煙で自分に健康問題が起きているとわかっていても吸うことがありましたか？		
8. 喫煙で自分に精神問題が起きているとわかっていても吸うことがありましたか？		
9. 自分はタバコに依存していると感じたことがありますか？		
10. タバコが吸えないような仕事やおつき合いを避けることが何度かありましたか？		

B．ニコチン依存度（TDS，表1）5点以上

C．35歳以上の場合，1日の喫煙本数×喫煙年数が200以上

D．禁煙治療を受けることを文書により同意をしていること

②飲酒

禁酒補助薬は透析患者では禁忌であり，適応はない（表3）.

■ 3．薬剤の選択

①喫煙

禁煙補助薬には3種類（ニコチン製剤2種とバレニクリン）ある．それぞれの特徴を表2に示すので，薬剤の特徴を患者と相談しながら決定する．保険診療で認められている12週間の禁煙期間中に，副作用出現した際は薬剤を変更することも可能である．

2020年から，一定の条件を満たす患者においては禁煙治療用アプリおよび呼気一酸化炭素濃度測定器の使用が保険診療で認められている．

■ 4．実際の投与量，投与回数，投与期間および透析性

①喫煙

腎機能に応じた投与量調節を表3に示す．一般患者における禁煙治

表2 ■ 禁煙補助薬一覧

	ニコチン製剤			バレニクリン
	ニコチンガム	ニコチンパッチ		内服薬
区分	一般医薬品	一般医薬品	医療用	医療用
禁煙成功率	約1.4倍	約1.7倍		約2.3倍
製品名	ニコチネル® ニコレット®	シガノン® ニコチネルパッチ® ニコレットパッチ®	ニコチネルTTS®	チャンピックス錠®
用法・特徴	タバコを吸いたくなった時に噛む 離脱症状を抑制 副作用が少ない	初期は高用量から開始し，定期的に減量する 離脱症状を抑制 副作用が少ない		初期は高用量から開始し，定期的に減量する ニコチンを含有しない 離脱症状の抑制と再喫煙時の満足感抑制 成功率が高いが副作用が多い

VII 透析合併症・その他

表3 ■ 腎機能に応じた投与量調節と透析性（「薬剤性腎障害診療ガイドライン 2016」日腎会誌 2016 より）

	薬剤名	商品名	CCr > 50mL/min	CCr 30〜 50mL/min	CCr 10〜 30mL/min	Ccr < 10mL/min	透析患者	透析性
禁煙補助薬	ニコチン	ニコチネル TTS®	1日1枚 24時間ごと	腎機能正常者と同じ				なし
	バレニクリン酒石酸塩	チャンピックス錠®	1〜3日目: 0.5mg/日, 4〜7日目: 1mg/日, 8日目以降: 2mg/日	腎機能正常者と同じ	開始量 0.5mg/日, 必要に応じて 0.5mg 1日2回	0.5mg/日		なし
禁酒補助薬	アカンプロセートカルシウム	レグテクト®	666mg を 1日3回食後に経口投与	333mg を 1日3回	禁忌			あり

療に関して，禁煙推進委員会より詳細が公開されているので参照していただきたい（http://www.j-circ.or.jp/kinen/index.htm）.

②飲酒

腎機能に応じた投与量調節を表3に示す.

■ 文献

1）Mc Causland FR, Brunelli SM, Waikar SS. Association of smoking with cardiovascular and infection-related morbidity and mortality in chronic hemodialysis. Clin J Am Soc Nephrol. 2012; 7: 1827-35.

2）Li NC, Thadhani RI, Reviriego-Mendoza M, et al. Association of smoking status with mortality and hospitalization in hemodialysis patients. Am J Kidney Dis. 2018; 72: 673-81.

3）日本透析医学会. 透析患者における心血管合併症の評価と治療に関するガイドライン. 透析会誌. 2011; 44: 337-425.

4）National Kidney Foundation. KDOQI Clinical Practice Guidelines for Cardiovascular Disease in Dialysis Patients. 2005; Section II: Guidline 14

5）日本腎臓学会, 編. エビデンスに基づく CKD 診療ガイドライン 2018. 東京: 東京医学社; 2018.

〈藤倉知行〉

VII. 透析合併症・その他

Question 11

移植腎機能喪失によって
透析再導入する際の免疫抑制薬の使い方，
減量方法について教えてください

Answer

1) 免疫抑制薬の調節には透析医・腎臓内科医と移植医との連携が
必要である．
2) 代謝拮抗薬はできるだけ透析再導入前から減量・中止する．
3) カルシニューリン阻害薬は透析再導入後 4〜6 週で中止する．
4) ステロイド薬は遅くとも透析再導入後半年以内には中止してい
く．

■ 1. 腎移植患者の腎機能喪失時の問題点

　腎移植患者の腎機能，グラフト機能が低下する原因は，慢性拒絶反応，
再発性腎炎，薬剤障害，ウイルス性腎炎など実に多様である．どの原因
が主であるにしても，末期腎不全状態だといって服用していた免疫抑制
薬とステロイド薬を急に中止することは拒絶反応を誘発し危険である．
その一方で，透析再導入前は，尿毒症病態，特に貧血と栄養状態の悪化
が進み，これを免疫抑制薬とステロイド薬がさらに悪化させるため，早
期の減量・中止が望ましい場合がある．腎移植患者の透析再導入時前後
では，免疫抑制薬とステロイド薬の調整を患者個々の病態に合わせて慎
重に実施する必要がある．

■ 2. 腎臓内科医と移植医とのコミュニケーション

　腎移植患者の腎機能が低下し，移植医から透析センターに透析再導入
依頼がくる．このとき重要な点は，透析医・腎臓内科医と移植医との十
分なコミュニケーションに基づいた免疫抑制薬とステロイド薬の調節で
ある．基本的に，免疫抑制薬は尿毒症症状と拒絶反応の状態に応じて透
析再導入前から徐々に減量・中止に向けて調節する．そして，ステロイ

ド薬は，透析再導入後に少し時間をかけゆっくり減量・中止する．減量・中止の過程では，拒絶反応とステロイド離脱症候群の双方に注意が必要である．この原則を理解し透析施設でも透析再導入時の患者管理をする必要がある．

■ 3. 透析再導入前の免疫抑制薬の調節

移植後再導入患者は，一般透析導入患者と比較し，貧血，低アルブミン血症，高窒素血症が目立つ傾向がある．このような状態を悪化させないため，ミコフェノール酸モフェチル（MMF）（セルセプト®）などの代謝拮抗薬がまず減量あるいは中止される．また，高カリウム血症，代謝性アシドーシスが顕著な場合は，シクロスポリン（ネオーラル®），タクロリムス（プログラフ®）などのカルシニューリン阻害薬の副作用も懸念して，これらを減量・中止していく．

近年の腎移植で一般的に使用される MMF は，尿毒症状態では骨髄での赤血球産生能を抑制しやすく，そのためヘモグロビン値が上昇しにくい．腎移植後の透析再導入患者は，一般透析患者と比較し高用量のエリスロポエチン製剤が必要といわれる[1]．このような薬剤性貧血に対し HIF-PH 阻害薬が有効かどうかは十分なエビデンスが現在のところはない．

■ 4. 再移植を希望している患者の免疫抑制薬の調節

再移植を希望している場合は，免疫抑制薬あるいはステロイド薬の完全中止は，再移植時期を睨んで決定していく必要がある．完全中止をすると，移植腎に対する抗体，つまり抗ドナー抗体の陽性化が起こり，再移植の際に拒絶反応を引き起こしやすい．また，貧血が強くても安易に輸血もできない．何故なら輸血によって抗ドナー抗体の陽性化や抗体価上昇が起こるからである．

■ 5. 透析再導入後の免疫抑制薬，ステロイド薬の中止

透析再導入後，血圧，貧血，栄養状態などが徐々に安定化していくなかで，免疫抑制薬やステロイド薬を中止していく．どの薬剤を優先し，どの程度の期間で中止するのか腎移植関連のガイドラインにも十分な記載はない．2つの文献からまとめると表1のようなスケジュールにな

表1 ■ 透析再導入時の免疫抑制薬とステロイド薬の減量中止の目安

代謝拮抗薬	
MMF	透析再導入時には可能であれば中止 遅くとも透析再導入後3カ月以内で中止
mTOR 阻害薬	透析再導入後4〜6週で中止
カルシニューリン阻害薬	透析再導入後4〜6週で中止
ステロイド薬	透析再導入時のステロイド量を2〜4週継続 その後, 月1mgのペースで減量し中止 遅くとも透析再導入後6カ月以内には中止 ただし, 残腎機能があり尿量が多い場合は1年以内で中止

表2 ■ 免疫抑制薬とステロイド薬を継続するメリットとデメリット

メリット	デメリット
残腎機能の維持	易感染性
拒絶反応の抑制	悪性腫瘍の発症
抗ドナー抗体の産生抑制	ESA 低反応性
副腎不全回避	副腎不全発症

ESA: 赤血球造血刺激因子製剤

る[2,3]. 代謝拮抗薬とカルシニューリン阻害薬は透析導入後1〜3カ月以内とやや早めに中止し, ステロイド薬は半年以内を目安に中止していく. この間に気をつけることは, 拒絶反応以外に, 感染症, 悪性腫瘍, 副腎不全によるステロイド離脱症候群などがあげられる (表2).

　しかし, 透析再導入後に免疫抑制薬とステロイド薬を継続するメリットも指摘されている. この点を表2にまとめた. 特に透析再導入後に残腎機能があり尿量が十分認められる症例では, やや長めに (1年程度) ステロイド薬を使用しこの残腎機能を維持することで, 尿毒症や水管理が容易になる.

■ 文献

1) Almond MK, Tailor D, Marsh FP, et al. Increased erythropoietin requirements in patients with failed renal transplants returning to a dialysis programme. Nephrol Dial Transplant. 1994; 9: 270-3.
2) Kassakian CT, Ajmal S, Gohh RY, et al. Immunosuppression in the failing and failed transplant kidney: optimizing outcomes. Nephrol Dial Transplant. 2016; 31: 1261-9.
3) Pham PT, Everly M, Faravardeh A, et al. Management of patients with a failed kidney transplant: Dialysis reinitiation, immunosuppression weaning, and transplantectomy. World J Nephrol. 2015; 4: 148-59.

〈西 慎一〉

索 引

あ行

アーガメイトゼリー®	262
アカンプロセートカルシウム	445
足関節-上腕血圧比	195
アシクロビル	84
アシクロビル脳症	84
アシルカルニチン	329
アスパルト	282
アスピリン	186, 191, 197, 204, 248
アスペルギルス	76
アセトアミノフェン	428, 430
アデノシン受容体拮抗薬	367
アデホビル	130
アテローム血栓性脳梗塞	201
アドヒアランス	397
アマンタジン	108
アミオダロン	165
アミカシン	63, 64, 65
アミティーザ®	263
アミノグリコシド系抗菌薬	61
アミノ酸	336
アメナメビル	84
アルガトロバン	204
アルギン酸ナトリウム	220
アロプリノール	305
アンジオテンシン受容体ネプリライシン阻害薬	170, 176
アンチトロンビン III 製剤	440
異常行動	112
胃食道逆流症	217
遺伝子組換え型ヒトトロンボモジュリン	440
イバブラジン	171
イメグリミン	273
インスリン	261, 280
インスリン抵抗改善薬	276
インターフェロン	139
インターフェロンγ遊離試験	69
インターフェロンフリー DAAs	137
院内感染	136
インフルエンザ	95, 107
インフルエンザワクチン	108, 120
インペアードパフォーマンス	424
ウパシカルセト	257, 395, 396
ウロセプシス	40
永続性心房細動	181
栄養補助食品	336
エキセナチド	288
エスシタロプラム	372
エゼチミブ	298
エチレフリン塩酸塩	179
エテルカルセチド	257, 395
エポエチンアルファ	409
エポエチンベータ	409
エポエチンベータペゴル	409
エボカルセト	257, 395
エリスロポエチン	405
エルバスビル＋グラゾプレビル併用	137, 140

エロビキシバット	263
塩酸アマンタジン	369
エンテカビル	130
エンピリック治療	32
オキシコドン	431
オザグレルナトリウム	204
オセルタミビル	107, 109, 111
オミクロン株	124

か行

核酸アナログ製剤	130
下肢大切断	194
活性型ビタミンD	388
カテーテルアブレーション	160, 182
カテーテル関連血流感染症	48
ガドリニウム含有造影剤	267
下部UTI	39
カペシタビン	232
カリウム	338, 403
カリウム吸着薬	260
カリメート®	261, 262
カルシニューリン阻害薬	447
カルシフィラキシス	197
カルシミメティックス	392
カルチコール®	261
カルバペネム系抗菌薬	58, 59
がん化学療法	229
ガンシクロビル	92
カンジダ	76
間質性肺炎	141
関節リウマチ分類基準	341
完全著効	136
肝代謝	156
肝庇護薬	139

肝庇護療法	138
記憶力	357
基質特異性拡張型 β-ラクタマーゼ	57
キノロン系薬剤耐性菌	40
キノロン耐性	149
逆流性食道炎	217
吸収	1
強化インスリン療法	283, 285
虚血性腸炎	237, 245
虚血性脳血管障害	196
禁煙補助薬	442
禁酒補助薬	442
グーフィス®	263
クエン酸第二鉄	254, 384
クオンティフェロン検査	69
組換え型組織プラスミノーゲン 活性化因子	203
グラム陰性桿菌	149
グラルギン	282
グリコアルブミン	272
クリニカルシナリオ	167
グルリジン	282
クレアチニンクリアランス	17
グレカプレビル/ピブレンタス ビル配合錠	138, 140
クロピドグレル	197
ケイキサレート®	262
経口栄養剤	337
蛍光眼底造影剤	266, 267
経口血糖降下薬	272, 282
頸動脈狭窄	206
頸動脈ステント留置術	209
頸動脈内膜剥離術	209
軽度認知機能障害	359

痙攣	59, 374
血液透析	1
血管グラフト感染	58
血管石灰化	197, 382, 400
血管内治療	198
血管バイパス	198
血漿蛋白結合率	9
血小板減少	93
血清フェリチン値	418
血清補正 Ca 濃度	401
血清リン濃度の目標値	385
血中半減期	150
血糖自己測定	284
血糖値	294
抗 MRSA 薬	53
降圧目標	174
降圧薬の選択	175
抗ウイルス療法	136
高カリウム血症	260
高カリウム血症治療薬	27
高カロリー輸液	335
抗がん薬	229
抗凝固薬	248
抗凝固療法	213
抗菌薬関連脳症	45
抗血小板薬	208, 248
抗血小板療法	207
抗血栓薬	248
抗血栓療法	206
抗コリン薬	366
抗真菌薬	76
抗スクレロスチン抗体	310
好中球減少	93
抗てんかん薬	375
高尿酸血症	305

公費助成制度	121
抗ヒスタミン薬	423
抗不整脈薬	159
高マグネシウム血症	237
高用量投与	152
高リン血症	420
骨粗鬆症	376
骨ミネラル代謝異常	427
ゴナトロピン®	436
コリンエステラーゼ阻害薬	
	356, 360

さ行

細菌性肺炎	33
細菌尿	39
催不整脈作用	157, 164
ザナミビル	107, 109, 111
サルポグレラート	197
残腎機能	7
時間依存性の抗菌薬	43
ジギタリス中毒	183
シクロスポリン	140
刺激性下剤	241
自殺危険率	371
シスプラチン	232, 233
持続的血液浄化療法	45
持続的血液濾過透析	17, 45
ジソピラミド	285
市中肺炎	32
シナカルセト	257, 394, 395, 397
シベンゾリン	285
脂肪乳剤	336
弱毒性水痘ワクチン	126
重症虚血肢	194
重症嚢胞感染症	152

修飾因子	154	心不全	157, 166
出血高危険度内視鏡	250	腎不全	1
出血性脳梗塞	204	心房細動	158, 160, 181, 211
出血低危険度内視鏡	250	心房細動合併透析患者	211
消化器がん	229	心房粗動	161, 164
小柴胡湯	141	遂行能力	357
上室性不整脈	158	睡眠障害	346
脂溶性ビタミン	320	水溶性ビタミン	320
常染色体優性多発性囊胞腎	148	スクレロスチン	312
上皮機能変容薬	241	スクロオキシ水酸化鉄	254, 385
上部 UTI	39	スタチン	192, 298
除菌治療	142	ステロイド	189, 431
徐脈性不整脈	156	ステロイド離脱症候群	448
ジルコニウムシクロケイ酸		ステント	186
ナトリウム水和物	262	生検	250
シルデナフィル	435	石灰化	185
シロスタゾール	197, 248	赤血球造血刺激因子	417
腎移植	90, 446	接触感染	59
腎盂腎炎	43	セフェム系薬剤	35
新型コロナウイルス	115	セベラマー塩酸塩	254, 384
新型コロナウイルス感染症		セマグルチド	288
	96, 114	セロトニン遮断再取り込み阻害薬	
心筋梗塞	196		371
心筋微小循環障害	185	潜在性結核感染症	68, 69
シングリックス	126	選択的 PPARα モジュレータ	299
心血管イベント	252	選択的セロトニン再取り込み	
心血管疾患	382	阻害薬	371
心原性脳塞栓症	212	セントラル透析液供給システム	
深在性真菌症	76		402
腎周囲膿瘍	40	せん妄	357
心腎貧血症候群	406	臓器保護効果	175
腎性全身性線維症	266, 267	相互作用	5, 140
腎性貧血	405	足趾–上腕血圧比	195
浸透圧下剤	240	速効型インスリン分泌促進薬	276
腎膿瘍	40	ソトロビマブ	118

ゾニサミド	366

た行

体液過剰	174
体液変動	177
代謝	2
代謝拮抗薬	448
帯状疱疹	84
帯状疱疹後神経痛	84, 126
帯状疱疹ワクチン	126
耐性菌	146
耐性結核	71
大腸菌	57
大腸憩室炎	244
大動脈石灰化	391
タクロリムス	140
多血管病	195
多嚢胞腎の嚢胞感染症	43
ダルベポエチンアルファ	409
単回注射薬	43
段階的疼痛管理法	427
炭酸カルシウム	383
炭酸ランタン	254, 384
胆汁酸トランスポーター阻害薬	
	241
蛋白結合率	44
蛋白質エネルギー栄養障害	335
チアミン	378
中枢神経抑制症状	348
中毒性表皮壊死融解症	46
中和抗体薬	118
腸管穿孔	240
直接経口抗凝固薬	252
鎮痒性外用薬	423
追加接種	124

低アルブミン血症	375
低回転骨	385
低血糖	280, 335
デグルデク	282
テストステロンデポ	436
鉄含有リン吸着薬	27
鉄の囲い込み	420
鉄の再利用	419
デテミル	282
デノスマブ	315, 316
テノホビル・アラフェナミド	131
テノホビル・ジソプロキシル	
フマル酸塩	131
デュラグルチド	288
デュロキセチン	432
てんかん	374
透析	4
透析アミロイドーシス	427, 429
透析液	293, 401
透析液 Ca 濃度	402
透析液重炭酸濃度	403
透析液ブドウ糖濃度	292
透析患者	90
透析起因性高血糖	284, 292
透析再導入	446
透析性	35
透析低血圧	178
透析の影響	44
糖尿病	294
投与量調整	17
ドセタキセル	231
ドパミンアゴニスト	366
トピロキソスタット	307
ドプス®	179
トラゾドン	372

トラマドール塩酸塩	430	
トランスフェリン飽和度	418	
鳥インフルエンザ A（H7N9）	110	
ドロキシドパ	179, 368	

な行

ナイアシン	324
ナルフラフィン塩酸塩	422
ニコチン製剤	444
ニューキノロン系抗菌薬	36, 149
ニューモシスチス肺炎	94, 95
ニューモバックス®NP	121
尿素含有製剤	423
尿素呼気試験	142
尿毒症物質	6
尿路感染症	38
尿路結石に伴う閉塞性腎盂腎炎	
	40
尿路原性敗血症	40
認知	357
濃度依存性の抗菌薬	43
脳動脈狭窄	206
膿尿	39
囊胞感染症	148
囊胞透過性	150
囊胞ドレナージ術	152

は行

肺炎	58
肺炎球菌ワクチン	121
排泄	3
パクリタキセル	231
パラシクロビル	84
バルガンシクロビル	92
バレニクリン	444

バロキサビル マルボキシル	
	107, 110, 111
パントテン酸	325
汎発性皮膚そう痒症	422
ビオチン	325
ビキサロマー	254, 384
非吸収性ポリマー	236
非ジヒドロピリジン系カルシウム	
拮抗薬	182
非ステロイド性消炎鎮痛薬	428
ビスホスホネート	313, 316
ビタミン	320
ビタミン A	325
ビタミン B_1	323, 378
ビタミン B_2	324
ビタミン B_6	323
ビタミン B_{12}	323
ビタミン C	323
ビタミン D	321
ビタミン E	321
ビタミン K	214, 321
ビタミン過剰症	327
ビタミン欠乏症	323
非特異尿路感染症	39
被囊性腹膜硬化症	237
皮膚灌流圧	195
皮膚粘膜眼症候群	46
ピロリ菌	142
頻脈性不整脈	154
フィブラート	298
フェブキソスタット	305
フェンタニル	431
副甲状腺摘出術	397
複雑性尿路感染症	39
副作用	5, 45

腹膜炎	64, 65
腹膜透析	7
服薬アドヒアランス低下	25
不整脈	154
ブドウ糖	336
ブドウ糖濃度	278, 293
ブプレノルフィン	431
不眠	346
プラミペキソール	353
プレガバリン	432
プロカルシトニン	39
プロテインC	213
プロトンポンプ阻害薬	144, 218
分子標的治療薬	232
分布	2
分布容積	9
併用投与	151
ペグインターフェロン	130
ヘパリン置換	249
ヘパリン類似物質製剤	423
ヘプシジン	419
ペマフィブラート	299
ベラプロスト	197
ペラミビル	107, 109, 111
ヘルペス感染症	84
便秘	236, 254
膀胱炎	41
保湿薬	423
ホスホジエステラーゼ5阻害薬	
	435
勃起不全	434
発作性上室頻拍	161, 164
ボノプラザン	144, 218
ポラプレジンク	435

ポリスチレンスルホン酸	
カルシウム	262
ポリスチレンスルホン酸	
ナトリウム	262
ポリファーマシー	25

ま行

マキサカルシトール	396
マグネシウム	403
末梢動脈疾患	194
慢性動脈閉塞症	196
ミコフェノール酸モフェチル	447
ミトコンドリア機能改善薬	277
ミネラルコルチコイド受容体	
拮抗薬	170
ミロガバリン	432
無症候性心筋虚血	185
むずむず脚症候群	350
メタロ-β-ラクタマーゼ産生菌	
	40
メチル硫酸アメジニウム	179
免疫チェックポイント阻害薬	232
持ち越し効果	348
持ち込み例	135
モニタリング	183
モノアミン酸化酵素B阻害薬	
	367
モルヌピラビル	118

や行

夜間勃起	435
薬剤性腎障害	45
薬剤耐性変異株	131
薬剤の選択	3
薬物血中濃度モニタリング	40

遊離カルニチン	329
陽イオン交換樹脂	236
葉酸	323
ヨード造影剤	266
抑うつ状態	370
抑肝散	347

ら行

ラクナ梗塞	201
ラニナミビル	107, 109, 111
ラミブジン	130
リキシセナチド	288
リスプロ	282
リズミック®	179
リズムコントロール	159
リナクロチド	263
リバース・エピデミオロジー	304
リビドー低下	436
リラグルチド	288
リン	338
リン吸収阻害薬	382
リン吸着の効力比	382
リン吸着薬	27, 254, 382
リン制限の栄養指導	382
リンゼス®	263
ルビプロストン	263
レートコントロール	159
レグナイト	354
レスピラトリーニューキノロン	
	33
レボドパ	364
レムデシビル	116
ロケルマ®	262
ロチゴチン	351
肋骨脊柱角部叩打痛	39

わ行

ワクチン	94
ワセリン	423
ワルファリン	197, 211

A

α-GI	275
AAE	45
ABI（ankle-brachial pressure index）	195
ADPKD	148
ADV	130
ADVANCE study	394
Alzheimer 型認知症	358
APD	8
ARNI	170, 176
augmentation	353

B

β_2MG 吸着カラム	429
β 遮断薬	156, 160, 169, 182, 192
β-ラクタマーゼ阻害薬配合 ペニシリン	33
Basal-Bolus 療法	283
bDMARS	342
BEVOLVE study	394
BOT（Basal Supported Oral Therapy）	284
BRONJ	314
B 型肝炎ウイルス	129
B 型肝炎治療ガイドライン	129
B 型肝炎ワクチン	122

C

CABG	190
calcimimetics	257
CAM	71
CAPD	8
Ca 拮抗薬	160
C. difficile 腸管感染症	222
CHADS2 スコア	212
CHDF	45, 64, 65
CJD	358
CKD−MBD	311, 389, 400, 420, 427, 429
CLI（critical limb ischemia）	194
CMV 胃腸炎	91
CMV の抗原	91
CMV 肺炎	91
collagenous colitis	222
COMT 阻害薬	368
COVID−19	96, 114
COVID−19 ワクチン	123
COX−2（cyclooxygenase 2）	428
COX−2 阻害薬	430
CRBSI	48
CRRT	45
csDMARS	342
CVA	39
CYP3A4	189
C 型ウイルス肝炎	135
C 型肝炎治療ガイドライン	137

D

DAAs（direct acting antivirals）	136
DAPT（dual antiplatelet therapy）	187, 191, 203
de−escalation	43
DIC	439
DLB	358
DOAC	249, 252
DPP−4 阻害薬	276, 277

E

East Asian Paradox	189
empiric therapy	41
EPO	405
ESA	417
ESA 製剤	410
ESA 抵抗性	420
ESBL（extended spectrum beta lactamase）産生菌	40, 57
ETV	131
EVT（endovascular treatment）	198

F・G

FTLD	358
GA（glycated albumin）	272, 279
GLP−1	273
GLP−1 受容体作動薬	276

H

H_2 遮断薬	218
HAART	102
HbA1c	279
HBR	187
HBV	129
HCV 抗体陽性率	135
HD	44

HFpEF	166
HFrEF	166
HIF-PH 阻害薬	407, 411, 419
HIV 感染症	102

I

IGRA（interferon gamma release assay）	69
ITA	190

J・K

JAKi	342
KDIGO	311, 389

L

LAM	130
L-dopa	364
LTBI（latent tuberculosis infection）	69, 70, 72

M

MAO-B 阻害薬	367
MBD-5D 研究	392, 394
MCI	359
MMF	447
MMSE	356
MoCA	356, 359
MRA	170
MRI	149
MRSA 感染症	53
MRSA 菌血症	53

N

NaSSA	372
NMDA 受容体拮抗薬	359

non-HDL-C	299
NSAIDs	223, 428, 430
N-メチル-D-アスパラギン酸 受容体拮抗薬	359

O・P

one-time intravenous agent	43
P2Y12 阻害薬	186
PAD（peripheral arterial disease）	194
PAE（post antibiotic effect）	43
Parkinson 病	363
PBR	44
PCI	190
PCT	39
PDE5 阻害薬	435
PD クリアランス	14
PD 腹膜炎	11
Peg-IFN	130
PTH	310, 388
PT-INR	213, 214
PTx	397

Q

QFT	69
QTc 延長	372

R

RANKL 抗体製剤	310
RAS 阻害薬	169, 192
RLS（restless legs syndrome）	350
ROD	310, 311, 388
rt-PA（recombinant tissue plasminogen activator）	203

S

S1	232
SARI	371
SARS-CoV-2	115
SERM	310, 313
SGLT2 阻害薬	170
SHPT	312
SMBG（self-monitoring of blood glucose）	284
SNRI	372
SOST	312, 316
SPPARMα	299
SPP（skin perfusion pressure）	195
SSRI	371
Stevens-Johnson 症候群	46
SU 薬	276
SVR12 達成率	138
SVR（sustained virological response）	136

T

TAF	131
TBI（toe-brachial pressure index）	195
TDF	131
TDM	13, 40
TEN	46
tenderness	39
TMV 分類	311
TSAT	418

U

UTI	38
U 字型現象	174

V

VaD	358
Vaughan Williams 分類	157
Vd	9
VDRA	313, 389, 397

W

WAB	177
Wernicke 脳症	378

いまさら訊けない！
透析患者薬剤の考えかた，使いかた Q&A　　　　Ⓒ

発　行	2015 年 6 月 30 日	1 版 1 刷
	2018 年 1 月 10 日	2 版 1 刷
	2022 年 6 月 25 日	3 版 1 刷

編著者　加　藤　明　彦

発行者　株式会社　中外医学社

　　　　代表取締役　青　木　　滋

　　　　〒 162-0805　東京都新宿区矢来町 62
　　　　電　話　　(03) 3268-2701 (代)
　　　　振替口座　　00190-1-98814 番

印刷・製本／三和印刷 (株)　　　　　　　　＜ KH・YT ＞
ISBN978-4-498-22478-0　　　　　　　　　Printed in Japan

JCOPY　＜(社) 出版者著作権管理機構 委託出版物＞

本書の無断複製は著作権法上での例外を除き禁じられています．
複製される場合は，そのつど事前に，(社) 出版者著作権管理機構 (電
話 03-5244-5088，FAX 03-5244-5089，e-mail: info@jcopy. or. jp)
の許諾を得てください．